AS VEIAS ABERTAS DA AMÉRICA LATINA

Livros do autor publicados pela **L&PM** EDITORES:

Amares
Bocas do tempo
O caçador de histórias
De pernas pro ar: a escola do mundo ao avesso
Dias e noites de amor e de guerra
Espelhos – uma história quase universal
Fechado por motivo de futebol
Os filhos dos dias
Futebol ao sol e à sombra
O livro dos abraços
Mulheres
As palavras andantes
O teatro do bem e do mal
Trilogia "Memória do fogo" (Série Ouro)
Trilogia "Memória do fogo":
    Os nascimentos (vol. 1)
    As caras e as máscaras (vol. 2)
    O século do vento (vol. 3)
Vagamundo
As veias abertas da América Latina

EDUARDO GALEANO

AS VEIAS ABERTAS DA AMÉRICA LATINA

Tradução de Sergio Faraco

Texto de acordo com a nova ortografia.

Título original: *Las venas abiertas de América Latina*
Também está disponível na Coleção L&PM POCKET

Este livro foi lançado em 1971 em espanhol
Publicado pela primeira vez no Brasil em 1978 (Editora Paz e Terra)
1ª edição pela L&PM EDITORES, com tradução de Sergio Faraco: outubro de 2010
Esta edição comemorativa aos 50 anos do lançamento em espanhol: julho de 2021
Esta reimpressão: junho de 2025

Tradução: Sergio Faraco
Capa: Ana C. Zelada & Rompo
Ilustrações: Tute
Revisão: Jó Saldanha

CIP-Brasil. Catalogação na publicação
Sindicato Nacional dos Editores de Livros, RJ

G15v

    Galeano, Eduardo, 1940-2015
        As veias abertas da América Latina / Eduardo Galeano; tradução Sergio Faraco. – Porto Alegre: L&PM, 2021.
        344 p. ; 23 cm.

        Tradução de: *Las venas abiertas de América Latina*
        ISBN 978-65-5666-186-5

        1. América Latina - Condições econômicas. 2. América Latina - Condições sociais. I. Faraco, Sergio. II. Título.

21-71512   CDD: 330.98
                      CDU: 330(8)

Leandra Felix da Cruz Candido - Bibliotecária - CRB-7/6135

© Eduardo Galeano, 2010

Todos os direitos desta edição reservados a L&PM Editores
Rua Comendador Coruja, 314, loja 9 – Floresta – 90.220-180
Porto Alegre – RS – Brasil / Fone: 51.3225.5777

Pedidos & Depto. Comercial: vendas@lpm.com.br
Fale conosco: info@lpm.com.br
www.lpm.com.br

Impresso no Brasil
Outono de 2025

Sumário

Prefácio à edição de 2010 / 9

INTRODUÇÃO
120 milhões de crianças no centro da tormenta / 15

PRIMEIRA PARTE
A pobreza do homem como resultado da riqueza da terra

FEBRE DO OURO, FEBRE DA PRATA / 27
O signo da cruz nas empunhaduras das espadas / 27
Retornavam os deuses com as armas secretas / 31
"Como uns porcos famintos, anseiam pelo ouro" / 35
Esplendores de Potosí: o ciclo da prata / 36
A Espanha tinha a vaca, mas outros tomavam o leite / 39
A distribuição de funções entre o cavalo e o cavaleiro / 44
Ruínas de Potosí: o ciclo da prata / 48
O derramamento do sangue e das lágrimas: e, no entanto, o Papa tinha resolvido que os índios tinham alma / 55
A nostalgia belicosa de Túpac Amaru / 59
A Semana Santa dos índios termina sem ressurreição / 63
Vila Rica de Ouro Preto: a Potosí de ouro / 68
Contribuição do ouro do Brasil para o progresso da Inglaterra / 73

O REI AÇÚCAR E OUTROS MONARCAS AGRÍCOLAS / 77
As plantações, os latifúndios e o destino / 77
O assassinato da terra no Nordeste do Brasil / 79
Castelos de açúcar sobre os solos queimados de Cuba / 85
A revolução ante a estrutura da impotência / 89
O açúcar era o punhal, o império o assassino / 92
Graças ao sacrifício dos escravos no Caribe nasceram a máquina de James Watt e os canhões de Washington / 97
O arco-íris é a rota de retorno à Guiné / 102
A venda de camponeses / 106

O ciclo da borracha: Caruso inaugura um teatro monumental no meio da floresta / 107
Os plantadores de cacau acendiam seus charutos com notas de quinhentos mil-réis / 111
Braços baratos para o algodão / 114
Braços baratos para o café / 117
A cotação do café lança ao fogo as colheitas e determina o ritmo dos casamentos / 119
Dez anos que dessangraram a Colômbia / 123
A varinha mágica do mercado mundial desperta a América Central / 126
Os filibusteiros na abordagem / 128
A crise dos anos 30: "Matar uma formiga é crime maior do que matar um homem" / 131
Quem desencadeou a violência na Guatemala? / 134
A primeira reforma agrária da América Latina: um século e meio de derrotas para José Artigas / 137
Artemio Cruz e a segunda morte de Emiliano Zapata / 142
O latifúndio multiplica as bocas, mas não os pães / 148
As treze colônias do norte e a importância de não nascer importante / 153

As fontes subterrâneas do poder / 157
A economia norte-americana precisa dos minerais da América Latina como os pulmões precisam de ar / 157
O subsolo também produz golpes de Estado, revoluções, histórias de espionagens e aventuras na floresta amazônica / 159
Um químico alemão derrotou os vencedores da Guerra do Pacífico / 163
Dentes de cobre sobre o Chile / 168
Os mineiros do estanho, por baixo e por cima da terra / 171
Dentes de ferro sobre o Brasil / 177
O petróleo, as maldições e as façanhas / 182
O lago de Maracaibo no bucho dos grandes abutres do metal / 192

SEGUNDA PARTE
O desenvolvimento é uma viagem com mais náufragos do que navegantes

História da morte prematura / 201
Do rio, os navios de guerra britânicos saudavam a independência / 201

As dimensões do infanticídio industrial / 204
Protecionismo e livre-câmbio na América Latina: o curto voo de Lucas Alamán / 208
As lanças montoneras e o ódio que sobreviveu a Juan Manuel Rosas / 211
A Guerra da Tríplice Aliança contra o Paraguai aniquilou a única experiência exitosa de desenvolvimento independente / 217
Os empréstimos e as ferrovias na deformação econômica da América Latina / 228
Protecionismo e livre-câmbio nos Estados Unidos: o êxito não foi obra de uma mão invisível / 231

A ESTRUTURA CONTEMPORÂNEA DA ESPOLIAÇÃO / 239
Um talismã vazio de poderes / 239
São as sentinelas que abrem as portas: a esterilidade culpável da burguesia nacional / 242
Que bandeira drapeja sobre as máquinas? / 249
O bombardeio do Fundo Monetário Internacional facilita o desembarque dos conquistadores / 255
Os Estados Unidos cuidam de sua poupança interna e dispõem da alheia: a invasão dos bancos / 259
Um império que importa capitais / 260
Os tecnocratas exigem a bolsa ou a vida com mais eficácia do que os marines / 263
A industrialização não altera a organização da desigualdade no mercado mundial / 274
A deusa Tecnologia não fala espanhol / 281
A marginalização dos homens e das regiões / 285
A integração da América Latina sob a bandeira listrada e estrelada / 291
"Nunca seremos felizes, nunca", profetizara Simón Bolívar / 298

SETE ANOS DEPOIS / 303

ÍNDICE REMISSIVO / 327

Prefácio à edição de 2010

Eduardo Galeano

Este volume oferece uma nova versão brasileira de *As veias abertas da América Latina*.

Esta tradução, excelente trabalho de Sergio Faraco, melhora a não menos excelente tradução anterior, de Galeno de Freitas. E graças ao talento e à boa vontade destes dois amigos, meu texto original, escrito há quarenta anos, soa melhor em português do que em espanhol.

*

O autor lamenta que o livro não tenha perdido atualidade. A história não quer se repetir – o amanhã não quer ser outro nome do hoje –, mas a obrigamos a se converter em destino fatal quando nos negamos a aprender as lições que ela, senhora de muita paciência, nos ensina dia após dia.

*

Segundo a voz de quem manda, os países do sul do mundo devem acreditar na *liberdade de comércio* (embora não exista), em *honrar a dívida* (embora seja desonrosa), em *atrair investimentos* (embora sejam indignos) e em *entrar no mundo* (embora pela porta de serviço).

Entrar no mundo: o mundo é o mercado. O mercado mundial, onde se compram países. Nada de novo. A América Latina nasceu para obedecê-lo, quando o mercado mundial ainda não se chamava assim, e aos trancos e barrancos continuamos atados ao dever de obediência.

Essa triste rotina dos séculos começou com o ouro e a prata, e seguiu com o açúcar, o tabaco, o guano, o salitre, o cobre, o estanho, a borracha, o cacau, a banana, o café, o petróleo... O que nos legaram esses esplendores? Nem herança nem bonança. Jardins transformados em desertos, campos abandonados, montanhas esburacadas, águas estagnadas, longas caravanas de infelizes condenados à morte precoce e palácios vazios onde deambulam os fantasmas.

Agora é a vez da soja transgênica, dos falsos bosques da celulose e do novo cardápio dos automóveis, que já não comem apenas petróleo ou gás, mas também milho e cana-de-açúcar de imensas plantações. Dar de comer aos carros é mais importante do que dar de comer às pessoas. E outra vez voltam as glórias efêmeras, que ao som de suas trombetas nos anunciam grandes desgraças.

*

Nós nos negamos a escutar as vozes que nos advertem: os sonhos do mercado mundial são os pesadelos dos países que se submetem aos seus caprichos. Continuamos aplaudindo o sequestro dos bens naturais com que Deus, ou o Diabo, nos distinguiu, e assim trabalhamos para a nossa perdição e contribuímos para o extermínio da escassa natureza que nos resta.

Exportamos produtos ou exportamos solos e subsolos? Salva-vidas de chumbo: em nome da modernização e do progresso, os bosques industriais, as explorações mineiras e as plantações gigantescas arrasam os bosques naturais, envenenam a terra, esgotam a água e aniquilam pequenos plantios e as hortas familiares. Essas empresas todo-poderosas, altamente modernizadas, prometem mil empregos, mas ocupam bem poucos braços. Talvez elas bendigam as agências de publicidade e os meios de comunicação que difundem suas mentiras, mas amaldiçoam os camponeses pobres. Os expulsos da terra vegetam nos subúrbios das grandes cidades, tentando consumir o que antes produziam. O êxodo rural é a *agrária reforma*; a reforma agrária ao contrário.

Terras que poderiam abastecer as necessidades essenciais do mercado interno são destinadas a um só produto, a serviço da demanda estrangeira. Cresço para fora, para dentro me esqueço. Quando cai o preço internacional desse único produto, alimento ou matéria-prima, junto com o preço caem os países que de tal produto dependem. E quando a cotação subitamente vai às nuvens, no louco sobe e desce do mercado mundial, ocorre um trágico paradoxo: o aumento dos preços dos alimentos, por exemplo, enche os bolsos dos gigantes do comércio agrícola e, ao mesmo tempo, multiplica a fome das multidões que não podem pagar seu encarecido pão de cada dia.

*

O passado é mudo? Ou continuamos sendo surdos?

As veias abertas da América Latina nasceu pretendendo difundir informações desconhecidas. O livro compreende muitos temas, mas talvez nenhum deles tenha tanta atualidade como esta obstinada rotina da desgraça: a monocultura é uma prisão. A diversidade, ao contrário, liberta. A independência se restringe ao hino e à bandeira se não se fundamenta na soberania alimentar. Tão só a diversidade produtiva pode nos defender dos mortíferos golpes da cotação internacional, que oferece pão para hoje e fome para amanhã. A autodeterminação começa pela boca.

Em 27 de julho de 2001, o presidente dos Estados Unidos, George W. Bush, perguntou aos seus compatriotas:

— *Vocês já imaginaram um país incapaz de cultivar alimentos suficientes para prover sua população? Seria uma nação exposta a pressões internacionais. Seria uma nação vulnerável. Por isso, quando falamos de agricultura, estamos falando de uma questão de segurança nacional.*

Foi a única vez em que não mentiu.

Montevidéu, 2010

Este livro não teria sido possível sem a colaboração que, de um modo ou de outro, prestaram Sergio Bagú, Luis Carlos Benvenuto, Fernando Carmona, Adicea Castillo, Alberto Couriel, André Gunder Frank, Rogelio García Lupo, Miguel Labarca, Carlos Lessa, Samuel Lichtensztejn, Juan A. Oddone, Adolfo Perelman, Artur Poerner, Germán Rama, Darcy Ribeiro, Orlando Rojas, Julio Rossiello, Paulo Schilling, Karl-Heinz Stanzick, Vivian Trías e Daniel Vidart.

A eles, e aos inúmeros amigos que me incentivaram no trabalho destes últimos anos, dedico o resultado, do qual, por certo, são inocentes.

Eduardo Galeano
Montevidéu, fins de 1970

> *Temos observado um silêncio muito parecido com a estupidez.*
>
> Proclamação insurrecional da Junta Tuitiva na cidade de La Paz, em 16 de julho de 1809

Introdução

120 milhões de crianças no centro da tormenta

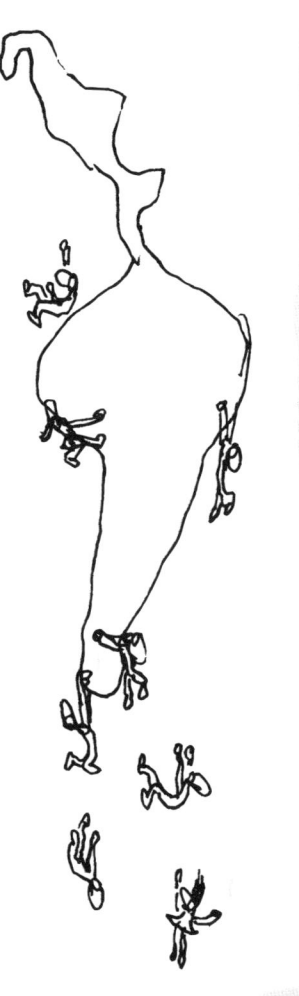

A divisão internacional do trabalho significa que alguns países se especializam em ganhar e outros em perder. Nossa comarca no mundo, que hoje chamamos América Latina, foi precoce: especializou-se em perder desde os remotos tempos em que os europeus do Renascimento se aventuraram pelos mares e lhe cravaram os dentes na garganta. Passaram-se os séculos e a América Latina aprimorou suas funções. Ela já não é o reino das maravilhas em que a realidade superava a fábula e a imaginação era humilhada pelos troféus da conquista, as jazidas de ouro e as montanhas de prata. Mas a região continua trabalhando como serviçal, continua existindo para satisfazer as necessidades alheias, como fonte e reserva de petróleo e ferro, de cobre e carne, frutas e café, matérias-primas e alimentos, destinados aos países ricos que, consumindo-os, ganham muito mais do que ganha a América Latina ao produzi-los. Os impostos que cobram os compradores são muito mais altos do que os valores que recebem os vendedores. Como declarou em julho de 1968 Covey T. Oliver, coordenador da Aliança para o Progresso, "falar hoje em dia de preços justos é um conceito medieval. Estamos em plena vigência do livre-comércio".

Quanto mais liberdade se concede aos negócios, mais cárceres precisam ser construídos para aqueles que padecem com os negócios. Nossos sistemas de inquisidores e verdugos não funcionam apenas para o mercado externo dominante, também proporcionam caudalosos mananciais de lucros que fluem dos empréstimos e dos investimentos estrangeiros nos mercados internos dominados. "Já se ouviu falar de concessões feitas pela América Latina para o capital estrangeiro, mas não de concessões feitas pelos Estados Unidos para o capital de outros países (...). É que nós não fazemos concessões", advertia o presidente norte-americano Woodrow Wilson, por volta de 1913. Ele estava convicto: "Um país", dizia, "é possuído e dominado pelo capital que nele foi investido". E tinha razão. Pelo caminho perdemos até o direito de nos chamarmos *americanos*, embora os haitianos e os cubanos já estivessem inscritos na História, como novos povos, um século antes que os peregrinos do *Mayflower* se estabelecessem nas costas de Plymouth. Agora, para o mundo, América é tão só os Estados Unidos, e nós quando muito habitamos uma sub-América, uma América de segunda classe, de nebulosa identidade.

É a América Latina, a região das veias abertas. Do descobrimento aos nossos dias, tudo sempre se transformou em capital europeu ou, mais tarde, norte-americano, e como tal se acumulou e se acumula nos distantes centros do poder. Tudo: a terra, seus frutos e suas profundezas ricas em minerais, os homens e sua capacidade de trabalho e de consumo, os recursos naturais e os recursos humanos. O modo de produção e a estrutura de classes de cada lugar foram sucessivamente determinados, do exterior, por sua incorporação à engrenagem universal do capitalismo. Para cada um se atribuiu uma função, sempre em benefício do desenvolvimento da metrópole estrangeira do momento, e se tornou infinita a cadeia de sucessivas dependências, que têm muito mais do que dois elos e que, por certo, também compreende, dentro da América Latina, a opressão de países pequenos pelos maiores seus vizinhos, e fronteiras adentro de cada país, a exploração de suas fontes internas de víveres e mão de obra pelas grandes cidades e portos (há quatro séculos já haviam nascido dezesseis das 20 cidades latino-americanas atualmente mais populosas).

Para os que concebem a História como uma contenda, o atraso e a miséria da América Latina não são outra coisa senão o resultado de seu fracasso. Perdemos; outros ganharam. Mas aqueles que ganharam só puderam ganhar porque perdemos: a história do subdesenvolvimento da América Latina integra, como já foi dito, a história do desenvolvimento do capitalismo mundial. *Nossa derrota esteve sempre implícita na vitória dos outros. Nossa riqueza sempre gerou nossa pobreza por nutrir a prosperidade alheia: os impérios e seus beleguins nativos. Na alquimia colonial e neocolonial o ouro se transfigura em sucata, os alimentos em veneno.* Potosí, Zacatecas e Ouro Preto caíram de ponta-cabeça da grimpa de esplendores dos metais preciosos no fundo buraco dos socavões vazios, e a ruína foi o destino do pampa chileno do salitre e da floresta amazônica da borracha; o nordeste açucareiro do Brasil, as matas argentinas de quebrachos ou certos povoados petrolíferos do lago de Maracaibo têm dolorosas razões para acreditar na mortalidade das fortunas que a natureza dá e o imperialismo toma. *A chuva que irriga os centros do poder imperialista afoga os vastos subúrbios do sistema. Do mesmo modo, e simetricamente, o bem-estar de nossas classes dominantes – dominantes para dentro, dominadas de fora – é a maldição de nossas multidões, condenadas a uma vida de bestas de carga.*

A diferença se acentua. Até meados do século passado o nível de vida dos países ricos do mundo excedia em 50 por cento o nível dos países pobres. O desenvolvimento desenvolve a desigualdade: em seu discurso na OEA em abril de 1969, Richard Nixon anunciou que ao fim do século XX a renda *per capita* nos Estados Unidos seria quinze vezes maior do que na América Latina. A força do conjunto do sistema imperialista reside na necessária desigualdade das partes que o formam, e essa desigualdade assume magnitudes cada vez mais dramáticas. Os países opressores se tornam cada vez mais ricos em termos absolutos, pelo dinamismo da disparidade crescente. O capitalismo *central* pode dar-se ao luxo de criar seus próprios mitos e acreditar neles, mas mitos não se comem, bem sabem os países pobres que constituem o vasto capitalismo *periférico*. A renda média de um cidadão norte-americano é sete vezes maior do que a de um latino-americano, e aumenta num ritmo dez vezes mais intenso. E as médias enganam, a julgar pelos insondáveis abismos que se abrem ao sul do rio Bravo, entre os muitos pobres e os poucos ricos da região. No topo, 6 milhões de latino-americanos, segundo as Nações Unidas, obtiveram uma renda igual à de 140 milhões de pessoas situadas na base da pirâmide social. Há 60 milhões de camponeses cuja fortuna não ultrapassa 25 centavos de dólar ao dia; no outro extremo, os proxenetas da desgraça dão-se ao luxo de acumular cinco bilhões de dólares em suas contas particulares na Suíça e nos Estados Unidos, e dissipam na ostentação, no luxo estéril – ofensa e desafio – e em investimentos improdutivos, que constituem nada menos do que a metade do investimento total, os capitais que a América Latina poderia destinar à reposição, à ampliação e à criação de fontes de produção e de trabalho. Desde sempre incorporadas à constelação do poder imperialista, nossas classes dominantes não têm o menor interesse em averiguar se o patriotismo resultaria mais rentável do que a traição ou se a mendicância é realmente a única forma possível da política internacional. Hipoteca-se a soberania porque "não há outro caminho"; os álibis da oligarquia deliberadamente confundem a impotência de uma classe social com o suposto destino vazio de cada nação.

Josué de Castro declara: "Eu, que recebi um prêmio internacional da paz, penso que, infelizmente, não há solução além da violência para a América Latina". E 120 milhões de crianças se agitam no centro dessa tormenta. A população da América Latina cresce como nenhuma outra, em meio século triplicou com sobras. A cada minuto morre uma criança de doença ou de fome, mas no ano 2000 haverá 650 milhões de latino-americanos, e a metade terá menos de 15 anos de idade: *uma bomba-relógio*. Em fins de 1970, entre os 280 milhões de latino-americanos há 50 milhões de desempregados ou subempregados e cerca de 100 milhões de analfabetos. A metade dos latino-americanos vive amontoada em casebres insalubres. Os três maiores mercados da América Latina – Argentina, Brasil e México –, somados, não chegam a igualar a capacidade de consumo da França ou da Alemanha Ocidental, embora as populações reunidas de nossos três *grandes* excedam largamente a de qualquer país europeu. A América Latina produz hoje, na relação com a população, menos alimentos do que no período anterior à última guerra mundial, e suas exportações *per capita*, a preços constantes, diminuíram três vezes desde a véspera da crise de 1929.

O sistema é muito racional do ponto de vista de seus donos estrangeiros e de nossa burguesia comissionista, que vendeu a alma ao Diabo por um preço que deixaria Fausto envergonhado. Mas o sistema é tão irracional para todos os outros que, quanto mais se desenvolve, mais aguça seus desequilíbrios e tensões, suas candentes contradições. Até a industrialização, dependente e tardia, que comodamente coexiste com o latifúndio e as estruturas da desigualdade, contribui para semear o desemprego, em vez de ajudar a resolvê-lo; alastra-se a pobreza e se concentra a riqueza nesta região de imensas legiões de braços cruzados que se multiplicam sem parar. Novas fábricas se estabelecem nos polos privilegiados do desenvolvimento – São Paulo, Buenos Aires, Cidade do México – e cada vez menos mão de obra eles necessitam.

O sistema não previu este pequeno incômodo: o que sobra é gente. E gente se reproduz. Faz-se o amor com entusiasmo e sem precauções. Cada vez resta mais gente à beira do caminho, sem trabalho no campo, onde o latifúndio reina com suas gigantescas terras improdutivas, e sem trabalho na cidade, onde reinam as máquinas: o sistema vomita homens. As missões norte-americanas esterilizam as mulheres e semeiam pílulas, diafragmas, DIUS, preservativos e calendários marcados, mas colhem crianças. Teimosamente, as crianças latino-americanas continuam nascendo, reivindicando seu direito natural de ter um lugar ao sol nessas terras esplêndidas, que poderiam dar a todos o que a quase todos negam.

No princípio de novembro de 1968, Richard Nixon constatou em voz alta que a Aliança para o Progresso completara sete anos de vida e, no entanto, agravara--se a desnutrição e a escassez de alimentos na América Latina. Poucos meses antes, em abril, George W. Ball escrevia na *Life*: "Ao menos nas próximas décadas a insatisfação das nações mais pobres não significará uma ameaça de destruição do mundo. Por vergonhoso que seja, durante gerações o mundo tem sido dois terços pobre e um terço rico. Por injusto que seja, é limitado

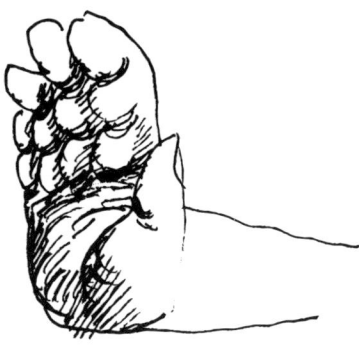

o poder dos países pobres". Ball tinha encabeçado a delegação dos Estados Unidos à Primeira Conferência de Comércio e Desenvolvimento, em Genebra, e votara contra nove dos doze princípios gerais aprovados pela conferência, com o objetivo de atenuar as desvantagens dos países subdesenvolvidos no comércio internacional.

São secretas as matanças da miséria na América Latina. A cada ano, silenciosamente, sem estrépito algum, explodem três bombas de Hiroshima sobre esses povos que têm o costume de sofrer de boca calada. Essa violência sistemática, não aparente, mas real, vem aumentando: seus crimes não são noticiados pelos diários populares, mas pelas estatísticas da FAO. Ball diz que a impunidade ainda é possível porque os pobres não podem desencadear a guerra mundial, mas o império se preocupa: incapaz de multiplicar os pães, faz o possível para suprimir os comensais. "Combata a pobreza, mate um mendigo", grafitou um mestre do humor negro num muro de La Paz. O que propõem os herdeiros de Malthus senão matar todos os futuros mendigos antes que nasçam? Robert McNamara, o presidente do Banco Mundial que tinha sido presidente da Ford e Secretário da Defesa, afirma que a explosão demográfica constitui o maior obstáculo ao progresso da América Latina, e anuncia que o Banco Mundial, em seus empréstimos, dará preferência aos países que executarem planos de controle da natalidade. McNamara constata, com lástima, que o cérebro dos pobres pensa 25 por cento menos, e os tecnocratas do Banco Mundial (que já nasceram) fazem zumbir os computadores e geram intrincados cálculos sobre as vantagens de não nascer. "Se um país em desenvolvimento, que tem uma renda média *per capita* de 150 a 200 dólares anuais, puder reduzir sua fertilidade em 50 por cento num período de 25 anos, ao cabo de 30 anos sua renda *per capita*, quando menos, será 40 por cento superior ao nível que teria alcançado sem reduzir os nascimentos, e duas vezes maior ao cabo de 60 anos", assegura um dos documentos do organismo. Tornou-se célebre a frase de Lyndon Johnson: "Cinco dólares investidos contra o crescimento da população são mais eficazes do que 100 investidos no crescimento econômico". Dwight Eisenhower prognosticou que, se os habitantes da terra continuarem a se multiplicar no mesmo ritmo, não só se aguçará o perigo da revolução como também se produzirá "uma degradação no nível de vida de todos os povos, *o nosso inclusive*".

Os Estados Unidos não sofrem, fronteiras adentro, o problema da explosão demográfica, mas se preocupam como ninguém em difundir e impor o planejamento familiar aos quatro pontos cardeais. Não só o governo: também Rockefeller e a Fundação Ford padecem de pesadelos por causa dos milhões de crianças que avançam, como lagostas, dos horizontes do Terceiro Mundo. Platão e Aristóteles ocuparam-se do tema antes de Malthus e McNamara. Em nosso tempo, contudo, toda essa ofensiva universal cumpre uma função bem definida: quer justificar a desigual distribuição de renda entre países e entre classes sociais, quer convencer os pobres de que a pobreza é consequência dos filhos que não evitam e opor um dique ao avanço da fúria das massas em movimento e rebelião. No sudeste asiático os dispositivos intrauterinos competem com bombas e metralhadores, no esforço de deter o crescimento da população do Vietnam. *Na América Latina, é mais higiênico e eficaz matar guerrilheiros no útero do que nas montanhas ou nas ruas.* Diversas missões norte-americanas esterilizaram milhares de mulheres na Amazônia, embora seja esta a zona habitável mais deserta do planeta. Na maior parte dos países latino-americanos não sobra gente: falta. O Brasil tem 38 vezes menos habitantes por quilômetro quadrado do que a Bélgica. O Paraguai, 49 vezes menos do que a Inglaterra; o Peru, 32 vezes menos do que o Japão. Haiti e El Salvador, formigueiros humanos da América Latina, têm uma densidade populacional menor do que da Itália. Os pretextos invocados ofendem a inteligência, as intenções reais incendeiam a indignação. Afinal, não menos da metade dos territórios da Bolívia, Brasil, Chile, Equador, Paraguai e Venezuela não está habitada por ninguém. Nenhuma população latino-americana cresce menos do que a do Uruguai, país de velhos, e no entanto nenhuma outra nação tem sido tão castigada, em anos recentes, por uma crise que parece arrastá-la para o último círculo dos infernos. O Uruguai está vazio e suas férteis pradarias poderiam dar de comer a uma população infinitamente maior do que aquela que hoje, em seu próprio chão, sofre tantas penúrias.

Há mais de um século, um chanceler da Guatemala sentenciou profeticamente: "Seria curioso que do seio dos Estados Unidos, de onde nos vem o mal, nascesse também o remédio". Morta e enterrada a Aliança para o Progresso, o Império propõe agora, com mais pânico do que generosidade, resolver os problemas da América Latina eliminando de antemão os latino-americanos. Em Washington já se suspeita que os povos pobres não *prefiram* ser pobres. Mas não se pode querer o fim sem querer os meios: aqueles que negam a libertação da América Latina negam também nosso único renascimento possível, e de passagem absolvem as estruturas em vigência. Os jovens se multiplicam, levantam-se, escutam: o que lhes oferece a voz do sistema? O sistema se expressa numa linguagem surreal: propõe evitar os nascimentos nessas terras vazias, opina que faltam capitais em países onde os capitais estão sobrando e são desperdiçados, chama de *ajuda* a ortopedia deformante dos empréstimos e a drenagem de riquezas que os investimentos estrangeiros provocam, convoca os latifundiários para fazer a reforma agrária e a oligarquia para pôr em prática a justiça social. A luta de classes não existe – decreta-se –, sobretudo por culpa dos agentes forâneos que a incitam, mas em troca existem as classes sociais, e à opressão de umas pelas outras dá-se o nome de estilo ocidental de vida. As expedições criminosas dos *marines* têm por objetivo restabelecer a ordem e a paz social, e as ditaduras submissas a Washington fundam nos cárceres o estado de direito e proíbem as greves e aniquilam os sindicatos para proteger a liberdade de trabalho.

Tudo nos é proibido, exceto cruzar os braços? A pobreza não está escrita nas estrelas, o subdesenvolvimento não é fruto de um obscuro desígnio de Deus. Correm anos de revolução, tempos de redenção. As classes dominantes põem as barbas de molho e, ao mesmo tempo, anunciam o inferno para todos. Em certo sentido, a direita tem razão quando se identifica com a tranquilidade e com a ordem. A ordem é a diuturna humilhação das maiorias, mas sempre é uma ordem – a tranquilidade de que a injustiça siga sendo injusta e a fome faminta. Se o futuro se converte numa caixa de surpresas, o conservador grita, com toda razão: "Me traíram". E os ideólogos da impotência, os escravos que se contemplam com os olhos do amo, não demoram em fazer ouvir seus clamores. A águia de bronze do *Maine*, derrubada no dia da vitória da revolução cubana, jaz agora abandonada, com as asas partidas, sob um portal do bairro velho de Havana. De Cuba em diante, outros países também iniciaram por distintas vias e distintos meios a experiência de mudança: a perpetuação da atual ordem de coisas é a perpetuação do crime.

Os fantasmas de todas as revoluções estranguladas ou traídas, ao longo da torturada história latino-americana, ressurgem nas novas experiências, assim como os tempos presentes tinham sido pressentidos e engendrados pelas contradições do passado. *A história é um profeta com o olhar voltado para trás: pelo que foi, e contra o que foi, anuncia o que será.* Por isto neste livro, que quer oferecer uma história da rapinagem e, ao mesmo tempo, mostrar como funcionam os mecanismos atuais da espoliação, aparecem os conquistadores nas caravelas e, ali perto, os tecnocratas nos jatos, Hernán Cortez e os fuzileiros navais, os corregedores do reino e as missões do Fundo Monetário Internacional, os dividendos dos traficantes de escravos e os lucros da General Motors. Também os heróis derrotados e as revoluções de nossos dias, as infâmias e as esperanças mortas e ressurrectas: os sacrifícios fecundos. Quando Alexander von Humboldt investigou os costumes dos antigos habitantes indígenas das mesetas de Bogotá, ficou sabendo que os índios chamavam de *quihica* as vítimas das cerimônias rituais. *Quihica* significava *porta*: a morte de cada eleito abria um novo ciclo de 185 luas.

Primeira parte

A pobreza do homem como resultado da riqueza da terra

Febre do ouro, febre da prata

O signo da cruz nas empunhaduras das espadas

Quando Cristóvão Colombo se abalançou a atravessar os grandes espaços vazios a oeste do Ecúmeno, ele aceitara o desafio das lendas. Tempestades terríveis sacudiriam suas naus como se fossem cascas de nozes e as lançariam na boca dos monstros, e a grande serpente dos mares tenebrosos, faminta de carne humana, estaria à espreita. Faltavam só mil anos para que as chamas purificadoras do Juízo Final arrasassem o mundo, segundo acreditavam os homens do século XV, e o mundo era então o mar Mediterrâneo com seu litoral de ambígua projeção para a África e o Oriente. Os navegadores portugueses asseguravam que o vento do oeste trazia cadáveres estranhos e às vezes arrastava toras curiosamente talhadas, mas ninguém suspeitava de que sem demora o mundo seria assombrosamente multiplicado.

A América não só carecia de nome. Os noruegueses não sabiam que a tinham descoberto já fazia tempo, e o próprio Colombo morreu ainda convencido de que havia alcançado a Ásia pelas costas. Em 1492, quando a bota espanhola enterrou-se pela primeira vez nas areias das Bahamas, o almirante acreditou que essas ilhas eram as sentinelas avançadas do Japão. Colombo levava consigo um exemplar do livro de Marco Polo, coberto de anotações nas margens das páginas. Os habitantes de Cipango, dizia Marco Polo, "possuem ouro em enorme abundância, e as minas onde o encontram jamais se esgotam (...). Também há nesta ilha pérolas do mais puro brilho em grande quantidade. São rosadas, redondas, de tamanho grande, e superam em valor as pérolas brancas". A riqueza de Cipango chegara aos ouvidos do Grande Khan Kublai, tinha despertado em seu peito o desejo de conquistá-la: ele fracassara. Das fulgurantes páginas de Marco Polo alçavam voo todos os bens da criação; havia quase treze mil ilhas no mar da Índia, com montanhas de ouro e pérolas, e doze tipos de especiarias em imensas quantidades, além das pimentas branca e preta. A pimenta, o gengibre, o cravo-da-índia, a noz-moscada e a canela eram tão cobiçados quanto o sal para conservar a carne no inverno sem que se deteriorasse ou perdesse o sabor. Os reis católicos da Espanha decidiram financiar a aventura do acesso direto às fontes, para livrar-se da onerosa cadeia de intermediários e revendedores que monopolizavam o comércio das especiarias e das plantas tropicais, das musselinas e das armas brancas que provinham de misteriosas regiões do Oriente. O anseio de metais preciosos, a moeda de pagamento no tráfico comercial, também impulsionou a travessia dos mares malditos. A Europa inteira precisava de prata; estavam já quase exauridos os filões da Boêmia, da Saxônia e do Tirol.

A Espanha vivia o tempo da reconquista. O ano de 1492 não foi apenas o ano do descobrimento da América, o novo mundo nascido daquele equívoco de grandiosas consequências. Foi também o ano da recuperação de Granada. Fernando de Aragão e Isabel de Castela, que com o casamento tinham evitado o desmonte de seus domínios, no princípio de 1492 eliminaram o último reduto da religião muçulmana em solo espanhol. Custara quase oito séculos a retomada daquilo que fora perdido em sete anos[1], e as despesas da campanha tinham esgotado o tesouro real. Mas esta era uma guerra santa, a guerra cristã contra o Islã, e não é casual, de resto, que no mesmo ano de 1492, 150 mil judeus declarados tenham sido expulsos do país. A Espanha

---
1. ELLIOTT, J. H. *La España imperial*. Barcelona, 1965.

adquiria realidade como nação, erguendo espadas cujas empunhaduras traziam o signo da cruz. A rainha Isabel fez-se madrinha da Santa Inquisição. A façanha do descobrimento da América não poderia se explicar sem a tradição militar da guerra das cruzadas que imperava na Castela medieval, e a Igreja não se fez de rogada para atribuir caráter sagrado à conquista de terras incógnitas do outro lado do mar. O papa Alexandre VI, que era valenciano, converteu a rainha Isabel em dona e senhora do Novo Mundo. A expansão do reino de Castela ampliava o reino de Deus sobre a terra.

Três anos depois do descobrimento, Cristóvão Colombo, pessoalmente, comandou uma campanha militar contra os indígenas da Dominicana. Um punhado de cavaleiros, 200 infantes e uns quantos cães especialmente adestrados para o ataque dizimaram os índios. Mais de 500, enviados para a Espanha, foram vendidos como escravos em Sevilha e morreram miseravelmente[2]. No entanto, alguns teólogos protestaram, e a escravização dos índios foi formalmente proibida no século XVI. Na verdade, não foi proibida, foi abençoada: antes de cada ação militar, os capitães da conquista deviam ler para os índios, na presença de um tabelião, um extenso e retórico *Requerimento* que os exortava à conversão à santa fé católica: "Se não o fizerdes, ou se o fizerdes maliciosamente, com dilação, certifico-vos que, com a ajuda de Deus, agirei poderosamente contra vós e vos farei guerra da maneira que puder em todos os lugares, submetendo-vos ao jugo e à obediência da Igreja e de Sua Majestade, e tomarei vossas mulheres e vossos filhos e vos farei escravos e como tais sereis vendidos, dispondo de vós como Sua Majestade ordenar, e tomarei vossos bens e farei contra vós todos os males e danos que puder (...)".[3]

A América era um vasto império do Diabo, de redenção impossível ou duvidosa, mas a fanática missão contra a heresia dos nativos se confundia com a febre que, nas hostes da conquista, era causada pelo brilho dos tesouros do Novo Mundo. Bernal Díaz del Castillo, soldado de Hernán Cortez, escreve que eles chegaram à América "para servir a Deus e a Sua Majestade, e também por haver riquezas".

Ao alcançar o atol de San Salvador, Colombo deslumbrou-se com a colorida transparência do Caribe, a verdejante paisagem, a doçura e a limpeza do ar, os pássaros esplêndidos e os jovens "de boa estatura, gente mui formosa" e "muito mansa" que ali habitava. Presenteou os indígenas com "alguns gorros

---

2. CAPITÁN, L. & LORIN, Henri. *El trabajo en América, antes y después de Colón.* Buenos Aires, 1948.

3. VIDART, Daniel. *Ideología y realidad de América.* Montevideo, 1968.

vermelhos e uma contas de vidro que eles colocavam no pescoço, e muitas outras coisas de pouco valor com as quais ficaram contentes e tão nossos que era uma maravilha". Mostrou-lhes as espadas. Não as conheciam, seguravam--nas pelo fio e se cortavam. Entrementes, conta o almirante em seu diário de bordo, "eu estava atento e trabalhava para saber se havia ouro, e vendo que alguns deles traziam um pedacinho enfiado no buraco que tinham no nariz, por gestos pude me informar que, indo para o sul ou contornando a ilha pelo sul, encontraria um rei que possuía grandes vasos daquilo, e em grande quantidade". Porque "do ouro se faz tesouro, e quem o tem faz o que quiser no mundo e até leva as almas para o Paraíso". Em sua terceira viagem, ao abordar a costa da Venezuela, Colombo ainda supunha que andava no mar da China; isto não o impediu de informar que dali se estendia uma terra infinita que subia até o Paraíso Terrestre. Também Américo Vespúcio, explorador do litoral do Brasil na alvorada do século XVI, relataria a Lorenzo de Medicis: "As árvores são de tanta beleza e tanta brandura que nos sentíamos como se estivéssemos no Paraíso Terrestre (...)"[4]. Com pesar, Colombo escrevia aos reis em 1503, da Jamaica: "Quando descobri as Índias, disse que eram o maior domínio rico que há no mundo. Disse do ouro, pérolas, pedras preciosas, especiarias (...)".

Na Idade Média, uma bolsa de pimenta valia mais do que a vida de um homem, mas o ouro e a prata eram as chaves que o Renascimento usava para abrir as portas do Paraíso no céu e as portas do mercantilismo capitalista na Terra. A epopeia de espanhóis e portugueses na América combinou a propagação da fé cristã com a usurpação e o saque das riquezas indígenas. O poder europeu se irradiava para abraçar o mundo. As terras virgens, densas de selvas e perigos, instigavam a cobiça de capitães, cavaleiros fidalgos e soldados em farrapos, que se lançavam à conquista de espetaculares butins de guerra: acreditavam na glória, "o sol dos mortos", e na audácia. "Os ousados a fortuna ajuda", dizia Cortez. O próprio Cortez havia hipotecado todos os seus bens pessoais para equipar a expedição do México. Salvo raras exceções, como foi o caso de Colombo e Magalhães, as aventuras não eram custeadas pelo Estado, mas pelos próprios conquistadores ou por mercadores e banqueiros que os financiavam.[5]

---

4. D'OLWER, Luis Nicolau. *Cronistas de las culturas precolombianas.* México, 1963. O advogado Antonio de León Pinelo dedicou dois tomos inteiros à demonstração de que o Éden estava na América. Em *El Paraíso en el Nuevo Mundo* (Madrid, 1656), incluiu um mapa da América do Sul no qual se pode ver, no centro, o jardim do Éden regado pelo Amazonas, Rio da Prata, Orinoco e Magdalena. O fruto proibido era a banana. O mapa indicava o lugar exato de onde partira a Arca de Noé, quando do Dilúvio Universal.

5. OTS CAPDEQUÍ, J. M. *El Estado español en las Indias.* México, 1941.

Nasceu o mito do Eldorado, o rei banhado em ouro que os indígenas inventaram para afastar os intrusos: de Gonzalo Pizarro a Walter Raleigh, muitos o perseguiram em vão nas florestas e nas águas do Amazonas e do Orinoco. A quimera do "monte que manava prata" se tornou realidade em 1545, com o descobrimento de Potosí, mas antes já haviam morrido, vencidos pela fome, pelas doenças ou atravessados por flechas indígenas, muitos dos expedicionários que, subindo o rio Paraná, tentaram infrutiferamente alcançar o manancial de prata.

Havia, sim, ouro e prata em grande quantidade, acumulados na meseta do México e no altiplano andino. Hernán Cortez revelou para a Espanha, em 1519, a fabulosa magnitude do tesouro asteca de Montezuma, e depois chegou a Sevilha o gigantesco resgate, um aposento cheio de ouro e prata, que Francisco Pizarro fez o inca Atahualpa pagar antes de degolá-lo. Anos antes, com o ouro arrebatado às Antilhas, a Coroa já havia pago os serviços dos marinheiros que acompanharam Colombo em sua primeira viagem[6]. Finalmente, a população das ilhas do Caribe deixou de pagar tributos, pois desapareceu: os indígenas foram completamente exterminados nas lavagens do ouro, na terrível tarefa de revolver as areias auríferas com a metade do corpo debaixo d'água, ou lavrando os campos até a exaustão, com as costas dobradas sobre pesados instrumentos de arar trazidos da Espanha. Muitos indígenas da Dominicana se antecipavam ao destino imposto por seus novos opressores brancos: matavam seus filhos e se suicidavam em massa. O cronista oficial Fernández de Oviedo assim interpretava, em meados do século XVI, o holocausto dos antilhanos: "Muitos deles se matavam com veneno para não trabalhar, e outros se enforcavam com as próprias mãos".[7]

Retornavam os deuses com as armas secretas

Em sua passagem por Tenerife, durante sua primeira viagem, Colombo presenciara uma erupção vulcânica. Foi como um presságio de tudo o que viria depois nas imensas terras novas que iam interromper a rota ocidental para a

---

6. HAMILTON, Earl J. *American Treasure and the Price Revolution in Spain (1501-1650)*. Massachusetts, 1934.
7. FERNÁNDEZ DE OVIEDO, Gonzalo. *Historia general y natural de las Indias*. Madrid, 1959. A interpretação fez escola. Assombra-me ler, no último livro do técnico francês René Dumont, *Cuba, est-il socialiste?*, Paris, 1970: "Os índios não foram totalmente exterminados. Seus genes subsistem nos cromossomos cubanos. Eles sentiam uma tal aversão pela tensão exigida no trabalho contínuo que alguns se suicidaram antes de aceitar o trabalho forçado (...)".

Ásia. A América estava ali, adivinhada desde suas costas infinitas: a conquista se estendeu em vagalhões, qual maré furiosa. Os chefes militares substituíam os almirantes, e as tripulações se transformavam em hostes invasoras. As bulas do Papa tinham feito apostólica concessão da África para a coroa de Portugal, outorgando à coroa de Castela as terras "desconhecidas como aquelas até aqui descobertas por vossos enviados e aqueloutras que se descobrirão no futuro (...)": a América tinha sido doada à rainha Isabel. Em 1508, uma nova bula concedeu à coroa espanhola, perpetuamente, todos os dízimos arrecadados na América: o cobiçado patronato universal sobre a Igreja do Novo Mundo incluía o direito real de auferir todos os benefícios eclesiásticos.[8]

O Tratado de Tordesilhas, firmado em 1494, permitiu a Portugal a ocupação de territórios americanos além da linha divisória traçada pelo Papa, e em 1530 Martim Afonso de Souza fundou as primeiras povoações portuguesas no Brasil, expulsando os franceses. Já então os espanhóis, cruzando selvas infernais e desertos infinitos, tinham avançado bastante no processo da exploração e da conquista. Em 1513, o Pacífico resplandecia aos olhos de Vasco Nunes de Balboa; no outono de 1522, retornavam à Espanha os sobreviventes da expedição de Fernão de Magalhães, que uniram pela primeira vez os dois oceanos e, ao dar uma volta completa no mundo, constataram que ele era redondo; três anos antes tinham partido da ilha de Cuba, na direção do México, as dez naus de Hernán Cortez, e em 1523 Pedro de Alvarado lançou-se à conquista da América Central; Francisco Pizarro entrou triunfalmente em Cuzco em 1533, apoderando-se do coração do império dos incas; em 1540, Pedro de Valdivia atravessava o deserto de Atacama e fundava Santiago do Chile. Os conquistadores penetravam no Chaco e revelavam o Novo Mundo desde o Peru até a foz do rio mais caudaloso do planeta.

Havia de tudo entre os indígenas da América: astrônomos e canibais, engenheiros e selvagens da Idade da Pedra. Mas nenhuma das culturas nativas conhecia o ferro e o arado, o vidro e a pólvora, e tampouco empregava a roda. A civilização que se abateu sobre estas terras, vindas do outro lado do mar, vivia a explosão criadora do Renascimento: a América surgia como uma invenção a mais, incorporada junto com a pólvora, a imprensa, o papel e a bússola ao agitado nascimento da Idade Moderna. O desnível de desenvolvimento dos dois mundos explica em grande parte a relativa facilidade com que

---

8. VÁZQUEZ FRANCO, Guillermo. *La conquista justificada*. Montevideo, 1968, e ELLIOTT, op. cit.

sucumbiram as civilizações nativas. Hernán Cortez desembarcou em Veracruz acompanhado de não mais de 100 marinheiros e 508 soldados; trazia 16 cavalos, 32 bestas, dez canhões de bronze e alguns arcabuzes, mosquetes e pistolas. No entanto, a capital dos astecas, Tenochtitlán, era então cinco vezes maior do que Madri e dobrava a população de Sevilha, a maior das cidades espanholas. Francisco Pizarro entrou em Cajamarca com 180 soldados e 37 cavalos.

Os indígenas, no começo, foram derrotados pelo assombro. O imperador Montezuma, em seu palácio, recebeu as primeiras notícias: uma montanha andava a movimentar-se no mar. Depois chegaram outros mensageiros: "(...) muito espanto lhe causou ouvir o tiro do canhão, como retumba seu estrépito e leva as pessoas a desmaiarem, com os ouvidos atordoados. Quando acontece o tiro, uma bola de pedra salta de suas entranhas: sai chovendo fogo (...)". Os estrangeiros traziam "veados" para montar e, montados, ficavam "tão no alto como os tetos". Traziam o corpo coberto, "aparecem só as caras. São brancas, como se fossem de cal. Têm o cabelo amarelo, embora alguns o tenham preto. A barba deles é grande (...)"[9]. Montezuma acreditou que era o deus Quetzalcóatl que voltava. Pouco antes, oito presságios tinham anunciado esse retorno. Os caçadores lhe haviam trazido uma ave que possuía na cabeça um diadema redondo, com a forma de um espelho, que refletia o céu com o sol já no poente. Nesse espelho Montezuma viu marchar sobre o México os esquadrões de guerreiros. O deus Quetzalcóatl viera pelo leste, e pelo leste tinha ido embora: era branco e barbado. Também branco e barbado era Viracocha, o deus bissexual dos incas. E o leste era o berço dos antepassados heroicos dos maias.[10]

Os deuses vingativos que agora regressavam para acertar contas com seus povos traziam armaduras e cotas de malha, reluzentes escudos que devolviam os dardos e as pedras; suas armas expediam raios mortíferos e obscureciam a atmosfera com fumaças irrespiráveis. Os conquistadores praticavam também, com habilidade política, a técnica da traição e da intriga. Souberam explorar, por exemplo, o rancor dos povos submetidos ao domínio imperial dos astecas e as divisões que fragmentavam o poder dos incas. Os tlaxcaltecas foram aliados de Cortez, e Pizarro usou em seu proveito a guerra entre os herdeiros do império incaico, os irmãos inimigos Huáscar e

---

9. Segundo os informantes indígenas de frei Bernardino de Sahagún, no Códice Florentino. LEÓN-PORTILLA, Miguel. *Visión de los vencidos*. México, 1967.
10. Essas assombrosas coincidências estimulam a hipótese de que, na verdade, os deuses das religiões indígenas tinham sido europeus chegados a essas terras muito antes de Colombo. PINEDA YÁÑEZ, Rafael. *La isla y Colón*. Buenos Aires, 1955.

Atahualpa. Os conquistadores granjearam cúmplices entre as classes dominantes intermediárias, sacerdotes, funcionários, militares, uma vez abatidas, criminosamente, as chefias indígenas mais altas. Mas também usaram outras armas ou, se preferirmos, outros fatores trabalharam objetivamente para a vitória dos invasores. Os cavalos e as bactérias, por exemplo.

Os cavalos, como os camelos, eram originários da América[11], mas se extinguiram nestas terras. Introduzidos na Europa pelos cavaleiros árabes, tiveram no Velho Mundo imensa serventia militar e econômica. Ao reaparecerem na América, através da conquista, colaboraram para a atribuição de forças mágicas aos invasores ante os olhos atônitos dos indígenas. Segundo uma versão, o inca Atahualpa caiu de costas quando viu chegar os primeiros soldados espanhóis, montados em briosos cavalos ornados de guizos e penachos que corriam desencadeando tropéis e polvadeira[12]. O cacique Tecum, à frente dos herdeiros dos maias, decapitou o cavalo de Pedro de Alvarado, convencido de que fazia parte do conquistador: Alvarado se ergueu e o matou[13]. Escassos cavalos, cobertos de arreios de guerra, dispersaram as massas indígenas e semearam o terror e a morte. "Os padres e os missionários espalharam na fantasia vernácula", durante o processo colonizador, "que os cavalos eram de origem sagrada, já que Santiago, o padroeiro da Espanha, montando um potro branco, vencera importantes batalhas contra mouros e judeus, com a ajuda da Divina Providência".[14]

Bactérias e vírus foram os aliados mais eficazes. Os europeus traziam, como pragas bíblicas, a varíola e o tétano, várias enfermidades pulmonares, intestinais e venéreas, o tracoma, o tifo, a lepra, a febre amarela, as cáries que apodreciam as bocas. A varíola foi a primeira a aparecer. Não seria um castigo sobrenatural aquela epidemia desconhecida e repugnante que provocava a febre e descompunha a carne? "Lá foram se meter em Tlaxcala", narra um testemunho indígena, "então se espalhou a epidemia: tosse, grãos ardentes, que queimam". E outro: "A muitos deu morte a pegajosa, pesada, dura doença dos grãos"[15]. Os índios morriam como moscas; seus organismos não opunham resistência às novas enfermidades, e os que sobreviviam ficavam

---

11. HAWKES, Jacquetta. Prehistoria. In: *Historia de la humanidad*. Buenos Aires: UNESCO, 1966.
12. LEÓN-PORTILLA, Miguel. *El reverso de la conquista. Relaciones aztecas, mayas e incas*. México, 1964.
13. LEÓN-PORTILLA, op.cit.
14. OTERO, Gustavo Adolfo. *Vida social en el coloniaje*. La Paz, 1958.
15. "Autores anônimos de Tlatelolco e informantes de Sahagún", em LEÓN-PORTILLA, op. cit.

debilitados e inúteis. O antropólogo brasileiro Darcy Ribeiro estima que mais de metade da população aborígine da América, Austrália e ilhas oceânicas morreu contaminada logo ao primeiro contato com os homens brancos[16].

"Como uns porcos famintos, anseiam pelo ouro"

Com tiros de arcabuz, golpes de espada e hálitos de peste, acometiam os escassos e implacáveis conquistadores da América. Assim conta a voz dos vencidos. Depois da matança de Cholula, Montezuma enviou novos emissários ao encontro de Hernán Cortez, que avançava rumo ao vale do México. Os enviados presentearam os espanhóis com colares de ouro e bandeiras de penas de quetzal. Os espanhóis "se deleitaram. Como se fossem macacos, sentavam-se com gestos de prazer e levantavam o ouro, como se aquilo lhes renovasse e iluminasse o coração. É certo que desejam aquilo com grande sede. Os corpos deles se incham de uma fome furiosa por aquilo. Como uns porcos famintos, anseiam pelo ouro", diz o texto *náhuatl*, preservado no Códice Florentino. Adiante, quando Cortez chegou a Tenochtitlán, a esplêndida capital asteca, os espanhóis entraram na casa do tesouro e "logo fizeram uma grande bola de ouro e puseram fogo, incendiando tudo o que restava, por valioso que pudesse ser: e então tudo ardeu. Quanto ao ouro, os espanhóis o reduziram a barras (...)".

Houve guerra, e finalmente Cortez, que perdera Tenochtitlán, reconquistou-a em 1521. "Já não tínhamos escudos, já não tínhamos bordunas, e nada tínhamos para comer, e nada comíamos." Devastada, incendiada, coberta de cadáveres, a cidade caiu. "E toda a noite choveu sobre nós." A força e o tormento não foram suficientes: os tesouros arrebatados nunca satisfaziam as exigências da imaginação, e durante longos anos os espanhóis escavaram o fundo do lago do México, em busca do ouro e dos objetos preciosos supostamente escondidos pelos índios.

Pedro de Alvarado e seus homens arremeteram contra a Guatemala e "foram tantos os índios mortos que se fez um rio de sangue, que vem a ser o Olimtepeque", e também "o dia se tornou vermelho pela quantidade de sangue que correu naquele dia". Antes da batalha decisiva, "os índios atormentados disseram aos espanhóis que, se não os atormentassem mais, teriam ali muito ouro, prata, diamantes e esmeraldas pertencentes aos capitães Nehaib

---

16. RIBEIRO, Darcy. *Las Américas y la civilización*, tomo I: *La civilización occidental y nosotros. Los pueblos testimonio*. Buenos Aires, 1969.

Ixquín e Nehaib feito águia e leão. E logo entregaram tudo aos espanhóis, que com tudo ficaram (...)"[17].

Antes de degolar o inca Atahualpa, Francisco Pizarro arrancou um resgate de "arcas de ouro e prata que pesavam mais de 20 mil marcos de prata fina e um milhão e 326 mil escudos de ouro finíssimo (...)". Depois arremeteu contra Cuzco. Seus soldados acreditavam estar entrando na Cidade dos Césares, tão deslumbrante era a capital do império incaico, mas não demoraram a sair do estupor e começaram a saquear o Templo do Sol: "Forcejando, lutando uns contra os outros, cada qual querendo levar do tesouro a parte do leão, os soldados, com suas cotas de malha, pisoteavam joias e imagens, golpeavam os utensílios de ouro ou lhes davam marteladas para reduzi-los a um formato menor e portável (...). Atiraram ao forno todo o tesouro do templo para converter o metal em barras: as placas que cobriam os muros, as assombrosas árvores forjadas, pássaros e outros objetos do jardim".[18]

Hoje em dia, no Zócalo – a imensa praça desnuda no centro da capital do México –, a catedral católica se levanta sobre as ruínas do templo mais importante de Tenochtitlán, e o palácio do governo está localizado em cima da residência de Cuauhtémoc, o chefe asteca enforcado por Cortez. No Peru, Cuzco teve sorte parecida, mas os conquistadores não puderam derrubar completamente seus muros gigantescos e hoje ainda se pode ver, ao pé dos edifícios coloniais, o testemunho de pedra da colossal arquitetura incaica.

Esplendores de Potosí: o ciclo da prata

Dizem que no apogeu da cidade de Potosí[19] até as ferraduras dos cavalos eram de prata. De prata eram os altares das igrejas e as asas dos querubins nas procissões: em 1658, para a celebração do Corpus Christi, as ruas da cidade foram desempedradas, da matriz à igreja de Recoletos, e totalmente cobertas de barras de prata. Em Potosí, a prata ergueu templos e palácios, mosteiros

---

17. LEÓN-PORTILLA, op. cit.
18. LEÓN-PORTILLA, op. cit.
19. Para a reconstituição do apogeu de Potosí, o autor consultou os seguintes testemunhos do passado: CAÑETE Y DOMÍNGUEZ, Pedro Vicente. *Potosí colonial: guía histórica, geográfica, política, civil y legal del gobierno e intendencia de la provincia de Potosí*. La Paz, 1939; CAPOCHE, Luis. *Relación general de la Villa Imperial de Potosí*. Madrid, 1959; MARTÍNEZ ARZANZ Y VELA, Nicolás de. *Historia de la Villa Imperial de Potosí*. Buenos Aires, 1953; também QUESADA, Vicente G. *Crónicas potosinas*. Paris, 1890, e MOLINS, Jaime. *La ciudad única*. Potosí, 1961.

e cassinos, deu motivo a tragédias e festas, derramou sangue e vinho, incendiou a cobiça e desencadeou o esbanjamento e a aventura. A espada e a cruz marchavam juntas na conquista e no butim colonial. Para arrebatar a prata da América, marcaram encontro em Potosí os capitães e os ascetas, os toureiros e os apóstolos, os soldados e os frades. Convertidas em pinhas e lingotes, as vísceras da rica montanha alimentaram, substancialmente, o desenvolvimento da Europa. "Vale um Peru" era o maior elogio que se podia fazer às pessoas ou às coisas depois que Pizarro se tornou dono de Cuzco. Mas a partir do descobrimento da montanha, Dom Quixote de la Mancha adverte Sancho com outras palavras: "Vale um Potosí". Veia jugular do vice-reinado, manancial de prata da América, Potosí possuía 120 mil habitantes segundo o censo de 1573. Apenas 28 anos tinham transcorrido desde que a cidade brotara entre os páramos andinos e já contava, como por artes de magia, com a mesma população de Londres e mais habitantes do que Sevilha, Madri, Roma ou Paris. Por volta de 1650, um novo censo adjudicava a Potosí 160 mil habitantes. Era uma das maiores e mais ricas cidades do mundo, dez vezes mais populosa do que Boston, num tempo em que Nova York nem sequer começara a ser chamada assim.

A história de Potosí não nascera com os espanhóis. Tempos antes da conquista, o inca Huayna Cápac tinha ouvido seus vassalos falarem no Sumaj Orcko, a montanha formosa, e por fim pôde vê-la quando fez com que o levassem, já enfermo, às termas de Tarapaya. Das choças de palha do povoado de Cantumarca, os olhos do inca contemplaram pela primeira vez aquele cone perfeito que se alçava, orgulhoso, entre os altos cumes da cordilheira. Ficou estupefato. As infinitas tonalidades avermelhadas, a forma esbelta e as gigantescas dimensões da montanha continuaram sendo motivo de admiração e assombro nos anos seguintes, mas o inca suspeitara de que em suas entranhas ela devia abrigar pedras preciosas e ricos metais, e lhe ocorreu acrescentar novos adornos ao Templo do Sol, em Cuzco. O ouro e a prata que os incas tiravam das minas de Colque Porco e Andacaba não saíam dos limites do reino: não serviam para negociar, apenas para adorar os deuses. Tão logo os primeiros indígenas começaram a escavar nos filões de prata da montanha formosa, uma voz cavernosa os derrubou. Era uma voz forte como o trovão, que saía das profundezas daquele esconso e dizia, em quíchua: "Não é para vocês; Deus reserva essas riquezas para os que vêm de longe". Os índios fugiram, espavoridos, e o inca abandonou a montanha. Antes, mudou seu nome. A montanha passou a chamar-se Potojsí, que significa: "Troveja, rebenta e explode".

"Os que vêm de longe" não demoraram a aparecer. Abriam caminho os capitães da conquista. Huayna Cápac já não vivia quando chegaram. Em 1545, o índio Huallpa seguia as pegadas de uma lhama fugida e foi obrigado a passar a noite na montanha. Para não morrer de frio, fez fogo. A fogueira iluminou uma pedra branca e brilhante. Era prata pura. Precipitou-se a avalanche espanhola.

Fluiu a riqueza. O imperador Carlos V deu imediatos sinais de gratidão, outorgando a Potosí o título de Vila Imperial e um escudo de armas com esta inscrição: "Sou o rico Potosí, do mundo sou o tesouro, sou o rei das montanhas e a inveja dos reis". Apenas onze anos depois do achado de Huallpa, já a recém-nascida Vila Imperial celebrava a coroação de Felipe II com festas que duraram 24 dias e custaram 8 milhões de pesos fortes. Choviam os caçadores de tesouros na inóspita paisagem. A montanha, com quase 5 mil metros de altura, era o mais poderoso ímã, mas a seus pés a vida era dura, inclemente: pagava-se o frio como se um imposto fosse, e num abrir e fechar de olhos uma sociedade rica e desordenada brotou em Potosí junto com a prata. Auge e turbulência do metal: Potosí passou a ser o "nervo principal do reino", na definição do vice-rei Furtado de Mendonça. No começo do século XVII, a cidade já contava com 36 igrejas esplendidamente ornamentadas, outros tantos cassinos e quatorze escolas de dança. Os salões, os teatros e os tablados para festas exibiam riquíssimos tapetes, cortinados, brasões e obras de ourivesaria; das sacadas das casas pendiam damascos coloridos e panos entrelaçados de ouro e prata. As sedas e outros tecidos vinham de Granada, Flandres e Calábria; os chapéus, de Paris e Londres; os diamantes, do Ceilão; as pedras preciosas, da Índia; as pérolas, do Panamá; as meias, de Nápoles; os cristais, de Veneza; as alcatifas, da Pérsia; os perfumes, da Arábia, e a porcelana, da China. As damas brilhavam com suas pedrarias, diamantes, rubis, pérolas, e os cavalheiros ostentavam tecidos bordados da Holanda. Às touradas seguiam-se jogos de adivinhação e nunca faltavam duelos de estilo medieval, disputas de amor e orgulho, os elmos de ferro incrustados de esmeraldas e vistosas plumas, selas e estribos com filigranas de ouro, espadas de Toledo e potros chilenos luxuosamente ajaezados.

Em 1579, queixava-se o ouvidor Matienzo: "Nunca faltam novidades, sem-vergonhices e atrevimentos". Nessa época, já havia em Potosí 800 jogadores profissionais e 120 prostitutas célebres, cujos resplandecentes salões eram frequentados por mineiros ricos. Em 1609, as festas do Santíssimo

Sacramento foram celebradas com seis dias de comédias e seis noites de máscaras, oito dias de touradas e três de saraus, dois de torneios e outras comemorações.

A Espanha tinha a vaca, mas outros tomavam o leite

Entre 1545 e 1558, descobriram-se as férteis minas de Potosí, na atual Bolívia, e as de Zacatecas e Guanajuato no México; o processo de amálgama com mercúrio, que tornou possível a exploração de prata de menor pureza, começou a ser aplicado no mesmo período. O *rush* da prata eclipsou rapidamente a mineração do ouro. Em meados do século XVII a prata alcançava mais de 99 por cento das exportações minerais da América Hispânica.[20]

A América era então uma vasta boca de mina centralizada, sobretudo, em Potosí. Alguns escritores bolivianos, inflamados de excessivo entusiasmo, afirmam que em três séculos a Espanha recebeu metal suficiente como para estender uma ponte de prata desde a grimpa da montanha à porta do palácio real no outro lado do oceano. A imagem, por certo, é obra da fantasia, mas sempre alude a uma realidade que, de fato, parece inventada: o fluxo da prata alcançou gigantescas proporções. A farta exportação clandestina da prata americana, que de contrabando seguia para as Filipinas, para a China e para a própria Espanha, não figura nos cálculos de Earl J. Hamilton[21], que no entanto, a partir de dados obtidos na Casa de Contratação, oferece, em sua conhecida obra sobre o tema, cifras assombrosas. Entre 1503 e 1660, desembarcaram no porto de Sevilha 185 mil quilos de ouro e 16 milhões de quilos de prata. A prata levada para a Espanha em pouco mais de um século e meio excedia três vezes o total das reservas europeias. E essas cifras não incluem o contrabando.

Os metais arrebatados aos novos domínios coloniais estimularam o desenvolvimento europeu e até se pode dizer que o tornaram possível. Nem sequer os efeitos da conquista dos tesouros persas que Alexandre Magno derramou sobre o mundo helênico poderiam ser comparados com a magnitude dessa formidável contribuição da América para o progresso alheio. Mas não para o progresso da Espanha, ainda que lhe pertencessem as fontes da prata americana. Como se dizia no século XVII, "a Espanha é como a boca que recebe

---
20. HAMILTON, op. cit.
21. Ibid.

os alimentos, mastiga-os e os tritura para logo enviá-los aos demais órgãos, e deles não retém senão um gosto furtivo ou as partículas que casualmente aderem aos seus dentes"[22]. Os espanhóis tinham a vaca, mas quem bebia o leite eram os outros. Os credores do reino, estrangeiros em sua maioria, sistematicamente esvaziavam as arcas da Casa de Contratação de Sevilha, encarregada de guardar sob três chaves, em três diferentes mãos, os tesouros da América.

A Coroa estava hipotecada. Quase todos os carregamentos de prata eram antecipadamente cedidos a banqueiros alemães, genoveses, flamengos e espanhóis[23]. Também grande parte dos impostos tinha a mesma sorte: em 1543, 65 por cento do total das rendas reais se destinava ao pagamento das anuidades dos títulos da dívida. Tão só em mínima proporção a prata americana era aplicada na economia espanhola: embora fosse formalmente registrada em Sevilha, ia parar nas mãos dos Függer, poderosos banqueiros que tinham adiantado para o Papa os fundos necessários para a conclusão da catedral de São Pedro, e de outros grandes prestamistas da época, no estilo dos Welser, dos Shetz ou dos Grimaldi. A prata também se destinava ao pagamento das exportações de mercadorias *não espanholas* para o Novo Mundo.

Aquele império rico tinha uma metrópole pobre, ainda que nela a ilusão de prosperidade levantasse bolhas cada vez mais inchadas: a Coroa abria frentes de guerra por todos os lados, enquanto a aristocracia se dedicava ao esbanjamento e se multiplicavam em solo espanhol os padres e os guerreiros, os nobres e os mendigos, ao mesmo e frenético tempo em que aumentavam os preços e as taxas de juro do dinheiro. A indústria morria ao nascer naquele reino de vastos latifúndios estéreis, e a enferma economia espanhola não podia resistir ao brusco impacto da alta demanda de alimentos e mercadorias, a inevitável consequência da expansão colonial. O grande aumento dos gastos públicos e a asfixiante pressão das necessidades de consumo nas possessões de ultramar agravavam o déficit comercial e desencadeavam, a galope, a inflação. Colbert escrevia: "Quanto mais comércio um estado tem com os espanhóis, mais prata tem". Havia uma dura luta europeia pela conquista do mercado espanhol, que implicava o mercado e a prata da América. Um memorial francês de fins do século XVII nos permite saber que a Espanha, então, só predominava em 5 por cento do comércio com "suas" possessões

---
22. Citado por OTERO, Gustavo Adolfo, op. cit.
23. ELLIOTT, op. cit. e HAMILTON, op. cit.

coloniais do outro lado do oceano, apesar da ilusão jurídica do monopólio: cerca de uma terça parte do total estava na mão de holandeses e flamengos, uma quarta parte pertencia aos franceses, os genoveses controlavam mais de 20 por cento, os ingleses dez e os demais um pouco menos[24]. *A América era um negócio europeu.*

Carlos V, herdeiro dos Césares no Sacro Império em eleição comprada, só passou na Espanha dezesseis dos 40 anos de seu reinado. Aquele monarca de queixo proeminente e olhar idiota, que subiu ao trono sem conhecer uma só palavra do idioma castelhano, governava rodeado por um séquito de flamengos rapaces, aos quais entregava salvo-condutos para tirar da Espanha mulas e cavalos carregados de ouro e joias, a par de recompensá-los com a outorga de bispados e arcebispados, títulos burocráticos e até a primeira licença para conduzir escravos negros às colônias americanas. Dedicando-se à perseguição do demônio por toda a Europa, Carlos V exauria o tesouro da América em suas guerras religiosas. A dinastia dos Habsburgo não desapareceu com sua morte; a Espanha ainda padeceria o reinado dos austríacos durante quase dois séculos. O grande paladino da Contra-Reforma foi seu filho Felipe II. De seu gigantesco palácio-mosteiro, o Escorial, na encosta do Guadarrama, Felipe II pôs em funcionamento, em escala universal, a terrível máquina da Inquisição, e empurrou seus exércitos para os centros da heresia. O calvinismo se apossara da Holanda, Inglaterra e França, e os turcos encarnavam o perigo de um retorno da religião de Alá. O salvacionismo custava caro: os poucos objetos de ouro e prata que não chegavam do México e do Peru já fundidos eram rapidamente retirados da Casa de Contratação de Sevilha e lançados às bocas dos fornos.

Ardiam também os hereges ou os suspeitos de heresia, assados pelas chamas purificadoras da Inquisição. Torquemada incendiava os livros e o rabo do diabo reaparecia em todos os cantos: a guerra contra o protestantismo era, sobretudo, a guerra contra o capitalismo ascendente na Europa. "A perpetuação da cruzada", diz Elliott em sua obra já citada, "aprofundava a perpetuação da arcaica organização social de uma nação de cruzados." Os metais da América, delírio e ruína da Espanha, proporcionavam meios para campanhas militares contra as nascentes forças da economia moderna. Já Carlos V tinha esmagado a burguesia castelhana na guerra dos *comuneros*, que se transformara numa revolução social contra a nobreza, suas propriedades e seus privilégios. O levante foi sufocado após a traição da cidade de

---

24. MOUSNIER, Roland. "Los siglos XVI y XVII". In: CROUZET, Maurice. *Historia general de las civilizaciones.* Barcelona, 1967.

Burgos, que quatro séculos mais tarde seria a capital do general Francisco Franco; extintos os últimos redutos rebeldes, Carlos V regressou à Espanha acompanhado de quatro mil soldados alemães. Simultaneamente, também foi afogada em sangue a excessivamente radical insurreição de tecedores, fiandeiros e artesãos que tinham tomado o poder na cidade de Valência, estendendo-o a toda a comarca.

A defesa da fé católica era a máscara da luta contra a história. A expulsão dos judeus – espanhóis de origem judia –, ao tempo dos Reis Católicos, privara a Espanha de muitos artesãos habilidosos e de capitais imprescindíveis. Não se considera de igual importância a expulsão dos árabes – na verdade espanhóis de religião muçulmana –, embora em 1609 nada menos do que 275 mil tenham sido empurrados fronteira afora, com desastrosos efeitos na economia valenciana e nos férteis campos ao sul do Ebro, em Aragão, que ficaram arruinados. Anteriormente, Felipe II, por motivos religiosos, havia expulsado milhares de artesãos flamengos convictos ou suspeitos de protestantismo: a Inglaterra os acolheu e ali deram importante impulso às manufaturas britânicas.

Como se vê, as enormes distâncias e as difíceis comunicações não eram os principais obstáculos que se opunham ao progresso industrial da Espanha. Os capitalistas espanhóis se transformaram em financistas, através da compra de títulos da dívida da Coroa, e não investiam seus capitais no desenvolvimento industrial. O excedente econômico vertia para os canais improdutivos: os velhos ricos, senhores da faca e do queijo, donos das terras e de títulos de nobreza, levantavam palácios e acumulavam joias; os novos ricos, especuladores e mercadores, compravam terras e títulos de nobreza. Tanto estes quanto aqueles praticamente não pagavam impostos e não podiam ser presos por dívidas. Quem se dedicasse a uma atividade industrial perdia automaticamente sua carta de fidalguia.[25]

Sucessivos tratados comerciais, firmados em consequência de derrotas militares dos espanhóis na Europa, outorgavam concessões que estimulavam o tráfico marítimo entre o porto de Cádiz, que substituiu Sevilha, e portos franceses, ingleses, holandeses e hanseáticos. A cada ano, entre 800 e 1.000 embarcações descarregavam na Espanha os produtos industrializados dos outros. Eles levavam a prata da América e a lã espanhola, que seguia para

---

25. VIVES, J. Vicens, director. *Historia social y económica de España y América*. Barcelona, 1957. v. II e III.

os teares estrangeiros e de lá voltava já tecida pela indústria europeia em expansão. Os monopolistas de Cádiz se limitavam a remarcar os produtos industriais estrangeiros, expedindo-os para o Novo Mundo: se as manufaturas espanholas não podiam sequer atender o mercado interno, como haveriam de satisfazer as necessidades das colônias?

As rendas de Lille e Arraz, os tecidos holandeses, os tapetes de Bruxelas, as armas de Milão e os vinhos e panos da França[26] inundavam o mercado espanhol, às expensas da produção local, para satisfazer os anseios de ostentação e as exigências de consumo dos ricos parasitas, cada vez mais numerosos e poderosos num país cada vez mais pobre. A indústria morria no ovo, e os Habsburgo fizeram todo o possível para acelerar sua extinção. Em meados do século XVI se chegou ao absurdo de autorizar a importação de tecidos estrangeiros ao mesmo tempo em que se proibia a exportação de tecidos castelhanos, a não ser que fossem para a América[27]. Eram bem diferentes, como observou Ramos, as orientações de Henrique VIII e Elizabeth I na Inglaterra: proibiam nessa ascendente nação a saída de ouro e prata, monopolizavam as letras de câmbio, impediam a extração de lã e expulsaram dos portos britânicos os mercadores da Liga Hanseática do Mar do Norte. Entrementes, as repúblicas italianas protegiam seu comércio exterior e sua indústria através de taxas, privilégios e proibições rigorosas: os artífices, sob pena de morte, não podiam deixar o país.

A ruína se apossava de tudo. Dos 16 mil teares de Sevilha em 1558, por ocasião da morte de Carlos V, restavam 400 quando morreu Felipe II, 40 anos depois. O rebanho ovino andaluz, antes com 7 milhões de cabeças, reduzira-se para 2 milhões. Cervantes retratou em *Dom Quixote de la Mancha* – romance de grande circulação na América – a sociedade de sua época. Um decreto de meados do século XVI tornava impossível a importação de livros estrangeiros e impedia os estudantes de estudar fora do país; os estudantes de Salamanca, em poucas décadas, reduziram-se à metade; havia 9 mil conventos e o clero se multiplicava quase tão intensamente quanto a nobreza de capa e espada; 160 mil estrangeiros monopolizavam o comércio exterior, e o esbanjamento da aristocracia condenava a Espanha à impotência econômica. Por volta de 1630, pouco mais de uma centena e meia de duques, marqueses, condes e viscondes recolhia cinco milhões de ducados de renda anual, que alimentavam copiosamente o brilho de seus títulos retumbantes. O duque de Medinaceli tinha 700 criados, e eram 300 os servidores do

---

26. RAMOS, Jorge Abelardo. *Historia de la nación latinoamericana*. Buenos Aires, 1968.
27. ELLIOTT, op. cit.

grão-duque de Osuna, que os vestia com sobretudos de pele para zombar do czar da Rússia.[28]

O século XVII foi a época da patifaria, da fome e das epidemias. Era infinita a quantidade de mendigos espanhóis, mas isto não impedia que também os mendigos estrangeiros afluíssem de todos os cantos da Europa. Por volta de 1700, a Espanha contava já com 625 mil fidalgos, senhores da guerra, embora o país se esvaziasse: sua população se reduzira à metade em pouco mais de dois séculos, e era equivalente à da Inglaterra, que no mesmo período havia duplicado. O ano de 1700 marca o fim do regime dos Habsburgo. A bancarrota era total. Desemprego crônico, grandes latifúndios inúteis, moeda caótica, indústria arruinada, guerras perdidas e tesouros vazios, a autoridade central desconhecida nas províncias: a Espanha com que se defrontou Felipe V estava "pouco menos defunta que seu amo morto".[29]

Os Bourbon deram à nação uma aparência mais moderna, mas em fins do século XVIII o clero espanhol tinha nada menos do que 200 mil membros, e o resto da população improdutiva não estancava seu esmagador desenvolvimento, à custa do subdesenvolvimento do país. Na época, havia ainda na Espanha mais de 10 mil cidades e povoados sujeitos à jurisdição senhorial da nobreza e, portanto, fora do controle direto do rei. Os latifúndios e a instituição da primogenitura continuavam intatos. Também continuavam de pé o obscurantismo e o fatalismo. Ainda não fora superada a época de Felipe IV: em seu tempo, uma junta de teólogos se reuniu para examinar o projeto de construção de um canal entre o Manzanares e o Tejo e acabou concluindo que, se Deus quisesse que os rios fossem navegáveis, ele mesmo os teria criado assim.

A distribuição de funções entre o cavalo e o cavaleiro

No primeiro tomo de *O capital*, Karl Marx escreve: "O descobrimento das jazidas de ouro e prata da América, a cruzada de extermínio, escravização e

---

28. A espécie não está extinta. Abro uma revista madrilena de fins de 1969 e leio: morreu dona Teresa Bertrán de Lis y Pidal Gorouski y Chico de Guzmán, duquesa de Albuquerque e marquesa dos Alcañices e dos Balbases, e a chora o viúvo duque de Albuquerque, dom Beltrán Alonso Osorio y Díez de Rivera Martos y Figueroa, marquês dos Alcañices, dos Balbases, de Cadreita, de Cuéllar, de Cullera, de Montaos, conde de Fuensaldaña, de Grajal, de Huelma, de Ledesma, de la Torre, de Villanueva de Cañedo, de Villahumbrosa, três vezes Grande de Espanha.
29. LYNCH, John. *Administración colonial española*. Buenos Aires, 1962.

sepultamento das minas da população aborígine, o começo da conquista e o saque das Índias Orientais, a conversão do continente africano em campo de caça dos escravos negros: são todos fatos que assinalam a alvorada da era da produção capitalista. Esses processos 'idílicos' representam outros tantos *fatores fundamentais* no movimento de *acumulação originária*".

O saque, interno e externo, foi o meio mais importante de acumulação primitiva de capitais que, desde a Idade Média, tornou possível a aparição de uma nova etapa histórica na evolução econômica mundial. Na medida em que se estendia a economia monetária, o intercâmbio desigual ia abarcando cada vez mais camadas sociais e mais regiões do planeta. Ernest Mandel fez a soma do valor do ouro e da prata arrebatados da América até 1660, do butim arrecadado na Indonésia pela Companhia Holandesa das Índias Orientais de 1650 a 1780, dos lucros do capital francês no tráfico de escravos durante o século XVIII, dos rendimentos obtidos com o trabalho escravo nas Antilhas britânicas e do saque inglês na Índia durante meio século: o resultado supera o valor de todo o capital investido em todas as indústrias europeias por volta de 1800[30]. Mandel observa que esta gigantesca massa de capitais criou um ambiente favorável aos investimentos na Europa, estimulou o "espírito empresarial" e financiou diretamente o estabelecimento de manufaturas que deram um grande impulso à revolução industrial. *Ao mesmo tempo, contudo, a formidável concentração internacional de riqueza, beneficiando a Europa, impediu nas regiões saqueadas o salto para a acumulação de capital industrial.* "A dupla tragédia dos países em desenvolvimento consiste em que não só foram vítimas desse processo de concentração internacional, como também foram posteriormente obrigados a compensar seu grande atraso industrial, isto é, realizar a acumulação originária de capital industrial num mundo inundado de artigos manufaturados por uma indústria já madura, a ocidental".[31]

As colônias americanas tinham sido descobertas, conquistadas e colonizadas dentro do processo de expansão do capital comercial. A Europa estendia seus braços para alcançar o mundo inteiro. Nem Espanha nem Portugal receberam os benefícios do avassalador avanço do mercantilismo capitalista, embora fossem suas colônias que, em grande parte, proporcionassem o ouro e a prata para nutrir essa expansão. Como vimos, embora os metais preciosos da América iluminassem a ilusória fortuna de uma nobreza

---
30. MANDEL, Ernest. *Tratado de economía marxista*. México, 1969.
31. MANDEL, Ernest. "La teoría marxista de la acumulación primitiva y la industrialización del Tercero Mundo". *Amaru* (6). Lima, abril-junho de 1968.

que vivia tardiamente a Idade Média e na contramão da história, simultaneamente selaram a ruína da Espanha nos séculos seguintes. Foram outras as comarcas da Europa que puderam incubar o capitalismo moderno, valendo-se, sobretudo, da expropriação dos povos primitivos da América. À rapinagem dos tesouros acumulados seguiu-se a exploração sistemática, nos socavões e jazidas, do trabalho forçado dos indígenas e dos escravos negros arrancados da África pelos traficantes.

A Europa precisava de ouro e prata. Os meios de pagamento em circulação se multiplicavam sem cessar e era necessário alimentar os movimentos do capitalismo na hora do parto: os burgueses se apoderaram das cidades e fundavam bancos, produziam e intercambiavam mercadorias, conquistando mercados novos. Ouro, prata, açúcar: a economia colonial, mais abastecedora do que consumidora, estruturou-se em função das necessidades do mercado europeu, e a seu serviço. O valor das exportações latino-americanas de metais preciosos, durante longos períodos do século XVI, foi quatro vezes maior do que o valor das importações, compostas estas sobretudo de escravos, sal, vinho, azeite, armas, tecidos e artigos de luxo. Os recursos fluíam para que fossem acumulados pelas nações europeias emergentes. Essa era a missão fundamental que traziam os pioneiros, ainda que também aplicassem o Evangelho nos índios agonizantes quase tão frequentemente quanto o chicote. A estrutura econômica das colônias ibéricas nasceu subordinada ao mercado externo e, em consequência, centralizada no setor exportador, que concentrava a renda e o poder.

Ao longo do processo, da etapa dos metais ao posterior fornecimento de alimentos, cada região se identificou com o que produziu, e o que produziu foi aquilo que dela se esperava na Europa: *cada produto carregado no porão dos galeões que sulcavam o oceano converteu-se numa vocação e num destino.* A divisão internacional do trabalho, tal como foi surgindo junto com o capitalismo, parecia-se mais com uma distribuição de funções entre o cavaleiro e o cavalo, como observou Paul Baran[32]. Os mercados do mundo colonial cresceram como meros apêndices do mercado interno do capitalismo que irrompia.

Celso Furtado adverte[33] que os senhores feudais europeus obtinham um excedente econômico da população por eles dominada e o utilizavam, de uma forma ou de outra, em suas próprias regiões, enquanto o principal

---

32. BARAN, Paul. *Economía política del crecimiento*. México, 1959.
33. FURTADO, Celso. *La economía latinoamericana desde la conquista ibérica hasta la revolución cubana*. Santiago de Chile, 1969; México, 1969.

objetivo dos espanhóis que, na América, receberam minas, terras e indígenas do rei, consistia em subtrair um excedente para transferi-lo à Europa. Esta observação contribui para esclarecer o fim último que teve, desde sua implantação, a economia colonial americana; ainda que formalmente mostrasse alguns traços feudais, atuava a serviço do capitalismo nascente em outras comarcas. Afinal, tampouco em nosso tempo a existência de centros ricos do capitalismo pode ser explicada sem a existência das periferias pobres e submetidas: uns e outros integram o mesmo sistema.

Contudo, nem todo o excedente se evadia para a Europa. A economia colonial também financiava a dissipação de mercadores, donos de minas e grandes proprietários de terras, que repartiam entre si o aproveitamento da mão de obra indígena e negra sob o olhar ciumento da Coroa e sua principal associada, a Igreja. O poder estava concentrado em poucas mãos, que enviavam para a Europa metais e alimentos, e da Europa recebiam artigos voluptuários, em cuja fruição empregavam suas crescentes fortunas. As classes dominantes não tinham o menor interesse em diversificar as economias internas nem em elevar os níveis técnicos e culturais da população: era outra sua função na engrenagem internacional para a qual atuavam, e a imensa miséria popular, tão lucrativa do ponto de vista dos interesses reinantes, impedia o desenvolvimento de um mercado interno de consumo.

Uma economista francesa[34] sustenta que a pior herança colonial da América Latina, que explica seu considerável atraso atual, é a falta de capitais. No entanto, todas as informações históricas demonstram que a economia colonial, no passado, produziu enorme riqueza para as classes que, na região, eram associadas ao sistema colonialista de domínio. A abundante mão de obra disponível, gratuita ou quase gratuita, e a grande demanda europeia por produtos americanos, tornaram possível, segundo Sergio Bagú, "uma precoce e grandiosa acumulação de capitais nas colônias ibéricas. O núcleo de beneficiários, longe de se ampliar, foi-se reduzindo proporcionalmente à massa da população, como se depreende do fato cabal de que o número de europeus e nativos desocupados aumentasse sem cessar"[35]. *O capital que restava na América, deduzida a parte do leão que era voltada para*

---

34. BEAUJEAU-GARNIER, J. *L'économie de l'Amérique Latine*. Paris, 1949.
35. BAGÚ, Sergio. *Economía de la sociedad colonial. Ensayo de historia comparada de América Latina*. Buenos Aires, 1949.

o processo de acumulação primitiva do capitalismo europeu, não gerava aqui um processo análogo ao da Europa, que lançasse as bases do desenvolvimento industrial, mas era desviado para a construção de grandes palácios e templos faustosos, para a compra de joias, roupas e móveis suntuosos, para a manutenção de numerosa criadagem e o esbanjamento das festas. Esse excedente, em boa parte, imobilizava-se na compra de novas terras ou seguia girando nas atividades especulativas e comerciais.

No ocaso da era colonial, Humboldt encontrará no México "uma enorme massa de capitais amontoados em mãos dos proprietários de minas, ou de negociantes já retirados do comércio". Não menos do que a metade dos bens de raiz e do capital total do México pertencia, segundo seu testemunho, à Igreja, que além disso controlava boa parte das terras restantes através de hipotecas[36]. Os mineradores mexicanos, como os grandes exportadores de Veracruz e Acapulco, investiam seus excedentes na compra de latifúndios e nos empréstimos sob hipoteca; a hierarquia clerical estendia seus bens na mesma direção. As residências capazes de converter um plebeu em príncipe e os templos espalhafatosos nasciam como cogumelos depois da chuva.

No Peru, em meados do século XVII, grandes capitais provindos de "encomenderos", mineradores, inquisidores e funcionários da administração imperial eram empregados no comércio. As fortunas nascidas na Venezuela do cultivo de cacau, iniciado em fins do século XVI, à custa de legiões de escravos disciplinados a chicote, eram investidas "em novas plantações e outros cultivos comerciais, assim como em minas, bens de raiz urbanos, escravos e fazendas de gado".[37]

Ruínas de Potosí: o ciclo da prata

Interpretando a natureza das relações "metrópole-satélite" ao longo da história da América como uma cadeia de subordinações sucessivas, André Gunder Frank, em uma de suas obras[38], frisou que as regiões hoje em dia mais afetadas pelo subdesenvolvimento e pela pobreza são aquelas que, no passado, tiveram laços mais estreitos com a metrópole e desfrutaram períodos de culminância. São as regiões que foram as maiores produtoras de bens exportados para a Europa ou, posteriormente, para os Estados Unidos, e as mais

---

36. HUMBOLDT, Alexander von. *Ensayo sobre el Reino de la Nueva España*. México, 1944.
37. BAGÚ, op. cit.
38. FRANK, André Gunder. *Capitalism and underdevelopment in Latin America*. New York, 1967.

caudalosas fontes de lucro: regiões abandonadas pela metrópole quando, por qualquer razão, os negócios decaíram.

Potosí oferece o mais claro exemplo dessa queda no vazio. As minas de Guanajuato e Zacatecas, no México, viveram seu apogeu posteriormente. Nos séculos XVI e XVII, a montanha rica de Potosí foi o centro da vida colonial americana: ao seu redor, de um modo ou de outro, giravam a economia chilena, que a provia de trigo, carne seca, peles e vinhos; a pecuária e os artesanatos de Córdoba e Tucumán, que a abasteciam de animais de tração e de tecidos; as minas de mercúrio de Huancavélica e a região de Arica, por onde era embarcada a prata para Lima, principal centro administrativo da época. O século XVIII marca o princípio do fim da economia da prata que teve seu centro em Potosí; no entanto, na época da independência a população do território que hoje compreende a Bolívia ainda era superior à que habitava aquilo que hoje é a Argentina. Século e meio depois, a população boliviana é quase seis vezes menor do que a população argentina.

Aquela sociedade potosina, doente de ostentação e desperdício, só legou para a Bolívia vaga memória de seu esplendor, as ruínas de suas igrejas e palácios e oito milhões de cadáveres de índios. Qualquer diamante incrustado no escudo de um fidalgo rico valia mais do que a quantia que um índio podia ganhar em toda sua vida de *mitayo*, mas o fidalgo fugiu com os diamantes. A Bolívia, hoje um dos países mais pobres do mundo, poderia vangloriar-se – se isto não fosse pateticamente inútil – de ter nutrido a riqueza dos mais ricos países. Em nossos dias, Potosí é uma pobre cidade da pobre Bolívia: "A cidade que mais deu ao mundo é a que menos tem", como me disse uma velha senhora potosina, envolta em quilométrico xale de lã de alpaca, quando conversamos à frente do pátio andaluz de sua casa de dois séculos. Essa cidade condenada à nostalgia, atormentada pela miséria e pelo frio, ainda é uma ferida aberta do sistema colonial na América: uma acusação. O mundo teria de começar por lhe pedir desculpas.

Vive-se de escombros. Em 1640, o padre Álvaro Alonso-Barba publicou em Madri, na imprensa do reino, seu excelente tratado sobre a arte dos metais. O estanho, escreveu Barba, "é veneno"[39]. Ele mencionou elevações em que "há muito estanho, ainda que poucos saibam, e por não acharem a prata que todos buscam, deixam-no ali". Em Potosí, agora se explora o estanho que os espanhóis descartaram como lixo. Vendem-se as paredes de casas velhas como estanho de primeira. Das bocas dos cinco mil socavões que os espanhóis abriram na montanha rica jorrou a riqueza ao longo de dois séculos.

---
39. ALONSO-BARBA, Álvaro. *Arte de los metales*. Potosí, 1967.

A montanha foi mudando de cor na medida em que as explosões de dinamite a esvaziavam e iam diminuindo a altura de seu cume. Os montões de pedras, acumulados em torno dos infinitos buracos, têm todas as cores: são rosados, lilases, purpúreos, ocres, cinzas, dourados, pardos. Uma colcha de retalhos. Os *llamperos* quebram a rocha, e as *palliris* indígenas, de sábia mão para pesar e separar, picotam como passarinhos os restos minerais. Procuram estanho. Nos velhos socavões que não estão inundados, os mineiros ainda entram, lâmpada de carbureto na mão, corpos encolhidos, para arrancar o que puderem. Prata não há. Nem uma cintilação; os espanhóis ralavam os veios com escovilhas. Os *pallacos* cavam com pá e picareta pequenos túneis para extrair estanho do que sobra. "A montanha ainda é rica", dizia-me sem assombro um desempregado que arranhava a terra com as mãos, "Deus há de existir, não é? O mineral cresce como se fosse uma planta." Defronte à montanha rica de Potosí se ergue o testemunho da devastação. É um monte chamado Huakajchi, que em quíchua significa "monte que chorou". De suas encostas brotam muitas fontes de água pura, os "olhos d'água" que matam a sede dos mineiros.

Em seus anos de apogeu, em meados do século XVII, a cidade abrigou muitos pintores e artesãos espanhóis ou nativos ou santeiros indígenas que imprimiram sua marca na arte colonial americana. Melchor Pérez de Holguín, o Grego da América, deixou uma vasta obra religiosa que manifesta não só o talento de seu criador, também o alento pagão dessas terras. Os artistas locais cometiam heresias, como o quadro que mostra a Virgem Maria oferecendo um seio a Jesus e outro ao marido. Os ourives, os cinzeladores de prataria, os mestres do repuxado, os ebanistas, os artífices do metal, da madeira fina, do gesso e dos marfins nobres abasteceram os numerosos mosteiros e igrejas de Potosí com talhas e altares de infinitas filigranas cintilantes de prata, e púlpitos e valiosíssimos retábulos. As fachadas barrocas dos templos, trabalhadas em pedra, resistiram ao embate dos séculos, mas o mesmo não se deu com os quadros, em muitos casos mortalmente mordidos pela umidade, ou com as figuras e objetos de pouco peso: turistas e párocos tiraram das igrejas tudo aquilo que podiam carregar: dos cálices e sinos até as talhas de Cristo e São Francisco em faia e freixo.

Essas igrejas pilhadas, fechadas em sua maioria, estão vindo abaixo, avariadas pelos anos. É uma lástima, porque mesmo as saqueadas são formidáveis tesouros em pé de uma arte colonial que funde e realça todos os estilos, valiosa no gênio e na heresia: o "signo escalonado" de Tiahuanacu em lugar da cruz, e a cruz junto do sagrado sol e da sagrada lua, as virgens e os santos com cabelos de verdade, as uvas e as espigas enroscadas nas colunas, até os capitéis, junto com a *kantuta*, a flor imperial dos incas; as sereias, Baco e a festa da vida alternando com o ascetismo românico, os rostos morenos de algumas divindades e as cariátides com traços indígenas. Há igrejas que foram restauradas para prestar, já vazias de fiéis, outros serviços. A igreja de Santo Ambrósio se transformou no Cine Omiste; em fevereiro de 1970, sobre os baixos-relevos barrocos da fachada era anunciada a próxima estreia: "O mundo está louco, louco, louco". O templo da Companhia de Jesus também se converteu em cinema, depois em depósito de mercadorias da empresa Grace e por último em armazém de alimentos para a caridade pública. Mas outras poucas igrejas, mal ou bem, ainda estão em atividade: há pelo menos um século e meio os vizinhos de Potosí queimam círios para acabar com a falta de dinheiro. A de São Francisco, por exemplo. Dizem que a cruz dessa igreja cresce alguns centímetros por ano, e que cresce também a barba do Senhor de Vera Cruz, imponente Cristo de prata e seda que apareceu em Potosí há quatro séculos, trazido não se sabe por quem. Os padres não negam que, a cada determinado tempo, cortam-lhe a barba, e lhe atribuem toda a sorte de milagres: conjurações sucessivas de secas e pestes, guerras em defesa da cidade acossada.

O Senhor de Vera Cruz, no entanto, nada pôde fazer para evitar a decadência de Potosí. O esgotamento da prata foi interpretado como um castigo divino por causa das atrocidades e pecados dos mineradores. Ficaram no passado as missas espetaculares, assim como os banquetes e as touradas, os bailes e os fogos de artifício – afinal, o culto religioso com tanto luxo também tinha sido um subproduto do trabalho escravo dos índios. Na época de esplendor, os mineradores faziam fabulosas doações às igrejas e aos mosteiros, e celebravam suntuosos ofícios fúnebres. Chaves de prata pura para as portas do céu: o mercador Álvaro Bejarano, em seu testamento de 1559, ordenou que seu cadáver fosse acompanhado por "todos os padres e sacerdotes de Potosí". No delírio dos fervores e dos pânicos da sociedade colonial, o curandeirismo e a bruxaria se misturavam com a religião oficial. A extrema-unção com campainha e pálio podia, como a comunhão, curar o agonizante, embora fosse mais eficaz um suculento legado para a construção de um templo ou de um altar de prata. Combatia-se a febre com os evangelhos: em alguns conventos, as orações refrescavam o corpo; em outros, davam calor. "O Credo era fresco como o tamarindo ou o orvalho, e a Salve-Rainha era quente como a flor de laranjeira ou a barba de milho".[40]

---

40. OTERO, op. cit.

Na rua Chuquisaca pode-se admirar a fachada do palácio dos condes Carma e Cayara, mas o prédio agora é o consultório de um cirurgião-dentista; o brasão do mestre de campo dom Antonio López de Quiroga, na rua Lanza, adorna uma escolinha; o escudo do marquês de Otavi, com seus leões rampantes, ornamenta o pórtico do Banco Nacional. "Em que lugares viverão agora, devem ter ido para longe…" A anciã potosina, cativa de sua cidade, conta-me que primeiro foram embora os ricos, depois foram também os pobres: Potosí tem agora três vezes menos habitantes do que há quatro séculos. Contemplo a montanha de um terraço da rua Uyuni, uma estreita e serpejante ruazinha colonial, onde as casas têm grandes sacadas de madeira, tão próximas umas das outras que os vizinhos podem se beijar ou trocar socos sem sair à rua. Sobrevivem aqui, como em toda a cidade, os velhos candeeiros de luz mortiça sob os quais, no dizer de Jaime Molins, "remitiram-se as rusgas de amor e se esgueiraram, como duendes, cavaleiros embuçados, damas elegantes e jogadores profissionais". A cidade tem agora luz elétrica, mas quase não se nota. Nas praças sombrias, à luz dos velhos lampiões, à noite são feitas rifas: vi sortearem uma fatia de torta no meio de uma multidão.

Junto com Potosí, decaiu Sucre. Essa cidade do vale, de clima agradável, que antes, e sucessivamente, chamou-se Charcas, La Plata e Chuquisaca, desfrutou boa parte da riqueza que manava das veias da montanha rica de Potosí. Gonzalo Pizarro, irmão de Francisco, instalou ali sua corte, faustosa como a do rei que ele quis ser e não conseguiu; igrejas e casarões, parques e quintas de lazer brotavam continuamente, junto com juristas, místicos e poetas retóricos que, de século em século, foram dando à cidade a sua marca. "Silêncio, é Sucre. Não mais do que o silêncio. Mas antes…" Antes ela foi a capital cultural de dois vice-reinados, a sede do principal arcebispado da América e do mais poderoso tribunal de justiça da colônia, a cidade mais faustosa e culta da América do Sul. Dona Cecilia Contreras de Torres e dona María de las Mercedes Torralba de Gramajo, senhoras de Ubina e Colquechaca, davam banquetes pantagruélicos: competiam na dissipação das fabulosas rendas de suas minas em Potosí, e quando as opulentas festas se acabavam, lançavam das sacadas a baixela de prata e até os utensílios de ouro, para que fossem recolhidos pelos felizardos transeuntes.

Sucre conta ainda com uma Torre Eiffel e com seus próprios Arcos do Triunfo, e dizem que com as joias de sua Virgem poderia ser quitada a gigantesca dívida externa da Bolívia. Mas os famosos sinos das igrejas que, em 1809, saudaram com júbilo a emancipação da América, hoje produzem um toque fúnebre. O sino rouco de São Francisco, que tantas vezes anunciou sublevações e motins, hoje dobra pela mortal estagnação de Sucre. Pouco importa que permaneça como a capital legal da Bolívia, e que ali ainda funcione a Suprema Corte de Justiça. Pelas ruas transitam rábulas adoentados e de pele amarela, testemunhas sobreviventes da decadência: doutores do tipo que usava pincenê, com faixa preta e tudo. Dos grandes palácios vazios, os ilustres patriarcas de Sucre enviam seus criados para vender empadas às janelas dos trens. Entre eles há quem soube comprar, em outras horas, até um título de príncipe.

Em Potosí e em Sucre só permaneceram vivos os fantasmas da riqueza morta. Em Huanchaca, outra tragédia boliviana, os capitais anglo-chilenos esgotaram, durante o século XIX, veios de prata de mais de dois metros de largura, com altíssimo teor; agora só restam as ruínas poeirentas. Huanchaca continua nos mapas, como se ainda existisse, identificada como um centro mineiro ainda vivo, com sua picareta e sua pá cruzados.

Tiveram melhor sorte as minas mexicanas de Guanajuato e Zacatecas?

Com base em dados *fornecidos por Alexander von Humboldt, estimou-se em cinco bilhões de dólares atuais a magnitude do excedente econômico evadido do México entre 1760 e 1809, apenas meio século, através das exportações de prata e ouro*[41]. Naquela época não havia minas mais importantes na América. O grande sábio alemão comparou a mina de Valenciana, em Guanajuato, com a Himmels Furst da Saxônia, que era a mais rica da Europa: a Valenciana, no fim do século XVIII, produzia 36 vezes mais prata, e deixava para seus acionistas lucros 33 vezes mais altos. O conde Santiago de la Laguna vibrava com emoção ao descrever, em 1732, o distrito mineiro de Zacatecas e "os preciosos tesouros ocultos em seu profundo seio", nas montanhas "todas honradas com mais de quatro mil bocas, para com o fruto de suas entranhas servir a ambas as Majestades", Deus e o Rei, "para que todos venham beber e participar do grande, do rico, do douto, do urbano e do nobre", porque era "fonte de sabedoria, polícia, armas e nobreza (...)"[42] O padre Marmolejo descrevia

---

41. CARMONA, Fernando. "Prólogo." In: LÓPEZ ROSADO, Diego. *Historia e pensamiento económico de México*. México, 1968.
42. RIBERA BERNÁRDEZ, D. Joseph, Conde Santiago de la Laguna. "Descripción breve de la muy noble y leal ciudad de Zacatecas." In: SALINAS DE LA TORRE, Gabriel. *Testimonios de Zacatecas*. México, 1946. Além desta obra e do ensaio de Humboldt, o autor consultou: CHÁVEZ OROZCO, Luis. *Revolución industrial – Revolución política*. Biblioteca del Obrero y Campesino: México, s.d.; MARMOLEJO, Lucio. *Efemérides guanajuatenses, o datos para formar la historia de la ciudad de Guanajuato*. Guanajuato, 1883; MORA, José María Luis. *México y sus revoluciones*. México, 1965; e para os dados da atualidade, *La economía del estado de Zacatecas* e *La economía del estado de Guanajuato*, da série de investigações do Sistema Bancos de Comércio. México, 1968.

mais tarde a cidade de Guanajuato, atravessada pelas pontes, com jardins que tanto se pareciam com os de Semíramis na Babilônia, e os templos deslumbrantes, o teatro, a praça de touros, a arena de galos e as torres e as cúpulas alçadas contra as verdes encostas das montanhas. Mas este era "o país das desigualdades", e Humboldt pôde escrever sobre o México: "Em lugar algum a desigualdade é tão espantosa (...) a arquitetura dos edifícios públicos e privados, a finura do enxoval das mulheres, o ar da sociedade: tudo anuncia um esmero extremo que se contrapõe à nudez, à ignorância e à rusticidade do populacho". Os socavões engoliam homens e mulas nas encostas das cordilheiras; os índios, "que viviam apenas para sobreviver ao dia", padeciam de fome endêmica, e as pestes os matavam como moscas. Num só ano, 1784, uma onda de enfermidades provocadas pela falta de alimentos, resultante de uma geada arrasadora, ceifou mais de oito mil vidas em Guanajuato.

Os capitais não se acumulavam, eram dissipados. Praticava-se o velho ditado: "Pai rico, filho nobre, neto pobre". Numa representação dirigida ao governo, em 1843, Lucas Alamán formulou uma sombria advertência, enquanto insistia na necessidade de defender a indústria nacional através de um sistema de proibições e fortes gravames contra a concorrência estrangeira: "É preciso recorrer ao fomento da indústria, como única fonte de uma prosperidade universal", dizia. "De nada serviria a Puebla a riqueza de Zacatecas se não fosse pelo consumo que proporciona às suas manufaturas, e se estas decaíssem, como já aconteceu antes, ficaria arruinado este departamento agora florescente, sem que pudesse salvá-lo da miséria a riqueza daquelas minas". A profecia era certeira. Em nossos dias, Zacatecas e Guanajuato nem sequer são as cidades mais importantes de suas próprias comarcas. Definham as duas, rodeadas pelos esqueletos dos acampamentos da prosperidade mineira. Zacatecas, alta e árida, vive da agricultura e exporta mão de obra para outros estados; é baixíssimo o teor atual de seus minérios de ouro e prata, comparado com os bons tempos do passado. Das 50 minas que eram exploradas no distrito de Guanajuato, agora restam apenas duas. A população da formosa cidade não cresce, mas ela é visitada por turistas que contemplam o exuberante esplendor dos velhos tempos, passeiam pelas ruazinhas de nomes românticos, ricas de lendas, e se horrorizam com as 100 múmias que os sais da terra conservaram intatas. A metade das famílias do estado de Guanajuato, em média com mais de cinco membros, vive atualmente em choças de uma única peça.

O derramamento do sangue e das lágrimas; e, no entanto, o Papa tinha resolvido que os índios tinham alma

Em 1581, Felipe II afirmou, durante uma audiência em Guadalajara, que um terço dos indígenas da América tinha sido aniquilado, e que aqueles que ainda viviam eram obrigados a pagar tributos pelos mortos. Disse também o monarca que os índios eram comprados e vendidos. Que dormiam na intempérie. Que as mães matavam os filhos para salvá-los do tormento das minas[43]. Mas a hipocrisia da Coroa tinha menos limites do que o Império: a Coroa recebia uma quinta parte do valor dos metais que seus súditos arrancavam em toda a extensão do Novo Mundo hispânico, além de outros impostos, e outro tanto ocorria, no século XVIII, com a Coroa portuguesa em terras do Brasil. A prata e o ouro da América, no dizer de Engels, penetraram como um ácido corrosivo em todos os poros da moribunda sociedade feudal na Europa, e ao serviço do nascente mercantilismo capitalista os empresários mineiros converteram indígenas e escravos negros num multitudinário "proletariado externo" da economia europeia. A escravidão greco-romana ressuscitava nos fatos, num mundo distinto; ao infortúnio dos indígenas dos impérios aniquilados na América hispânica deve-se somar o terrível destino dos negros arrebatados às aldeias africanas para trabalhar no Brasil e nas Antilhas. *A economia colonial latino-americana valeu-se da maior concentração de força de trabalho até então conhecida, para tornar possível a maior concentração de riqueza com que jamais contou qualquer civilização na história mundial.*

Aquela violenta maré de cobiça, horror e bravura não se abateu sobre essas comarcas senão ao preço do genocídio nativo: investigações recentes melhor fundamentadas atribuem ao México pré-colombiano uma população que oscila entre 25 e 30 milhões, e se calcula que havia um número parecido de índios na região andina; na América Central e nas Antilhas, entre dez e treze milhões de habitantes. *Os índios das Américas somavam não menos do que 70 milhões, ou talvez mais, quando os conquistadores estrangeiros apareceram no horizonte; um século e meio depois estavam reduzidos tão só a 3,5 milhões*[44]. Segundo o marquês de Barinas, entre Lima e Paita, onde tinham vivido mais de dois milhões de índios, não restavam mais do que quatro mil famílias indígenas em 1685. O arcebispo Liñán y Cisneros negava o aniquila-

---
43. COLLIER, John. *The indians of America*. New York, 1947.
44. RIBEIRO, op. cit., com dados de Henry F. Dobyns, Paul Thompson e outros.

mento dos índios: "O que acontece", dizia, "é que eles se escondem para não pagar tributos, abusando da liberdade que gozam e que não tinham na época dos incas".[45]

Manava sem cessar o metal das veias americanas, e da corte espanhola, também sem cessar, chegavam ordenações que outorgavam uma proteção de papel e uma dignidade de tinta aos indígenas, cujo trabalho extenuante sustentava o reino. A ficção da legalidade amparava o índio; a exploração da realidade o dessangrava. Da escravidão à servidão, do trabalho forçado ao regime de salários, as variantes da condição jurídica da mão de obra indígena só alteravam superficialmente a situação real. A Coroa considerava tão necessária a exploração desumana da força de trabalho aborígine que, em 1601, Felipe III ditou regras proibindo o trabalho forçado nas minas e, ao mesmo tempo, enviou instruções secretas, ordenando que fosse continuado "se aquela medida afetasse a produção"[46]. Do mesmo modo, entre 1616 e 1619, o visitador e governador Juan de Solórzano fez uma investigação sobre as condições de trabalho nas minas de mercúrio de Huancavélica: "(...) o veneno penetrava na pura medula, debilitando os membros todos e provocando um tremor constante, morrendo os operários, geralmente, após quatro anos", informou ao Conselho das Índias e ao monarca. Mas em 1631, Felipe IV ordenou que se continuasse com o mesmo sistema, e seu sucessor, Carlos II, tempos depois renovou o decreto. Essas minas de mercúrio eram exploradas diretamente pela Coroa, diferentemente das minas de prata, que estavam nas mãos de empresários privados.

Em três séculos, a montanha rica de Potosí apagou, segundo Josiah Conder, 8 milhões de vidas. Os índios eram arrancados das comunidades agrícolas e, com a mulher e os filhos, impelidos rumo à montanha. De cada dez que eram levados para os altos páramos gelados, sete jamais voltavam. Luis Capoche, que era dono de minas e de engenhos, escreveu que "estavam os caminhos tão povoados que parecia que o reino inteiro ia embora". Nas comunidades, os indígenas tinham visto "voltar muitas mulheres aflitas, sem seus maridos, e muitos filhos órfãos, sem seus pais" e sabiam que na mina os esperava "mil mortes e desastres". Os espanhóis palmilhavam centenas de milhas em busca de mão de obra. Muitos índios morriam no caminho, antes de chegar a Potosí. Mas eram as terríveis condições de trabalho na mina que matavam mais gente. O frei dominicano Domingo de Santo Tomás denunciou ao Conselho das Índias, em 1550, pouco depois da abertura da mina,

---
45. ROMERO, Emilio. *Historia económica del Perú*. Buenos Aires, 1949.
46. FINOT, Enrique. *Nueva historia de Bolivia*. Buenos Aires, 1946.

que Potosí era a "boca do inferno" que, anualmente, tragava índios aos milhares, e que os rapaces mineradores tratavam os nativos "como animais sem dono". E frei Rodrigo de Loaysa diria depois: "Esses pobres índios são como as sardinhas no mar. Assim como os outros peixes perseguem a sardinha para agarrá-la e devorá-la, nestas terras os perseguidos são esses miseráveis índios (...)"[47]. Os caciques das comunidades tinham a obrigação de substituir os *mitayos* que iam morrendo por novos trabalhadores de 18 a 50 anos de idade. O curral de repartir, onde se entregavam os índios aos donos de minas e engenhos, uma gigantesca cancha de paredes de pedra, serve agora para os operários jogarem futebol; o cárcere dos *mitayos*, um informe montão de pedras, ainda pode ser visto na entrada de Potosí.

Na Recopilação de Leis das Índias não faltam decretos daquela época estabelecendo a igualdade de direitos dos índios e dos espanhóis para explorar as minas e proibindo expressamente que fossem lesados os direitos dos nativos. A história formal – letra morta que em nossos tempos recolhe a letra morta de tempos passados – não teria do que se queixar, mas enquanto se debatia numa papelada interminável a legislação do trabalho indígena e, numa explosão de tinta, manifestava-se o talento dos juristas espanhóis, na América a lei "era acatada, mas não cumprida". E o fato é que "o pobre índio é uma moeda", como disse Luis Capoche, "com a qual se encontra tudo o que é preciso, como o ouro e a prata, e muito melhor". Numerosos indivíduos reivindicavam nos tribunais sua condição de mestiços para que não fossem mandados para os socavões nem fossem vendidos e revendidos no mercado.

Em fins do século XVIII, Concolorcovo, em cujas veias corria sangue indígena, assim renegava os seus: "Não negamos que as minas consomem um número considerável de índios, mas isto não resulta do trabalho deles nas minas de prata e de mercúrio e sim da libertinagem em que vivem". Neste sentido, é ilustrativo o testemunho de Capoche, que tinha muitos índios a seu serviço. As temperaturas glaciais da intempérie se alternavam com os calores infernais nas profundas da montanha. Os índios entravam lá e, "em regra, alguns são retirados mortos, outros com as pernas e a cabeça quebradas, e nos engenhos a cada dia se ferem". Os *mitayos* faziam saltar o mineral à ponta de picareta e logo o levavam para cima, pelas escadas, carregando-o nas costas e à luz de vela. Fora do socavão, movimentavam os enormes eixos de madeira dos engenhos ou fundiam a prata ao fogo, depois de moê-la e lavá-la.

A "mita" era uma máquina de triturar índios. O emprego do mercúrio para extração da prata por amálgama envenenava tanto ou mais do que os

---
47. Obras citadas.

gases tóxicos do ventre da terra. Fazia cair os cabelos e os dentes, e provocava tremores incontroláveis. Os "azogados" se arrastavam a pedir esmola pelas ruas. Seis mil e quinhentas fogueiras ardiam à noite nas encostas da montanha rica, e nelas se trabalhava a prata, valendo-se do vento que o "glorioso santo Agostinho" enviava do céu. Por causa da fumaça dos fornos não havia pastos nem plantações num raio de seis léguas em torno de Potosí, e as emanações eram também implacáveis com os corpos dos homens.

Não faltaram as justificativas ideológicas. A sangria do Novo Mundo se convertia num ato de caridade ou numa razão de fé. Junto com a culpa nasceu todo um sistema de álibis para as consciências culpadas. Os índios eram tidos como bestas de carga porque aguentavam mais peso do que o débil lombo da lhama, e de passagem se comprovava que, de fato, os índios eram bestas de carga. Um vice-rei do México considerava que não havia melhor remédio do que o trabalho nas minas para curar a "maldade natural" dos índios. Juan Ginés de Sepúlveda, o humanista, sustentava que os índios mereciam o tratamento que recebiam porque seus pecados e idolatrias eram uma ofensa a Deus. O conde de Buffon afirmava que nos índios, animais débeis e frígidos, não se registrava "nenhuma atividade da alma". O abade De Paw inventava uma América onde os índios degenerados eram como cães que não sabiam latir, vacas incomestíveis e camelos impotentes. A América de Voltaire, habitada por índios preguiçosos e estúpidos, tinha porcos com o umbigo às costas e leões calvos e covardes. Bacon, De Maistre, Montesquieu, Hume e Bodin negaram-se a reconhecer "homens degradados" do Novo Mundo como seus semelhantes. Hegel falou da impotência física e espiritual da América e que os indígenas tinham perecido ao receber o sopro da Europa.[48]

No século XVII, o padre Gregorio García sustentava que os índios eram de ascendência judaica porque, como os judeus, "são preguiçosos, não acreditam nos milagres de Jesus Cristo e não são agradecidos aos espanhóis por todo o bem que eles lhes fizeram". Esse sacerdote ao menos não negava que os índios descendiam de Adão e Eva: eram numerosos os teólogos e pensadores que não tinham sido inteiramente convencidos pela Bula do papa Paulo III, expedida em 1537, que declarava os índios "verdadeiros homens". O frei Bartolomé de Las Casas agitava a corte espanhola com suas denúncias da crueldade dos conquistadores da América: em 1557, um membro do conselho real lhe respondeu que os índios estavam muito abaixo na escala

---

48. GERBI, Antonello. *La disputa del Nuevo Mundo*. México, 1960; tb. VIDART, op. cit.

da humanidade para serem capazes de receber a fé[49]. Las Casas dedicou sua fervorosa vida à defesa dos índios ante os desmandos dos mineradores e dos "encomenderos". Dizia que os índios prefeririam ir para o inferno para não se encontrarem com os cristãos.

Aos conquistadores e colonizadores eram "encomendados" indígenas para serem catequizados. Mas como os índios deviam ao "encomendero" serviços pessoais e tributos econômicos, não sobrava muito tempo para introduzi-los à senda cristã da salvação. Em recompensa de seus serviços, Hernán Cortez recebeu 23 mil vassalos; os índios eram repartidos ao mesmo tempo em que se outorgavam terras através de mercês reais ou eram obtidas por despojo. Desde 1536 os índios eram distribuídos por "encomienda", junto com seus descendentes, até o final de duas vidas: a do "encomendero" e a de seu herdeiro imediato; a partir de 1629, o regime foi se estendendo na prática. Vendiam-se as terras com os índios dentro[50]. No século XVIII, os índios, os sobreviventes, asseguravam a vida cômoda de muitas gerações vindouras. Como os deuses vencidos persistiam em suas memórias, não faltavam santos álibis para o aproveitamento de sua mão de obra pelos vencedores: os índios eram pagãos, não mereciam outra vida. Tempos passados? Em setembro de 1957, 420 anos depois da Bula do papa Paulo III, a Suprema Corte de Justiça do Paraguai emitiu uma circular comunicando a todos os juízes do país que "os índios são tão seres humanos quanto os outros habitantes da república (...)". E o Centro de Estudos Antropológicos da Universidade Católica de Assunção, mais tarde, realizou uma pesquisa reveladora na capital e no interior: de cada dez paraguaios, oito acreditam que "os índios são como animais". Em Caaguazú, no alto Paraná e no Chaco, os índios são caçados como feras, vendidos a preços vis e explorados em regime de virtual escravidão. No entanto, quase todos os paraguaios têm sangue indígena, e o Paraguai não se cansa de compor canções, poemas e discursos em homenagem à "alma guarani".

A nostalgia belicosa de Túpac Amaru

Quando os espanhóis chegaram à América, estava em seu apogeu o império teocrático dos incas, que estendia seu poder sobre o que hoje chamamos

---

49. HANKE, Lewis. *Estudios sobre fray Bartolomé de Las Casas y sobre la lucha por la justicia en la conquista española de América*. Caracas, 1968.
50. OTS CAPDEQUÍ, op. cit.

Peru, Bolívia e Equador, abarcava parte da Colômbia e do Chile e alcançava até o norte argentino e a selva brasileira; a confederação dos astecas tinha conquistado um alto nível de eficiência no vale do México, e no Yucatán e na América Central a esplêndida civilização dos maias persistia nos povos herdeiros, organizados para o trabalho e para a guerra.

Estas sociedades deixaram numerosos testemunhos de sua grandeza, apesar de todo o longo tempo da devastação: monumentos religiosos que nada devem às pirâmides egípcias; eficazes inventos técnicos para enfrentar as secas; objetos de arte que revelam um invicto talento. No museu de Lima podem ser vistos centenas de crânios que foram objeto de trepanação ou que receberam placas de ouro e prata por parte dos cirurgiões incas. Os maias tinham sido grandes astrônomos, mediram o tempo e o espaço com assombrosa precisão, e tinham descoberto o valor do número zero antes de qualquer povo da história. As ilhas artificiais e os aquedutos criados pelos astecas deslumbraram Hernán Cortez, embora não fossem de ouro.

A conquista rompeu as bases daquelas civilizações. Piores consequências do que o sangue e o fogo da guerra teve a implantação de uma economia mineira. As minas exigiam grandes transposições populacionais e desarticulavam as unidades agrícolas comunitárias; não só extinguiam inumeráveis vidas através do trabalho forçado como também, indiretamente, extinguiam o sistema coletivo de cultivos. Os índios eram conduzidos aos socavões, submetidos à servidão pelos "encomenderos" e constrangidos a entregar a troco de nada as terras que, obrigatoriamente, tinham deixado ou que não podiam cuidar. Na costa do Pacífico os espanhóis destruíram ou deixaram secar enormes cultivos de milho, mandioca, feijão, feijão-branco, amendoim, batata-doce; o deserto devorou rapidamente grandes extensões da terra que tinha recebido vida da velha rede de irrigação. Quatro séculos e meio depois da conquista, só restam rochas e matagais no lugar da maioria dos caminhos que uniam o império. Ainda que as gigantescas obras públicas dos incas tenham sido, na maior parte, apagadas pelo tempo ou pela mão de usurpadores, remanescem ainda, desenhados na cordilheira dos Andes, os intermináveis degraus que permitiam e ainda permitem o cultivo nas encostas das montanhas. Em 1936, um técnico norte-americano[51] estimava que se naquele mesmo ano, com métodos modernos, fossem construídos esses degraus, teriam custado 30 mil dólares por acre. Os degraus e os aquedutos de irrigação foram possíveis, naquele império que não conhecia a roda, o cavalo e o ferro, mercê de uma prodigiosa capacidade de organização e de um profundo conhecimento do meio, nascido este da relação religiosa do homem com a terra – que era sagrada e estava, portanto, sempre viva.

Também tinham sido assombrosas as respostas astecas ao desafio da natureza. Em nossos dias, os turistas conhecem por "jardins flutuantes" as poucas ilhas remanescentes no lago ressecado onde agora se ergue, sobre as ruínas indígenas, a capital do México. As ilhas foram criadas pelos astecas para dar resposta ao problema da falta de terras no lugar escolhido para a fundação de Tenochtitlán. Os índios transportaram das margens grandes massas de barro e imobilizaram essas novas ilhas entre delgadas paredes de bambu, até que as raízes da vegetação lhes dessem firmeza. Entre os novos espaços corriam canais de água. Sobre essas ilhas insolitamente férteis cresceu a poderosa capital dos astecas, com suas amplas avenidas, seus palácios de austera beleza e suas pirâmides escalonadas: brotada magicamente da lagoa, estava condenada a desaparecer nos embates da conquista estrangeira. O México precisaria de quatro séculos para alcançar uma população tão numerosa como a que existia naqueles tempos.

Como observou Darcy Ribeiro, os indígenas eram o combustível do sistema produtivo colonial. "É quase certo", escreve Sergio Bagú, "que para as minas hispânicas foram empurrados centenas de índios escultores, arquitetos, engenheiros e astrônomos, misturados à multidão escrava para realizar um grosseiro e extenuante trabalho de extração. Para a economia colonial, a habilidade técnica desses indivíduos não interessava, e eles eram aproveitados como trabalhadores sem qualificação." Mas não se perderam todas as lascas daquelas culturas fraturadas. A esperança no renascimento da dignidade estimularia numerosas sublevações indígenas. Em 1781, Túpac Amaru sitiou Cuzco.

Este cacique mestiço, descendente direto dos imperadores incas, encabeçou o movimento messiânico e revolucionário de maior envergadura. A grande rebelião explodiu na província de Tinta. Montado em seu cavalo branco, Túpac Amaru entrou na praça de Tungasuca e, ao som de flautas e tambores, anunciou que condenara à forca o corregedor real Antonio Juan de Arriaga, e determinou a proibição da *mita* de Potosí. A província de Tinta se despovoava por causa do

---

51. Segundo COLLIER, op. cit., um membro do Serviço Norte-Americano de Conservação de Solos.

serviço obrigatório nos socavões da prata na montanha rica. Poucos dias depois, Túpac Amaru expediu nova proclamação, decretando a liberdade dos escravos. Aboliu todos os impostos e o "repartimiento" da mão de obra indígena em todas as suas formas. Os indígenas aderiram aos milhares às forças do "pai de todos os pobres e de todos os miseráveis e desvalidos". À frente de seus guerreiros, o caudilho arremeteu contra Cuzco. Avançava predicando: quem morresse na guerra sob suas ordens ressuscitaria para desfrutar as felicidades e as riquezas de que tinham sido despojados pelos invasores. Sucederam-se vitórias e derrotas: por fim, traído e aprisionado por um de seus chefes, Túpac Amaru foi entregue, acorrentado, aos realistas. Em seu calabouço entrou o visitador Areche para exigir, em troca de promessas, os nomes dos cúmplices da rebelião. Túpac Amaru lhe respondeu com desprezo: "Aqui não há mais cúmplices além de mim e de ti; tu, como opressor, e eu como libertador, merecemos a morte"[52].

Túpac foi submetido a torturas, juntamente com sua esposa, seus filhos e principais seguidores na praça de Wacaypata, em Cuzco. Cortaram-lhe a língua. Amarraram seus braços e pernas a quatro cavalos, para esquartejá-lo, mas o corpo não se dividiu. Foi decapitado ao pé da forca. Sua cabeça foi enviada para Tinta. Um dos braços foi para Tungasuca e outro para Carabaya. Mandaram uma perna para Santa Rosa e a outra para Livitaca. Queimaram-lhe o torso e lançaram as cinzas no rio Watanay. Recomendou-se que fosse extinta toda a sua descendência até o quarto grau.

Em 1802, outro cacique descendente dos incas, Astorpilco, recebeu a visita de Humboldt. Foi em Cajamarca, no mesmo sítio onde seu antepassado Atahualpa tinha visto pela primeira vez o conquistador Pizarro. O filho do cacique acompanhou o sábio alemão num passeio pelas ruínas do povoado e pelos escombros do antigo palácio incaico, e enquanto caminhava ia falando dos fabulosos tesouros escondidos sob o pó e as cinzas. Perguntou-lhe Humboldt: "Às vezes vocês não sentem o desejo de cavar em busca dos tesouros para suprir suas necessidades?". O jovem respondeu: "Esse desejo nós não temos. Meu pai diz que seria pecaminoso. Se tivéssemos os ramos dourados com todos os frutos de ouro, os vizinhos brancos nos odiariam e acabariam nos fazendo algum mal"[53]. O cacique cultivava um pequeno campo de trigo, mas nem assim estava a salvo da cobiça alheia. Os usurpadores, ávidos de ouro e prata e também de braços escravos para trabalhar nas minas, não demoraram para avançar sobre as terras quando os cultivos ofereceram lucros tentadores. A exploração continuou ao longo de todo o tempo, e em 1969, quando se anunciou

---

52. VALCÁRCEL, Daniel. *La rebelión de Túpac Amaru*. México, 1947.
53. HUMBOLDT, Alexander von. *Ansichten der Natur.*, t.II, citado em MEYER-ABICH, Adolf e outros. *Alejandro de Humboldt (1769-1859)*. Bad Godesberg, 1969.

a reforma agrária no Peru, os jornais noticiavam frequentemente que os índios das comunidades destroçadas da serra, desfraldando suas bandeiras, de tanto em tanto invadiam as terras que roubaram deles ou de seus antepassados, e eram repelidos a balaços pelo exército. Foi preciso esperar quase dois séculos desde Túpac Amaru para que o general nacionalista Juan Velasco Alvarado recolhesse e aplicasse aquela frase do cacique, de ressonâncias imortais: "Camponês! O patrão já não comerá tua pobreza!"

Outros heróis que o tempo se encarregou de resgatar da derrota foram os mexicanos Hidalgo e Morelos. Miguel Hidalgo, que até os 50 anos tinha sido um pacato cura rural, um belo dia bateu os sinos da igreja de Dolores, concitando os índios a lutar por sua libertação: "Querem se empenhar no esforço de retomar dos odiados espanhóis as terras que, há 300 anos, foram roubadas de seus antepassados?" Levantou o estandarte da virgem índia de Guadalupe e, antes de seis semanas, 80 mil homens o seguiam, armados de facões, lanças, bodoques, arcos e flechas. O cura revolucionário pôs fim aos tributos e repartiu as terras de Guadalajara; decretou a liberdade dos escravos; à frente de suas forças arremeteu contra a cidade do México. Ao cabo de uma derrota militar, foi executado e, segundo dizem, deixou ao morrer um testemunho de apaixonado arrependimento[54]. A revolução não demorou para encontrar um novo chefe, o sacerdote José María Morelos: "Devem ser considerados inimigos todos os ricos, nobres e altos funcionários (...)". Seu movimento – insurgência indígena e revolução social – chegou a dominar grande extensão do território do México, até que Morelos também foi derrotado e fuzilado. A independência do México, seis anos depois, "mostrou-se um negócio perfeitamente hispânico, entre europeus e gente nascida na América (...), uma luta política dentro da mesma classe reinante"[55]. O "encomendado" foi transformado em peão e o "encomendero" em fazendeiro.[56]

A Semana Santa dos índios termina sem ressurreição

No princípio de nosso século, os donos dos *pongos*, índios dedicados ao serviço doméstico, ainda os alugavam, oferecendo-os pelos jornais de La Paz.

Até a revolução de 1952, que devolveu aos índios bolivianos o pisoteado direito à dignidade, os *pongos* dormiam ao lado do cachorro e comiam as

---
54. DONGHI, Tulio Halperin. *Historia contemporánea de América Latina*. Madrid, 1969.
55. GRUENING, Ernest. *Mexico and his heritage*. New York, 1928.
56. AGUILAR MONTEVERDE, Alonso. *Dialéctica de la economía mexicana*. México, 1968.

sobras da comida dele, e se curvavam para dirigir a palavra a qualquer um de pele branca. Os indígenas tinham sido bestas de carga para levar nos ombros a bagagem dos conquistadores: as cavalgaduras eram escassas. Em nossos dias, contudo, ainda podem ser vistos, em todo o altiplano andino, carregadores aimarás e quíchuas a carregar fardos até com os dentes, em troca de um pão seco. A pneumoconiose tinha sido a primeira enfermidade profissional da América; hoje, quando os mineiros bolivianos completam 35 anos de idade, já seus pulmões se negam a continuar funcionando: o implacável pó de sílica impregna a pele do mineiro, vinca-lhe o rosto e as mãos, aniquila seus sentidos de olfato e paladar, conquista-lhe os pulmões, endurece-os e por fim o mata.

Os turistas adoram fotografar os indígenas do altiplano vestidos com suas roupas típicas. Ignoram, por certo, que a atual vestimenta indígena foi imposta por Carlos III em fins do século XVIII. Os trajes femininos que os espanhóis obrigaram as índias a usar eram cópias dos vestidos regionais das lavradoras estremenhas, andaluzas e bascas, e outro tanto ocorre com o penteado das índias, repartido ao meio, imposto pelo vice-rei Toledo. O mesmo não ocorre com o consumo de coca, que não nasceu com os espanhóis: já existia no tempo dos incas. A coca, no entanto, era distribuída com parcimônia; o governo incaico a monopolizava e só permitia seu uso para fins rituais ou para o duro trabalho nas minas. Os espanhóis estimularam intensamente o consumo da coca. Era um esplêndido negócio. No século XVI, em Potosí, gastava-se tanto em roupas europeias quanto em coca para os oprimidos. Em Cuzco, 400 mercadores espanhóis viviam do tráfico de coca; nas minas de prata de Potosí entravam anualmente 100 mil cestos com 1 milhão de quilos de folhas de coca. A igreja arrecadava impostos da droga. O inca Garcilaso de la Vega nos conta, em seus "comentários reais", que a maior parte da renda do bispo, dos cônegos e demais ministros da igreja de Cuzco provinha dos dízimos sobre a coca, e que o transporte e a venda deste produto enriqueciam muitos espanhóis. Com as escassas moedas que obtinham em troca do trabalho, os índios compravam folhas de coca em vez de comida: mastigando-as, podiam suportar melhor as mortais tarefas impostas, ainda que ao preço de abreviar a vida. Além da coca, os indígenas consumiam aguardente, e seus amos se queixavam da propagação de "vícios maléficos". Nesta altura do século XXI, os indígenas de Potosí continuam mascando coca para matar a fome e se matar, e continuam queimando as tripas com álcool puro. São as estéreis desforras dos condenados. Nas minas bolivianas, os operários ainda chamam de *mita* o seu salário.

Desterrados em sua própria terra, condenados ao êxodo eterno, os indígenas da América Latina foram empurrados para as zonas mais pobres, as montanhas áridas ou o fundo dos desertos, à medida que avançava a fronteira da civilização dominante. *Os índios padeceram e padecem – síntese do drama de toda a América Latina – a maldição de sua própria riqueza.* Quando se descobriram os areais de ouro do rio Bluefields, na Nicarágua, os índios *carcas* foram rapidamente desalojados de suas terras ribeirinhas, e esta é também a história dos índios de todos os vales férteis e de todos os subsolos ricos do rio Bravo para o sul. As matanças de indígenas, que começaram com Colombo, nunca cessaram. No Uruguai e na Patagônia argentina, os índios foram exterminados no século passado por tropas que os buscaram e os encurralaram nos matos ou no deserto, para que não estorvassem o avanço organizado dos latifundiários de gado[57]. Os índios *yaquis*, do estado mexicano de Sonora, foram submergidos num banho de sangue para que suas terras, ricas de recursos minerais e férteis para o cultivo, pudessem ser vendidas sem inconvenientes a diversos capitalistas norte-americanos. Os sobreviventes foram deportados para as plantações de Yucatán. Assim, a península de Yucatán se converteu não só no cemitério dos indígenas maias que tinham sido seus donos, como também na tumba dos índios *yaquis*, que vinham de longe: no princípio do século, os 50 reis do sisal dispunham de mais de 100 mil escravos indígenas em suas plantações. Apesar de sua fortaleza física – é uma raça de formosos gigantes –, dois terços dos *yaquis* morreram

---

57. Os últimos charruas, que até 1832 sobreviviam furtando novilhos nas campinas selvagens do norte do Uruguai, foram traídos pelo presidente Fructuoso Rivera. Alijados da mata cerrada que lhes dava proteção, desmontados e desarmados com falsas promessas de amizade, foram abatidos num paradouro chamado Boca del Tigre: "Os clarins ordenaram a degola", conta o escritor Eduardo Acevedo Díaz (jornal *La Época*, 19 de agosto de 1890), "a horda se revolveu desesperada, caindo um atrás do outro seus jovens guerreiros, como touros feridos na nuca". Vários caciques morreram. Os poucos índios que conseguiram furar o cerco de fogo vingaram-se depois. Perseguidos pelo irmão de Rivera, armaram-lhe uma emboscada e o crivaram de lanças juntamente com seus soldados. O cacique Sepe "cobriu com alguns nervos do cadáver a ponta de sua lança".
Na Patagônia argentina, em fins do século, os soldados recebiam gratificações pela apresentação de cada par de testículos. O romance de David Viñas *Los dueños de la tierra* (Buenos Aires, 1959) começa com a caça aos índios: "Porque matar era como violar alguém. Algo bom. Agradava: era preciso correr, gritava-se, suava-se e depois se sentia fome (...). Os disparos agora se espaçavam. Certamente algum corpo de índio tinha restado enforquilhado num daqueles buracos, com uma mancha negra entre as coxas".

durante o primeiro ano de trabalho escravo[58]. Em nossos dias, a fibra de sisal só pode competir com seus substitutos sintéticos graças ao nível de vida marcadamente baixo de seus operários. As coisas mudaram, claro, mas não tanto quanto se pensa, ao menos para os indígenas de Yucatán: "As condições de vida desses trabalhadores muito se assemelha ao trabalho escravo", diz o professor Arturo Bonilla Sánchez[59]. Nas encostas andinas próximas de Bogotá, o peão indígena é obrigado a cumprir jornadas gratuitas de trabalho para que o fazendeiro lhe permita cultivar, em noites enluaradas, sua própria parcela: "Os antepassados desse índio cultivavam livremente, sem contrair dívidas, o solo rico do planalto, que a ninguém pertencia. Ele trabalha de graça para assegurar o direito de cultivar a pobre montanha"[60].

Atualmente, não se salvam nem sequer os indígenas que vivem isolados nos esconsos da selva. No princípio do século, ainda sobreviviam 230 tribos no Brasil; desde então desapareceram 90, apagadas do planeta por obra e graça das armas de fogo e dos micróbios. Violência e doença, batedores da civilização: o contato com o homem branco, para o indígena, continua sendo o contato com a morte. As disposições legais que, desde 1537, protegem os índios do Brasil, voltaram-se contra eles. De acordo com os textos de todas as constituições brasileiras, são "os primitivos e naturais senhores" das terras que ocupam. Ocorre que, quanto mais ricas são essas terras virgens, mais grave se torna a ameaça que pende sobre suas vidas; a generosidade da natureza os condena à espoliação e ao crime.

A caça aos índios foi desencadeada, nos últimos anos, com furiosa crueldade; a maior floresta do mundo, gigantesco espaço tropical aberto à lenda e à aventura, converteu-se, simultaneamente, no cenário de um novo *sonho americano*. Em ritmo de conquista, homens e empresas dos Estados Unidos avançaram sobre a Amazônia como se fosse um novo Far West. Essa invasão norte-americana incendiou como nunca a cobiça dos aventureiros brasileiros. Os índios morrem sem deixar rastro e as terras são vendidas em dólares aos novos interessados. O ouro e outros minerais de valor, a madeira e a borracha, riquezas cujo valor comercial os nativos ignoram, aparecem vinculadas aos resultados de cada uma das escassas investigações que se

---

58. TURNER, John Kenneth. *México bárbaro*. México, 1967.
59. BONILLA SÁNCHEZ, Arturo. "Un problema que se agrava: la subocupación rural". In: Vários autores. *Neolatifundismo y explotación. De Emiliano Zapata a Anderson Clayton & Co.* México, 1968.
60. DUMONT, René. *Tierras vivas. Problemas de la reforma agraria en el mundo*. México, 1963.

procederam. Sabe-se que os indígenas foram metralhados desde helicópteros e pequenos aviões, que lhes foi inoculado o vírus da varíola, que foi lançado dinamite sobre suas aldeias e que lhes foram presenteados açúcar misturado com estricnina e sal com arsênico. O próprio diretor do Serviço de Proteção aos Índios, designado pela ditadura de Castelo Branco para sanear a administração, foi acusado, com provas, de cometer 42 tipos diferentes de crimes contra os índios. O escândalo veio a público em 1968.

A sociedade indígena de nossos dias não existe no vazio, fora do marco geral da economia latino-americana. É verdade que há tribos ainda encerradas na floresta amazônica e comunidades isoladas do mundo no altiplano andino e em outras regiões, mas no geral os indígenas *estão* incorporados ao sistema de produção e ao mercado de consumo, embora de forma indireta. Participam, como vítimas, de uma ordem econômico-social em que desempenham o duro papel de os mais explorados entre os explorados. Compram e vendem boa parte das escassas coisas que consomem e produzem, através de intermediários poderosos e vorazes que cobram muito e pagam pouco; são diaristas nas plantações, a mão de obra mais barata, e soldados nas montanhas; gastam seus dias trabalhando para o mercado mundial ou lutando a serviço de seus vencedores. Em países como a Guatemala, por exemplo, eles são o eixo da vida econômica nacional: ano após ano, ciclicamente, abandonam suas *terras sagradas*, terras altas, minifúndios do tamanho de um cadáver, para emprestar 200 mil braços às colheitas de café, algodão e açúcar nas terras baixas. Os empreiteiros os transportam em caminhões, como gado, e nem sempre a necessidade decide: às vezes decide a aguardente. Os empreiteiros contratam uma orquestra de marimbas e deixam o álcool correr à larga: quando o índio desperta da borracheira, já o acompanham as dívidas. Ele vai pagá-las em terras quentes que não conhece, e dali regressará ao cabo de alguns meses, talvez com alguns centavos no bolso, talvez com tuberculose ou impaludismo. O exército colabora com eficácia na tarefa de convencer os remissos[61].

A expropriação dos indígenas – usurpação de suas terras e de sua força de trabalho – foi e é simétrica ao desprezo racial, que por sua vez se alimenta da objetiva degradação das civilizações destruídas pela conquista. Os efeitos da conquista e todo o ulterior e longo tempo de humilhações despedaçaram a identidade cultural e social que os indígenas tinham alcançado. No entanto,

---

61. GALEANO, Eduardo. *Guatemala, país ocupado*. México, 1967.

essa identidade triturada é a única que persiste na Guatemala[62]. Persiste na tragédia. Na Semana Santa, as procissões dos herdeiros dos maias apresentam terríveis exibições de masoquismo coletivo. Eles arrastam pesadas cruzes, participam passo a passo da flagelação durante a interminável subida do Gólgota; com gemidos de dor, converte-se Sua morte e Seu sepultamento no culto da própria morte e do próprio sepultamento, a aniquilação da formosa vida remota. A Semana Santa dos índios guatemaltecos termina sem ressurreição.

Vila Rica de Ouro Preto: a Potosí de ouro

A febre do ouro, que continua impondo a morte ou a escravidão aos indígenas da Amazônia, não é nova no Brasil; tampouco seus estragos.

Durante dois séculos a partir do descobrimento, o solo do Brasil teimosamente negou os metais aos seus proprietários portugueses. A exploração da madeira, o pau-brasil, ocupou o primeiro período da colonização do litoral, e logo apareceram grandes plantações de cana-de-açúcar no nordeste. No entanto, diferentemente da América hispânica, o Brasil parecia vazio de ouro e prata. Os portugueses não tinham encontrado ali civilizações indígenas de alto nível de desenvolvimento e organização, somente tribos selvagens e dispersas. Os aborígines desconheciam os metais; foram os portugueses que, por sua conta, tiveram de descobrir os locais em que se depositavam os aluviões de ouro no vasto território que se abria, através da derrota e do extermínio dos indígenas, à sua faina de conquistadores.

Os bandeirantes[63] da região de São Paulo tinham atravessado a vasta zona entre a Serra da Mantiqueira e a cabeceira do rio São Francisco e notaram que os leitos e bancos de areia de vários rios e riachos que por ali corriam continham traços de ouro aluvial em pequenas quantidades visíveis. A ação

---

62. A decomposição religiosa dos maias-quichés começou com a colônia. A religião católica só assimilou alguns aspectos mágicos e totêmicos da religião maia, na vã tentativa de submeter a fé indígena à ideologia dos conquistadores. O esmagamento da cultura original abriu passo ao sincretismo, e assim são recolhidos na atualidade, por exemplo, testemunhos da involução relativamente àquela evolução alcançada: "Dom Vulcão necessita de carne humana bem tostadinha". BÖCKLER, Carlos Guzmán & HERBERT, Jean-Loup. *Guatemala: una interpretación histórico-social*. México, 1970.

63. As bandeiras paulistas eram bandos errantes de organização paramilitar e de força variável. Suas expedições floresta adentro desempenharam importante papel na colonização do interior do Brasil.

Proliferavam, no entanto, as formosas igrejas construídas e decoradas no original estilo barroco característico da região. Minas Gerais atraía os melhores artesãos da época. Externamente, os templos pareciam sóbrios, despojados; no interior, símbolo da alma divina, resplandeciam no ouro puro dos altares, retábulos, pilares e painéis de baixo-relevo; não se economizavam os metais preciosos para que as igrejas pudessem alcançar "também as riquezas do céu", como aconselhava o frei Miguel de São Francisco, em 1710. Os serviços religiosos tinham preços altíssimos, mas tudo era fantasticamente caro nas minas. Como ocorrera em Potosí, Ouro Preto se lançava à dissipação de sua súbita riqueza. As procissões e os espetáculos proporcionavam a exibição de vestidos e adornos de luxo fulgurante. Em 1733, uma festa religiosa durou mais de uma semana. Além das procissões a pé, a cavalo e em triunfais carros de nácar, sedas e ouro, com trajes de fantasia e alegorias, havia também torneios equestres, touradas e bailes de rua ao som de flautas, gaitas e violas[67].

Os mineradores desprezavam o cultivo da terra, e a região padeceu epidemias de fome em plena prosperidade, entre 1700 e 1713: os milionários tiveram de comer gatos, cachorros, ratos, formigas e gaviões. Os escravos gastavam suas forças e seus dias nas lavagens do ouro. "Ali trabalham, ali comem", escrevia Luis Gomes Ferreira[68], "e ali, geralmente, tem de dormir; e como ao trabalhar ficam banhados de suor enquanto os pés se esfriam nas pedras ou na água, quando descansam ou comem seus poros se fecham e congelam de tal forma que eles se tornam vulneráveis a muitas enfermidades perigosas, como as bem severas pleurisia, apoplexia, convulsões, paralisia, pneumonia e muitas outras." A doença era uma bênção do céu que aproximava a morte. Os capitães de mato recebiam recompensas em ouro por cada cabeça cortada de escravo fugitivo.

Os escravos eram chamados "peças das Índias" quando eram medidos, pesados e embarcados em Luanda; os que sobreviviam à travessia oceânica se transformavam, já no Brasil, "nas mãos e nos pés" do amo branco. Angola exportava escravos bantos e presas de elefante em troca de roupa, bebidas e armas de fogo; mas os mineradores de Ouro Preto preferiam os negros que vinham da pequena praia de Whydah, na costa da Guiné, porque eram mais vigorosos, duravam um pouco mais e tinham poderes mágicos para descobrir o ouro. De resto, cada minerador necessitava de pelo menos uma amante

---

67. LIMA JUNIOR, Augusto de. *Vila Rica de Ouro Preto. Síntese histórica e descritiva*. Belo Horizonte, 1957.
68. BOXER, op. cit.

negra de Whydah para que a sorte o acompanhasse nas explorações[69]. A explosão do ouro não só incrementou a importação de escravos como também absorveu boa parte da mão de obra negra empregada nas plantações de cana-de-açúcar e tabaco de outras regiões do Brasil, que ficaram sem braços. Um decreto real de 1711 proibiu a venda de escravos empregados em terras agrícolas para o serviço nas minas, com exceção daqueles que demonstravam "perversidade de caráter". Era insaciável a fome de escravos em Ouro Preto. Os negros morriam rapidamente, apenas em casos excepcionais chegavam a suportar sete anos contínuos de trabalho. Isto sim: antes da travessia do Atlântico, os portugueses os batizavam. E no Brasil tinham a obrigação de assistir à missa, embora estivessem proibidos de entrar na capela maior ou de sentar nos bancos.

Em meados do século XVIII, já muitos mineiros tinham-se deslocado para o Serro do Frio em busca de diamantes: descobriu-se que as pedras cristalinas descartadas pelos caçadores de ouro eram diamantes. Minas Gerais oferecia ouro e diamantes casados, em proporções parelhas. O florescente acampamento de Tijuco se converteu no centro do Distrito Diamantino, e ali, como em Ouro Preto, os ricos vestiam a última moda europeia e encomendavam do outro lado do mar roupas, armas e os móveis mais luxuosos: horas de delírio e esbanjamento. Uma escrava mulata, Francisca da Silva, conquistou sua liberdade ao tornar-se amante do milionário João Fernandes de Oliveira, virtual soberano de Tijuco, e ela, que era feia e tinha já dois filhos, converteu-se na *Xica que manda*[70]. Como nunca vira o mar e queria estar perto dele, seu cavalheiro construiu para ela um grande lago artificial, no qual colocou um barco com tripulação e tudo. Nas faldas da serra de São Francisco levantou para ela um castelo, com um jardim de plantas exóticas e cascatas artificiais; em sua honra oferecia opíparos banquetes regados com os melhores vinhos, bailes noturnos até o amanhecer, funções de teatro e concertos. Em 1818, Tijuco ainda festejou grandiosamente o casamento do príncipe da corte portuguesa, mas dez anos antes, John Mawe, inglês que visitou Ouro Preto, já se assombrara com a pobreza; encontrou casas vazias e sem valor, com cartazes que em vão as colocavam à venda, e foi servido com

---

69. BOXER, op. cit. Em Cuba, atribuíam-se propriedades medicinais às escravas. Segundo o testemunho de Esteban Montejo, "havia um tipo de enfermidade que atacava os brancos. Era uma enfermidade nas veias e nas partes masculinas. Curava-se com as negras. Aquele que tinha sido atacado deitava-se com uma negra e passava para ela. Assim se curava logo". BARNET, Miguel. *Biografia de un cimarrón*. Buenos Aires, 1968.

70. SANTOS, Joaquim Felício dos. *Memórias do Distrito Diamantino*. Rio de Janeiro, 1956.

comida imunda e escassa[71]. Tempos antes havia estalado uma rebelião que coincidiu com a crise na comarca do ouro. Joaquim José da Silva Xavier, o *Tiradentes*, foi enforcado e esquartejado, e outros lutadores pela independência foram mandados para o cárcere ou para o exílio.

Contribuição do ouro do Brasil para o progresso da Inglaterra

O ouro começara a fluir no preciso momento em que Portugal assinava com a Inglaterra o Tratado de Methuen, em 1703. Tal tratado foi a coroação de uma longa série de privilégios conseguidos pelos comerciantes britânicos em Portugal. Em troca de algumas vantagens para seus vinhos no mercado inglês, Portugal abria seu próprio mercado e o de suas colônias às manufaturas britânicas. Por causa do desnível do desenvolvimento industrial já então existente, a medida implicava para as manufaturas locais uma condenação à ruína. Não era com vinho que seriam pagos os tecidos ingleses, mas com ouro, o ouro do Brasil, e pelo caminho restariam paralíticos os teares de Portugal. Portugal não se limitou a matar no ovo sua própria indústria: de passagem, aniquilou também os germens de qualquer tipo de desenvolvimento manufatureiro no Brasil. O reino proibiu o funcionamento de refinarias de açúcar em 1715; em 1729, criminalizou a abertura de novas vias de comunicação na região mineira; em 1785, ordenou que fossem incendiados os teares e as fiações do Brasil.

Inglaterra e Holanda, campeãs do contrabando do ouro e de escravos, que amealharam grandes fortunas no tráfico ilegal de *carne negra*, por meios ilícitos apossaram-se, segundo se estima, de mais da metade do metal que correspondia ao imposto do "quinto real" que, no Brasil, era recebido pela coroa portuguesa. Mas a Inglaterra não recorria somente ao comércio proibido para canalizar o ouro brasileiro na direção de Londres. As vias legais também lhe pertenciam. O auge do ouro, que implicou o fluxo de grandes contingentes populacionais portugueses para Minas Gerais, estimulou fortemente a demanda colonial de produtos industriais e, ao mesmo tempo, proporcionou os meios de pagá-los. Do mesmo modo que a prata de Potosí rebotava no solo espanhol, o ouro de Minas Gerais apenas transitava em Portugal. A metrópole se transformou em simples intermediária. Em 1755,

---

71. LIMA JUNIOR, op. cit.

o marquês do Pombal, primeiro-ministro português, tentou a ressurreição de uma política protecionista, mas já era tarde: denunciou que os ingleses tinham conquistado Portugal sem os inconvenientes de uma conquista, que abasteciam duas terças partes de suas necessidades e que os agentes britânicos eram donos da totalidade do comércio português. Portugal não produzia praticamente nada, e tão fictícia era a riqueza do ouro que até os escravos negros que trabalhavam nas minas da colônia eram vestidos pelos ingleses[72].

Celso Furtado fez notar[73] que a Inglaterra, seguindo uma política clarividente em matéria de desenvolvimento industrial, utilizou o ouro do Brasil para pagar importações essenciais que fazia em outros países, e assim pôde concentrar seus investimentos no setor manufatureiro. Rápidas e eficazes inovações tecnológicas puderam ser aplicadas graças a essa gentileza histórica de Portugal. O centro financeiro da Europa se deslocou de Amsterdam para Londres. *Segundo fontes britânicas, as entradas de ouro brasileiro em Londres alcançavam 50 mil libras semanais em alguns períodos. Sem esta tremenda acumulação de reservas metálicas, a Inglaterra, posteriormente, não teria conseguido enfrentar Napoleão.*

No solo brasileiro nada restou do impulso dinâmico do ouro, exceto as igrejas e as obras de arte. Em fins do século XVIII, embora ainda não estivessem esgotados os diamantes, o país estava prostrado. A receita *per capita* dos 3 milhões de brasileiros, segundo cálculos de Celso Furtado e nos termos do atual poder aquisitivo, não superava os 50 dólares anuais, e este era o nível mais baixo de todo o período colonial. Minas Gerais caiu verticalmente num abismo de decadência e ruína. Incrivelmente, um autor brasileiro agradece o favor e sustenta que o capital inglês que saiu de Minas Gerais "serviu à imensa rede bancária que propiciou o comércio entre as nações e tornou possível levantar o nível de vida dos povos capazes de progresso"[74]. Condenados inflexivelmente à pobreza, em função do progresso alheio, os povos mineiros "incapazes" se isolaram e tiveram de se resignar em arrancar seus alimentos das pobres terras já despojadas de metais e pedras preciosas. A agricultura de subsistência ocupou o lugar da economia mineira[75]. Em

---

72. MANCHESTER, Allan K. *British Preeminence in Brazil: Its Rise and Fall.* Chapel Hill, North Carolina, 1933.

73. FURTADO, op. cit.

74. LIMA JUNIOR, op. cit. O autor sente uma grande alegria pela "expansão do imperialismo colonizador, que os ignorantes de hoje, movidos por seus mestres moscovitas, qualificam de crime".

75. SIMONSEN, Roberto C. *História econômica do Brasil (1500-1820).* São Paulo, 1962.

nossos dias, os campos de Minas Gerais são, como os do Nordeste, reinos do latifúndio e dos "coronéis de fazenda", impertérritos bastiões do atraso. A venda de trabalhadores *mineiros* às fazendas de outros estados é quase tão frequente quanto o tráfico de escravos de que os nordestinos padecem. Há pouco tempo, Franklin de Oliveira percorreu Minas Gerais. Encontrou casas de pau a pique, pequenos povoados sem água e sem luz, prostitutas com uma idade média de 13 anos na estrada que vai ao vale do Jequitinhonha, loucos e famélicos à margem dos caminhos. É o que ele conta em seu recente livro, *A tragédia da renovação brasileira*. Henri Gorceix disse, com razão, que Minas Gerais tinha um coração de ouro num peito de ferro[76], mas a exploração de seu famoso *quadrilátero ferrífero*, em nossos dias, corre por conta da Hanna Mining Co. e da Bethlehem Steel, associadas para tal fim: as jazidas foram entregues em 1964, ao cabo de uma sinistra história. Em mãos estrangeiras, o ferro não deixará nada além do que deixou o ouro.

Apenas a explosão do talento restou como lembrança da vertigem do ouro, isto para não mencionar os buracos das escavações e as pequenas cidades abandonadas. Portugal tampouco pôde resgatar outra força criadora que não fosse a revolução estética. O convento de Mafra, orgulho de D. João V, levantou Portugal da decadência artística: em seus carrilhões de 37 sinos, em seus vasos e seus candelabros de ouro maciço, ainda cintila o ouro de Minas Gerais. As igrejas de Minas foram grandemente saqueadas e são raros os objetos sacros, de tamanho portável, que nelas perduram, mas para sempre vão remanescer, alçadas sobre as ruínas coloniais, as monumentais obras barrocas, os frontispícios e os púlpitos, os retábulos, as tribunas, as figuras humanas que desenhou, talhou ou esculpiu Antônio Francisco Lisboa, o "Aleijadinho", o genial filho de uma escrava e de um artesão. Já agonizava o século XVIII quando o Aleijadinho começou a modelar em pedra um conjunto de grandes figuras sagradas, ao pé do santuário de Bom Jesus de Matosinhos, em Congonhas do Campo. A euforia do ouro era coisa do passado: a obra se chamava *Os profetas*, mas já não havia nenhuma glória para profetizar. Toda a pompa e toda a alegria tinham desaparecido e não havia lugar para nenhuma esperança. O testemunho final, grandioso como um enterro para aquela fugaz civilização do ouro nascida para morrer, foi legado aos séculos seguintes pelo artista mais talentoso de toda a história do Brasil. O Aleijadinho, desfigurado e mutilado pela lepra, realizou sua obra-prima amarrando o cinzel e o martelo às mãos sem dedos, e a cada madrugada seguia para sua oficina arrastando-se de joelhos.

---

76. RUAS, Eponina. *Ouro Preto. Sua história, seus templos e monumentos*. Rio de Janeiro, 1950.

A lenda assegura que na igreja de Nossa Senhora das Mercês e Misericórdia, em Minas Gerais, os mineiros mortos ainda celebram missa nas frias noites de chuva. Quando o sacerdote se volta no altar-mor, erguendo as mãos para o céu, veem-se os ossos de seu rosto.

O rei açúcar e outros monarcas agrícolas

As plantações, os latifúndios e o destino

A busca do ouro e da prata foi, seguramente, o motor central da conquista, mas em sua segunda viagem Cristóvão Colombo trouxe das ilhas Canárias as primeiras raízes da cana-de-açúcar e as plantou em terras hoje pertencentes à República Dominicana. Semeadas, brotaram logo, para a grande alegria do almirante[1]. O açúcar, que era cultivado em pequena escala na Sicília e nas ilhas Madeira e Cabo Verde, e comprado por alto preço no Oriente, era um artigo tão cobiçado pelos europeus que até nos enxovais de rainhas chegou a figurar como parte do dote. Era vendido nas farmácias e pesado em gramas[2]. Durante pouco menos de três séculos a partir do descobrimento da América não houve, para o comércio da Europa, produto agrícola mais importante do que o açúcar cultivado nestas terras. Multiplicaram-se os canaviais no litoral úmido e quente do nordeste do Brasil, e depois também nas ilhas do Caribe: Barbados, Jamaica, Haiti, Dominicana, Guadalupe, Cuba e Porto Rico. Também Veracruz e a costa peruana se mostraram sucessivos cenários favoráveis à exploração, em grande escala, do "ouro branco". Imensas legiões de escravos vieram da África para proporcionar ao rei açúcar a numerosa e

---

1. ORTIZ, Fernando. *Contrapunteo cubano del tabaco e el azúcar*. La Habana, 1963.
2. PRADO JÚNIOR, Caio. *Historia económica del Brasil*. Buenos Aires, 1960.

gratuita força de trabalho que exigia: combustível humano para queimar. As terras foram devastadas por essa planta egoísta que invadiu o Novo Mundo arrasando matas, malversando a fertilidade natural e extinguindo o húmus acumulado pelos solos. O longo ciclo do açúcar deu origem, na América Latina, a prosperidades tão fatais como as que foram engendradas pelos furores da prata e do ouro em Potosí, Ouro Preto, Zacatecas e Guanajuato; ao mesmo tempo, impulsionou com decisivo vigor, direta ou indiretamente, o desenvolvimento industrial da Holanda, França, Inglaterra e Estados Unidos.

A plantação, nascida da demanda de açúcar no ultramar, era uma empresa movida pelo afã do lucro de seu proprietário e posta a serviço do mercado que a Europa ia articulando internacionalmente. Por sua estrutura interna, no entanto – e considerando que, em boa medida, bastava-se a si mesma –, alguns de seus traços dominantes eram feudais. Por outro lado, utilizava mão de obra escrava. Três idades históricas distintas – mercantilismo, feudalismo, escravatura – ajustavam-se numa só unidade econômica e social, mas era o mercado internacional que estava no centro da constelação de poder que o sistema de plantações desde cedo integrou.

Da plantação colonial, subordinada às necessidades estrangeiras e, em muitos casos, com financiamento estrangeiro, provém em linha reta o latifúndio de nossos dias. Este é um dos gargalos de garrafa que estrangulam o desenvolvimento da América Latina e um dos primordiais fatores da marginalização e da pobreza das massas latino-americanas. O latifúndio atual, mecanizado em grau suficiente para multiplicar os excedentes de mão de obra, dispõe de abundantes reservas de braços baratos. Já não depende da importação de escravos africanos nem da *encomienda* indígena. Funciona com o pagamento de diárias irrisórias, a retribuição de serviços em espécies ou o trabalho gratuito em troca do usufruto de um pedacinho de terra; nutre-se da proliferação de minifúndios, resultado de sua própria expansão, e da contínua migração interna de legiões de trabalhadores que, empurrados pela fome, buscam as sucessivas safras.

A estrutura combinada da plantação funcionava – e assim funciona também o latifúndio – como um filtro projetado para a evasão das riquezas naturais. Ao integrar-se no mercado mundial, cada área cumpriu um ciclo dinâmico: pela concorrência de produtos substitutivos, pelo esgotamento da terra ou pelo surgimento de outras zonas com melhores condições, logo sobreveio a decadência. A cultura da pobreza, a economia da subsistência e a letargia são os preços que, com o transcurso dos anos, vem a cobrar o impulso produtivo original. O Nordeste era a zona mais rica do Brasil e hoje é a mais pobre; em Barbados e no Haiti habitam formigueiros humanos condenados à miséria; o açúcar converteu-se na chave mestra do domínio de Cuba pelos Estados Unidos, ao preço da monocultura e do implacável empobrecimento do solo. Não só o açúcar. Esta é também a história do cacau, que iluminou as fortunas da oligarquia de Caracas; do algodão do Maranhão, de súbito esplendor e súbita queda; das plantações de seringueiras no Amazonas, convertidas em cemitérios de trabalhadores nordestinos recrutados a troco de moedinhas; dos arrasados matagais de quebracho no norte argentino e no Paraguai; dos sítios de sisal em Yucatán, onde os índios *yaquis* foram exterminados. É também a história do café, que avança deixando desertos no caminho, e das plantações de frutas no Brasil, na Colômbia, no Equador e nos desditosos países centro-americanos. Com melhor ou pior sorte, cada produto foi-se tornando um destino frequentemente fugaz para países, regiões e homens. O mesmo itinerário, por certo, foi seguido pelas zonas produtoras de riquezas minerais. *Quanto mais cobiçado pelo mercado mundial, maior é a desgraça que o produto causa ao povo latino-americano que com sacrifícios o cria.* No entanto, a zona menos castigada por esta lei de aço, o rio da Prata, que lançava couros e depois carne e lã nas correntes do mercado, não conseguiu escapar da jaula do subdesenvolvimento.

O assassinato da terra no Nordeste do Brasil

As colônias espanholas proporcionaram, em primeiro lugar, metais. Muito cedo tinham sido descobertos os tesouros e os filões. O açúcar, relegado a um segundo plano, foi cultivado em São Domingos, logo em Veracruz, mais tarde na costa peruana e em Cuba. Em troca, até meados do século XVII o Brasil era o maior produtor mundial de açúcar. Simultaneamente, a colônia portuguesa na América era o principal mercado de escravos; a mão de obra indígena, muito escassa, extinguia-se rapidamente nos trabalhos forçados, e o açúcar exigia grandes contingentes de mão de obra para limpar e preparar a terra, plantar, colher, transportar a cana e, por fim, moê-la e purgá-la. A sociedade colonial brasileira, subproduto do açúcar, floresceu na Bahia e em Pernambuco, até que o descobrimento do ouro deslocou seu núcleo central para Minas Gerais.

As terras foram cedidas pela Coroa portuguesa, em usufruto, aos primeiros e grandes terras-tenentes do Brasil. A façanha da conquista deveria correr paralela com a organização da produção. Somente doze "capitães" receberam, por carta de doação, todo o imenso território colonial inexplorado[3], para explorá-lo a serviço do monarca. No entanto, foram capitais holandeses que, na maior parte, financiaram o negócio, que a rigor era mais flamengo do que português. As empresas holandesas não participavam tão só da instalação de engenhos e da importação de escravos, elas recolhiam o açúcar bruto em Lisboa e o refinavam, obtendo ganhos que chegavam à terça parte do valor do produto[4], e o vendiam na Europa. Em 1630, a Dutch West India Company invadiu e conquistou a costa nordeste do Brasil, para assumir diretamente o controle do produto. Era preciso multiplicar as fontes do açúcar para multiplicar os lucros, e a empresa ofereceu aos ingleses da ilha de Barbados todas as facilidades para o início do cultivo em grande escala nas Antilhas. Trouxe colonos do Caribe para o Brasil, de modo que, em seus flamantes domínios, adquirissem os necessários conhecimentos técnicos e a capacidade de organização.

Quando os holandeses, em 1654, foram expulsos do Nordeste brasileiro, já haviam solidificado as bases para que Barbados se lançasse numa furiosa e ruinosa concorrência. Tinham levado negros e raízes de cana, tinham construído engenhos, proporcionando-lhes todos os implementos. As exportações brasileiras, rapidamente, caíram pela metade, e à metade também caíram os preços do açúcar em fins do século XVII. Entretanto, em duas décadas se multiplicou por dez a população negra de Barbados. As Antilhas estavam mais perto do mercado europeu. Barbados proporcionava terras ainda virgens e produzia com melhor nível técnico. As terras brasileiras estavam cansadas. A formidável magnitude das rebeliões de escravos no Brasil e o aparecimento do ouro no Sul, que arrebatava mão de obra das plantações, precipitaram também a crise do Nordeste açucareiro. Foi uma crise definitiva. Prolonga-se, arrastando-se penosamente de século em século, até nossos dias.

O açúcar arrasou o Nordeste. A úmida faixa litorânea, bem regada pelas chuvas, tinha um solo de grande fertilidade, muito rico em húmus e sais minerais, coberto de matas da Bahia ao Ceará. Esta região de matas tropicais se transformou, como disse Josué de Castro, numa região de savanas[5]. Naturalmente nascida para produzir alimentos, passou a ser uma região de fome. Onde tudo brotava com vigor exuberante, o latifúndio açucareiro, destrutivo e avassalador, deixou rochas estéreis, solos lavados e terras erodidas. Antes tinham sido feitas ali plantações de laranjeiras e mangueiras, que "logo foram abandonadas

---

3. BAGÚ, Sergio. *Economía de la sociedad colonial. Ensayo de historia comparada de América Latina*. Buenos Aires, 1949.
4. FURTADO, Celso. *Formación económica del Brasil*. México; Buenos Aires, 1959.
5. CASTRO, José de. *Biografia da fome*. São Paulo, 1963.

à própria sorte e reduzidas a pequenos pomares em torno da casa do dono do engenho, exclusivamente reservados para a família do plantador branco"[6]. Os incêndios, que abriam a terra para os canaviais, devastaram as matas e com elas a fauna; desapareceram os veados, os javalis, os tapires, os coelhos, as pacas e os tatus. O tapete vegetal, a fauna e a flora foram sacrificados, nos altares da monocultura, à cana-de-açúcar. A produção extensiva esgotou rapidamente os solos.

Em fins do século XVI, havia no Brasil não menos de 120 engenhos, que somavam um capital aproximado de dois milhões de libras, mas seus donos, que possuíam as melhores terras, não cultivavam alimentos. Importavam-nos, assim como importavam também uma vasta gama de artigos de luxo, que chegavam de ultramar juntamente com escravos e bolsas de sal. Como de costume, a abundância e a prosperidade eram simétricas à miséria da maioria da população, que vivia em estado de crônica subnutrição. A pecuária foi empurrada para os desertos do interior, distantes da faixa úmida do litoral: o sertão que, com duas reses por quilômetro quadrado, proporcionava (e ainda proporciona) uma carne dura e sem sabor, sempre escassa.

Daqueles tempos coloniais nasce o costume de comer terra, ainda vigente. A falta de terra causa anemia; o instinto compele as crianças nordestinas a compensar com terra os sais minerais ausentes de sua alimentação habitual, limitada à farinha de mandioca, ao feijão e, com sorte, ao charque. Antigamente castigava-se esse "vício africano" das crianças, pondo-lhes focinheiras ou pendurando-as dentro de cestas de vime distantes do chão[7].

O Nordeste do Brasil é, na atualidade, a região mais subdesenvolvida do hemisfério ocidental[8]. *Gigantesco campo de concentração para 30 milhões de pessoas, hoje amarga a herança da monocultura do açúcar. De suas terras brotou o negócio mais lucrativo da economia agrícola colonial na América Latina.* Atualmente, menos da quinta parte da zona úmida de Pernambuco está dedicada ao cultivo da cana-de-açúcar, e o resto não é usado para nada[9]: os

---

6. *Ibid.*

7. *Ibid.* Um viajante inglês, Henry Koster, atribuía o costume de comer terra ao contato das crianças brancas com os negrinhos, "que as contagiavam com este vício africano".

8. O Nordeste padece, por várias vias, uma espécie de colonialismo interno em benefício do industrializado Sul. Dentro do Nordeste, por sua vez, a região do sertão está subordinada à zona que ela abastece, a açucareira, e os latifúndios açucareiros dependem dos estabelecimentos industrializadores do produto. A velha instituição do *senhor de engenho* está em crise; os moinhos centrais devoraram as plantações.

9. Segundo as investigações do Instituto Joaquim Nabuco de Pesquisas Sociais, de Pernambuco, citadas por TAYLOR, Kit Sims. "El nordeste brasileño: azúcar y plusvalía." *Monthly Review* (63). Santiago de Chile, jun. 1969.

donos dos grandes engenhos centrais, que são os maiores plantadores de cana, dão-se ao luxo do desperdício, mantendo improdutivos seus vastos latifúndios. Não é nas zonas áridas e semiáridas do interior nordestino que as pessoas comem pior, como erradamente se acredita. O sertão, deserto de pedra e ralos arbustos, de escassa vegetação, padece fomes periódicas: o sol rascante da seca abate-se sobre a terra e a transforma numa paisagem lunar; obriga os homens ao êxodo e planta cruzes à beira dos caminhos. Mas é no litoral úmido que se sofre a fome endêmica. Ali onde mais opulenta é a opulência, mais indigente – terra de contradições – é a miséria: a região eleita pela natureza para produzir todos os alimentos, nega-os todos: a faixa litorânea conhecida – a ironia do vocabulário – como *zona da mata*, em homenagem ao passado remoto e aos míseros vestígios da florestação que sobreviveram aos séculos do açúcar. O latifúndio açucareiro, estrutura do desperdício, continua exigindo a importação de alimentos de outras zonas, sobretudo do centro-sul do país, a preços crescentes. O custo de vida em Recife é o mais alto do Brasil, acima dos índices do Rio de Janeiro. O feijão custa mais caro no Nordeste do que em Ipanema, a requintada praia da baía carioca. Meio quilo de farinha de mandioca equivale ao salário diário de um trabalhador adulto nas plantações de açúcar, em jornadas de sol a sol: se o trabalhador protesta, o capataz manda chamar o carpinteiro para lhe tirar as medidas do corpo. Para os proprietários e seus administradores segue em vigor, em vastas zonas, o "direito à primeira noite" de cada moça. A terça parte da população de Recife sobrevive marginalizada em casebres da conflagrada periferia; no bairro Casa Amarela, mais de metade das crianças que nascem morre antes de completar um ano[10]. A prostituição infantil – meninas de dez ou doze anos vendidas pelos pais – é frequente nas cidades do nordeste. Em algumas plantações, o pagamento das jornadas de trabalho é inferior às diárias que são pagas na Índia. Um informe da FAO, órgão das Nações Unidas, assegurava em 1957 que na localidade de Vitória, perto de Recife, a deficiência de proteínas "causa nas crianças uma perda de peso 40 por cento mais aguda do que aquela que geralmente se observa na África". Em numerosas plantações ainda subsistem as prisões privadas, "mas os responsáveis pelos assassinatos por subnutrição", diz René Dumont, "não são encerrados nelas porque são os mesmos que têm as chaves".[11]

---

10. OLIVEIRA, Franklin de. *Revolución y contrarrevolución en el Brasil*. Buenos Aires, 1965.
11. DUMONT, René. *Tierras vivas. Problemas de la reforma agraria en el mundo*. México, 1963.

Pernambuco produz menos da metade do açúcar que produz o estado de São Paulo, e com rendimentos menores por hectare; mas Pernambuco vive do açúcar, e dele vivem seus habitantes densamente concentrados na zona úmida, enquanto o estado de São Paulo contém o centro industrial mais poderoso da América Latina. No Nordeste nem sequer o progresso é progressista, pois até o progresso está nas mãos de poucos proprietários. O alimento das minorias se converte na fome das maiorias. A partir de 1870, a indústria açucareira se modernizou consideravelmente com a construção de grandes moinhos centrais, e então "a absorção das terras pelos latifúndios prosperou de modo alarmante, acentuando a miséria alimentar dessa zona"[12]. Na década de 1950, a industrialização em seu auge incrementou o consumo de açúcar no Brasil. A produção nordestina teve um grande impulso, mas sem que aumentasse o rendimento por hectare. Integraram-se aos canaviais novas terras, de inferior qualidade, e o açúcar novamente devorou as poucas áreas dedicadas à produção de alimentos. Convertido em assalariado, o camponês que antes cultivava sua pequena parcela não melhorou com a nova situação, pois não ganhava o suficiente para comprar os alimentos que antes produzia[13]. Como de costume, a expansão expandiu a fome.

As Antilhas eram as Sugar Islands, as ilhas do açúcar: sucessivamente integradas ao mercado mundial como produtoras de açúcar, ao açúcar foram condenadas, em nossos dias, Barbados, as ilhas de Sotavento, Trinidad Tobago, Guadalupe, Porto Rico e a ilha de São Domingos (Dominicana e Haiti). Prisioneiras da monocultura da cana nos latifúndios de vastas terras exaustas, as ilhas padecem o desemprego e a pobreza: o açúcar é cultivado em grande escala, e em grande escala irradia suas maldições. Também Cuba continua dependendo, de modo incontornável, de suas vendas de açúcar, mas a partir da reforma agrária de 1959, foi iniciado um intenso processo de diversificação da economia da ilha, mudança que pôs um ponto final no desemprego: os cubanos já não trabalham apenas cinco meses por ano, durante as safras, mas no ano todo, ao longo da ininterrupta e por certo difícil construção de uma sociedade nova.

---

12. CASTRO, op. cit.
13. FURTADO, Celso. *Dialética do desenvolvimento*. Rio de Janeiro, 1964.

"Pensareis talvez, senhores", dizia Karl Marx em 1848, "que a produção de café e açúcar é o destino natural das Índias Ocidentais. Há dois séculos, a natureza, que nada tem a ver com o comércio, não plantara ali a árvore do café e tampouco a cana-de-açúcar".[14] A divisão internacional do trabalho não se estruturou por obra e graça do Espírito Santo, mas através dos homens ou, mais precisamente, como efeito do desenvolvimento mundial do capitalismo.

Barbados foi a primeira ilha do Caribe em que se cultivou o açúcar para a exportação em grande quantidade, isto em 1641, ainda que anteriormente os espanhóis tivessem plantado cana na Dominicana e em Cuba. Foram os holandeses, como vimos, que introduziram as plantações na minúscula ilha britânica; em 1666 já havia em Barbados 800 plantações de açúcar e mais de 80 mil escravos. Vertical e horizontalmente ocupada pelo latifúndio nascente, Barbados não teve melhor sorte do que o Nordeste do Brasil. Antes, a ilha desfrutava a policultura; produzia, em pequenas propriedades, algodão e tabaco, laranjas, vacas e porcos. Os canaviais devoraram as culturas agrícolas e devastaram as densas matas, em nome de um apogeu que resultou efêmero. Rapidamente a ilha descobriu que seus solos estavam esgotados, que não tinha como alimentar sua população e que estava produzindo açúcar com preços fora de concorrência.[15]

O açúcar, então, já se propagara a outras ilhas, chegando ao arquipélago de Sotavento, à Jamaica e, em terras continentais, às Guianas. No início do século XVIII, na Jamaica, os escravos eram dez vezes mais numerosos do que os colonos brancos. Também seu solo cansou em pouco tempo. Na segunda metade do século, o melhor açúcar do mundo brotava do solo esponjoso das planuras costeiras do Haiti, colônia francesa que então se chamava Saint Domingue. Ao norte e no oeste, o Haiti se transformou num desaguadouro de escravos: o açúcar exigia cada vez mais braços. Em 1786, chegaram à colônia 27 mil escravos, e no ano seguinte 40 mil.

No outono de 1791, eclodiu a revolução. Num só mês, duzentas plantações de cana foram queimadas; os incêndios e os combates se sucederam sem trégua, à medida que os escravos insurretos iam empurrando os exércitos franceses na direção do oceano. As embarcações zarpavam carregando cada vez mais franceses e cada vez menos açúcar. A guerra verteu rios de sangue e devastou as plantações. Foi longa. O país, em cinzas, ficou paralisado; no fim do século a produção tinha caído verticalmente. "Em novembro de 1803 quase toda a colônia, antigamente florescente, era um grande cemitério de cinzas e escombros", diz Lepkowski[16]. A revolução haitiana coincidira – e não

---

14. MARX, Karl. Discurso sobre el libre cambio. In: *Miseria de la filosofía*. Moscou, s.d.
15. HARLOW, Vincent T. *A History of Barbados*. Oxford, 1926.
16. LEPKOWSKI, Tadeusz. *Haití*. La Habana, 1968. t.1.

só no tempo – com a revolução francesa, e o Haiti sofreu na carne o bloqueio da coalizão internacional contra a França: a Inglaterra dominava os mares. Porém, logo sofreu também, enquanto se tornava inevitável sua independência, o bloqueio da França. Cedendo à pressão francesa, o Congresso dos Estados Unidos, em 1806, proibiu o comércio com o Haiti. Somente em 1825 a França reconheceu a independência de sua antiga colônia, mas em troca de uma gigantesca indenização em dinheiro. Em 1802, pouco depois de ter sido preso o general Toussaint-Louverture, o general Leclerc escreveu do Haiti para seu cunhado Napoleão: "Eis aqui minha opinião sobre o país: é preciso suprimir todos os negros das montanhas, homens e mulheres, conservando as crianças menores de 12 anos, exterminar a metade dos negros da planície e não deixar na colônia nem um só mulato que use farda"[17]. O trópico se vingou de Leclerc, ele morreu "agarrado pelo vômito negro", apesar dos esconjuros mágicos de Paulina Bonaparte[18], e sem poder cumprir seu plano, mas a indenização em dinheiro foi uma pedra esmagadora nos ombros dos haitianos independentes, que tinham sobrevivido aos banhos de sangue das sucessivas expedições militares enviadas contra eles. O país nasceu em ruínas e não se recuperou jamais: hoje é o país mais pobre da América Latina.

A crise do Haiti ocasionou o auge açucareiro de Cuba, que rapidamente se tornou o principal país no abastecimento do mundo. Também a produção cubana de café, outro artigo de intensa demanda no ultramar, teve seu incremento graças à queda da produção haitiana, mas o açúcar ganhou a corrida da monocultura: em 1862, Cuba será obrigada a importar café do exterior. Um membro dileto da "sacarocracia" cubana chegou a escrever sobre "as grandes vantagens que se podem tirar da desgraça alheia"[19]. À rebelião haitiana seguiram-se os preços mais fabulosos da história do açúcar no mercado europeu, e em 1806 Cuba já havia duplicado, ao mesmo tempo, os engenhos e a produtividade.

Castelos de açúcar sobre os solos queimados de Cuba

Em 1762, os ingleses se apossaram meteoricamente de Havana. Na época, as pequenas plantações de tabaco e a criação de gado eram as bases da economia

---

17. *Ibid.*
18. Há um romance esplêndido de Alejo Carpentier, *El reino de este mundo*, sobre este alucinante período de vida do Haiti. Traz uma perfeita reconstituição das andanças de Paulina e seu marido no Caribe.
19. Citado por FRAGINALS, Manuel Moreno. *El ingenio*. La Habana, 1964.

rural da ilha; Havana, praça forte militar, evidenciava um considerável desenvolvimento dos artesanatos, contava com uma importante fundição que fabricava canhões e com o primeiro estaleiro da América Latina apto à construção em grande escala de navios mercantes e navios de guerra. Onze meses foram suficientes para que os invasores britânicos introduzissem uma quantidade de escravos que, normalmente, ingressaria no país em cinco anos, e desde então a economia cubana foi modelada pela demanda estrangeira de açúcar: os escravos produziriam a cobiçada mercadoria destinada ao mercado mundial, e sua suculenta mais-valia seria desde então desfrutada pela oligarquia local e pelos interesses imperialistas.

Moreno Fraginals descreve, com dados eloquentes, o auge violento do açúcar nos anos seguintes à ocupação britânica. O monopólio comercial espanhol se despedaçara; de resto, estavam já desfeitos os freios ao ingresso de escravos. O engenho absorvia tudo, homens e terras. Os operários do estaleiro, da fundição e os inúmeros e pequenos artesãos, cuja contribuição teria sido fundamental para o crescimento industrial, afluíam para os engenhos; os pequenos agricultores que plantavam tabaco nas veigas ou frutas nos pomares, vitimados pelo bestial arrasamento das terras pelos canaviais, integravam-se também à produção do açúcar. A plantação extensiva ia reduzindo a fertilidade dos solos; multiplicavam-se nos campos cubanos as torres dos engenhos, e cada engenho exigia cada vez mais terras. O fogo devorava as plantações de fumo, as matas, e aniquilava as pastagens. Em 1792 o charque, que poucos anos antes era um artigo cubano de exportação, chegava em grande quantidade do estrangeiro, e Cuba continuaria a importá-lo no futuro[20]; esmoreciam o estaleiro e a fundição, caía verticalmente a produção de tabaco; a jornada de trabalho dos escravos do açúcar chegava a vinte horas. Sobre as terras fumegantes consolidava-se o poder da "sacarocracia". Em fins do século XVIII, a euforia da cotação internacional nas nuvens, a especulação voava: os preços da terra se multiplicaram por vinte em Güines; em Havana,

---

20. Já estavam ativas as charqueadas no Rio da Prata. Argentina e Uruguai, que na época não existiam separados e nem se chamavam assim, tinham adaptado suas economias à exportação em grande escala de carne seca e salgada, couros, banha e sebo. Brasil e Cuba, os dois grandes centros escravistas do século XIX, foram excelentes mercados para o charque, um alimento muito barato, de fácil transporte e não menos fácil armazenagem, que não se decompunha no calor do trópico. Os cubanos ainda chamam o charque de "montevidéu", mas o Uruguai deixou de vendê-lo para Cuba em 1965, somando-se ao bloqueio determinado pela OEA. Foi assim que o Uruguai, estupidamente, perdeu o último mercado que lhe restava para esse produto. Tinha sido Cuba, no final do século XVIII, o primeiro mercado que se abriu para a carne uruguaia, embarcada em delgadas mantas secas. BARRÁN, José Pedro & NAHUM, Benjamin. *Historia rural del Uruguay moderno (1851-1885)*. Montevideo, 1967.

o juro real do dinheiro era oito vezes mais alto do que o legal; em todo o território de Cuba a tarifa dos batismos, dos enterros e das missas subia na proporção da incontrolável carestia de negros e de bois.

Os cronistas de outros tempos diziam que era possível percorrer Cuba de ponta a ponta à sombra das palmeiras gigantes e das frondosas matas, onde abundavam a caoba e o cedro, o ébano e os *dagames*. É possível admirar as madeiras preciosas de Cuba nas mesas e nas janelas do Escorial ou nas portas do palácio real de Madri, mas a invasão da cana fez arder em Cuba, com vários incêndios sucessivos, as melhores matas virgens entre as quantas que antes cobriam seu solo. Nos mesmos anos em que assolava sua própria floresta, Cuba se tornava o principal país comprador de madeira dos Estados Unidos. A cultura extensiva da cana, cultura de rapina, implicou não só a morte das matas, mas também, a longo prazo, "a morte da fabulosa fertilidade da ilha"[21]. O mato era entregue às chamas, e a erosão logo mordia os solos indefesos; milhares de riachos secaram. Atualmente, o rendimento por hectare nas plantações açucareiras de Cuba é três vezes inferior ao do Peru, e quatro vezes e meia inferior ao do Havaí[22]. A irrigação e a fertilização da terra são tarefas prioritárias da Revolução Cubana. Multiplicam-se as represas, grandes e pequenas, enquanto se canalizam os campos e se espalham os adubos sobre as castigadas terras.

A "sacarocracia" deu um polimento em sua enganosa fortuna enquanto sacramentava a dependência de Cuba, cuja economia adoeceu de diabetes. Entre aqueles que devastaram as terras mais férteis havia personagens de refinada cultura europeia, que sabiam reconhecer um Brueghel autêntico e podiam comprá-lo; de suas frequentes viagens a Paris traziam vasos etruscos e ânforas gregas, gobelinos franceses e biombos Ming, paisagens e retratos dos mais valorizados artistas britânicos. Surpreende-me descobrir, na cozinha de uma mansão de Havana, um gigantesco cofre dotado de combinação secreta, que uma condessa usava para guardar sua baixela. Até 1959 não se construíam fábricas, só castelos de açúcar: o açúcar admitia e demitia ditadores, proporcionava ou negava trabalho aos operários, decidia o ritmo das danças dos milhões e as terríveis crises. A cidade de Trinidad, hoje, é um cadáver resplandecente. Em meados do século XIX havia em Trinidad mais de 40

---

21. FRAGINALS, op. cit. Até pouco tempo navegavam pelo rio Sagua os *palanqueros*. "Levam uma comprida vara com ponta de ferro. Com ela vão ferindo o leito do rio, até que cravam num tronco (...). Assim, dia a dia, tiram do fundo do rio os restos das árvores que o açúcar aniquilou. Vivem dos cadáveres das matas."

22. FURTADO, Celso. *La economía latinoamericana desde la conquista ibérica hasta la Revolución Cubana*. Santiago de Chile, 1969; México, 1969.

engenhos, que produziam 700 mil arrobas de açúcar. Os camponeses pobres que cultivavam o tabaco foram deslocados pela violência, e a zona, que antes era também de criação de gado e exportadora de carne, comia carne trazida de fora. Brotaram palácios coloniais, com seus portais de sombra cúmplice, seus aposentos de altos tetos, lustres com chuvas de cristais, tapetes persas, um silêncio de veludo, no ar as ondas do minueto e os espelhos nos salões para refletir a imagem dos cavalheiros de peruca e sapatos de fivela. Agora o que existe ali é o testemunho dos grandes esqueletos de mármore e pedra, a soberba dos campanários mudos, as caleches invadidas pelo pasto. De Trinidad dizem hoje que é "a cidade dos *teve*", pois seus sobreviventes brancos sempre evocam algum antepassado que "teve" o poder e a glória. Mas sobreveio a crise de 1857, caíram os preços do açúcar e a cidade caiu com eles para nunca mais levantar-se.[23]

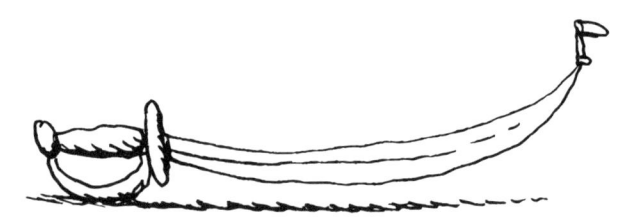

Um século depois, quando os guerrilheiros de Sierra Maestra conquistaram o poder, Cuba continuava com seu destino atado à cotação do açúcar. "O povo que confia sua subsistência a um só produto, suicida-se", profetizara o herói nacional José Martí. Em 1920, com o açúcar a 22 centavos a libra, Cuba bateu o recorde mundial de exportação por habitante, superando até a Inglaterra, e teve a maior renda *per capita* da América Latina. Mas nesse mesmo ano, em dezembro, o preço do açúcar caiu quatro centavos, e em 1921 se desencadeou o furacão da crise: quebraram numerosas centrais açucareiras, que foram adquiridas por interesses norte-americanos, e todos os bancos cubanos e espanhóis, inclusive o próprio Banco Nacional. Sobreviveram apenas as sucursais dos bancos dos Estados Unidos[24]. Uma economia tão dependente e vulnerável como a de Cuba não conseguiria escapar, mais tarde, do impacto feroz da crise de 1929 nos Estados Unidos: o preço do açúcar chegou a baixar para bem menos de um centavo, em 1932, e em três anos as

---

23. Moreno Fraginals agudamente observa que os nomes dos engenhos inaugurados no século XIX refletiam os altos e baixos da curva açucareira: *Esperanza, Nueva Esperanza, Atrevido, Casualidad, Aspirante, Conquista, Confianza, El Buen Suceso; Apuro, Angustia, Desengaño*. Havia quatro engenhos com o nome premonitório de *Desengaño*.
24. DUMONT, René. *Cuba. Intento de crítica construtiva*. Barcelona, 1965.

exportações, em valor, reduziram-se à quarta parte. O índice do desemprego em Cuba, nesses anos, "dificilmente terá sido igualado em qualquer país"[25]. O desastre de 1921 foi provocado pela queda do preço do açúcar no mercado dos Estados Unidos, e dos Estados Unidos não tardou a chegar um crédito de cinco milhões de dólares: na garupa do crédito, chegou também o general Crowder; sob o pretexto de controlar a utilização dos fundos, Crowder passou a governar de fato o país. Graças aos seus bons ofícios, a ditadura de Machado chegou ao poder em 1921, mas a grande depressão dos anos 30, com o país paralisado por uma greve geral, derrubou esse regime de sangue e fogo.

Aquilo que ocorria com os preços se repetia com o volume das exportações. Desde 1948, Cuba recuperou sua quota para suprir a terça parte do mercado norte-americano do açúcar, a preços mais baixos do que os recebidos pelos produtores dos Estados Unidos, mas mais altos e mais estáveis do que os preços do mercado internacional. Anteriormente, já os Estados Unidos deixara de taxar as importações de açúcar cubano, em troca de privilégios similares concedidos ao ingresso de artigos norte-americanos em Cuba. Todos esses *favores* consolidaram a dependência. "O povo que compra manda, o povo que vende serve; é preciso equilibrar o comércio para assegurar a liberdade; o povo que quer morrer vende para um só povo, e o que quer salvar-se vende para mais de um", disse Martí, e repetiu Che Guevara na conferência da OEA em Punta del Este, em 1961. A produção era arbitrariamente limitada pelas necessidades de Washington. O nível de 1925, uns cinco milhões de toneladas, continuava sendo a média nos anos 50: o ditador Fulgêncio Batista assaltou o poder, em 1952 – na garupa da maior safra até então conhecida, mais de 7 milhões –, com a missão de restabelecer aquela anormal normalidade, e no ano seguinte, obediente à demanda do norte, a produção caiu para quatro[26].

A revolução ante a estrutura da impotência

A proximidade geográfica e o surgimento do açúcar de beterraba nos campos da França e da Alemanha, durante as guerras napoleônicas, tornaram os Es-

---
25. FURTADO, *La economía latinoamericana...*, op. cit.
26. O diretor do programa do açúcar no Ministério da Agricultura dos Estados Unidos declarou, tempos depois da revolução: "Desde que Cuba saiu de cena, não contamos com a proteção desse país, o maior exportador mundial, já que dispunha sempre de reservas para atender nosso mercado, quando necessário". RUIZ GARCÍA, Enrique. *América Latina: anatomía de una revolución*. Madrid, 1966.

tados Unidos o principal cliente do açúcar das Antilhas. Já em 1850, os Estados Unidos eram titulares da terça parte do comércio de Cuba, vendiam-lhe e lhe compravam mais do que a Espanha, embora fosse a ilha uma colônia espanhola, e a bandeira das faixas e das estrelas tremulava nos mastros de mais da metade das embarcações que ali aportavam. Por volta de 1859, um viajante espanhol encontrou no interior de Cuba, em remotos povoadinhos, máquinas de costura fabricadas nos Estados Unidos[27]. As principais ruas de Havana foram calçadas com blocos de granito de Boston.

Quando despontava o século XX, lia-se no *Louisiana Planter*: "Pouco a pouco, toda a ilha de Cuba vai passando para as mãos de cidadãos norte-americanos, e esse é o meio mais simples e seguro de conseguir sua anexação aos Estados Unidos". No Senado norte-americano já se falava de uma nova estrela na bandeira; derrotada a Espanha, o general Leonard Wood governava a ilha. Ao mesmo tempo, passavam às mãos norte-americanas as Filipinas e Porto Rico[28]. "A nós nos foram outorgados pela guerra", dizia o presidente McKinley, incluindo Cuba, "e com a ajuda de Deus e em nome do progresso da humanidade e da civilização, é nosso dever responder a essa grande confiança." Em 1902, Tomás Estrada Palma teve de renunciar à cidadania norte-americana que havia adotado no exílio: as tropas norte-americanas de ocupação o converteram no primeiro presidente de Cuba. Em 1960, o ex-embaixador norte-americano em Cuba, Earl Smith, declarou perante uma

---

27. JENKS, Leland H. *Nuestra colonia en Cuba*. Buenos Aires, 1960.
28. Porto Rico, outra feitoria açucareira, foi aprisionado. Do ponto de vista norte-americano, os porto-riquenhos não são suficientemente bons para viver numa pátria própria, ainda que o sejam, sim, para morrer no front do Vietnã em nome de uma pátria que não é a sua. Num cálculo proporcional à população, o "estado livre associado" de Porto Rico tem mais soldados lutando no sudeste asiático do que qualquer estado dos Estados Unidos. Os porto-riquenhos que resistem ao serviço militar obrigatório no Vietnam são enviados aos cárceres de Atlanta, com pena de cinco anos. Ao serviço militar nas fileiras norte-americanas juntam-se outras humilhações herdadas da invasão de 1898 e abençoadas por lei (por lei do Congresso dos Estados Unidos). Porto Rico conta com uma representação simbólica no Congresso norte-americano, sem voto e praticamente sem voz. Em troca deste direito, um estatuto colonial: Porto Rico possuía, até a ocupação norte-americana, uma moeda própria, e mantinha um próspero comércio com os principais mercados. Hoje sua moeda é o dólar, e as taxas de sua alfândega são fixadas em Washington, que decide sobre tudo o que se relaciona com comércio externo e interno da ilha. O mesmo ocorre com as relações exteriores, o transporte, as comunicações, os salários e as condições de trabalho. E a Corte Federal dos Estados Unidos é que julga os porto-riquenhos; o exército local integra o exército do norte. A indústria e o comércio estão em mãos de interesses norte-americanos privados. A desnacionalização quis tornar-se absoluta por via da emigração: a miséria compeliu mais de um milhão de porto-riquenhos a buscar melhor sorte em Nova York, ao preço da fratura de sua identidade nacional. Ali, formam um subproletariado que se aglomera nos bairros mais sórdidos.

subcomissão do Senado: "Até a subida de Castro ao poder, os Estados Unidos tinham em Cuba uma influência de tal modo irresistível que o embaixador norte-americano era o segundo personagem do país, eventualmente até mais importante do que o presidente cubano".

Quando caiu Batista, Cuba vendia quase todo o seu açúcar para os Estados Unidos. Cinco anos antes, um jovem advogado revolucionário havia profetizado acertadamente, diante de quem o julgava pelo assalto ao quartel Moncada, que a história o absolveria; ele dissera em sua vibrante defesa: "Cuba continua sendo uma feitoria produtora de matéria-prima. Nós exportamos açúcar para importar caramelos"[29]. Cuba comprava dos Estados Unidos não só os automóveis e as máquinas, os produtos químicos, o papel e o vestuário, mas também arroz e feijão, alho e cebolas, banha, carne e algodão. Vinham sorvetes de Miami, pães de Atlanta e até ceias de luxo de Paris. O país do açúcar importava cerca da metade das frutas e verduras que consumia, embora apenas a terça parte de sua população ativa tivesse trabalho permanente e a metade das terras das centrais açucareiras fossem extensões baldias onde as empresas nada produziam[30]. Treze engenhos norte-americanos dispunham de mais de 47 por cento da área açucareira total e faturavam ao redor de 180 milhões de dólares por safra. A riqueza do subsolo – níquel, ferro, cobre, manganês, cromo, tungstênio – fazia parte das reservas estratégicas dos Estados Unidos, cujas empresas exploravam os minerais tão só de acordo com as variáveis urgências do exército e da indústria do norte. Em 1958, havia em Cuba mais prostitutas registradas do que operários mineiros[31]. Um milhão e meio de cubanos sofriam desemprego total ou parcial, segundo investigações de Seuret y Pino, citadas por Núñez Jiménez.

A economia do país movia-se ao ritmo das safras. O poder de compra das exportações cubanas entre 1952 e 1956 não superava o nível de 30 anos antes[32], embora as necessidades de divisas fossem muito maiores. Nos anos 30, quando a crise consolidou a dependência da economia cubana em lugar de contribuir para rompê-la, chegara-se ao cúmulo de desmontar fábricas recém-instaladas para vendê-las a outros países. Quando triunfou a revolução, no primeiro dia de 1959, o desenvolvimento industrial de Cuba era muito pobre e lento, mais da metade da produção estava concentrada em

---

29. CASTRO, Fidel. *La Revolución Cubana (discursos)*. Buenos Aires, 1959.
30. NÚÑEZ JIMÉNEZ, A. *Geografía de Cuba*. La Habana, 1959.
31. DUMONT, op. cit.
32. SEERS, Dudley, BIANCHI, Andrés, JOLLY, Richard & NOLFF, Max. *Cuba, the Economic and Social Revolution*. Chapel Hill, North Carolina, 1964.

Havana e as poucas fábricas com tecnologia moderna eram telecomandadas dos Estados Unidos. Um economista cubano, Regino Boti, coautor das teses econômicas dos guerrilheiros da serra, cita o exemplo de uma filial da Nestlé que produzia leite condensado em Bayamo: "Em caso de acidente, o técnico telefonava para Connecticut e informava que em seu setor tal ou qual coisa deixara de funcionar. Sem demora recebia as instruções sobre as providências cabíveis e as tomava mecanicamente (...). Se a operação não resolvesse, quatro horas depois chegava um avião com uma equipe de especialistas de alta qualificação que arrumava tudo. Depois da nacionalização já não se podia ligar para pedir socorro, e os raros técnicos que tinham condições de reparar defeitos secundários tinham ido embora."[33] O testemunho ilustra cabalmente as dificuldades que a revolução encontrou desde que se lançou à aventura de converter a colônia em pátria.

Cuba tinha as pernas cortadas pelo estatuto da dependência e não lhe foi nada fácil tratar de andar por conta própria. Em 1958, metade das crianças cubanas não ia à escola, mas a ignorância, como várias vezes denunciou Fidel Castro, era muito maior e mais grave do que o analfabetismo. A grande campanha de 1961 mobilizou um exército de jovens voluntários para ensinar todos os cubanos a ler e escrever, e os resultados assombraram o mundo: atualmente, segundo o Escritório Internacional de Educação da UNESCO, Cuba apresenta a menor porcentagem de analfabetos e a maior porcentagem de população escolar, primária e secundária, da América Latina. No entanto, a herança maldita da ignorância não pode ser superada de um dia para outro – tampouco em doze anos. A falta de quadros técnicos capazes, a incompetência da administração, a desorganização do aparato produtivo e a temerosa resistência à imaginação criadora e à liberdade de decisão continuam interpondo obstáculos ao desenvolvimento do socialismo. Mas a despeito de todo o sistema de impotências, forjado por quatro séculos e meio de história da opressão, Cuba está nascendo de novo, com um entusiasmo que não cessa: multiplica suas forças, alegremente, ante os obstáculos.

O açúcar era o punhal, o império o assassino

"Edificar sobre o açúcar é melhor do que edificar sobre a areia?", perguntava-se Jean-Paul Sartre em 1960, em Cuba.

---

33. KAROL, K. S. *Les guérrilleros au pouvoir. L'itinéraire politique de la révolution cubaine.* Paris, 1970.

No cais do porto de Guayabal, que exporta açúcar a granel, voam os alcatrazes sobre um galpão gigantesco. Entro e contemplo, atônito, uma pirâmide dourada de açúcar. Na medida em que, por baixo, abrem-se as comportas, para que os condutos levem o carregamento, sem ensacar, até os navios, a abertura no teto vai deixando passar novos jorros de ouro, açúcar recém trazido dos moinhos dos engenhos. A luz do sol, filtrando-se, arranca-lhes faíscas. Vale uns quatro milhões de dólares esta montanha macia que apalpo, sem que meu olhar possa envolvê-la por inteiro. Penso que aqui se concentra toda a euforia e o drama desta safra recorde de 1970 que queria, mas não conseguiu – apesar do esforço sobre-humano – alcançar os dez milhões de toneladas. E uma história muito mais longa escorre, com o açúcar, ante o meu olhar. Penso no reino da Francisco Sugar Co., a empresa de Allen Dulles, onde passei uma semana ouvindo histórias do passado e assistindo ao nascimento do futuro: Josefina, filha de Caridad Rodríguez, que estuda em sala de aula que antes era a cela de um quartel, no exato lugar em que seu pai foi preso e torturado antes de morrer; Antonio Bastidas, o negro de 70 anos que, numa madrugada deste ano, pendurou-se com as duas mãos na alavanca da sirene porque o engenho tinha ultrapassado sua meta, e gritava: "Caralho, conseguimos, caralho", e não havia quem conseguisse tirar a alavanca de suas mãos crispadas, enquanto a sirene, que despertara a cidade, estava a despertar toda a Cuba; histórias de expulsões, de subornos, de assassinatos, a fome e os estranhos ofícios que engendrava o desemprego, compulsório em mais de metade de cada ano: caçador de grilos nas plantações, por exemplo. Penso que a desgraça tinha o ventre inchado, agora se sabe. Não morreram em vão os que morreram: Amancio Rodríguez, por exemplo, que rejeitara, enfurecido, um cheque em branco da empresa, crivado de balas pelos fura-greves numa assembleia, e quando seus companheiros foram enterrá-lo, descobriram que não tinha cuecas nem meias para ser vestido no caixão, ou por exemplo Pedro Plaza, que aos 20 anos foi detido e conduziu o caminhão dos soldados até as minas que ele mesmo armara, e voou com o caminhão e os soldados. E tantos outros, nesta localidade e em todas as demais: "Aqui as famílias veneram os mártires", disse-me um velho canavieiro, "mas depois de mortos. Antes eram só queixas". Não foi por casualidade que Fidel Castro recrutou três quartas partes de seus guerrilheiros entre os camponeses, homens do açúcar, e menos casual ainda que a província do Oriente fosse, ao mesmo tempo, a maior fonte de açúcar e de sublevações em toda a história de Cuba. Explico-me o rancor acumulado: depois da grande safra de 1961, a revolução optou por vingar-se do açúcar. O açúcar era a memória viva da humilhação. E seria também, o açúcar, um destino?

Converteu-se logo numa penitência? Pode ser agora uma alavanca, a catapulta do desenvolvimento econômico? No influxo de uma justa impaciência, a revolução abateu inúmeros canaviais e quis diversificar a produção agrícola num abrir e fechar de olhos: não caiu no tradicional erro de dividir os latifúndios em minifúndios improdutivos, mas cada estabelecimento rural socializado iniciou de golpe culturas excessivamente variadas. Era preciso importar em grande escala para industrializar o país, aumentar a produtividade agrícola e satisfazer muitas necessidades de consumo, que a revolução, ao redistribuir a riqueza, aumentou consideravelmente. Sem as grandes safras de açúcar, como obter as divisas necessárias para tais importações? O desenvolvimento da mineração, sobretudo o níquel, exige grandes investimentos, que estão sendo feitos, e a produção pesqueira se multiplicou por oito graças ao crescimento da frota, o que também exigiu gigantescos investimentos; os grandes planos de produção de cítricos estão em execução, mas os anos que separam a semeadura da colheita obrigam à paciência. A revolução descobriu, então, que havia confundido o punhal com o assassino. O açúcar, que tinha sido um fator de subdesenvolvimento, passou a ser considerado um instrumento do desenvolvimento. Não houve remédio senão a utilização dos frutos da monocultura e da dependência, nascidos da integração de Cuba no mercado mundial, para quebrar o espinhaço da monocultura e da dependência.

As rendas que o açúcar proporciona já não são empregadas na consolidação da estrutura da submissão[34]. As importações de maquinário e de instalações industriais cresceram em 40 por cento desde 1958; o excedente econômico gerado pelo açúcar é mobilizado para desenvolver as indústrias básicas e para que não restem terras ociosas nem trabalhadores condenados ao desemprego. Quando caiu a ditadura de Batista, havia em Cuba cinco mil tratores e 300 mil automóveis. Hoje há 50 mil tratores, ainda que em boa parte desperdiçados pelas graves deficiências de organização, e daquela frota de automóveis, em sua maioria modelos de luxo, não sobram mais do que alguns exemplares dignos de um museu do ferro-velho. A indústria do

---

34. O preço instável do açúcar, garantido pelos países socialistas, desempenhou um papel decisivo neste sentido. Também a ruptura parcial do bloqueio disposto pelos Estados Unidos, através do tráfico comercial intenso com a Espanha e outros países da Europa Ocidental. Um terço das exportações cubanas proporciona dólares, isto é, divisas conversíveis; o resto é destinado às permutas com a União Soviética e a zona do rublo. Este sistema de comércio implica também certas dificuldades: as turbinas soviéticas para as centrais termelétricas são de boa qualidade, como todos os equipamentos pesados que a URSS produz, mas não ocorre o mesmo com os artigos de consumo da indústria leve ou média.

cimento e as usinas elétricas tiveram um assombroso impulso; as novas fábricas de fertilizantes tornaram possível que atualmente se empreguem cinco vezes mais adubos do que em 1958. As represas, criadas por todos os lados, contêm atualmente um caudal de água 73 vezes maior do que o total de água represada em 1958[35] e avançaram com botas de sete léguas as áreas de irrigação. Novos caminhos, abertos por toda a ilha, romperam a incomunicação de muitas regiões que pareciam condenadas a um isolamento eterno. Touros da raça Holstein melhoraram a magra produção de leite do gado zebu. Grandes progressos foram feitos na mecanização de corte e do recolhimento da cana, em boa parte graças às invenções cubanas, que no entanto ainda são insuficientes. Um novo sistema de trabalho se organiza, com dificuldades, para ocupar o lugar do velho sistema desorganizado pelas mudanças que a revolução trouxe consigo. Os ceifadores profissionais, presidiários do açúcar, são em Cuba uma espécie extinta: também para eles a revolução implicou a liberdade de escolher outros ofícios menos pesados, e para seus filhos a possibilidade de estudar nas cidades, com bolsas de estudo. A redenção dos canavieiros provocou, em consequência – preço inevitável –, severos transtornos na economia da ilha. Em 1970, Cuba precisou utilizar na safra o triplo de trabalhadores, em sua maioria voluntários ou soldados ou trabalhadores de outros setores, daí porque foram prejudicadas as demais atividades de campo e de cidade: as colheitas de outros produtos, o ritmo de trabalho nas fábricas. Deve-se levar em conta, neste sentido, que numa sociedade socialista, diferentemente de uma sociedade capitalista, os trabalhadores já não atuam pressionados pelo temor do desemprego ou pela cobiça. Outros motores – a solidariedade, a responsabilidade coletiva, a consciência dos deveres e direitos que levam o homem além do egoísmo – são postos em funcionamento. E não se muda a consciência de um povo inteiro num santiamém. Quando a revolução conquistou o poder, segundo Fidel Castro, a maioria dos cubanos não era nem sequer anti-imperialista.

Os cubanos se radicalizaram passo a passo com sua revolução, à medida que se sucediam os desafios e as respostas, os golpes e os contragolpes entre Havana e Washington, e não menos à medida que se tornavam fatos concretos as promessas de justiça social. Foram construídos 170 novos hospitais e outras tantas policlínicas, e passou a ser gratuita a assistência médica; multiplicou-se por três o número de

---

35. Informe de Cuba à XI Conferência Regional da FAO. Versão da *Prensa Latina*, 13 de outubro de 1970.

estudantes matriculados em todos os níveis, e também a educação passou a ser gratuita; as bolsas de estudo beneficiam atualmente mais de 300 mil jovens e crianças, e também se multiplicaram os internatos e as creches infantis. Grande parte da população não paga aluguel e já são gratuitos os serviços de água, luz, telefone, funerais e espetáculos esportivos. Os gastos em serviços sociais cresceram cinco vezes em poucos anos. Mas agora que todos têm educação e sapatos, as necessidades se multiplicaram geometricamente, ao passo que a produção só pode crescer aritmeticamente. A pressão do consumo, que agora é consumo de todos e não de poucos, também obriga Cuba ao rápido aumento das exportações, e o açúcar continua sendo a maior fonte de recursos.

A revolução, na verdade, está vivendo tempos duros, difíceis, de transição e sacrifício. Os próprios cubanos acabaram de confirmar que se constrói o socialismo com dentes apertados e que a revolução não é nenhum passeio. Afinal, o futuro não seria desta terra se viesse de graça. Há escassez de diversos produtos, por certo: em 1970, faltam frutas, geladeiras, roupas; as frequentes filas não resultam somente da desorganização da distribuição. A causa essencial da escassez é a nova abundância de consumidores: agora o país pertence a todos. Trata-se, portanto, de uma escassez oposta àquela que amargam os demais países latino-americanos.

No mesmo sentido funcionam os gastos com a defesa. Cuba é obrigada a dormir de olhos abertos, e isto, em termos econômicos, também custa muito caro. Essa revolução acossada, que já suportou invasões e sabotagens sem trégua, não cai porque – estranha ditadura – é defendida pelo povo em armas.

Os expropriadores expropriados não se conformam. Em abril de 1961, a brigada que desembarcou em Playa Girón não era formada somente de velhos militares e policiais de Batista, mas também pelos donos de mais de 370 mil hectares de terra, quase dez mil imóveis, 70 fábricas, dez centrais açucareiras, três bancos, cinco minas e doze cabarés.

O ditador da Guatemala, Miguel Ydígoras, emprestou campos de treinamento aos expedicionários, em troca de promessas que lhe fizeram os norte-americanos, como ele mesmo confessou mais tarde: dinheiro vivo e sonante, que nunca lhe pagaram, e um aumento da quota guatemalteca de açúcar no mercado dos Estados Unidos.

Em 1965, outro país açucareiro, a República Dominicana, sofreu a invasão de uns 40 mil *marines* dispostos "a permanecer indefinidamente neste país, à vista da confusão reinante", segundo declarou seu comandante, o general Bruce Palmer. A queda vertical dos preços do açúcar tinha sido um dos fatores que fizeram eclodir a indignação popular; o povo se levantou contra a ditadura militar, e as tropas norte-americanas vieram em seguida para restabelecer a ordem. Deixaram quatro mil mortos nos combates que os patriotas feriram, corpo a corpo, entre o rio Ozama e o Caribe, num bairro sem saída da cidade de São Domingos[36]. A Organização dos Estados Americanos – que tem a memória do burro, nunca esquece onde come – abençoou a invasão e a estimulou com novas forças. Era preciso matar o gérmen de outra Cuba.

Graças ao sacrifício dos escravos no Caribe nasceram a máquina de James Watt e os canhões de Washington

Che Guevara dizia que o subdesenvolvimento é um anão de cabeça grande e pança inchada: suas pernas fracas e seus braços curtos não se harmonizam com o resto do corpo. Havana resplandecia, zumbiam os cadilaques em suas suntuárias avenidas, e no maior cabaré do mundo, ao ritmo de Lecuona, ondulavam as mais formosas vedetes; enquanto isso, nos campos cubanos apenas um em cada dez trabalhadores rurais tomava leite, apenas 4 por cento comia carne, e segundo o Conselho Nacional de Economia, três quintas partes dos trabalhadores rurais recebiam salários três ou quatro vezes inferiores ao custo de vida.

Mas o açúcar não produziu apenas anões. Também produziu gigantes, ou pelo menos contribuiu intensamente para o crescimento deles. *O açúcar do trópico latino-americano deu grande impulso à acumulação de capitais para o desenvolvimento industrial da Inglaterra, França, Holanda e também Estados Unidos, ao mesmo tempo em que mutilou a economia do nordeste do Brasil e das ilhas do Caribe, e selou a ruína histórica da África. O comércio triangular entre Europa, África e América teve por viga mestra o tráfico de escravos com destino*

---

36. Ellsworth Bunker, presidente da National Sugar Refining Co., foi o enviado especial de Lindon Johnson à República Dominicana depois da intervenção militar. Os interesses da National Sugar nesse pequeno país foram salvaguardados sob os olhos atentos de Bunker: as tropas de ocupação se retiraram para deixar no poder, ao cabo de mui democráticas eleições, Joaquín Balaguer, que tinha sido o braço direito de Trujillo ao longo de sua feroz ditadura. A população de São Domingos tinha lutado nas ruas e nos terraços, com pedaços de pau, facões e fuzis, contra tanques, bazucas e helicópteros das forças estrangeiras, reivindicando o retorno ao poder do presidente constitucionalmente eleito, Juan Bosch, que fora derrubado pelo golpe militar. A história, zombadora, brinca com as profecias. No dia em que Juan Bosch inaugurou sua breve presidência, ao cabo de 30 anos de tirania de Trujillo, Lindon Johnson, então vice-presidente dos Estados Unidos, levou a São Domingos o presente oficial de seu governo: uma ambulância.

às plantações de açúcar. "A história de um grão de açúcar é toda uma lição de economia política, de política e também de moral", dizia Augusto Cochin.

As tribos da África ocidental viviam lutando entre si para aumentar, com os prisioneiros de guerra, suas reservas de escravos. Pertenciam aos domínios coloniais de Portugal, mas os portugueses, na época do auge do tráfico, não tinham navios nem artigos industriais para oferecer, e se tornaram meros intermediários entre os capitães negreiros de outras potências e os régulos africanos. A Inglaterra, até quando deixou de lhe convir, foi a grande campeã da compra e venda de carne humana. Os holandeses, no entanto, tinham mais tradição no negócio, pois Carlos V lhes concedera o monopólio do transporte de negros para a América, antes que a Inglaterra obtivesse o direito de introduzir escravos em colônias alheias. Quanto à França, Luis XIV, o Rei Sol, compartilhava com o rei da Espanha a metade dos lucros da Companhia da Guiné, formada em 1701 com o fim de traficar escravos para a América, e seu ministro Colbert, artífice da industrialização francesa, tinha motivos para afirmar que o tráfico negreiro era "recomendável para o progresso da marinha mercante nacional"[37].

Adam Smith dizia que o descobrimento da América tinha "elevado o sistema mercantil a um grau de esplendor e glória que, de outro modo, ele não teria alcançado jamais". Segundo Sergio Bagú, o mais formidável motor de acumulação de capital mercantil europeu foi a escravatura americana; esse capital, por sua vez, significou "a pedra fundamental sobre a qual foi construído o gigantesco capital industrial dos tempos contemporâneos"[38]. A ressurreição da escravatura greco-romana no Novo Mundo teve propriedades milagrosas: multiplicou navios, fábricas, ferrovias e bancos de países que não faziam parte da origem e tampouco do destino dos escravos que cruzavam o Atlântico, com exceção dos Estados Unidos. Entre os albores do século XVI e a agonia do século XIX, vários milhões de africanos – não se sabe quantos – atravessaram o oceano; sabe-se, sim, que foram muito mais numerosos do que os imigrantes brancos provenientes da Europa, embora, claro, muito menos foram os que sobreviveram. Do Potomac ao rio da Prata, os escravos construíram as casas de seus amos, derrubaram as matas, cortaram e moeram cana-de-açúcar, plantaram algodão, cultivaram cacau, colheram café e tabaco e rastrearam os leitos dos rios em busca de ouro. A quantas Hiroshimas equivalem seus sucessivos extermínios? Como dizia um plantador inglês

---

37. CAPITÁN, L. & LORIN, Henri. *El trabajo en América, antes y después de Colón*. Buenos Aires, 1948.
38. BAGÚ, op. cit.

da Jamaica, "é mais fácil comprar negros do que criá-los". Caio Prado calcula que, até princípios do século XIX, tenham chegado ao Brasil entre 5 e 6 milhões de africanos; Cuba já era então um mercado de escravos tão grande quanto tinha sido antes todo o hemisfério ocidental[39].

Por volta de 1562, o capitão John Hawkins arrebatou de contrabando 300 negros da Guiné portuguesa. A rainha Elizabeth ficou furiosa: "Esta aventura clama por vingança dos céus", sentenciou. Mas Hawkins lhe contou que obtivera no Caribe, em troca dos escravos, um carregamento de açúcar e peles, pérolas e gengibre. Além de perdoar o pirata, a rainha tornou-se sua sócia comercial. Um século depois, o duque de York imprimia com ferro em brasa suas iniciais, DY, na nádega ou no peito dos três mil negros que anualmente sua empresa conduzia para as "ilhas do açúcar". A Real Companhia Africana, entre cujos acionistas figurava o rei Carlos II, dava 300 por cento de dividendos, ainda que, dos 70 mil escravos que embarcou entre 1680 e 1688, apenas 46 mil tivessem sobrevivido à travessia. Durante a viagem, inúmeros africanos morriam, vítimas de epidemias ou de desnutrição, ou se suicidavam negando-se a comer, enforcando-se em suas correntes ou lançando-se no oceano eriçado de barbatanas de tubarões. Lentamente, mas com firmeza, a Inglaterra ia quebrando a hegemonia holandesa no tráfico de escravos. A South Sea Company foi a principal usufrutuária dos privilégios concedidos pela Espanha aos ingleses, e nela estiveram envolvidos os mais proeminentes personagens da política e das finanças britânicas; o negócio, brilhante como nenhum outro, enlouqueceu a bolsa de valores de Londres e desencadeou uma frenética especulação.

O transporte de escravos elevou Bristol, sede de estaleiros, à condição de segunda cidade da Inglaterra, e tornou Liverpool o maior porto do mundo. Partiam os navios com os porões carregados de armas, tecidos, gim, rum, quinquilharias e vidros coloridos, que se constituiriam no meio de pagamento da mercadoria humana na África, e esta serviria para pagar o açúcar, o algodão, o café e o cacau das plantações coloniais da América. Os ingleses impunham seu reinado nos mares. Em fins do século XVIII, a África e o Caribe davam trabalho a 180 mil operários têxteis em Manchester; de Scheffield provinham as facas, e de Birmingham 150 mil mosquetões por ano[40]. Os caciques africanos recebiam as mercadorias da indústria britânica e entregavam os carregamentos de escravos aos capitães negreiros. Dispunham assim de novas armas e abundante aguardente para empreender as próximas caçadas nas aldeias. Também proporcionavam marfins, ceras e azeite

---

39. MANNIX, Daniel P. & COWLEY, M. *Historia de la trata de negros*. Madrid, 1962.
40. WILLIAMS, Eric. *Capitalism and Slavery*. Chapel Hill, North Carolina, 1944.

de palmeira. Muitos escravos provinham da selva e nunca tinham visto o mar; confundiam os rugidos do oceano com os de alguma fera submersa que os espreitava para devorá-los, ou acreditavam, segundo testemunho de um traficante da época – e de certo modo não se enganavam –, que "iam ser levados como carneiros para o matadouro, sendo sua carne muito apreciada pelos europeus"[41]. De quase nada valiam os látegos de sete tiras de couro para conter o desespero suicida dos africanos.

Os "fardos" que sobreviviam à fome, às enfermidades e ao amontoamento da travessia eram exibidos em andrajos, pura pele e ossos, em praça pública, depois de desfilar pelas ruas coloniais ao som de gaitas. Os que chegavam ao Caribe demasiadamente fracos eram internados em depósitos para engordar antes da exposição aos olhos dos compradores; os enfermos eram deixados no cais para morrer. Os escravos eram vendidos a dinheiro vivo ou por meio de promissórias com três anos de prazo. Os navios partiam de regresso a Liverpool levando diversos produtos tropicais: no início do século XVIII, três quartas partes do algodão fiado pela indústria têxtil inglesa provinha das Antilhas, embora a Georgia e a Louisiana logo se tornassem suas principais fontes; em meados do século, havia 120 refinarias de açúcar na Inglaterra.

Um inglês, naquela época, podia viver com seis libras ao ano; os mercadores de escravos de Liverpool auferiam lucros anuais de mais de 1.100 libras, contando exclusivamente com dinheiro obtido no Caribe e sem somar os ganhos do comércio adicional. Dez grandes empresas controlavam dois terços do tráfico. Liverpool inaugurou um novo sistema de molhes; cada vez mais navios eram construídos, maiores e com maior calado. Os ourives ofereciam "cadeados e coleiras de prata para negros e cachorros", as damas elegantes se pavoneavam em público acompanhadas de um macaco vestido de gibão bordado e de um menino escravo com turbante e bombachas de seda. Um economista, na época, descrevia o tráfico de escravos como "o princípio básico e fundamental de todo o resto; como o principal acionamento da máquina que põe em movimento cada roda de engrenagem". Propagavam-se os bancos em Liverpool, Manchester, Bristol, Londres e Glasgow; a empresa de seguros Lloyd's acumulava lucros segurando escravos, navios e plantações. Desde muito cedo os anúncios da *London Gazette* indicavam que os

---
41. MANNIX & COULEY, op. cit.

escravos fugidos deviam ser devolvidos à Lloyd's. Com fundos do comércio negreiro foi construída a grande ferrovia do oeste e nasceram novas fábricas em Gales. *O capital acumulado no comércio triangular – manufaturas, escravos, açúcar – tornou possível a invenção da máquina a vapor.* James Watt foi subvencionado por mercadores que assim fizeram sua fortuna, Eric Williams o afirma em sua documentada obra sobre o tema.

No princípio do século XIX, a Grã-Bretanha se tornou a principal incentivadora da campanha antiescravagista. A indústria inglesa já necessitava de mercados internacionais com maior poder aquisitivo, o que obrigava à propagação do regime de salários. De resto, ao estabelecer-se o salário nas colônias inglesas do Caribe, o açúcar brasileiro, produzido com mão de obra escrava, recuperava vantagens por seus baixos custos comparativos[42]. A armada britânica lançava-se ao assalto dos navios negreiros, mas o tráfico continuava crescendo para abastecer Cuba e Brasil. Antes que os botes ingleses chegassem aos navios piratas, os escravos eram lançados ao mar: a bordo, os ingleses só encontravam o cheiro, as caldeiras quentes e um capitão sorridente na coberta. A repressão ao tráfico elevou os preços e aumentou enormemente os lucros. Em meados do século, os traficantes davam um fuzil velho por cada escravo vigoroso que tiravam da África, para logo vendê-lo em Cuba por 600 dólares.

As pequenas ilhas do Caribe foram infinitamente mais importantes para a Inglaterra do que suas colônias no norte. Barbados, Jamaica e Montserrat eram proibidos de fabricar uma agulha ou uma ferradura por conta própria. Muito diferente era a situação da Nova Inglaterra, e isto facilitou seu desenvolvimento econômico e também sua independência política.

O tráfico de negros para a Nova Inglaterra, por certo, originou grande parte do capital que facilitou a revolução industrial nos Estados Unidos da América. Em meados do século XVIII, os navios negreiros do norte carregavam barris de rum em Boston, Newport e Providence e os levavam às costas da África, onde os trocavam por escravos; vendiam os escravos no Caribe e ali carregavam melaço para Massachusetts, onde era destilado e convertido em rum, para fechar o ciclo. O melhor rum das Antilhas, o West Indian Rum, não era fabricado nas Antilhas. *Com capitais obtidos no tráfico de escravos, os irmãos Brown, de Providence, instalaram um forno de fundição que abasteceu de canhões o general George Washington na guerra da independência*[43]. As

---

42. A primeira lei que proibiu expressamente a escravatura no Brasil não foi brasileira. Foi, e não por acaso, inglesa. O parlamento britânico a votou em 8 de agosto de 1845. PEREIRA, Osny Duarte. *Quem faz as leis no Brasil?* Rio de Janeiro, 1963.

43. MANNIX & COWLEY, op. cit.

plantações açucareiras do Caribe, condenadas como estavam à monocultura da cana, não só podem ser consideradas o centro dinâmico do desenvolvimento das "treze colônias", pelo alento que o tráfico de negros deu à indústria naval e às destilarias da Nova Inglaterra; elas também se constituíram no grande mercado para o desenvolvimento das exportações de víveres, madeiras e implementos diversos destinados aos engenhos, com o qual davam viabilidade econômica à economia granjeira e precocemente manufatureira do Atlântico norte. Os navios fabricados nos estaleiros dos colonos do norte levavam para o Caribe, em grande escala, peixes defumados, aveia, grãos, feijões, farinha, manteiga, queijo, cebolas, cavalos e bois, velas e sabões, tecidos, tábuas de pinho, carvalho e cedro para as caixas de açúcar (Cuba contou com a primeira serra a vapor que chegou à América hispânica, mas não tinha madeira para cortar), aduelas, arcos, aros, argolas e pregos.

Assim se transfundia o sangue por todos esses processos. Desenvolviam-se os países desenvolvidos de nossos dias e se subdesenvolviam os subdesenvolvidos.

O arco-íris é a rota de retorno à Guiné

Em 1518, o licenciado Alonso Zuazo, da Dominicana, escrevia para Carlos V: "É ocioso o temor de que os negros venham a se sublevar; viúvas há nas ilhas de Portugal mui sossegadas com seus 800 escravos; tudo depende de como são governados. Ao vir encontrei alguns negros ladinos, outros fugidos nos montes; uns eu açoitei, de outros cortei as orelhas; e já não ouvi mais queixas". Quatro anos depois eclodiu a primeira sublevação de escravos na América: os escravos de Diego Colombo, filho do descobridor, foram os primeiros a se insurgir, e acabaram enforcados nos caminhos do engenho[44]. Sucederam-se outras rebeliões em São Domingos e logo em todas as ilhas açucareiras do Caribe. Um par de séculos depois do susto de Diego Colombo, no outro extremo da mesma ilha os escravos quilombolas fugiam para as regiões mais elevadas do Haiti e, nas montanhas, reconstituíam a vida africana: as culturas de alimentos, a adoração dos deuses, os costumes.

O arco-íris marca ainda, na atualidade, a rota de retorno à Guiné para o povo do Haiti. Num barco de vela branca... Na Guiana holandesa, na região do rio Courantyne, sobrevivem há três séculos as comunidades dos *djukas*,

---

44. ORTIZ, op. cit.

descendentes de escravos que fugiram pelas matas do Suriname. Nessas aldeias remanescem "santuários similares aos da Guiné, e ocorrem danças e cerimônias que poderiam acontecer em Gana. É empregada a linguagem dos tambores, muito parecida com os tambores de Ashanti[45]. A primeira grande rebelião de escravos da Guiana ocorreu 100 anos depois da fuga dos *djukas*: os holandeses recuperaram as plantações e queimaram em fogo lento os líderes dos escravos. Mas algum tempo antes do êxodo dos *djukas*, os escravos quilombolas do Brasil organizaram o reino negro dos Palmares, no Nordeste brasileiro, e vitoriosamente resistiram, durante todo o século XVII, ao assédio de dezenas de expedições militares que holandeses e portugueses enviaram, uma atrás da outra, para abatê-los. As investidas de milhares de soldados nada podiam contra as táticas guerrilheiras que, até 1693, tornavam invencível o vasto refúgio. O reino independente de Palmares – convocatória à rebelião, bandeira da liberdade – estruturara-se como um estado, "à semelhança de muitos que existiam na África no século XVII"[46]. Estendia-se desde as cercanias do Cabo de Santo Agostinho, em Pernambuco, até a região ao norte do rio São Francisco, em Alagoas: equivalia a uma terça parte do território de Portugal e estava rodeado por um anel de matas selvagens. O chefe máximo era eleito entre os mais hábeis e sagazes: reinava o homem "de maior prestígio e felicidade na guerra ou no comando"[47]. Em plena época das plantações açucareiras onipotentes, Palmares era o único lugar do Brasil em que se desenvolvia a policultura. Orientados pela experiência adquirida por eles mesmos ou por seus antepassados nas savanas ou em selvas tropicais da África, os negros cultivavam milho, batata, feijões, mandioca, bananas e outros alimentos. Não em vão, a destruição das culturas era o principal objetivo das tropas coloniais empregadas na recaptura dos homens que, após a travessia do mar com correntes nos pés, tinham desertado das plantações.

A abundância de alimentos em Palmares contrastava com as penúrias que, em plena prosperidade, padeciam as zonas açucareiras do litoral. Os escravos que tinham conquistado a liberdade a defendiam com habilidade e coragem porque compartilhavam seus frutos: a propriedade da terra era comunitária, e no estado negro o dinheiro não circulava. "Não figura na história universal nenhuma rebelião de escravos tão prolongada como a de Palmares. A de Espártaco, que comoveu o sistema escravista mais importante da

---

45. RENO, Philip. "El drama de la Guayaba británica. Un pueblo desde la esclavitud a la lucha por el socialismo." *Monthly Review* (17/18). Buenos Aires, janeiro-fevereiro 1965.
46. CARNEIRO, Edison. *O quilombo dos Palmares*. Rio de Janeiro, 1966.
47. RODRIGUES, Nina. *Os africanos no Brasil*. Rio de Janeiro, 1932.

antiguidade, durou dezoito meses".⁴⁸ Para a batalha final, a coroa portuguesa mobilizou o maior exército conhecido até a muito posterior independência do Brasil. Não menos de 10 mil pessoas defenderam a última fortaleza de Palmares; os sobreviventes foram degolados, lançados em precipícios ou vendidos a mercadores do Rio de Janeiro e Buenos Aires. Dois anos depois. o chefe Zumbi, que os escravos consideravam imortal, não conseguiu escapar de uma traição. Encurralado na floresta, foi decapitado. Mas as rebeliões continuaram. Não passaria muito tempo para que o capitão Bartolomeu Bueno do Prado regressasse do rio das Mortes com os troféus de sua vitória contra uma nova sublevação de escravos. Trazia 3.900 pares de orelhas nos alforjes de seus cavalos.

Também em Cuba se sucederam as revoltas. Alguns escravos se suicidavam em grupo; ludibriavam o amo "com sua greve eterna", como diz Fernando Ortiz. Acreditavam que assim, carne e espírito, ressuscitariam na África. Os amos mutilavam os cadáveres, para que ressuscitassem castrados, mancos ou decapitados, e deste modo conseguiam que muitos renunciassem à ideia de matar-se. Por volta de 1870, segundo a versão de um escravo que, em sua juventude, fugiu para os montes de Las Villas, os negros já não se matavam em Cuba. Através de um cinturão mágico, "iam embora voando, voavam pelo céu e pegavam o rumo de sua terra", ou se perdiam na serra, porque "qualquer um se cansaria de viver. Os que se acostumavam tinham o espírito frouxo. A vida na montanha era mais saudável"⁴⁹.

Os deuses africanos continuavam vivos entre os escravos da América, como vivos continuavam, alimentados pela saudade, os mitos e as lendas das pátrias perdidas. Parece evidente que assim os negros expressavam, em suas cerimônias, em suas danças, em seus exorcismos, a necessidade de afirmação de uma identidade cultural que o cristianismo negava. No entanto, também terá influído o fato de que a Igreja estava associada ao sistema de exploração que os vitimava. No começo do século XVIII, enquanto nas ilhas inglesas os escravos condenados por crimes morriam esmagados nos tambores dos engenhos de açúcar, e nas colônias francesas eram queimados vivos ou submetidos ao suplício da roda, o jesuíta Antonil formulava doces recomendações aos donos de engenho no Brasil para que evitassem excessos semelhantes: "Não se deve permitir que os administradores deem pontapés, sobretudo na barriga das mulheres grávidas, e pauladas nos escravos, porque na cólera não se medem os golpes e isto pode ferir a cabeça de um escravo eficiente, que

---

48. FREITAS, Décio. *A guerra dos escravos*, inédito.
49. Esteban Montejo tinha mais de um século de idade quando contou sua história a Miguel Barnet. *Biografía de un cimarrón*. Buenos Aires, 1968.

vale muito dinheiro, e perdê-lo"[50]. Em Cuba, os capatazes descarregavam seus látegos de couro ou cânhamo nas costas das escravas grávidas que tinham cometido faltas, mas não sem antes deitá-las de boca para baixo, com a barriga enfiada num buraco, para que não fosse danificada a "peça" nova em gestação. Os sacerdotes, que recebiam como dízimo 5 por cento da produção do açúcar, davam sua absolvição cristã: o maioral castigava como Jesus Cristo aos pecadores. O missionário apostólico Juan Perpiñá y Pibernat publicava seus sermões para os negros: "Pobrezinhos! Não vos assusteis porque são muitas as penalidades que tereis de sofrer como escravos. Escravo pode ser vosso corpo, mas libertas tendes a alma para voar um dia até a feliz mansão dos escolhidos"[51].

O deus dos párias nem sempre é o mesmo deus do sistema que os converte em párias. Ainda que a religião católica, na informação oficial, compreenda 94 por cento da população do Brasil, na verdade a população negra conserva vivas suas tradições africanas e perpetua sua fé religiosa, frequentemente camuflada atrás das figuras sagradas do cristianismo[52]. Os cultos de raiz africana têm ampla projeção entre os oprimidos, independentemente da cor de sua pele. Outro tanto ocorre nas Antilhas. As divindades do vodu do Haiti, do *bembé* de Cuba e da umbanda e quimbanda do Brasil são mais ou menos as mesmas, a despeito da maior ou menor transfiguração que tenham sofrido os ritos e os deuses originais, ao se nacionalizarem em terras da América. No Caribe e na Bahia se entoam os cânticos cerimoniais em nagô, ioruba, congo e outras línguas africanas. Nos subúrbios das grandes cidades do sul do Brasil predomina a língua portuguesa, mas brotaram da costa oeste da África as divindades do bem e do mal que atravessaram os séculos para transformar-se em fantasmas vingadores dos marginalizados, a pobre gente humilhada que clama nas favelas do Rio de Janeiro:

Força baiana
força africana
força divina
vem cá.
Vem nos ajudar.

---

50. SIMONSEN, Roberto C. *História econômica do Brasil (1500-1820)*. São Paulo, 1962.

51. FRAGINALS, op. cit. Numa quinta-feira santa, o conde de Casa Bayona decidiu humilhar-se perante seus escravos. Inflamado de fervor cristão, lavou os pés de doze negros e os sentou à mesa para comer em sua companhia. Foi a última cena propriamente dita. No dia seguinte, os escravos se rebelaram e incendiaram o engenho. Suas cabeças foram cravadas sobre doze lanças, no centro do terreno.

52. GALEANO, Eduardo. "Los dioses y los diablos en las favelas de Río." *Amaru*, n.10. Lima, junho de 1969.

A venda de camponeses

Em 1888 foi abolida a escravatura no Brasil. Mas não foi abolido o latifúndio e no mesmo ano escrevia uma testemunha do Ceará: "O mercado de gado humano esteve aberto enquanto durou a fome, pois compradores nunca faltaram. Raro era o vapor que não conduzia grande número de cearenses"[53]. Meio milhão de nordestinos emigraram para a Amazônia até o fim do século, atraídos pela ilusão da borracha. Mas o êxodo continuou, impulsionado pelas periódicas secas que assolavam o sertão e pelas sucessivas ondas de expansão dos latifúndios açucareiros na zona da mata. Em 1900, 40 mil vítimas da seca abandonaram o Ceará. Tomaram o caminho que na época era o habitual: a rota do norte para a floresta. Depois o itinerário mudou. Em nossos dias, os nordestinos emigram para o centro e para o sul do Brasil. A seca de 1970 empurrou multidões famintas para as cidades do nordeste. Saquearam trens e estabelecimentos comerciais; aos gritos, imploravam chuva a São José. Os "flagelados" tomaram conta das estradas. Um telegrama de abril de 1970 informa: "A polícia do estado de Pernambuco deteve no último domingo, no município de Belém de São Francisco, 210 camponeses que seriam vendidos a proprietários rurais do estado de Minas Gerais, a dezoito dólares por cabeça"[54]. Os camponeses vinham da Paraíba e do Rio Grande do Norte, os estados mais castigados pela seca. Em junho, os teletipos transmitiam as declarações do chefe da polícia federal: seus serviços ainda não possuíam meios eficazes para dar um basta ao tráfico de escravos, e embora nos últimos meses tivessem sido abertos inquéritos sobre a matéria, persistia a venda de trabalhadores do Nordeste para os proprietários ricos de outras zonas do país.

O *boom* da borracha e o auge do café contaram com grandes levas de trabalhadores nordestinos. Mas também o governo fez uso desse caudal de mão de obra barata, formidável exército de reserva para as grandes obras públicas. Do Nordeste vieram, transportados como gado, os homens desnudos que da noite para o dia levantaram a cidade de Brasília no meio do deserto. Essa cidade, a mais moderna do mundo, hoje está cercada por um cinturão de miséria: terminado seu trabalho, os *candangos* foram jogados para as

---

53. TEÓFILO, Rodolfo. *História da seca do Ceará (1877-1880)*. Rio de Janeiro, 1922.

54. *France Presse*, 21 de abril de 1970. Em 1938, a peregrinação de um vaqueiro pelos calcinados caminhos do sertão já inspirara um dos melhores romances da história literária do Brasil. O açoite da seca sobre os latifúndios de gado do interior, subordinados aos engenhos de açúcar do litoral, ainda não cessou, e tampouco mudaram suas consequências. O mundo de *Vidas secas* continua intato: o papagaio imitava o latido do cão porque seus donos já quase não faziam uso da voz humana. RAMOS, Graciliano. *Vidas secas*. La Habana, 1964.

cidades-satélites. E nelas, 300 mil nordestinos, sempre prontos para qualquer serviço, vivem de refugos da resplandecente capital.

Atualmente, o trabalho escravo dos nordestinos está abrindo a grande estrada transamazônica, que cortará o Brasil em dois, penetrando na floresta até a fronteira com a Bolívia. O grande plano implica também um projeto de colonização agrária para estender "as fronteiras da civilização": cada trabalhador receberá uma área de dez hectares, se sobreviver às febres tropicais da floresta. No Nordeste há 6 milhões de trabalhadores sem terra, enquanto 15 mil pessoas são donas de metade da superfície total. A reforma agrária não prospera nas regiões já ocupadas, onde continua sendo sagrado o direito de propriedade dos latifundiários. Isto significa que os "flagelados" do nordeste abrirão caminho para a expansão do latifúndio em novas áreas. Sem capital, sem meios para trabalhar, o que significam dez hectares a 2 ou 3 mil quilômetros de distância dos centros de consumo? São bem diferentes, é o que se deduz, os propósitos do governo: proporcionar mão de obra para os latifundiários norte-americanos que compraram ou usurparam metade das terras ao norte do rio Negro, e para a United States Steel Co., que recebeu das mãos do general Garrastazú Médici as enormes jazidas de ferro e manganês da Amazônia[55].

O ciclo da borracha: Caruso inaugura um teatro monumental no meio da floresta

Alguns autores estimam que não menos de meio milhão de nordestinos sucumbiu às epidemias, ao impaludismo, à tuberculose ou ao beribéri na época do apogeu da borracha. "Este sinistro ossário foi o preço da indústria da borracha".[56] Sem nenhuma reserva de vitaminas, os trabalhadores das terras secas empreendiam a longa viagem para a floresta úmida. Ali os aguardava, nos pantanosos seringais, a febre. Iam amontoados nos porões dos barcos, em tais condições que muitos sucumbiam antes de chegar; antecipavam assim seus próximos destinos. Outros, nem sequer conseguiam embarcar. Em 1878, dos 800 mil habitantes do Ceará, 120 mil seguiram rumo ao Amazonas,

---

55. SCHILLING, Paulo. "Um nuevo genocídio." *Marcha* (1501). Montevideo, 10 jul. 1970. Em outubro de 1970, os bispos do Pará denunciaram ao presidente do Brasil a exploração brutal dos trabalhadores nordestinos pelas empresas que estão construindo a estrada transamazônica. O governo a chama "a obra do século".

56. PINHEIRO, Aurélio. *A margem do Amazonas*. São Paulo, 1937.

mas só chegou menos da metade; os restantes foram caindo, abatidos pela fome ou pelas doenças, nos caminhos do sertão ou nos subúrbios de Fortaleza[57]. Um ano antes, começava uma das sete piores secas de quantas açoitaram o Nordeste durante o século passado.

Não só a febre; na floresta, também aguardava um regime de trabalho muito semelhante à escravidão. O trabalho era pago em espécie – carne seca, farinha de mandioca, rapadura, aguardente – até que o seringueiro saldasse suas dívidas, milagre que só raras vezes acontecia. Havia um acordo entre empresários para não dar trabalho a quem tivesse dívidas pendentes; os guardas rurais, postados nas margens dos rios, disparavam contra os fugitivos. Dívidas se somavam às dívidas. À dívida original, pelo transporte do trabalhador desde o Nordeste, agregava-se a dívida pelos instrumentos de trabalho, facão, faca, baldes, e como o trabalhador comia, e sobretudo bebia, pois no seringal nunca faltava a aguardente, quanto mais antigo ele fosse, maior era a dívida que acumulara. Analfabetos, os nordestinos eram vítimas indefesas dos passes de mágica da contabilidade dos administradores.

Em 1770, Priestley notou que a borracha servia para apagar os traços do lápis no papel. Setenta anos depois, Charles Goodyear descobriu, ao mesmo tempo que o inglês Hancock, o procedimento de vulcanização da borracha, que lhe dava flexibilidade e a tornava indeformável às mudanças de temperatura. Em 1850 eram já revestidas de borracha as rodas dos veículos. No fim do século surgiu a indústria do automóvel nos Estados Unidos e na Europa, e com ela nasceu o consumo de pneumáticos em grande escala. A demanda mundial da borracha cresceu verticalmente. A seringueira proporcionava ao Brasil, em 1890, uma décima parte de sua renda derivada das exportações; vinte anos depois, a proporção subia para 40 por cento, e as vendas quase alcançavam o nível do café, embora o café, por volta de 1910, estivesse no zênite de sua prosperidade. A maior parte da produção de borracha vinha então do território do Acre, que o Brasil tomara da Bolívia ao cabo de uma fulminante campanha militar[58].

Conquistado o Acre, o Brasil dispunha da quase totalidade das reservas mundiais da borracha; a cotação internacional estava altíssima e os bons tempos pareciam infinitos. Os seringueiros não os desfrutavam, por certo, embora lhes tocasse sair a cada madrugada de suas choças, com vários reci-

---

57. TEÓFILO, op. cit.

58. A Bolívia foi mutilada em quase 200 mil quilômetros quadrados. Em 1902, recebeu uma indenização de dois milhões de libras esterlinas e uma linha férrea que lhe daria acesso aos rios Madeira e Amazonas.

pientes atados às costas por correias, e se encarapitar nas árvores, as gigantescas *hevea brasiliensis*, para sangrá-las. Eles faziam várias incisões no tronco e nos galhos mais grossos próximos da copa; das feridas manava o látex, líquido esbranquiçado e pegajoso que enchia os jarros em poucas horas e logo era cozido e transportado. O odor ácido e repelente da borracha impregnava a cidade de Manaus, capital mundial do comércio do produto. Em 1849, Manaus tinha 5 mil habitantes; em pouco mais de meio século aumentou para 70 mil. Os magnatas da borracha edificaram ali suas mansões de arquitetura extravagante e pejadas de madeiras preciosas do Oriente, cerâmicas de Portugal, colunas de mármore de Carrara e mobiliário da ebanesteria francesa. Os novos-ricos da floresta mandavam buscar no Rio de Janeiro os mais caros alimentos; os melhores costureiros da Europa cortavam seus trajes e vestidos; seus filhos eram enviados para estudar nos colégios ingleses. O teatro Amazonas, monumento barroco de bastante mau gosto, é o maior símbolo da vertigem daquelas fortunas no princípio do século: o tenor Caruso cantou para os habitantes de Manaus na noite da inauguração, em troca de uma soma fabulosa, depois de subir o rio através da selva. A Pavlova, que devia dançar, não conseguiu passar da cidade de Belém, mas fez chegar suas desculpas.

Em 1913, de um só golpe, abateu-se o desastre sobre a borracha brasileira. O preço mundial, que alcançara doze xelins três anos antes, reduziu-se à quarta parte. Em 1900, o Oriente havia exportado apenas quatro toneladas de borracha; em 1914, as plantações do Ceilão e da Malásia lançaram mais de 70 mil toneladas no mercado mundial, e cinco anos mais tarde suas exportações já estavam arranhando as 400 mil toneladas. *Em 1919, o Brasil, que desfrutara do virtual monopólio da borracha, abastecia apenas a oitava parte do consumo mundial. Meio século depois, o Brasil compra no exterior mais da metade da borracha que necessita.*

O que aconteceu? Por volta de 1873, Henry Wickham, um inglês que possuía matas de seringueira no rio Tapajós e era conhecido por suas manias de botânico, enviou desenhos e folhas da árvore da borracha para o diretor do jardim de Kew, em Londres. Recebeu a ordem de obter uma boa quantidade de sementes, as pepitas que a *hevea brasiliensis* abrigava em seus frutos amarelos. Era preciso levá-las de contrabando, pois o Brasil castigava severamente a evasão de sementes, e não era fácil: as autoridades revistavam os barcos minuciosamente. Então, como por encanto, um navio da Inman Line penetrou no interior do Brasil dois mil quilômetros além do habitual. No regresso, Henry Wickham estava entre seus tripulantes. Ele escolhera as melhores sementes, depois de pôr os frutos a secar numa aldeia indígena, e as trazia num camarote lacrado, envoltas em folhas de bananeira e suspensas no ar por cordas para que não fossem alcançadas pelos ratos de bordo. O resto do navio ia completamente vazio. Em Belém do Pará, na foz do rio, Wickham convidou as autoridades para um grande banquete. O inglês tinha fama de excêntrico, em toda a Amazônia se sabia que colecionava orquídeas. Ele explicou que, por encomenda do rei da Inglaterra, estava transportando uns quantos bulbos de orquídeas raras para o jardim de Kew. Como eram plantas muito delicadas, levava-as num compartimento fechado, com uma temperatura especial: se o abrisse, as flores morreriam. Assim chegaram as sementes, intatas, ao porto de Liverpool. Quarenta anos depois, os ingleses invadiam o mercado mundial com a borracha malaia. As plantações asiáticas, racionalmente organizadas a partir de brotos verdes de Kew, desbancaram sem dificuldade a produção extrativa do Brasil.

A prosperidade amazônica virou fumaça. A floresta tornou a se fechar sobre si mesma. Os caçadores de fortuna emigraram para outras comarcas; o luxuoso acampamento se desintegrou. Permaneceram, sim, sobrevivendo como podiam, os trabalhadores, que tinham sido trazidos de muito longe e postos a serviço da aventura alheia. Alheia, inclusive, para o próprio Brasil, que não fez outra coisa senão ouvir o canto de sereia da demanda mundial de matéria-prima, mas sem participar minimamente do verdadeiro negócio da borracha: o financiamento, a comercialização, a industrialização, a distribuição. E a sereia ficou muda. Até que, durante a Segunda Guerra Mundial, a borracha da Amazônia teve um novo empuxo transitório. Os japoneses tinham ocupado a Malásia, e as potências aliadas necessitavam, desesperadamente, abastecer-se de borracha. Também a selva peruana foi sacudida, naqueles anos 40, pelas urgências da borracha[59]. No Brasil, a chamada "batalha da borracha" mobilizou novamente os trabalhadores do Nordeste. Segundo uma denúncia formulada no Congresso quando a "batalha" terminou, desta vez foram 50 mil os mortos que, derrotados pelas pestes e pela fome, ficaram apodrecendo nos seringais.

---

59. No princípio do século, as montanhas com matas de seringueiras também haviam feito ao Peru promessas de um novo Eldorado. Francisco García Calderón escrevia em *El Perú contemporáneo*, em 1908, que a borracha era a grande riqueza do futuro. Em seu romance *La casa verde* (Barcelona, 1966), Mario Vargas Llosa reconstrói a atmosfera febril em Iquitos e na floresta, onde os aventureiros despojavam os índios e se despojavam entre si. A natureza se vingava; dispunha da lepra e outras armas.

Os plantadores de cacau acendiam seus charutos com notas de quinhentos mil-réis

Durante longo tempo a Venezuela se identificou com o cacau, planta originária da América. "Os venezuelanos tínhamos sido feitos para vender cacau e distribuir em nosso solo as bugigangas do estrangeiro", diz Rangel[60]. Os oligarcas do cacau, mais os agiotas e os comerciantes integravam "uma Santíssima Trindade do atraso". Junto com o cacau, incluindo-se em seu cortejo, coexistiam a criação de gado nas planuras, o anil, o açúcar, o tabaco e também algumas minas; mas *Gran Cacao* foi o nome com que o povo batizou, acertadamente, a oligarquia escravista de Caracas. À custa do trabalho dos negros essa oligarquia enriqueceu abastecendo de cacau a oligarquia mineira do México e a metrópole espanhola. Em 1873, inaugurou-se na Venezuela uma idade do café; o café exigia, como o cacau, terras de vertentes ou vales cálidos. Apesar do surgimento do intruso, o cacau pôde persistir em sua expansão, invadindo os solos úmidos de Carúpano. A Venezuela continuou sendo agrícola, condenada aos calvários das quedas cíclicas dos preços do café e do cacau; os dois produtos alimentavam os capitais que tornavam possível a vida parasitária, puro esbanjamento de seus donos, seus mercadores, seus prestamistas. Até que, em 1922, o país subitamente se tornou um manancial do petróleo. Daí em diante, o petróleo dominou a vida do país. A explosão da nova fortuna veio dar razão, com mais de quatro séculos de atraso, às expectativas dos descobridores espanhóis: procurando em vão o príncipe que se banhava em ouro, tinham chegado à loucura de confundir uma aldeola de Maracaibo com Veneza, ilusão à qual a Venezuela deve o seu nome.; e Colombo acreditava que no golfo de Paria nascia o paraíso terrestre[61].

Nas últimas décadas do século XIX, desencadeou-se a glutonaria dos europeus e norte-americanos pelo chocolate. O progresso da indústria deu um grande impulso às plantações de cacau no Brasil e estimulou a produção das antigas plantações da Venezuela e do Equador. No Brasil, o cacau fez seu impetuoso ingresso no cenário econômico ao mesmo tempo em que a borracha e, como a borracha, deu trabalho aos camponeses do Nordeste. A cidade de Salvador, na Bahia de Todos os Santos, tinha sido uma das cidades mais importantes da América, como capital do Brasil e do açúcar, e

---

60. RANGEL, Domingo Alberto. *El proceso del capitalismo contemporáneo en Venezuela.* Caracas, 1968.
61. RANGEL, Domingo Alberto. La Venezuela agraria. *Capital y desarrollo.* Caracas, 1969. t.1.

ressuscitou então como a capital do cacau. Ao sul da Bahia, do Recôncavo ao estado do Espírito Santo, entre as terras baixas do litoral e a cadeia de montanhas da costa, os latifúndios, em nossos dias, continuam proporcionando a matéria-prima de boa parte do chocolate que se consome no mundo. Como a cana-de-açúcar, o cacau trouxe consigo a monocultura e a queimada das matas, a ditadura da cotação internacional e a penúria sem trégua dos trabalhadores. Os proprietários das plantações, que vivem nas praias do Rio de Janeiro e são mais comerciantes do que agricultores, proíbem que uma só polegada de terra seja destinada a outras culturas. Seus administradores costumam pagar os salários em espécie, charque, farinha, feijões; quando pagam em dinheiro, o camponês recebe por um dia inteiro de trabalho uma diária que equivale ao preço de um litro de cerveja, e deve trabalhar um dia e meio para poder comprar uma lata de leite em pó.

O Brasil desfrutou durante um bom tempo os favores do mercado internacional. No entanto, sempre encontrou na África sérios competidores. Na década de 20, Gana já havia conquistado o primeiro lugar: os ingleses tinham desenvolvido a plantação de cacau em grande escala, com métodos modernos, nesse país que então era uma colônia e se chamava Costa do Ouro. O Brasil caiu para o segundo lugar e, anos depois, para o terceiro, como provedor mundial de cacau. Mas houve mais de um período em que ninguém teria acreditado que um destino medíocre aguardava as terras férteis do sul da Bahia. Intactos ao longo da época colonial, os solos multiplicavam seus frutos: os peões quebravam as bagas a golpes de facão e recolhiam as sementes nos carros para que os burros as conduzissem até o lugar da fermentação, e então era preciso derrubar cada vez mais árvores, abrir mais clareiras, conquistar novas terras a golpes de machado e tiros de fuzil. Os peões nada sabiam de preços ou mercados. Sequer sabiam quem governava o Brasil: até não faz muitos anos, ainda havia trabalhadores das fazendas convencidos de que D. Pedro II, o imperador, continuava no trono. Os senhores do café esfregavam as mãos: eles sim, sabiam, ou julgavam saber. O consumo do cacau aumentava e com ele aumentavam as cotações e os lucros. O porto de Ilhéus, onde era embarcado quase todo o cacau, chamava-se "a Rainha do Sul", e embora hoje esteja a definhar, ali remanescem os sólidos palacetes que os fazendeiros mobiliaram com faustoso e péssimo gosto. Jorge Amado escreveu vários romances sobre o tema. Ele assim recria uma etapa da alta dos preços: "Ilhéus e a zona do cacau nadaram em ouro, banharam-se com champanhe e dormiram com as francesas que chegavam do Rio de Janeiro. No Trianon, o cabaré mais chique da cidade, o coronel Maneca Dantas acendia charutos com notas de 500 mil-réis, repetindo o gesto de todos os fazendeiros ricos do país nas altas anteriores do café, da borracha, do algodão e do açúcar"[62]. Com a alta de preços, a produção aumentava; e logo os preços baixavam. A instabilidade se tornou cada vez mais frenética e as terras foram trocando de dono. Começou o tempo dos "milionários mendigos": os pioneiros das plantações deram lugar aos exportadores, que na execução de dívidas se apoderavam das terras.

Em apenas três anos, de 1959 a 1961 – para ficar num único exemplo –, o preço internacional do cacau brasileiro em amêndoa se reduziu em uma terça parte. Posteriormente, a tendência de alta dos preços não foi capaz de abrir as portas da esperança; a CEPAL prevê vida curta para a curva de ascenso[63]. Os grandes consumidores de cacau – Estados Unidos, Inglaterra, Alemanha Federal, Holanda, França –, para comer chocolate barato, instigam a competição entre o cacau africano e o produzido no Brasil e no Equador. E dispondo como dispõem dos preços, provocam períodos de depressão que atiram nas estradas os trabalhadores que o cacau expulsa. Os desempregados procuram árvores, debaixo das quais podem dormir, e bananas verdes para enganar o estômago: por certo não comem os finos chocolates europeus que o Brasil, terceiro produtor mundial do cacau, incrivelmente importa da França e da Suíça. Os chocolates valem cada vez mais; o cacau, em termos relativos, cada vez menos. Entre 1950 e 1960, as vendas de cacau do Equador aumentaram em mais de 30 por cento em volume, mas só 15 por cento em valor. Os 15 por cento restantes terão sido um presente do Equador para os países ricos, que no mesmo período lhe enviaram, a preços crescentes, seus produtos industrializados. A economia equatoriana depende das vendas de banana, café e cacau, três alimentos duramente submetidos às quedas dos preços. Segundo dados oficiais, de cada dez equatorianos, sete padecem de

---

62. O título de "coronel" é outorgado no Brasil, com facilidade, aos latifundiários tradicionais e, por extensão, a todas as pessoas importantes. O parágrafo pertence ao romance de Jorge Amado, *São Jorge dos Ilhéus* (Montevideo, 1946). Enquanto isso, "nem os meninos tocavam nos frutos do cacau. Tinham medo daqueles cocos amarelos, de caroços doces, que os mantinham prisioneiros desta vida de frutos da jaqueira e carne seca". Porque no fundo "o cacau era um grande senhor temido até pelo coronel" (AMADO, Jorge. *Cacao*. Buenos Aires, 1935). Em outro romance, *Gabriela, clavo y canela* (Buenos Aires, 1969), um personagem fala de Ilhéus em 1925, levantando um dedo categórico: "Na atualidade não existe no norte do país uma cidade de progresso mais rápido". Atualmente, Ilhéus não é nem a sombra.

63. Referindo-se aos aumentos do preço do cacau e do café, a Comissão Econômica para a América Latina das Nações Unidas, CEPAL, diz que "têm um caráter relativamente transitório" e que obedecem "em grande parte a contratempos ocasionais nas colheitas". CEPAL. *Estudio económico de América Latina*. 1969, t.2: *La economía de América Latina en 1969*. Santiago de Chile, 1970.

desnutrição básica, e o país tem um dos índices de mortalidade mais altos do mundo.

Braços baratos para o algodão

O Brasil ocupa o quarto lugar no mundo como produtor de algodão; o México, o quinto. Em conjunto, provém da América Latina mais do que a quinta parte do algodão que a indústria têxtil consome em todo o planeta. No fim do século XVIII, o algodão já se tornara a matéria-prima mais importante dos viveiros industriais da Europa; a Inglaterra, em 30 anos, multiplicou por cinco suas compras dessa fibra natural. O fuso que Arkwright inventou ao mesmo tempo em que Watt patenteava sua máquina a vapor e a posterior criação do tear mecânico de Cartwright incrementaram com decisivo vigor a fabricação de tecidos e proporcionaram ao algodão, planta nativa da América, ávidos mercados no ultramar. O porto de São Luiz do Maranhão, que dormira uma longa sesta tropical apenas interrompida por um par de navios ao ano, foi bruscamente despertado pela euforia do algodão: afluíram os escravos negros para as plantações do norte do Brasil, e entre 150 e 200 navios partiam anualmente de São Luiz, carregando um milhão de libras de matéria-prima têxtil. Enquanto nascia o século passado, a crise da economia mineira proporcionava ao algodão mão de obra escrava em abundância; esgotados o ouro e os diamantes do Sul, o Brasil parecia ressuscitar no Norte. O porto floresceu, produziu poetas em tal medida que até poderia pleitear que o chamassem A Atenas do Brasil[64], mas com a prosperidade chegou a fome à região do Maranhão, onde ninguém se ocupava de cultivar alimentos. Em alguns períodos houve arroz para comer[65]. A história terminou como havia começado: o colapso chegou de repente. A plantação de algodão em grande escala nas plantações do sul dos Estados Unidos, com terras de melhor qualidade e meios mecânicos para descaroçar e enfardar o produto, baixou os preços à terça parte, e o Brasil ficou de fora na concorrência. Uma nova etapa se abriu com a Guerra da Secessão, que interrompeu o fornecimento norte-americano, mas durou pouco. Já no século XX, entre 1934 e 1939, a produção brasileira aumentou num ritmo impressionante: de 126 mil toneladas passou a mais de 320 mil. Sobreveio então novo desastre: os Estados Unidos lançaram seus excedentes no mercado mundial e o preço desabou.

---

64. SIMONSEN. op. cit.
65. PRADO JÚNIOR, Caio. *Formação do Brasil contemporâneo*. São Paulo, 1942.

Os excedentes agrícolas norte-americanos, como se sabe, resultam dos robustos subsídios que o Estado outorga aos produtores; a preços de *dumping* e como parte de programas de ajuda exterior, os excedentes se derramam no mundo. Assim, o algodão foi o principal produto de exportação do Paraguai, até que a concorrência ruinosa do algodão norte-americano o excluiu dos mercados, e a produção paraguaia, desde 1952, reduziu-se à metade. Assim perdeu o Uruguai o mercado canadense para seu arroz. Assim o trigo da Argentina, um país que tinha sido o celeiro do planeta, perdeu um peso decisivo nos mercados internacionais. O *dumping* norte-americano do algodão não impediu que uma empresa norte-americana, a Anderson Clayton and Co., detivesse o império deste produto na América Latina, e tampouco impediu que, através dela, os Estados Unidos comprassem algodão mexicano para revendê-lo a outros países.

O algodão latino-americano, mal ou bem, continua vivo no comércio mundial, graças a seus baixíssimos custos de produção. Contudo, o miserável nível da retribuição do trabalho é acusado até pelos números oficiais, que costumam mascarar a realidade. Nas plantações do Brasil, os salários de fome alternam com o trabalho servil; nas plantações da Guatemala, os proprietários se orgulham de pagar salários de dezenove quetzais (o quetzal equivale nominalmente ao dólar), e como se isto fosse muito, eles mesmos advertem que a maior parte é quitada em espécie, a preços por eles fixados[66]; no México, os diaristas que deambulam de safra em safra, recebendo um dólar e meio por jornada, não só padecem o subemprego, mas também, e como consequência, a subnutrição, e muito pior é a situação dos trabalhadores do algodão na Nicarágua; os salvadorenhos que fornecem algodão para as indústrias têxteis do Japão consomem menos calorias e proteínas do que os famélicos hindus. Para a economia do Peru, o algodão é a segunda fonte agrícola de divisas. José Carlos Mariátegui havia observado que o capitalismo estrangeiro, em sua perene busca de terras, braços e mercados, tendia a apoderar-se das culturas de exportação do Peru, através da execução de hipotecas dos endividados terras-tenentes[67]. Em 1968, quando o general nacionalista Velasco Alvarado chegou ao poder, encontrava-se em exploração menos da sexta parte das terras do país aptas à exploração intensiva, a renda *per capita* da população era 15 vezes menor do que nos Estados Unidos, e o

---

66. Comité Interamericano de Desarrollo Agrícola. *Guatemala. Tenencia de la tierra y desarrollo socioeconómico del sector agrícola.* Washington, 1965.
67. MARIÁTEGUI, José Carlos. *Siete ensayos de interpretación de la realidad peruana.* Montevideo, 1970.

consumo de calorias era um dos mais baixos do mundo, mas a produção de algodão, como a do açúcar, continuava regida por critérios alheios ao Peru, como denunciou Mariátegui. As melhores terras, as campinas da costa, pertenciam a empresas norte-americanas ou a terras-tenentes que tão só eram nacionais em sentido geográfico, assim como a burguesia limenha. Cinco grandes empresas – entre elas duas norte-americanas, a Anderson Clayton e a Grace – tinham em suas mãos a exportação de algodão e de açúcar, e contavam também com seus próprios "complexos agroindustriais" de produção. As plantações de açúcar e algodão da costa, supostos focos de prosperidade e progresso por oposição aos latifúndios da serra, pagavam aos peões salários de fome, até que a reforma agrária de 1969 as expropriou e as entregou aos trabalhadores, em regime de cooperativa. Segundo o Comitê Interamericano de Desenvolvimento Agrícola, a renda de cada membro das famílias de assalariados da costa chegava somente a cinco dólares mensais[68].

A Anderson Clayton and Co. mantém 30 empresas filiais na América Latina, e se dedica não só à venda de algodão, como também – monopólio horizontal – dispõe de uma rede que abrange o financiamento e a industrialização da fibra e seus derivados, além de produzir alimentos em grande escala. No México, por exemplo, ainda que não possua terras, exerce de todos os modos seu domínio na produção de algodão; em suas mãos estão, de fato, os 800 mil mexicanos que o colhem. A empresa compra a preço vil a excelente fibra do algodão mexicano porque, previamente, concede crédito aos produtores, com a obrigação de que lhe vendam as colheitas por valores de abrir mercado. Aos adiantamentos em dinheiro soma-se o fornecimento de fertilizantes, sementes, inseticidas; a empresa reserva-se o direito de supervisionar os trabalhos de fertilização, semeadura e colheita. Fixa a tarifa que lhe convém para descaroçar o algodão. Usa as sementes em suas fábricas de azeite, graxas e margarinas. Nos últimos anos, "não contente com o domínio no comércio do algodão, invadiu até a produção de doces e chocolates, comprando recentemente a notória empresa Lexus[69]. Na atualidade, a Anderson Clayton é a principal firma exportadora do café do Brasil. Em 1950, interessou-se pelo negócio. Três anos depois, já havia destronado a American Coffee Corporation. De resto, é a primeira produtora de alimentos do Brasil, e figura entre as 35 mais poderosas empresas do país.

---

68. Comité Interamericano de Desarrollo Agrícola. *Peru. Tenencia de la tierra y desarrollo socioeconómico del sector agrícola.* Washington, 1966.
69. AGUILAR M., Alonso & CARMONA, Fernando. *México: riqueza y miseria.* México, 1968.

Braços baratos para o café

Há quem garanta que o café, no mercado internacional, é tão importante quanto o petróleo. No princípio da década de 50, a América Latina abastecia quatro quintas partes do café que se consumia no mundo; a concorrência do café *robusta*, da África, de inferior qualidade, mas de preço mais baixo, reduziu a participação latino-americana nos anos seguintes. No entanto, a sexta parte das divisas que a região obtém atualmente no exterior provém do café. As flutuações dos preços afetam quinze países ao sul do rio Bravo. O Brasil é o maior produtor do mundo; do café, obtém cerca de metade de suas receitas oriundas de exportações. El Salvador, Guatemala, Costa Rita e Haiti também dependem em grande medida do café, que além disso provê dois terços das divisas da Colômbia.

O café trouxe consigo a inflação para o Brasil; entre 1824 e 1854, o preço de um homem se multiplicou por dois. Nem o algodão do Norte nem o açúcar do Nordeste, esgotados já os ciclos de prosperidade, podiam pagar aqueles caros escravos. O Brasil se deslocou para o Sul. Além da mão de obra escrava, o café usou os braços dos imigrantes europeus, que entregavam aos proprietários metade de suas colheitas, num regime a meias que ainda hoje prevalece no interior do Brasil. Os turistas que hoje em dia atravessam os bosques da Tijuca para ir nadar nas águas da Barra ignoram que ali, nas montanhas que cercam o Rio de Janeiro, houve grandes cafezais já faz mais de um século. Pelos flancos da serra, as plantações, em sua desesperada busca do húmus de novas terras virgens, rumaram para São Paulo. Já agonizava o século quando os latifundiários cafezistas, convertidos na nova elite social do Brasil, apontaram os lápis e fizeram as contas: os salários de subsistência eram mais baratos do que a compra e a manutenção dos escassos escravos. Aboliu-se a escravidão em 1888, e assim se inauguraram as formas combinadas de servidão feudal e trabalho assalariado que persistem nos dias atuais. Legiões de braceiros "livres" acompanhariam, desde então, a peregrinação do café. O vale do rio Paraíba se tornou a zona mais rica do país, mas logo foi devastado por essa planta perecedoura que, cultivada num sistema destrutivo, ia deixando em seu rastro matas arrasadas, reservas naturais esgotadas e uma decadência geral. A erosão arruinava sem piedade as terras anteriormente intatas, e de saque em saque ia baixando seus rendimentos, debilitando as plantas e tornando-as vulneráveis às pragas. O latifúndio cafezista invadiu a vasta meseta purpúrea a ocidente de São Paulo; com métodos de exploração menos bestiais, transformou-a num "mar de café", e continuou avançando para oeste. Chegou às ribeiras do Paraná; colidindo com as savanas do Mato Grosso, desviou-se para o sul e, nos últimos anos, retomou a marcha para o oeste, já ultrapassando as fronteiras do Paraguai.

Atualmente, São Paulo é o estado mais desenvolvido do Brasil, é o centro industrial do país, mas em suas plantações de café ainda abundam os "moradores vassalos", que pagam com seu trabalho e o de seus filhos o aluguel da terra.

Nos anos prósperos que se seguiram à Primeira Guerra Mundial, a voracidade dos cafeicultores determinou a virtual abolição do sistema que permitia aos trabalhadores das plantações cultivar alimentos por conta própria. Agora, só podem fazê-lo em troca de valores que pagam trabalhando sem receber. Além disso, o latifundiário conta com colonos contratados que têm permissão para plantar e em troca têm de iniciar novos cafezais. Quatro anos depois, quando os grãos amarelos colorem a plantação, a terra já multiplicou seu valor e chega para o colono a hora de ser mandado embora.

Na Guatemala as plantações de café pagam ainda menos do que as do algodão. Nas encostas do sul, os proprietários dizem que retribuem com quinze dólares mensais o trabalho de milhares de indígenas que a cada ano descem do altiplano rumo ao sul para vender seus braços nas colheitas. As fazendas contam com segurança privada; ali, como alguém me explicou, "um homem é mais barato que sua tumba", e o aparato da repressão cuida para que continue sendo. Na região de Alta Verapaz, a situação é ainda pior. Ali não há caminhões nem carroças, os fazendeiros não precisam: sai mais barato transportar o café no lombo do índio.

Para a economia de El Salvador, pequeno país nas mãos de um punhado de famílias oligárquicas, o café tem uma importância fundamental: a monocultura obriga à compra no exterior de feijões, única fonte de proteínas para a alimentação popular, milho, hortaliças e outros alimentos que, tradicionalmente, o país produzia. A quarta parte dos salvadorenhos morre vítima de avitaminose. O Haiti, por sua vez, tem a mais alta taxa de mortalidade da América Latina; mais de metade de sua população infantil padece de anemia. O salário legal, no Haiti, pertence aos domínios da ficção; nas plantações de café, o salário real oscila entre sete e quinze centavos de dólar por dia.

Na Colômbia, o café desfruta da hegemonia. Segundo um informe publicado pela revista *Time* em 1962, os trabalhadores recebem, em salários, 5 por cento do preço total que o café obtém em sua viagem da mata aos lábios do consumidor norte-americano[70]. Diferentemente do Brasil, o café da Colômbia, em sua maior parte, não é produzido nos latifúndios, mas em minifúndios que tendem cada vez mais a pulverizar-se. Entre 1955 e 1960, surgiram 100 mil novas plantações, na maioria com áreas ínfimas, menos de um hectare. Pequenos e muito pequenos agricultores produzem três quartas partes do café que a Colômbia exporta; 96 por cento das plantações são minifúndios[71]. Juan Valdés sorri nos anúncios, mas a atomização da terra derruba o nível de vida dos agricultores, de rendimentos cada vez menores, e facilita as manobras da Federação Nacional de Cafeicultores, que representa os interesses dos grandes proprietários e virtualmente monopoliza a comercialização do produto. As parcelas de menos de um hectare geram uma renda de fome: em média, 130 dólares *por ano*[72].

A cotação do café lança ao fogo as colheitas e determina o ritmo dos casamentos

O que é isso? O eletroencefalograma de um louco? Em 1889, o café valia dois centavos e seis anos depois subiu para nove; três anos mais tarde baixou para quatro centavos e cinco anos depois para dois. Esse período foi ilustrativo[73]. Os gráficos dos preços do café, como os de todos os produtos tropicais, assemelham-se aos quadros clínicos da epilepsia, mas a linha sempre desce quando

---

70. ARRUBLA, Mario. *Estudios sobre el subdesarrollo colombiano*. Medellín, 1969. O preço assim se estrutura: 40 por cento para os intermediários, exportadores e importadores; 10 por cento para os impostos dos dois governos; 10 por cento para os transportadores; 5 por cento para a propaganda do Escritório Panamericano do Café, em Washington; 30 por cento para os donos das plantações e 5 por cento para os salários dos trabalhadores.
71. Banco Cafetero. *La industria cafetera en Colombia*. Bogotá, 1962.
72. *Panorama económico latinoamericano*. La Habana (87), setembro de 1963.
73. MONBEIG, Pierre. *Pionniers et planteurs de São Paulo*. Paris, 1952.

registra o valor de troca do café perante os maquinários e produtos industrializados. Carlos Lleras Restrepo, presidente da Colômbia, queixava-se em 1967: neste ano, seu país devia pagar 57 bolsas de café para comprar um jipe, enquanto em 1950 bastavam dezessete bolsas. Ao mesmo tempo, o Secretário da Agricultura de São Paulo, Herbert Levi, fazia cálculos mais dramáticos: para comprar um trator em 1967, o Brasil precisava de 350 bolsas de café, ao passo que, quatorze anos antes, 70 bolsas teriam sido suficientes. O presidente Getúlio Vargas, em 1954, despedaçou seu coração com um balaço, e a cotação do café não se alheou à tragédia: "Veio a crise do café", escreveu Vargas em seu testamento, "valorizou-se o nosso principal produto. Tentamos defender seu preço e a resposta foi uma violenta pressão sobre a nossa economia, a ponto de sermos obrigados a ceder". Vargas quis que seu sangue fosse um preço do resgate.

Se a colheita do café de 1964 fosse comercializada no mercado norte-americano a preços de 1955, o Brasil teria recebido 200 milhões de dólares a mais. A baixa de um centavo na cotação do café implica uma perda de 65 milhões de dólares para o conjunto dos países produtores. Desde 1964, como o preço continuou caindo até 1968, tornou-se maior a quantidade de dólares usurpados do Brasil, país produtor, pelo país consumidor, os Estados Unidos. Mas em benefício de quem? Do cidadão que bebe o café? Em julho de 1968, o preço do café brasileiro nos Estados Unidos havia baixado 30 por cento em relação a janeiro de 1964. No entanto, o consumidor norte-americano não pagava menos pelo seu café, mas 13 por cento a mais. Entre 64 e 68, portanto, os intermediários abocanharam estes 13 e aqueles 30: ganharam nas duas pontas. No mesmo período, os valores que receberam os produtores brasileiros por cada bolsa de café estavam reduzidos à metade[74]. Quem são os intermediários? Seis empresas norte-americanas dispõem de mais do que a terça parte do café que sai do Brasil, e outras seis empresas norte-americanas dispõem de mais do que a terça parte do café que entra nos Estados Unidos: são firmas dominantes em ambos os extremos da operação[75]. A United Fruit (que passou a chamar-se United Brands enquanto escrevo estas linhas) exerce o monopólio da venda de bananas da América Central, Colômbia e Equador, e ao mesmo tempo monopoliza a importação e a distribuição de bananas nos Estados Unidos. De modo semelhante, são

---

74. Dados do Banco Central, Instituto Brasileiro do Café e FAO. Revista *Fator* (2). Rio de Janeiro, novembro-dezembro de 1968.

75. Segundo investigação realizada pela Federal Trade Commission. SILVEIRA, Cid. *Café: um drama na economia nacional*. Rio de Janeiro, 1962.

empresas norte-americanas que manejam o negócio do café, e o Brasil só participa como provedor e como vítima. É o Estado brasileiro que arca com os estoques quando a superprodução obriga a acumular reservas.

Acaso não existe um Convênio Internacional do Café para equilibrar os preços no mercado? O Centro Mundial de Informação do Café publicou em Washington, em 1970, um amplo documento destinado a convencer os legisladores para que os Estados Unidos prorrogassem, em setembro, a vigência da lei complementar relativa ao convênio. O informe assegura que o convênio beneficiou em primeiro lugar os Estados Unidos, consumidores de mais da metade do café que se vende no mundo. A compra do grão continua sendo uma pechincha. No mercado norte-americano, o irrisório aumento do preço do café (em benefício, como vimos, dos intermediários) foi muito menor do que a alta geral do custo de vida e do nível interno dos salários; o valor das exportações dos Estados Unidos, entre 1960 e 1969, elevou-se em uma sexta parte, e no mesmo período o valor das importações de café, em vez de aumentar, diminuiu. De resto, é preciso levar em conta que os países latino-americanos aplicam as deterioradas divisas obtidas com a venda do café na compra desses produtos norte-americanos que subiram de preço.

O café beneficia muito mais quem consome do que quem o produz. Nos Estados Unidos e na Europa gera rendas, empregos, e mobiliza grandes capitais; na América Latina, paga salários de fome e acentua a deformação econômica dos países postos a seu serviço. *Nos Estados Unidos, o café proporciona trabalho a mais de 600 mil pessoas: os norte-americanos que distribuem e vendem o café latino-americano ganham salários infinitamente mais altos do que os brasileiros, colombianos, guatemaltecos, salvadorenhos ou haitianos que semeiam e colhem o grão nas plantações. De outra parte, informa-nos a CEPAL que, por incrível que pareça, o café entorna mais riqueza nas arcas estatais dos países europeus do que a riqueza que deixa em mãos dos países produtores.* De fato, "em 1960 e 1961, as cargas fiscais totais impostas pelos países da Comunidade Europeia ao café latino-americano elevaram-se a cerca de 700 milhões de dólares, ao passo que as rendas dos países abastecedores (em termos do valor FOB das mesmas exportações) só alcançaram 600 milhões de dólares"[76]. Os países ricos, pregadores do livre-comércio, aplicam o mais rígido protecionismo contra os países pobres: convertem tudo o que tocam em ouro para eles mesmos e em lata para os demais – incluindo a própria produção dos países subdesenvolvidos. O mercado internacional do café copia de

---

76. CEPAL. *El comercio internacional y el desarrollo de América Latina.* México; Buenos Aires, 1964.

tal modo o desenho de um funil que o Brasil, recentemente, aceitou impor altos impostos às suas exportações de café solúvel para proteger – protecionismo ao contrário – interesses dos fabricantes norte-americanos do mesmo artigo. O café instantâneo produzido no Brasil é mais barato e de melhor qualidade do que o da florescente indústria dos Estados Unidos, mas no regime da livre concorrência, está visto, uns são mais livres do que os outros.

Neste reino do absurdo organizado as catástrofes naturais se convertem em bênçãos do céu para os países produtores. As agressões da natureza elevam os preços e permitem que se mobilizem as reservas acumuladas. As ferozes geadas que devastaram a colheita de 1969 no Brasil condenaram à ruína numerosos produtores, sobretudo os pequenos, mas empurraram para cima a cotação internacional do café e aliviaram consideravelmente o estoque de 60 milhões de bolsas – equivalentes a dois terços da dívida externa do Brasil – que o Estado acumulara para defender os preços. O café armazenado, que já se deteriorava e, progressivamente, ia perdendo valor, por pouco não foi para a fogueira. Não seria a primeira vez. Na crise de 1929, que derrubou os preços e contraiu o consumo, o Brasil queimou 78 milhões de bolsas de café: assim ardeu em chamas o esforço de 200 mil pessoas durante cinco safras[77]. *Aquela foi uma típica crise de uma economia colonial: veio de fora.* A brusca queda dos lucros dos plantadores e dos exportadores de café nos anos 30 provocou, além do incêndio do café, o incêndio da moeda. Este é o mecanismo usual na América Latina para "socializar as perdas" do setor exportador: compensa-se em moeda nacional, através das desvalorizações, o que se perde em divisas.

O auge dos preços, contudo, não têm melhores consequências. Incrementa grandes semeaduras, um crescimento na produção, uma multiplicação da área destinada ao cultivo do produto afortunado. O estímulo funciona como um bumerangue, pois a abundância do produto derruba os preços e provoca o desastre. Foi o que ocorreu em 1958, na Colômbia, quando foi colhido o café semeado com tanto entusiasmo quatro anos antes; ciclos semelhantes se repetiram ao longo da história deste país. A Colômbia depende a tal ponto do café e de sua cotação internacional que, "em Antióquia, a curva dos casamentos responde rapidamente à curva dos preços do café. É típico de uma estrutura dependente: até o momento propício a uma declaração de amor numa colina de Antióquia é decidido na bolsa de Nova York"[78].

---

77. SIMONSEN, op. cit.
78. ARRUBLA, op. cit.

Dez anos que dessangraram a Colômbia

Lá pelos anos 40, o influente economista colombiano Luis Eduardo Nieto Arteta escreveu uma apologia do café. O café tinha conseguido aquilo que jamais conseguiram, nos anteriores ciclos econômicos do país, as minas e o tabaco, o anil e a quina: dar nascimento de uma ordem madura e progressista. As fábricas têxteis e outras indústrias leves nasceram, não por acaso, nos departamentos produtores de café: Antióquia, Caldas, Valle del Cauca, Cundinamarca. Uma democracia de pequenos produtores agrícolas, dedicados ao café, converteu os colombianos em "homens moderados e sóbrios". "O pressuposto mais vigoroso para a normalidade no funcionamento da vida política colombiana", ele dizia, "foi a consecução de uma peculiar estabilidade econômica. O café a produziu, e com ela o sossego e a moderação".[79]

Pouco tempo depois eclodiu a violência. Os elogios ao café, na verdade, não tinham interrompido, como num passe de mágica, a longa história de revoltas e repressões sanguinárias na Colômbia. Desta vez, e durante dez anos, entre 1948 e 1957, a guerra camponesa abarcou minifúndios e latifúndios, desertos e semeadas, e vales e matas e páramos andinos, compeliu ao êxodo comunidades inteiras, gerou guerrilhas revolucionárias e bandos de criminosos, e transformou o país num cemitério: calcula-se que deixou um saldo de 180 mil mortos[80]. *O banho de sangue coincidiu com um período de euforia econômica da classe dominante: é lícito confundir a prosperidade de uma classe com o bem-estar de um país?*

A violência começou como um enfrentamento entre liberais e conservadores, mas a dinâmica do ódio de classes foi salientando cada vez mais seu caráter de luta social. Jorge Eliécer Gaitán, o caudilho liberal que a oligarquia de seu próprio partido, entre depreciadora e receosa, chamava "El Lobo" ou "El Badulaque", granjeara um formidável prestígio popular e ameaçava a ordem estabelecida; quando o assassinaram a tiros, desencadeou-se o furacão. Primeiro foi uma maré humana irrefreável nas ruas da capital, o espontâneo *bogotazo*, e em seguida a violência derivou para o campo, onde, já fazia algum tempo, os bandos organizados pelos conservadores vinham semeando o terror. O ódio longamente ruminado pelos camponeses explodiu, e enquanto o governo enviava policiais e soldados para cortar testículos, abrir o ventre das mulheres grávidas ou atirar as crianças para o ar para espetá-las

---

79. ARTETA, Luis Eduardo Nieto. *Ensayos sobre economía colombiana.* Medellín, 1969.
80. GUZMÁN CAMPOS, Germán, FALS BORDA, Orlando, & UMAÑA LUNA, Eduardo. *La violencia en Colombia. Estudio de un proceso social.* Bogotá, 1963-4.

com a baioneta, sob a consigna "não deixar nem a semente", os doutores do Partido Liberal se recolhiam às suas casas sem alterar seus bons modos nem o tom cavalheiresco de suas manifestações; no pior dos casos, viajavam para o exílio. Foram os camponeses que forneceram os mortos. A guerra alcançou extremos de incrível crueldade, estimulada por um afã de vingança que crescia com a própria guerra. Surgiram novos estilos de morte: no "corte gravata", a língua saía por um buraco do pescoço. Sucediam-se as violações, os incêndios, os saques; os homens eram esquartejados ou queimados vivos, esfolados ou partidos lentamente em pedaços; os batalhões arrasavam as aldeias e as plantações; os rios se tingiam de vermelho; os bandoleiros outorgavam o direito de viver em troca de tributos em dinheiro ou carregamentos de café, e as forças repressivas expulsavam e perseguiam as inúmeras famílias que fugiam para buscar refúgio nas montanhas: as mulheres davam à luz nos matos. Os primeiros chefes guerrilheiros, animados pela necessidade de revanche mas sem horizontes políticos claros, lançavam-se à destruição pela destruição, o desafogo a sangue e fogo sem outros objetivos. Os nomes dos protagonistas da violência (Tenente Gorila, Malasombra, El Cóndor, Pielroja, El Vampiro, Avenegra, El Terror del Llano) não sugerem uma epopeia da revolução. Mas o traço da rebelião social destacava-se até nas *coplas* que os bandos cantavam:

> Eu sou campesino puro
> e não comecei a peleia,
> mas se procuram barulho
> vão dançar com a mais feia.

Afinal, o terror indiscriminado também havia aparecido, misturado com reivindicações de justiça, na revolução mexicana de Emiliano Zapata e Pancho Villa. Na Colômbia, a raiva explodia de qualquer maneira, mas não é casual que daquela década de violência tenham nascido as posteriores guerrilhas políticas que, levantando as bandeiras da revolução social, chegaram a ocupar e controlar extensas zonas do país. Os camponeses, assediados pela repressão, emigraram para as montanhas e ali organizaram o trabalho agrícola e a autodefesa. As chamadas "repúblicas independentes" continuaram oferecendo refúgio aos perseguidos depois que conservadores e liberais assinaram, em Madri, um pacto de paz. Os dirigentes de ambos os partidos, num clima de brindes e pombas, resolveram alternar-se sucessivamente no poder em prol da concórdia nacional, e então começaram, já de comum acordo, a tarefa de "limpeza" contra os focos de perturbação do sistema. Numa única operação, para combater os rebeldes de Marquetalia, foram disparados um milhão e meio de projéteis, lançadas vinte mil bombas e mobilizados, por terra e ar, dezesseis mil soldados[81].

Em plena violência, havia um oficial que dizia: "Não me tragam histórias, tragam-me orelhas". A ferocidade da guerra e o sadismo da repressão poderiam ser explicados mediante razões clínicas? Resultaram da maldade natural dos protagonistas? Um homem que cortou as mãos de um sacerdote, prendeu fogo no corpo e na casa dele e logo o despedaçou e o jogou num cano de despejo, gritava, quando a guerra acabou: "Eu não sou culpado! Eu não sou culpado! Deixem-me só!" Perdera a razão, mas de certo modo a tinha: o horror da violência pôs em evidência o horror do sistema. Porque o café não trouxe a felicidade e a harmonia, como havia profetizado Nieto Arteta. É verdade que, graças ao café, ativou-se a navegação no Magdalena e nasceram ferrovias e estradas e se acumularam capitais que deram origem a certas indústrias, mas a ordem oligárquica interna e a dependência econômica ante os centros estrangeiros do poder não só não foram afetadas pelo processo ascendente do café como também – e bem ao contrário – tornaram-se mais angustiantes para os colombianos. Quando a década de violência chegou ao fim, as Nações Unidas publicavam os resultados de sua pesquisa sobre a nutrição na Colômbia. De lá para cá a situação absolutamente não melhorou: 88 por cento dos escolares de Bogotá padeciam de avitaminose e mais da metade tinha um peso abaixo do normal; entre os trabalhadores, a avitaminose castigava 71 por cento, e entre os camponeses do vale de Tensa, 78 por cento[82]. A pesquisa mostrou "uma nítida insuficiência de alimentos protetores – leite e seus derivados, ovos, carne, pescado e algumas frutas e hortaliças – que em conjunto fornecem proteínas, vitaminas e sais". Não só

---
81. GUZMÁN CAMPOS. *La violencia en Colombia (parte descritiva)*. Bogotá, 1968.
82. NACIONES UNIDAS. "Análisis y proyecciones del desarrollo económico", III. In: *El desarrollo económico de Colombia*. Nova York, 1957.

aos clarões dos tiros se revela uma tragédia social. As estatísticas indicam que a Colômbia registra um índice de homicídios sete vezes maior do que o dos Estados Unidos, mas também indicam que uma quarta parte dos colombianos em idade ativa não tem trabalho fixo. Duzentas mil pessoas, anualmente, apresentam-se ao mercado de trabalho, mas a indústria não gera novos empregos, e no campo a estrutura de latifúndios e minifúndios tampouco necessita de mais braços; ao contrário, expulsa continuamente novos desempregados para os subúrbios das cidades. Há na Colômbia mais de um milhão de crianças sem escola. Isto não impede que o sistema se dê ao luxo de manter 41 universidades diferentes, públicas ou privadas, cada uma com seus diversos cursos e departamentos, para a educação dos filhos da elite e da minoritária classe média[83].

A varinha mágica do mercado mundial desperta a América Central

As terras da faixa centro-americana chegaram à metade do século passado sem que lhes infligissem maiores moléstias. Além dos alimentos destinados ao consumo, a América Central produzia a cochonilha e o anil, com poucos capitais, escassa mão de obra e mínimas preocupações. A cochonilha, inseto que nascia e crescia sem problemas na espinhosa superfície dos cactos, desfrutava, com o anil, de uma constante demanda na indústria têxtil europeia. Esses dois corantes naturais morreram de morte sintética quando, por volta de 1850, químicos alemães inventaram as anilinas e outras tintas mais baratas para tingir tecidos.

Trinta anos depois dessa vitória dos laboratórios sobre a natureza, chegou o turno do café. A América Central se transformou. De suas plantações recém-nascidas provinha, por volta de 1880, pouco menos da sexta parte da produção mundial de café. Foi através desse produto que a região, definitivamente, integrou-se ao mercado internacional. Aos compradores ingleses seguiram-se os alemães e os norte-americanos; os consumidores estrangeiros deram vida a uma burguesia nativa do café, que no princípio da década de 1870 irrompeu no poder político através da revolução liberal de Justo Rufino

---

[83]. O professor Gusmán Rama descobriu que algumas dessas veneráveis casas acadêmicas têm em suas bibliotecas, como acervo mais importante, a coleção encadernada da *Seleções do Readers Digest*. RAMA, Germán. Educación y movilidad social en Colombia. *Eco* (116). Bogotá, dezembro de 1969.

Barrios. A especialização agrícola, ditada de fora, despertou o furor da apropriação de terras e de homens: na América Central, o latifúndio atual nasceu sob as bandeiras da liberdade de trabalho.

Assim passaram às mãos privadas grandes extensões desocupadas, que não pertenciam a ninguém ou eram da Igreja ou do Estado, e teve lugar o frenético despojamento das comunidades indígenas. Os camponeses que se negavam a vender suas terras eram incorporados ao exército, à força; as plantações se converteram em podredouros de índios, ressuscitaram os mandamentos coloniais, o recrutamento forçado de mão de obra e as leis contra a vadiagem. Os trabalhadores fugitivos eram perseguidos a tiros; os governos liberais modernizavam as relações de trabalho instituindo o salário, mas os assalariados se tornavam propriedade dos flamantes empresários do café. Em nenhum momento, ao longo do século transcorrido desde então, os períodos dos preços altos repercutiram no nível dos salários, que continuaram sendo uma retribuição de fome, sem que jamais as melhores cotações do café se traduzissem em aumentos. Esse foi um dos fatores que impediram o desenvolvimento de um mercado interno de consumo nos países centro-americanos.[84]

Como em todos os lugares, o cultivo do café, em sua expansão sem freios, inibiu a agricultura de alimentos destinados ao mercado interno. Também esses países foram condenados a padecer uma crônica escassez de arroz, feijões, milho, trigo e carne. Sobreviveu apenas uma miserável agricultura de subsistência nas terras altas e acidentadas, onde o latifúndio encurralou os indígenas ao apossar-se das terras baixas de maior fertilidade. Nas montanhas, plantando em minúsculas áreas o milho e os feijões imprescindíveis para que não morram de fome, vivem os indígenas uma parte do ano, ao passo que na outra, durante as colheitas, cedem seus braços às plantações. Estas são as reservas de mão de obra do mercado mundial. A situação não mudou: o latifúndio e o minifúndio constituem, juntos, a unidade de um sistema que se apoia na impiedosa exploração da mão de obra nativa. Em geral, e muito especialmente na Guatemala, essa estrutura de apropriação da força de trabalho mostra-se identificada com todo um sistema de preconceito racial: os índios são vítimas do colonialismo interno de brancos e mestiços, ideologicamente abençoado pela cultura dominante, do mesmo modo que os países centro-americanos padecem do colonialismo estrangeiro.[85]

---

84. TORRES-RIVAS, Edelberto, *Procesos y estructuras de una sociedad dependiente (Centroamérica)*. Santiago de Chile, 1959.

85. BOCKLER, Carlos Guzmán & HERBERT, Jean-Loup. *Guatemala: una interpretación histórico-social*. México, 1970.

Desde o princípio do século apareceram também, em Honduras, Guatemala e Porto Rico, os enclaves bananeiros. Para levar o café aos portos, tinham sido construídas algumas ferrovias financiadas com capital nacional. As empresas norte-americanas se apossaram dessas ferrovias e construíram outras, exclusivamente para o transporte de banana desde as plantações, ao mesmo tempo em que implantaram o monopólio dos serviços de luz elétrica, correio, telégrafo, telefone e, serviço público não menos importante, também o monopólio da política: em Honduras, "uma mula custa mais do que um deputado", e em toda a América Central os embaixadores dos Estados Unidos presidem mais do que os presidentes. A United Fruit Co. engoliu seus concorrentes na produção e venda de bananas, transformou-se na principal latifundiária da América Central, e suas filiais açambarcaram o transporte ferroviário e marítimo. Tornou-se dona dos portos, dispondo de alfândega e polícia próprias. O dólar se converteu, de fato, na moeda nacional centro-americana.

Os filibusteiros na abordagem

Na concepção geopolítica do imperialismo, a América Central não é nada mais do que um apêndice natural dos Estados Unidos. Nem mesmo Abraham Lincoln, que também pensou em anexar seus territórios, conseguiu escapar dos preceitos do "destino manifesto" da grande potência em relação às suas áreas contíguas.[86]

Em meados do século passado, o filibusteiro William Walker, que operava em nome dos banqueiros Morgan e Garrison, invadiu a América Central à frente de um bando de assassinos que se autodenominavam "a falange americana dos imortais". Com o respaldo oficioso do governo dos Estados Unidos, Walker roubou, matou, incendiou e se proclamou, em expedições sucessivas, presidente da Nicarágua, El Salvador e Honduras. Reimplantou a escravidão nos territórios que sofreram sua devastadora ocupação, continuando, assim, a obra filantrópica de seu país nos estados que, pouco antes, tinham sido usurpados ao México.

Em seu regresso foi recebido nos Estados Unidos como herói nacional. Desde então sucederam-se as invasões, as intervenções, os bombardeios, os empréstimos compulsórios e os tratados assinados ao pé do canhão. Em 1912, o presidente William H. Taft afirmava: "Não está longe o dia em que

---

86. RIBEIRO, Darcy. *Las Américas y la civilización*, t. III: *Los pueblos trasplantados. Civilización y desarrollo*. Buenos Aires, 1970.

três bandeiras de barras e estrelas vão assinalar em três pontos equidistantes a extensão de nosso território: uma no Polo Norte, outra no Canal do Panamá e a terceira no Polo Sul. Todo o hemisfério, de fato, será nosso, como já é nosso moralmente em virtude de nossa superioridade racial"[87]. Taft dizia que o reto caminho da justiça na política externa dos Estados Unidos "não exclui de modo algum uma ativa intervenção para assegurar às nossas mercadorias e aos nossos capitalistas facilidades para os investimentos lucrativos". Na mesma época, o ex-presidente Teddy Roosevelt recordava em voz alta sua exitosa amputação da terra da Colômbia: *I took the Canal*, dizia o flamante Prêmio Nobel da Paz, enquanto contava como havia independentizado o Panamá[88]. A Colômbia receberia pouco depois uma indenização de 25 milhões de dólares: era o preço de um país, nascido para que os Estados Unidos dispusessem de uma via de comunicação entre os dois oceanos.

As empresas se apoderavam de terras, alfândegas, tesouros e governos; os *marines* desembarcavam em todas as partes para "proteger a vida e os interesses dos cidadãos norte-americanos", pretexto igual ao que usariam, em 1965, para apagar com água benta o rastro do crime na República Dominicana. A bandeira envolvia outras mercadorias. Em 1935, já aposentado, o comandante Smedley D. Butler, que encabeçou muitas expedições, resumia assim sua atividade: "Passei 33 anos e quatro meses no serviço ativo, como membro da mais ágil força militar deste país: o Corpo de Infantaria da Marinha. Servi em todos os postos, de segundo-tenente a general de divisão. E durante todo esse período passei a maior parte do tempo em funções de pistoleiro de primeira classe para os Grandes Negócios, para Wall Street e para os banqueiros. Em uma palavra: fui um pistoleiro do capitalismo (...). Assim, por exemplo, em 1914 ajudei a fazer com que o México, e especialmente Tampico, fossem uma presa fácil para os interesses dos petroleiros norte-americanos. Ajudei a fazer com que Haiti e Cuba fossem lugares decentes para o retorno de investimentos do National City Bank (...). Em 1909-12, ajudei a purificar a Nicarágua para a casa bancária internacional de Brown

---

87. SELSER, Gregorio. *Diplomacia, garrote y dólares en América Latina*. Buenos Aires, 1962.
88. JULIEN, Claude. *L'empire americain*. Paris, 1968.

Brothers. Em 1916 levei a luz à República Dominicana, em nome dos interesses açucareiros norte-americanos. Em 1903 ajudei a 'pacificar' Honduras em benefício das companhias fruticultoras norte-americanas".[89]

Nos primeiros anos do século o filósofo William James foi autor de uma frase que poucas pessoas conhecem: "O país vomitou de uma vez e para sempre a Declaração de Independência". Para ficar num só exemplo, os Estados Unidos ocuparam o Haiti durante vinte anos, e ali, nesse país negro que tinha sido o cenário da primeira revolta vitoriosa dos escravos, introduziram a segregação racial e o regime de trabalhos forçados, mataram 1.500 operários numa só de suas operações repressivas (segundo investigação do Senado norte-americano), e quando o governo local se negou a fazer do Banco Nacional uma sucursal do National City Bank de Nova York, suspenderam o pagamento dos soldos aos presidentes e aos seus ministros, para que tornassem a andar na linha.[90]

Histórias semelhantes se repetem nas demais ilhas do Caribe e em toda a América Central, o espaço geopolítico do *Mare Nostrum* do império, no ritmo alternado do *big stick* ou da "diplomacia do dólar".

O *Corão* menciona a bananeira entre as árvores do paraíso, mas a *bananização* da Guatemala, Honduras, Costa Rita, Panamá, Colômbia e Equador permite suspeitas de que se trata de uma árvore do inferno. Na Colômbia, a United Fruit já se tornara dona do maior latifúndio do país quando, em 1928, eclodiu uma grande greve na costa atlântica. Os trabalhadores bananeiros foram aniquilados a tiros, na frente de uma estação ferroviária. Um decreto oficial tinha sido publicado: "Os homens de força pública estão autorizados a castigar pelas armas...", e depois não houve necessidade de editar nenhum decreto para apagar a matança da memória oficial do país.[91]

Miguel Ángel Asturias narrou o processo da conquista e do saque da América Central. *El papa verde* era Minor Keith, o rei sem coroa da região inteira, pai da United Fruit, devorador de países. "Temos portos, ferrovias, terras, edifícios, mananciais", enumerava o presidente, "circula o dólar, fala-se em inglês e se hasteia nossa bandeira (...). Chicago devia no mínimo orgulhar-se desse filho que havia partido com um par de pistolas e regressava para reclamar seu posto entre os imperadores da carne, reis das ferrovias, reis do

---

89. Publicado em *Common Sense*, novembro de 1935. v. HUBERMAN, Leo. *Man's Wordly Goods. The Story of the Wealth of Nations*. New York, 1936.
90. KREHM, William. *Democracia y tiranías no Caribe*. Buenos Aires, 1959.
91. Este é o grande tema do romance de Álvaro Cepeda Samudio, *La casa grande* (Buenos Aires, 1967) e também integra um dos capítulos de *Cien años de soledad* (Buenos Aires, 1967), de Gabriel García Márquez: "Por certo foi um sonho", insistiam os oficiais.

cobre, reis da goma de mascar".[92] Em *O paralelo 42* John dos Passos traçou a rutilante biografia de Keith, biografia da empresa: "Na Europa e nos Estados Unidos as pessoas começaram a comer bananas assim que foram derrubadas as florestas da América Central para a semeadura da bananas e a construção de ferrovias para transportá-las; a cada ano, mais vapores da Great White Fleet iam para o norte repletos de bananas, e essa é a história do império norte-americano no Caribe e no canal do Panamá e do futuro canal da Nicarágua e dos *marines* e dos encouraçados e das baionetas (...)".

As terras ficavam tão exaustas quanto os trabalhadores: das terras roubavam o húmus, dos trabalhadores os pulmões, mas sempre havia novas terras para explorar e mais trabalhadores para exterminar. Os ditadores, próceres de opereta, velavam pelo bem-estar da United Fruit com o punhal entre os dentes. Depois, a produção de bananas foi caindo e a onipotência da empresa das frutas passou por várias crises, mas a América Central, em nossos dias, continua sendo um santuário do lucro para os aventureiros, ainda que o café, o algodão e o açúcar tenham derrubado a banana de seu trono de privilégios. Em 1970, as bananas são a principal fonte de divisas para Honduras e Panamá, e na América do Sul para o Equador. Por volta de 1930, a América Central exportava 38 milhões anuais de cachos, e a United Fruit pagava para Honduras um centavo de imposto por cacho. Não havia maneira de controlar o pagamento desse minimposto (que depois subiu um pouquinho), e ainda não há, pois até hoje a United Fruit exporta e importa o que quiser sem responder às alfândegas estatais. A balança comercial e a balança de pagamentos do país são obras de ficção a cargo de técnicos de pródiga imaginação.

A crise dos anos 30: "Matar uma formiga é crime maior do que matar um homem"

O café dependia do mercado norte-americano, de sua capacidade de consumo e de seus preços; as bananas eram um negócio norte-americano para os

---

92. O ciclo compreende os romances *Viento norte, El papa verde* e *Los ojos de los enterrados*, trilogia publicada em Buenos Aires na década de 50. Em *Viento norte*, um dos personagens, Mr. Pyle, diz profeticamente: "Se em lugar de fazer novas plantações comprarmos os frutos de produtores particulares, ganharemos muito no futuro". Isto é o que ocorre atualmente na Guatemala: a United Fruit – agora United Brands – exerce seu monopólio bananeiro através dos mecanismos de comercialização, mais eficazes e menos arriscados do que a produção direta. Cabe anotar que a produção de bananas caiu verticalmente na década de 60, a partir do momento em que a United Fruit decidiu vender e/ou arrendar suas plantações na Guatemala, ameaçadas pelos fervores da agitação social.

norte-americanos. E prorrompeu, de repente, a crise de 1929. O *crack* da Bolsa de Nova York, que fez tremer as bases do capitalismo mundial, caiu no Caribe como um gigantesco bloco de pedra numa poça d'água. Baixaram verticalmente os preços do café e da banana, e não menos verticalmente baixou o volume de vendas. A expulsão dos camponeses recrudesceu com violência febril, o desemprego multiplicou-se no campo e nas cidades, e começou uma onda de greves; extinguiram-se bruscamente os créditos, os investimentos e os gastos públicos, e os salários dos funcionários do Estado foram reduzidos à metade em Honduras, na Guatemala e na Nicarágua[93]. A equipe de ditadores chegou em seguida para emudecer as tampas das marmitas; inaugurava-se a época da política de Boa Vizinhança em Washington, mas era preciso conter a ferro e fogo a agitação social que fervia em toda parte. Ao redor de vinte anos permaneceram no poder, uns mais e outros menos, Jorge Ubico na Guatemala, Maximiliano Hernández Martínez em El Salvador, Tiburcio Carías em Honduras e Anastasio Somoza na Nicarágua.

A epopeia de Augusto César Sandino comovia o mundo. A longa luta do chefe guerrilheiro derivava de reivindicações de terra e mantinha acesa a ira campesina. Durante sete anos seu pequeno exército em farrapos lutou, ao mesmo tempo, contra doze mil invasores norte-americanos e contra membros da Guarda Nacional. As granadas eram feitas com latas de sardinha cheias de pedras, os fuzis Springfield eram arrebatados do inimigo e não faltavam facões; a haste da bandeira era vara sem descascar, e em vez de botas os camponeses usavam, para mover-se no emaranhado das montanhas, uma tira de couro chamada *caite*. Com a música de *Adelita*, os guerrilheiros cantavam:[94]

> Na Nicarágua, senhores,
> é o rato que pega o gato.

Nem o poder de fogo da infantaria da Marinha nem as bombas lançadas de aviões eram suficientes para esmagar os rebeldes de Las Segovias. Tampouco as calúnias que espalhavam pelo mundo inteiro as agências internacionais Associated Press e United Press, cujos correspondentes na Nicarágua eram dois norte-americanos que tinham nas mãos a alfândega do país[95]. Em 1932, Sandino pressentia: "Não vou viver muito tempo". Um ano depois, sob

---
93. TORRES-RIVAS, op. cit.
94. SELSER, Gregorio. *Sandino, general de hombres livres.* Buenos Aires, 1959.
95. BEALS, Carleton. *América ante América.* Santiago de Chile, 1940.

o influxo da política norte-americana de Boa Vizinhança, celebrava-se a paz. O chefe guerrilheiro foi convidado pelo presidente para uma reunião decisiva em Manágua. No caminho, caiu morto numa emboscada. O assassino, Anastasio Somoza, sugeriu depois que a execução tinha sido ordenada pelo embaixador norte-americano Arthur Bliss Lane. Somoza, então chefe militar, não demorou muito para instalar-se no poder. Governou a Nicarágua durante um quarto de século, e seus filhos herdaram o cargo. Antes de cruzar no peito a faixa presidencial, Somoza condecorara a si mesmo com a Cruz do Valor, a Medalha da Distinção e a Medalha Presidencial ao Mérito. Já no poder, organizou várias matanças e grandes celebrações, nas quais fantasiava seus soldados de romanos, com sandálias e elmos; tornou-se o maior produtor de café do país, com 46 fazendas, e também se dedicou à pecuária em outras 51 fazendas. Nunca lhe faltou tempo, no entanto, para semear também o terror. Durante sua longa gestão no governo, verdade seja dita, não passou maiores dificuldades, e recordava com certa tristeza os anos de juventude, quando precisava falsificar moedas de ouro para divertir-se.

Igualmente em El Salvador explodiram as tensões em consequência da crise. Quase a metade dos trabalhadores da banana de Honduras eram salvadorenhos e muitos foram obrigados a retornar a seu país, onde não havia trabalho para ninguém. Na região de Izalco, houve um grande levante campesino em 1932, que rapidamente se propagou em todo o ocidente do país. O ditador Martínez enviou soldados, com armamento moderno, para combater os "bolcheviques". Os índios lutaram com facões contra metralhadoras, e o episódio chegou ao fim com dez mil mortos. Martínez, um bruxo vegetariano e teósofo, sustentava que "matar uma formiga é crime maior do que matar um homem, porque o homem ao morrer reencarna, enquanto a formiga morre definitivamente"[96]. Dizia estar protegido por "legiões invisíveis", que lhe revelavam todas as conspirações, e mantinha comunicação telepática direta com o presidente dos Estados Unidos. Um relógio de pêndulo sobre o prato lhe indicava se a comida estava envenenada, e colocado sobre um mapa assinalava onde se escondiam os inimigos políticos ou a localização de tesouros dos piratas. Costumava enviar notas de condolência aos pais de suas vítimas, e no pátio do palácio pastavam cervos. Governou até 1944.

As matanças se sucediam em todos os lugares, Em 1933, Jorge Ubico fuzilou na Guatemala uma centena de dirigentes sindicais, estudantes e políticos, ao mesmo tempo em que reimplantava as leis contra a "vadiagem" dos

---

[96]. KREHM, op. cit. Krehm viveu longos anos na América Central como correspondente da revista norte-americana *Time*.

índios. Cada índio devia portar uma caderneta onde constavam seus dias de trabalho; se não fossem suficientes, pagava a dívida no cárcere ou arqueando as costas sobre a terra, gratuitamente, durante meio ano. Na insalubre costa do Pacífico, os homens trabalhavam com barro até os joelhos para receber 30 centavos por dia, e a United Fruit demonstrava que Ubico a obrigara a rebaixar os salários. Em 1944, pouco antes da queda do ditador, o *Reader's Digest* publicou um artigo repleto de elogios: aquele profeta do Fundo Monetário Internacional tinha evitado a inflação baixando os salários, de um dólar para 25 centavos, na construção de uma estrada militar de emergência, e de um dólar para 50 centavos nos trabalhos da base aérea na capital. Por essa época, Ubico deu aos senhores do café e às empresas bananeiras permissão para matar: "Estarão isentos de responsabilidade criminal os proprietários das fazendas...". O decreto tinha o número 2.795 e foi restabelecido em 1967, durante o democrático e representativo governo de Méndez Montenegro.

Como todos os tiranos do Caribe, Ubico achava que era Napoleão. Vivia rodeado de bustos e quadros do imperador, cujo perfil, segundo ele mesmo, era quase igual ao seu. Acreditava na disciplina militar: militarizou os correios, as crianças nas escolas e a orquestra sinfônica. Os integrantes da orquestra ganhavam nove dólares mensais e tocavam de uniforme as peças que Ubico escolhia, e com a técnica e os instrumentos por ele dispostos. Considerava que hospitais eram para os maricas, de modo que os pacientes recebiam assistência no chão das calçadas e dos corredores, se eram desgraçados ao ponto de serem pobres além de doentes.

Quem desencadeou a violência na Guatemala?

Em 1944, Ubico caiu de seu pedestal, varrido pelos ventos de uma revolução de cunho liberal, encabeçada por alguns jovens oficiais e universitários de classe média. Juan José Arévalo, eleito presidente, pôs em marcha um vigoroso plano educacional e ditou um novo código do trabalho para proteger os trabalhadores do campo e das cidades. Nasceram vários sindicatos; a United Fruit, dona de vastas terras, das ferrovias, do porto, virtualmente isenta de impostos e livre de controles, deixou de ser onipotente em suas propriedades. Em 1951, em seu discurso de despedida, Arévalo revelou que teve de escapar de 32 conspirações patrocinadas pela empresa. O governo de Jacob Arbenz continuou e aprofundou o ciclo de reformas. As estradas e o novo porto de San José rompiam o monopólio da United Fruit no transporte e na exportação. Com capital nacional, e sem estender a mão pedinte a bancos estrangeiros, foram efetivados vários projetos de desenvolvimento que conduziam à conquista da independência. Em junho de 1952, foi aprovada a reforma agrária, que beneficiou mais de 100 mil famílias, ainda que só abrangesse as terras improdutivas e pagasse uma indenização, em bônus, aos proprietários expropriados. A United Fruit só cultivava 8 por cento de suas terras, estendidas entre ambos os oceanos.

A reforma agrária se propunha a "desenvolver a economia capitalista camponesa e a economia capitalista da agricultura em geral", mas uma furiosa campanha internacional de propaganda se desencadeou contra a Guatemala: "A cortina de ferro está descendo sobre a Guatemala", vociferavam as emissoras de rádio, os jornais e os próceres da OEA[97]. O coronel Castillo Armas, graduado em Fort Leavenworth, Kansas, comandou contra seu próprio país tropas treinadas e equipadas nos Estados Unidos. O bombardeio de F-47, com pilotos norte-americanos, respaldou a invasão. "Tivemos de nos livrar de um governo comunista que havia assumido o poder", diria Dwight Eisenhower[98] nove anos depois. As declarações do embaixador norte-americano em Honduras a uma subcomissão do Senado dos Estados Unidos, em 27 de julho de 1961, revelaram que a operação *libertadora* de 1954 foi realizada por uma equipe da qual faziam parte, além dele mesmo, os embaixadores na Guatemala, Costa Rica e Nicarágua. Allen Dulles, que naquela época era o homem número 1 da CIA, enviou-lhes telegramas cumprimentando-os pela missão cumprida. Anteriormente, o bom Allen integrara a diretoria da United Fruit Co. Um ano depois da invasão, sua cadeira na empresa foi ocupada por outro dirigente da CIA, o general Walter Bedell Smith. Foster Dulles, irmão de Allen, estava impaciente ao extremo na conferência da OEA que autorizou a expedição militar contra a Guatemala. Casualmente, tinham sido redigidas em seu escritório de advogado, ao tempo do ditador Ubico, as minutas dos contratos da United Fruit.

A queda de Arbenz marcou a fogo a história posterior do país. As mesmas forças que bombardearam a cidade da Guatemala, Puerto Barrios e San José, no entardecer do dia 18 de junho de 1954, estão hoje no poder. Várias e ferozes ditaduras sucederam-se à intervenção estrangeira, incluído o período de Julio César Méndez Montenegro (1966-70), que deu à ditadura uma aparência de regime democrático. Méndez Montenegro, que prometera uma

---

97. GALEANO, Eduardo. *Guatemala, país ocupado*. México, 1967.
98. Discurso na American Booksellers Association, Washington, 10 de junho de 1963.

reforma agrária, limitou-se a assinar uma autorização para que os terras-tenentes portassem armas e as usassem. A reforma agrária de Arbenz se despedaçou quando Castillo Armas desincumbiu-se de sua tarefa, devolvendo as terras à United Fruit e a outros terras-tenentes expropriados.

O ano de 1967 foi o pior do ciclo de violência inaugurado em 1954. Um sacerdote católico norte-americano expulso da Guatemala, o padre Thomas Melville, informou ao *National Catholic Reporter,* em janeiro de 1968: em pouco mais de um ano, os grupos terroristas de direita assassinaram mais de dois mil e 800 intelectuais, estudantes, dirigentes sindicais e camponeses que "tentaram combater as enfermidades da sociedade guatemalteca". O cálculo do padre Melville foi feito com base nas informações da imprensa, mas da maioria dos cadáveres ninguém jamais ficou sabendo: eram índios sem origem e sem nome conhecidos, que o exército de vez em quando incluía, só como números, nos comunicados sobre as vitórias contra a subversão. A repressão indiscriminada era parte da campanha militar de "cerco e aniquilação" de movimentos guerrilheiros. De acordo com o novo código em vigência, os membros das forças de segurança não tinham responsabilidade penal por homicídios, e os comunicados policiais ou militares eram considerados provas plenas em juízo. Os fazendeiros e seus administradores foram legalmente equiparados à qualidade de autoridades locais, com direito a porte de arma e de organizar forças repressivas. Não vibraram os teletipos do mundo com os "furos" da sistemática chacina, não chegaram à Guatemala jornalistas ávidos de notícias, não se ouviram vozes de condenação. O mundo virava as costas enquanto a Guatemala sofria uma longa noite de São Bartolomeu. A aldeia Cajón del Río ficou sem homens, os da aldeia Tituque tiveram as tripas revolvidas a punhal, os de Piedra Parada foram escalpelados vivos, e queimados vivos os de Agua Blanca de Ipala, depois de baleados nas pernas; no centro da praça de São Jorge cravaram numa haste a cabeça de um camponês rebelde. Em Cerro Gordo, encheram de alfinetes as pupilas de Jaime Velázquez; o corpo de Ricardo Miranda foi encontrado com 38 perfurações, e a cabeça de Haroldo Silva, sem o corpo de Haroldo Silva, foi parar à beira da estrada para São Salvador; em Los Mixcos, cortaram a língua de Ernesto Chinchilla; na fonte de Ojo de Agua, os irmãos Oliva Aldana foram costurados a tiros com as mãos atadas às costas e os olhos vendados; o crânio de José Guzmán se tornou um quebra-cabeça de minúsculas lascas atiradas pelo caminho; dos poços de San Lucas Sacatepequez emergiam mortos em vez de água; os homens amanheciam sem mãos e sem pés na fazenda Miraflores. Às ameaças seguiam-se as execuções, ou chegava a morte, sem aviso, pela nuca; nas cidades, eram marcadas com cruzes negras as portas dos sentenciados. Eram metralhados ao sair, e seus corpos lançados em barrancos.

A violência não cessou depois. Ao longo do tempo de desprezo e cólera inaugurado em 1954, a violência foi e continua sendo uma transpiração natural da Guatemala. Continuaram aparecendo, um a cada cinco horas, os cadáveres nos rios ou à beira das estradas, os rostos irreconhecíveis, desfigurados pela tortura, que jamais serão identificados; também continuaram, e com maior intensidade, as matanças mais secretas: os corriqueiros genocídios da miséria. Outro sacerdote expulso, o padre Blase Bonpane, denunciava no *Washington Post*, em 1968, essa sociedade enferma: "Das 70 mil pessoas que a cada ano morrem na Guatemala, 30 mil são crianças. A taxa de mortalidade infantil da Guatemala é 40 vezes mais alta do que a dos Estados Unidos".

A primeira reforma agrária da América Latina: um século e meio de derrotas para José Artigas

Com cargas de lança e golpes de facão foi que os despossuídos, ao despontar o século XIX, lutaram contra o poder espanhol nos campos da América. A independência não os recompensou: traiu as esperanças dos que tinham derramado seu sangue. Quando chegou a paz, com ela foi reaberto o tempo da infelicidade. Os donos da terra e os grandes mercadores aumentaram suas fortunas, enquanto aumentava a pobreza das massas populares.

Ao mesmo tempo, e no ritmo dos novos donos da América Latina, os quatro vice-reinados do império espanhol saltaram em pedaços e múltiplos países nasceram como cacos da unidade nacional pulverizada. A ideia de "nação" que o patriciado latino-americano engendrou se parecia demais com a imagem de um porto ativo, habitado por uma clientela mercantil e financeira do império britânico, com latifúndios e socavões na retaguarda. A legião de parasitas que recebeu as notícias da independência dançando o minueto nos salões das cidades brindava pela liberdade de comércio com taças de cristal britânicas. Tornaram-se moda as mais altissonantes consignas republicanas da burguesia europeia: nossos países punham-se a serviço dos industriais ingleses e dos pensadores franceses. Mas que "burguesia nacional" era a nossa, formada pelos terras-tenentes, contrabandistas, mercadores, especuladores, politiqueiros de fraque e doutores desarraigados? A América Latina teve em seguida suas constituições burguesas, muito envernizadas de liberalismo, mas não teve, em troca, uma burguesia criativa, no estilo europeu ou norte-americano, que assumisse como missão histórica o desenvolvimento de um capitalismo nacional pujante. As burguesias destas terras nasceram como simples instrumentos do capitalismo internacional, prósperas peças da engrenagem mundial que sangrava as colônias e as semicolônias. Os burgueses de vitrine, usurários e comerciantes, que arrebataram o poder político, não tinham o menor interesse em impulsionar a ascensão das manufaturas locais, mortas no ovo quando o livre-câmbio abriu as portas para a avalanche de mercadorias britânicas. Por sua vez seus sócios, os donos de terras, não estavam interessados em resolver a "questão agrária", a não ser na medida de suas próprias conveniências. O latifúndio se consolidou sobre a espoliação, tudo ao longo do século XIX. A reforma agrária, na região, foi uma bandeira precoce.

Frustração econômica, frustração social, frustração nacional: uma história de traições seguiu-se à independência, e a América Latina, despedaçada por suas novas fronteiras, continuou condenada à monocultura e à dependência. Em 1824, Simón Bolívar expediu o Decreto de Trujillo para proteger os índios do Peru e reordenar ali o sistema da propriedade agrária: suas disposições legais em absoluto não afetaram os privilégios da oligarquia peruana, que a despeito dos bons propósitos do Libertador permaneceram intatos, e os índios continuaram tão explorados como sempre. No México, Hidalgo e Morelos já tinham sido derrotados, e decorreria ainda um século antes que rebrotassem os frutos de suas prédicas em favor da emancipação dos humildes e da reconquista das terras usurpadas.

No sul, José Artigas encarnou a revolução agrária. Esse caudilho, com tanta fúria caluniado e tão desfigurado pela história oficial, liderou as massas populares dos territórios hoje ocupados pelo Uruguai e as províncias argentinas de Santa Fe, Corrientes, Entre Ríos, Misiones e Córdoba, no ciclo heroico de 1811 a 1820. Artigas quis lançar as bases econômicas, sociais e políticas de uma Pátria Grande nos limites do antigo Vice-Reinado do Rio da Prata, e foi o mais importante e lúcido dos chefes federais que lutaram contra o capitalismo aniquilador do porto de Buenos Aires. Lutou contra os espanhóis e contra os portugueses, e finalmente suas forças foram trituradas pelo jogo de pinças do Rio de Janeiro e de Buenos Aires, instrumentos do império britânico, e pela oligarquia que, fiel ao seu estilo, traiu-o tão logo se sentiu traída pelo programa de reivindicações sociais do caudilho.

Seguiam Artigas, lança na mão, os patriotas. Em sua maioria eram camponeses pobres, gaúchos rudes, índios que recuperavam na luta o sentido da dignidade, escravos que ganhavam a liberdade incorporando-se ao exército da independência. A revolução dos cavaleiros pastores incendiava a pradaria. A traição de Buenos Aires, que em 1811 deixara nas mãos do poder espanhol e das tropas portuguesas o território hoje ocupado pelo Uruguai, provocou o êxodo maciço da população para o norte. O povo em armas fez-se povo em marcha; homens e mulheres, velhos e crianças, abandonavam tudo no rastro do caudilho, uma caravana de peregrinos sem fim. No norte, junto do rio Uruguai, acampou Artigas com a cavalhada e as carroças, e no norte, pouco depois, estabelecia seu governo. Em 1815, Artigas controlava várias comarcas de seu acampamento de Purificación, em Paysandú. "Que acham que eu vi?", narrava um viajante inglês[99]. "O Excelentíssimo Senhor Protetor de metade do Novo Mundo estava sentado numa cabeça de boi, junto de um fogo aceso no embarrado piso de seu rancho, comendo carne de espeto e bebendo gim num chifre de vaca! Rodeava-o uma dúzia de oficiais andrajosos (...)". De todas as partes chegavam a galope soldados, ajudantes e exploradores. Caminhando com as mãos às costas, Artigas ditava os decretos revolucionários de seu governo. Dois secretários (não existia papel-carbono) tomavam nota. Assim nasceu a primeira reforma agrária da América Latina, que seria aplicada durante um ano na "Província Oriental", hoje Uruguai, e que seria feita em pedaços por uma nova invasão portuguesa, quando a oligarquia abriu as portas de Montevidéu para o general Lecor, saudou-o como um libertador e o conduziu sob um pálio para um solene te-déum – honra ao invasor – nos altares da catedral. Anteriormente, Artigas tinha promulgado também um regulamento alfandegário que fixava um oneroso imposto para mercadorias estrangeiras que concorressem com produtos das manufaturas e artesanatos locais, de considerável desenvolvimento em algumas regiões hoje argentinas e então compreendidas nos domínios do caudilho, ao mesmo tempo em que liberava a importação de bens de produção necessários ao desenvolvimento econômico e estipulava um gravame insignificante para os artigos americanos, como a erva e o tabaco do Paraguai[100]. Os coveiros da revolução também enterrariam o regulamento alfandegário.

---

99. ROBERTSON, J. P. e G. P. *La Argentina en la época de la revolución. Cartas sobre el Paraguay.* Buenos Aires, 1920.
100. REYES ABADIE, Washington, BRUSCHERA, Óscar & MELOGNO, Tabaré. *El ciclo artiguista.* Montevideo, 1968. t.4.

O código agrário de 1815 – terra livre, homens livres – foi "a mais avançada e gloriosa constituição"[101] entre todas que os uruguaios chegariam a conhecer. As ideias de Campomanes e Jovellanos no ciclo reformista de Carlos III seguramente influenciaram o regulamento de Artigas, mas esse diploma, não menos seguramente, surgiu como uma resposta revolucionária à necessidade nacional de recuperação econômica e de justiça social. Decretava-se a expropriação e a partilha das terras dos "maus europeus e piores americanos" emigrados por causa da revolução e não indultados por ela. Confiscava-se a terra dos inimigos sem qualquer indenização, e aos inimigos pertencia, dado importante, a imensa maioria dos latifúndios. Os filhos não pagavam pela culpa dos pais: o regulamento lhes oferecia o mesmo que recebiam os patriotas pobres. As terras eram partilhadas de acordo com o princípio de que "os mais infelizes seriam os mais privilegiados". Na concepção de Artigas, tinham os índios "o principal direito". O sentido essencial dessa reforma agrária consistia na fixação dos pobres do campo à terra, convertendo em camponês o gaúcho acostumado à vida errante da guerra, às empresas clandestinas e ao contrabando em tempos de paz. Os governos posteriores na bacia do Prata vão abater o gaúcho a sangue e fogo, incorporando-o à força nas peonadas das grandes estâncias, ao passo que Artigas queria torná-lo um proprietário: "Os gaúchos alçados começavam a gostar do trabalho honrado, levantavam ranchos e mangueiras, plantavam suas primeiras sementeiras"[102].

A intervenção estrangeira terminou com tudo. A oligarquia ergueu a cabeça e se vingou. Em seguida a legislação passou a desconhecer a validade das doações de terra feitas por Artigas. De 1820 até fins do século foram desalojados, a tiros, os patriotas pobres que tinham sido beneficiados pela reforma agrária. Não conservariam "outra terra além de suas tumbas". Derrotado, Artigas se retirou para o Paraguai, para morrer tão só ao cabo de um longo exílio de austeridade e silêncio. Os títulos de propriedade que expediu não valiam nada: o fiscal do governo Bernardo Bustamante dizia, por exemplo, que se notava à primeira vista "a precariedade que caracteriza os indicados documentos". Entrementes, seu governo se aprestava a celebrar, já restaurada a "ordem", a primeira constituição do Uruguai independente, separado da pátria grande pela qual Artigas havia lutado em vão.

---

101. TORRE, Nelson de la, RODRÍGUEZ, Julio C. & TOURON, Lucía Sala de. *Artigas: TIERRA Y REVOLUCIÓN.* Montevideo, 1967.

102. TORRES, RODRÍGUEZ & TOURON, op. cit. Dos mesmos autores: *Evolución económica de la Banda Oriental.* Montevideo, 1967, e *Estructura económico-social de la colonia.* Montevideo, 1968.

O regulamento de 1815 continha disposições para evitar o acúmulo de terras em poucas mãos. Em nossos dias, o campo uruguaio oferece o espetáculo de um deserto: 500 famílias monopolizam a metade da terra total e – constelação do poder – controlam também três quartas partes do capital investido na indústria e no sistema bancário[103]. Os projetos de reforma agrária se acumulam, uns sobre os outros, no cemitério parlamentar, enquanto o campo se despovoa: desempregados se somam a desempregados e há cada vez menos pessoas dedicadas às atividades agropecuárias, segundo o dramático registro de sucessivos censos. O país vive da lã e da carne, mas em seus campos, hoje, pastam menos ovelhas e reses do que no princípio do século. O atraso dos métodos de produção reflete-se nos baixos rendimentos da pecuária – sujeita à ação de touros e carneiros na primavera, às chuvas periódicas e à fertilidade natural do solo – e também na fraca produtividade das culturas agrícolas. A produção de carne por animal não chega nem à metade do que obtêm França ou Alemanha, e outro tanto ocorre com o leite em comparação com a Nova Zelândia, Dinamarca e Holanda; cada ovelha rende um quilo de lã a menos do que na Austrália. O rendimento do trigo por hectare é três vezes menor do que o da França, e no milho o rendimento dos Estados Unidos é sete vezes maior do que o do Uruguai[104]. Os grandes proprietários, que encaminham seus lucros para o exterior, passam seus verões em Punta del Este, e tampouco no inverno, de acordo com suas próprias tradições, moram em suas terras e só de vez em quando as visitam em seus aviões: há um século, quando foi fundada a Associação Rural, duas terças partes de seus membros tinham já seus domicílios na capital. A produção extensiva, obra da natureza e de peões famélicos, não implica maiores dores de cabeça.

---

103. TRIAS, Vivian. *Reforma agraria en el Uruguay*. Montevideo, 1962. Este livro constitui todo um prontuário, família por família, da oligarquia uruguaia.
104. GALEANO, Eduardo. "Uruguay: promise and betrayal". In: *Latin America: reform or revolution?* Ed. J. Petras & M. Zeitlin. New York, 1968.

E seguramente dá lucro. As rendas e os lucros dos capitalistas pecuários, na atualidade, somam não menos de 75 milhões de dólares[105]. Os rendimentos produtivos são baixos, mas os benefícios são altos, por causa dos baixíssimos custos. Terra sem homens, homens sem terra: os maiores latifúndios empregam – e não no ano todo – apenas duas pessoas por cada mil hectares. Nos rancherios à margem das estâncias se acumulam, miseravelmente, as reservas sempre disponíveis de mão de obra. O gaúcho das estampas folclóricas, tema de pinturas e poemas, têm pouco a ver com o peão que trabalha em extensas e alheias terras. As alpargatas desfiadas tomaram o lugar das botas de couro; um cinto comum, ou às vezes uma simples corda, substituiu o largo cinturão com enfeites de ouro e prata. Quem produz a carne perdeu o direito de comê-la: os *criollos* raramente têm acesso ao típico assado *criollo*, a carne suculenta e macia a dourar nas brasas. Embora as estatísticas internacionais sorriam exibindo médias enganosas, a verdade é que o *ensopado*, guisado de macarrão e tripas de capão, constitui a dieta básica, carente de proteínas, dos camponeses do Uruguai[106].

Artemio Cruz e a segunda morte de Emiliano Zapata

Exatamente um século depois da regulamentação da terra de Artigas, Emiliano Zapata pôs em prática, em sua comarca revolucionária do sul do México, uma profunda reforma agrária.

---

105. INSTITUTO DE ECONOMÍA. *El proceso económico del Uruguay. Contribución al estudio de su evolución y perspectivas.* Montevideo, 1969. Na época do auge da indústria nacional, fortemente subsidiada e protegida pelo Estado, boa parte dos lucros do campo derivou para as fábricas que nasciam. Quando a indústria entrou em seu agônico ciclo de crises, os excedentes de capital da pecuária tomaram outras direções. As mais inúteis e luxuosas mansões de Punta del Este brotaram da desgraça nacional; a especulação financeira desencadeou, depois, a febre dos pescadores no revolto rio da inflação. No entanto, os capitais principalmente fugiram: os capitais e os lucros que, ano após ano, o país produz. Entre 1962 e 1966, segundo dados oficiais, 250 milhões de dólares voaram do Uruguai rumo aos seguros bancos da Suíça e dos Estados Unidos. Também os homens, os homens jovens, há vinte anos vieram do campo para a cidade oferecer seus braços à indústria em desenvolvimento e hoje partem, por terra e por mar, para o estrangeiro. É claro que seus destinos são diferentes. Os capitais são recebidos de braços abertos; quanto aos peregrinos, enfrentam uma vida dura o desenraizamento e as intempéries, a incerteza da aventura. O Uruguai de 1970, estremecido por uma crise feroz, já não é o mitológico oásis de paz e progresso que era prometido aos imigrantes europeus, mas um país turbulento que condena ao êxodo seus próprios habitantes. Produz violência e exporta homens tão naturalmente como produz e exporta carne e lã.

106. WETTSTEIN, German & RUDOLF, Juan. La sociedad rural. In: coleção *Nuestra Tierra* (16), Montevideo, 1969.

Cinco anos antes, o ditador Porfirio Díaz havia celebrado, com grandes festas, o primeiro centenário do grito de Dolores: os cavalheiros de fraque, México oficial, ignoravam olimpicamente o México real, cuja miséria alimentava seus esplendores. Nesta república de párias, os salários dos trabalhadores não tinham aumentado um centavo sequer desde o histórico levante do padre Miguel Hidalgo. Em 1910, pouco mais de 800 latifundiários, muitos deles estrangeiros, eram donos de quase todo o território nacional. Eram *bon-vivants* da cidade, que viviam na capital ou na Europa, e só raramente visitavam as sedes de seus latifúndios, onde dormiam entrincheirados atrás de altas muralhas de pedra escura sustentadas por robustos contrafortes[107]. Do outro lado das muralhas, os peões se amontoavam em quartinhos de adobe. Doze milhões de pessoas, numa população total de quinze milhões, dependiam dos salários rurais; as diárias eram pagas, quase em sua totalidade, nos armazéns das fazendas, traduzidas a preços de fábula em feijões, farinha, aguardente. O cárcere, o quartel e a sacristia se encarregavam da luta contra os defeitos naturais dos índios, que nas palavras de um membro de uma ilustre família da época, já nasciam "preguiçosos, borrachos e ladrões". Atado o trabalhador por dívidas que se herdavam ou por contrato legal, a escravidão era o real sistema de trabalho nas plantações de sisal de Yucatán, nos cultivos de tabaco do Valle Nacional, nos matos de madeira e frutas de Chiapas e Tabasco, e nas plantações de seringueiras, café, cana-de-açúcar, tabaco e frutas de Veracruz, Oaxaca e Morelos. John Kenneth Turner, escritor norte-americano, denunciou na memória de sua visita que "os Estados Unidos converteram Porfirio Díaz num virtual vassalo político, e em consequência tornaram o México uma colônia escrava"[108]. Os capitais norte-americanos, direta ou indiretamente, obtinham robustos benefícios de sua associação com a ditadura. "A norte-americanização do México, da qual Wall Street tanto se jacta", dizia Turner, "está sendo executada como se fosse uma vingança."

Em 1845, os Estados Unidos tinham anexado os territórios mexicanos do Texas e da Califórnia, onde restabeleceram a escravatura em nome da civilização, e na guerra o México perdeu também os atuais estados norte-americanos Colorado, Arizona, Novo México, Nevada e Utah. Mais de metade do país. O território roubado equivalia à atual superfície da Argentina.

---

107. SILVA HERZOG, Jesús. *Breve historia de la revolución mexicana*. México; Buenos Aires, 1960.
108. TURNER, John Kenneth. *México bárbaro*. México, 1967. Publicado nos Estados Unidos em 1911.

E diz-se desde então: "Pobrezinho do México, tão longe de Deus e tão perto dos Estados Unidos". O resto de seu território mutilado sofreu depois a invasão dos investimentos norte-americanos no cobre, no petróleo, na borracha, no açúcar, no sistema bancário e nos transportes. A empresa American Cordage Trust, filial da Standard Oil, em absoluto não estava alheia ao extermínio dos índios maias e *yaquis* nas plantações de sisal iucateques, campos de concentração onde os homens e as crianças eram comprados e vendidos como animais, pois esta era a empresa que adquiria mais de metade do sisal produzido e lhe convinha dispor da fibra a preço mais em conta. Outras vezes, como descobriu Turner, a exploração da mão de obra escrava era direta. Um administrador norte-americano lhe contou que pagava 50 pesos por cabeça pelos lotes de peões recrutados "e os conservamos enquanto duram (...). Em menos de três meses enterramos mais da metade".[109]

Em 1910, chegou a hora do desquite. O México em armas se insurgiu contra Porfirio Díaz. Um caudilho do campo logo encabeçou a revolta do sul: Emiliano Zapata, o mais puro dos líderes da revolução, o mais leal à causa dos pobres, o mais fervoroso em sua vontade de redenção social.

As últimas décadas do século XIX tinham sido tempos de feroz espoliação das comunidades agrárias de todo o México; os povoados e as aldeias de Morelos sofreram uma febril caçada às terras, às águas e aos braços, que as plantações de cana-de-açúcar devoravam em sua expansão. As fazendas açucareiras dominavam a vida do estado, e sua prosperidade tinha feito nascer engenhos modernos, grandes destilarias e ramais ferroviários para transportar o produto. Na comunidade de Anenecuilco, onde vivia Zapata, que a ela se dedicava de corpo e alma, os camponeses indígenas reivindicavam sete séculos de contínuo trabalho naquele solo: estavam ali desde antes da chegada de Hernán Cortez. Os que se queixavam em voz alta eram levados para os campos de trabalhos forçados de Yucatán. Como em todo o estado de Morelos, cujas melhores terras estavam nas mãos de dezessete proprietários, os trabalhadores viviam muito pior do que os cavalos de polo que os latifundiários mimavam em seus estábulos de luxo. Uma lei de 1909 determinou que novas terras fossem arrebatadas aos seus legítimos donos, e acabou por incendiar as já incandescentes contradições sociais. Emiliano Zapata, um ginete de poucas palavras, famoso por ser o maior domador do estado

---

109. TURNER, op. cit. O México era o país preferido pelos investimentos norte-americanos: reunia em fins do século pouco menos da terça parte dos capitais dos Estados Unidos aplicados no exterior. No estado de Chuihuahua e outras regiões do norte, William Randolph Hearst, o célebre *Citizen Kane* do filme de Welles, possuía mais de três milhões de hectares. CARMONA, Fernando. *El drama de América Latina. El caso de México*. México, 1964.

e unanimemente respeitado por sua honestidade e sua coragem, tornou-se guerrilheiro. "Agarrados à cola do cavalo do chefe Zapata", os homens do sul formaram rapidamente um exército libertador.[110]

Caiu Díaz, e Francisco Madero, na garupa da revolução, chegou ao governo. As promessas de reforma agrária se dissolveram em seguida numa nebulosa institucional. No dia de seu casamento, Zapata teve de interromper a festa: o governo enviara as tropas do general Victoriano Huerta para esmagá-lo. O herói, segundo os doutores da cidade, transformava-se em "bandido". Em novembro de 1911, Zapata proclamou seu Plano de Ayala, ao mesmo tempo em que anunciava: "Estou disposto a lutar contra tudo e contra todos". O plano propugnava a nacionalização total dos bens dos inimigos da revolução, a devolução a seus legítimos proprietários das terras roubadas pela avalanche latifundiária e a expropriação de uma terça parte das terras dos fazendeiros restantes. O Plano de Ayala tornou-se um imã irresistível que atraía milhares e milhares de camponeses às hostes do caudilho revolucionário. Zapata denunciava "a infame pretensão" de resumir tudo a uma simples mudança de pessoas no governo: a revolução não era feita para isso.

Durou cerca de dez anos a luta. Contra Díaz, contra Madero, logo contra Huerta, o assassino, e mais tarde contra Venustiano Carranza. O longo tempo da guerra foi também um período de contínuas intervenções norte-americanas: os *marines* se encarregaram de dois desembarques e vários bombardeios, os agentes diplomáticos tramaram inúmeras conjuras políticas, e o embaixador Henry Lane Wilson organizou com êxito o crime do presidente Madero e de seu vice. Mas as sucessivas mudanças no poder não alteravam a fúria das agressões contra Zapata e suas forças, porque elas eram a expressão não mascarada da luta de classes no fundo da revolução nacional: o perigo real. Os governos e os jornais clamavam contra "as hordas vandálicas" do general de Morelos. Poderosos exércitos foram enviados contra Zapata, um atrás do outro. Os incêndios, as matanças, a devastação dos povoados, sempre resultavam inúteis. Homens, mulheres e crianças morriam fuzilados ou enforcados como "espiões zapatistas", e às carnificinas seguiam-se as proclamações de vitória: a limpeza tinha sido um êxito. Mas em pouco tempo voltavam a crepitar as fogueiras dos transumantes acampamentos revolucionários nas montanhas do sul. Em várias oportunidades as forças de Zapata contra-atacavam vitoriosamente até os subúrbios da capital. Depois da queda do regime de Huerta, Emiliano Zapata e Pancho Villa, o "Átila do Sul" e o "Centauro do Norte", entraram na cidade do México a passo de

---

110. WOMACK JR., John. *Zapata y la revolución mexicana*. México, 1969.

vencedores e por um fugaz período compartilharam o poder. Em fins de 1914, abriu-se um breve ciclo de paz que permitiu a Zapata pôr em prática, em Morelos, uma reforma agrária ainda mais radical do que aquela anunciada no Plano de Ayala. O fundador do Partido Socialista e alguns militantes anarcossindicalistas influíram muito neste processo: radicalizaram a ideologia do movimento, sem ferir suas raízes tradicionais, e lhe proporcionaram uma imprescindível capacidade de organização.

A reforma agrária se propunha "destruir na raiz e para sempre o injusto monopólio da terra, para construir um estado social que garanta plenamente o direito natural que todo homem tem sobre a extensão de terra necessária à sua subsistência e a de sua família". Restituíam-se as terras às comunidades e aos indivíduos despojados a partir da lei de desamortização de 1856, fixavam-se os limites máximos de terra segundo o clima e a qualidade natural, e se declaravam de propriedade nacional os prédios dos inimigos da revolução. Esta última decisão política tinha, como na reforma agrária de Artigas, um claro sentido econômico: os inimigos eram os latifundiários. Formaram-se escolas de técnicos, fábricas de ferramentas e um banco de crédito rural; nacionalizaram-se os engenhos e as destilarias, que se tornaram serviços públicos. Um sistema de democracias locais colocava nas mãos do povo as fontes do poder político e a sustentação econômica. Nasciam e se difundiam as escolas zapatistas, organizavam-se juntas populares para a defesa e a promoção dos princípios revolucionários – uma democracia autêntica ganhava forma e força. Os municípios eram unidades nucleares de governo, e as pessoas elegiam suas autoridades, seus tribunais e suas polícias. Os chefes militares deviam submeter-se à vontade das populações civis organizadas. Não era a vontade dos burocratas e dos generais que impunha os sistemas de produção e de vida. A revolução se enlaçava com a tradição e operava "de conformidade com o costume e usos de cada lugar (...), isto é, se um dado lugar prefere o sistema comunal, que seja, e se um outro dado lugar deseja o fracionamento da terra para reconhecer sua pequena propriedade, assim será".[111]

Na primavera de 1915, todos os campos de Morelos já estavam cultivados, principalmente com milho e outros alimentos. A cidade do México, entrementes, padecia de uma iminente fome por falta de alimentos. Venustiano Carranza havia conquistado a presidência e, por sua vez, ditou uma reforma agrária, mas seus chefes em seguida se apossaram dos respectivos benefícios; em 1916, abalançaram-se com bons dentes sobre Cuernavaca, capital de Morelos, e as demais comarcas zapatistas. As culturas, que tinham voltado a dar

---

111. WOMACK JR., op. cit.

frutos, os minerais, as peles e maquinários significavam um excelente butim para os oficiais que avançavam queimando tudo à sua passagem e, ao mesmo tempo, proclamando "uma obra de reconstrução e progresso".

Em 1919, um estratagema e uma traição acabaram com a vida de Emiliano Zapata. Mil homens emboscados descarregaram seus fuzis em seu corpo. Morreu com a mesma idade de Che Guevara. Sobreviveu-o a lenda: o cavalo alazão que galopava sozinho, para o sul, pelas montanhas. Mas não só a lenda. Toda Morelos se determinou a "consumar a obra do reformador, vingar o sangue do mártir e seguir o exemplo do herói", e o país inteiro lhe fez eco. Passou o tempo, e com a presidência de Lázaro Cárdenas (1934-1940) as tradições zapatistas recobraram vida e vigor através da reforma agrária implantada em todo o México. Foram expropriados, sobretudo em seu período de governo, 67 milhões de hectares em poder de empresas estrangeiras e nacionais, e os camponeses receberam, além da terra, créditos, educação e meios de organização para o trabalho. A economia e a população do país tinham começado sua acelerada ascensão; multiplicou-se a produção agrícola ao mesmo tempo em que o país inteiro se modernizava e se industrializava. Cresceram as cidades e se ampliou, em extensão e profundidade, o mercado de consumo.

Mas o nacionalismo mexicano não derivou para o socialismo e, em consequência, como ocorreu com outros países que tampouco deram o salto decisivo, não realizou cabalmente seus objetivos de independência econômica e justiça social. Um milhão de mortos haviam tributado seu sangue, nos longos anos de revolução e de guerra, "a um Huitzilopochtli mais cruel, mais duro e insaciável do que aquele adorado pelos nossos antepassados: o desenvolvimento capitalista do México, nas condições impostas pela subordinação ao imperialismo"[112]. Diversos estudiosos investigaram os sinais de deterioração das velhas bandeiras. Edmundo Flores afirma, em publicação recente, que "atualmente 60 por cento da população total do México têm uma renda inferior a 120 dólares por ano e passa fome"[113]. Oito milhões de mexicanos não consomem praticamente nada além de feijões, tortas de milho e pimenta[114]. O sistema não revela suas profundas contradições tão só quando tombam mortos 500 estudantes na matança de Tlatelolco. Recolhendo números oficiais, Alonso Aguilar chega à conclusão de que há no México uns 2 milhões

---

112. CARMONA, op. cit.
113. FLORES, Edmundo. "Adónde va la economía de México?" In: *Comercio Exterior*, v.XX (1). México, janeiro de 1970.
114. FLORES, Ana María. *La magnitude del hambre en México*. México, 1961.

de camponeses sem terra, 3 milhões de crianças que não recebem educação, cerca de 15 milhões de analfabetos e 5 milhões de pessoas descalças[115]. A propriedade coletiva das terras indígenas se pulveriza continuamente, e junto com a multiplicação dos minifúndios, que também se fragmentam, fizeram sua aparição um *latifundismo* de novo cunho e uma nova burguesia agrária dedicada à agricultura em grande escala. Os terras-tenentes e intermediários nacionais que conquistaram uma posição dominante trampolinando o texto e o espírito das leis são, por sua vez, dominados, e num livro recente são considerados incluídos nos termos "and company" da empresa Anderson Clayton[116]. No mesmo livro, o filho de Lázaro Cárdenas diz que "os latifúndios simulados se constituíram, preferencialmente, nas terras de melhor qualidade, nas mais produtivas".

O romancista Carlos Fuentes reconstituiu, a partir da agonia, a vida de um capitão do exército de Carranza que, na guerra e na paz, vai abrindo caminho a tiros e com a força da astúcia[117]. Homem de muito humilde origem, Artemio Cruz, com a passagem dos anos, vai deixando para trás o idealismo e o heroísmo da juventude: usurpa terras, funda e multiplica empresas, elege-se deputado e, em rutilante carreira, ascende aos píncaros sociais, acumulando fortuna, poder e prestígio através dos negócios, dos subornos, da especulação, dos grandes golpes de audácia e da repressão a sangue e fogo da indiada. O processo do personagem se parece com o processo do partido que monopoliza a vida política do país em nossos dias. Ambos caíram para cima.

O latifúndio multiplica as bocas, mas não os pães

A produção agropecuária por habitante na América Latina é hoje menor do que na véspera da Segunda Guerra Mundial. Transcorreram 30 longos anos.

---

115. AGUILAR & CARMONA, op. cit. Veja-se também, dos mesmos autores e MONTAÑO, Guillermo, & CARRIÓN, Jorge. *El milagro mexicano*. México, 1970.

116. STAVENHAGEN, Rodolfo, PAZ SÁNCHEZ, Fernando, CÁRDENAS, Cuauhtémoc & BONILLA SÁNCHEZ, Arturo. *Neolatifundismo y explotación. De Emiliano Zapata a Anderson Clayton and Co.* México, 1968.

117. FUENTES, Carlos. *La muerte de Artemio Cruz*. México, 1962.

No mundo, a produção de alimentos, nesse período, cresceu na mesma proporção em que diminuiu em nossas terras. A estrutura do atraso do campo latino-americano opera também como uma estrutura do desperdício: desperdício da força de trabalho, da terra disponível, dos capitais, do produto e, sobretudo, desperdício das esquivas oportunidades históricas de desenvolvimento. O latifúndio e seu parente pobre, o minifúndio, constituem, em quase todos os países latino-americanos, o gargalo da garrafa que estrangula o crescimento agropecuário e o desenvolvimento de toda a economia. O regime da propriedade imprime sua marca no regime da produção: 1,5 por cento dos proprietários agrícolas latino-americanos possui a metade das terras cultiváveis, e a América Latina gasta anualmente mais de 500 milhões de dólares para comprar no estrangeiro alimentos que facilmente poderia produzir em suas imensas e férteis terras. Apenas 5 por cento da superfície total está cultivada: *a mais baixa proporção do mundo e, portanto, o maior desperdício*[118]. De resto, nas escassas terras cultivadas os rendimentos são muito baixos. E as técnicas modernas de produção, virtual monopólio das grandes empresas agrícolas, em sua maioria estrangeiras, são empregadas de tal modo que em vez de ajudar os solos os envenenam para ganhar o máximo num mínimo de tempo.[119]

O latifúndio integra, às vezes como Rei Sol, uma constelação de poder que, na feliz expressão de Maza Zavala, multiplica os famintos, mas não os pães[120]. Em vez de absorver mão de obra, o latifúndio a expulsa: em 40 anos, os trabalhadores latino-americanos do campo foram reduzidos em mais de 20 por cento. Sobram tecnocratas dispostos a afirmar, aplicando mecanicamente receitas prontas, que este é um índice de progresso: a urbanização acelerada, a migração massiva da população campesina. Os desempregados, que o sistema vomita sem descanso, de fato migram para as cidades, aumentando seus subúrbios. Mas as fábricas, que também segregam desempregados na medida em que se modernizam, não oferecem oportunidades a essa mão de obra excedente e não especializada. Os progressos tecnológicos do campo, quando ocorrem, agravam o problema. Crescem os lucros dos terras-tenentes quando são implementados meios mais modernos de exploração de suas propriedades, mas mais braços resultam inativos e se torna maior a brecha que separa ricos e pobres. A introdução de equi-

---

118. FAO. *Anuario de la producción*. v. 19, 1965.
119. BALTRA CORTÉS, Alberto. *Problemas del subdesarrollo económico latinoamericano*. Buenos Aires, 1966.
120. MAZA ZAVALA, D. F. *Explosión demográfica y crecimiento económico*. Caracas, 1970.

pamentos motorizados, por exemplo, elimina mais empregos rurais do que aqueles que cria. *Os latino-americanos que produzem os alimentos, em jornadas de sol a sol, normalmente sofrem de desnutrição: seus ganhos são miseráveis, e a renda que o campo gera é gasta nas cidades ou viaja para o exterior.* As melhores técnicas para aumentar os magros rendimentos do solo, e que deixam intato o regime de propriedade vigente, ainda que contribuam para o progresso geral, não representam nenhuma bênção para os camponeses. Não aumentam seus salários nem sua participação nas colheitas. O campo irradia pobreza para muitos e riqueza para bem poucos. Os aviões privados sobrevoam os desertos miseráveis, multiplica-se o luxo estéril nos grandes balneários e a Europa ferve de turistas latino-americanos transbordantes de dinheiro, que não cuidam do cultivo de suas terras mas não deixam de cuidar do cultivo de seus espíritos.

Paul Bairoch atribui a principal debilidade da economia do Terceiro Mundo ao fato de que sua produtividade agrícola média só alcance a metade do nível alcançado, às vésperas da Revolução Industrial, pelos países hoje desenvolvidos[121]. De fato, a indústria, para expandir-se harmoniosamente, requereria um aumento muito maior da produção de alimentos e de matérias-primas agropecuárias. Alimentos, porque as cidades crescem e comem; matérias-primas, para as fábricas e para a exportação, de modo que diminuam as importações agrícolas e aumentem as vendas para o exterior, gerando as divisas que o desenvolvimento requer. De outra parte, o sistema de latifúndios e minifúndios implica o raquitismo do mercado interno de consumo e sem sua expansão a indústria nascente perde o pé. Os salários de fome no campo e o exército de reserva cada vez mais numeroso de desempregados conspiram neste sentido: os emigrantes rurais que vêm bater às portas das cidades empurram para baixo o nível geral dos ganhos dos operários.

Desde que a Aliança para o Progresso proclamou aos quatro ventos a necessidade da reforma agrária, a oligarquia e a tecnocracia não cessaram de elaborar projetos. Dezenas de projetos gordos, magros, largos, estreitos, dormem nas estantes dos parlamentos de todos os países latino-americanos. *A reforma agrária já não é um assunto maldito: os políticos aprenderam que a melhor maneira de não fazê-la consiste em não parar de falar nela.* Os processos simultâneos de concentração e pulverização da propriedade continuam seu andamento, olimpicamente, na maioria dos países. No entanto, as exceções começam a pedir passagem.

---

121. BAROICH, Paul. *Diagnostic de l'évolution économique du Tiers Monde 1900-1966.* Paris, 1967.

Porque o campo não é tão só uma sementeira de pobreza: é também uma sementeira de rebeliões, embora as agudas tensões sociais amiúde se ocultem, mascaradas pela aparente resignação das massas. O Nordeste do Brasil, por exemplo, impressiona à primeira vista como um bastião do fatalismo, cujos habitantes aceitam morrer de fome tão passivamente como aceitam a chegada da noite ao fim de cada dia. Mas não está tão longe no tempo a explosão mística dos nordestinos que lutaram junto com seus messias, extravagantes apóstolos, erguendo a cruz e os fuzis contra os exércitos, para trazer a esta terra o reino dos céus, nem as furiosas ondas de violência dos cangaceiros: os fanáticos e os bandoleiros, utopia e vingança, deram curso ao protesto social, cego ainda, dos camponeses desesperados[122]. As ligas camponesas recuperariam mais tarde, aprofundando-as, essas tradições de luta.

A ditadura militar que usurpou o poder no Brasil em 1964 em seguida tratou de anunciar sua reforma agrária. O Instituto Brasileiro de Reforma Agrária, como observou Paulo Schilling, é um caso único no mundo: em vez de distribuir terra aos camponeses, dedica-se a expulsá-los, para restituir aos latifundiários as extensões espontaneamente invadidas ou expropriadas por governos anteriores. Em 1966 e 1967, antes que a censura da imprensa fosse aplicada com maior rigor, os jornais costumavam dar conta dos saques, dos incêndios e das perseguições que as tropas policiais levavam a cabo por ordem do atarefado instituto. Outra reforma agrária digna de uma antologia é a que foi proclamada no Equador em 1964. O governo só distribuiu terras improdutivas, ao mesmo tempo em que facilitava a concentração de solos de melhor qualidade nas mãos de grandes proprietários. A metade das terras distribuídas pela reforma agrária da Venezuela, a partir de 1960, eram de propriedade pública; as grandes plantações comerciais não foram tocadas, e os latifundiários expropriados receberam tão altas indenizações que, com tais esplêndidos lucros, puderam comprar novas terras em outras áreas.

O ditador argentino Juan Carlos Onganía esteve a ponto de antecipar em dois anos sua queda quando, em 1968, tentou aplicar um novo regime de impostos às propriedades rurais. O projeto pretendia tributar as improdutivas *llanuras peladas* mais severamente do que as terras produtivas. A oligarquia vacum bradou aos céus, mobilizou suas próprias espadas no estado maior e Onganía teve de esquecer suas heréticas intenções. A Argentina, como o Uruguai, dispõe de pradarias naturalmente férteis que, ao influxo da benignidade do clima, permitiu-lhe desfrutar de uma relativa prosperidade na América Latina. Mas a erosão vai mordendo sem piedade as imensas planuras

---
122. FACÓ, Rui. *Cangaceiros e fanáticos*. Rio de Janeiro, 1965.

abandonadas, que não se destinam ao cultivo nem ao pastoreio, e outro tanto ocorre com grande parte dos milhões de hectares dedicados à extensiva exploração da criação de gado. Como no caso do Uruguai, embora em menor grau, nessa exploração extensiva está a origem da crise que sacudiu a economia argentina nos anos 60. Os latifundiários argentinos não mostraram interesse bastante em introduzir inovações técnicas em seus campos. A produtividade ainda é baixa, porque convém que o seja; a lei do lucro pode mais do que todas as outras leis. A ampliação das propriedades, através da compra de novos campos, é mais lucrativa e menos arriscada do que o investimento em meios que a moderna tecnologia proporciona para a produção intensiva.[123]

Em 1931, a Sociedade Rural opunha o cavalo ao trator: "Agricultores pecuaristas", clamavam seus dirigentes, "trabalhar com cavalos nas tarefas agrícolas é proteger seus próprios interesses e os do país". Vinte anos depois, insistia em suas publicações: "É mais fácil", disse um conhecido militar, "que chegue o pasto ao estômago do cavalo do que a gasolina ao tanque de um pesado caminhão"[124]. Segundo dados da CEPAL, a Argentina tem, em proporção aos hectares da superfície arável, dezesseis vezes menos tratores do que a França, e dezenove vezes menos do que o Reino Unido. Também em proporção, o país consome 140 vezes menos fertilizantes do que a Alemanha Ocidental[125]. Os rendimentos do trigo, do milho e do algodão da agricultura argentina são muito mais baixos do que os rendimentos destas culturas nos países desenvolvidos.

Juan Domingo Perón desafiou os interesses da oligarquia dona de terras na Argentina quando impôs o estatuto do peão e a adoção do salário mínimo rural. Em 1944, a Sociedade Rural afirmava: "Na fixação dos salários é primordial determinar o padrão de vida do peão comum. Suas necessidades materiais são às vezes tão limitadas que valores a mais podem ter destinos socialmente pouco interessantes". A Sociedade Rural continua falando dos peões como se fossem animais, e a profunda meditação a propósito das escassas

---

123. A pastagem artificial, do ponto de vista do capitalista pecuário, representa uma migração de capital para um investimento mais pesado, mais arriscado e simultaneamente menos rentável do que o investimento tradicional em pecuária extensiva. Assim, o interesse privado do produtor entra em contradição com o interesse da sociedade em seu conjunto: a qualidade do gado e seus rendimentos só podem ser incrementados, a partir de certo ponto, através do aumento do poder nutritivo do solo. O país necessita que o gado produza mais carne e as ovelhas mais lã, mas os donos da terra ganham mais do que o suficiente, no nível dos rendimentos atuais. As conclusões do Instituto de Economia da Universidade do Uruguai (op. cit.), em certo sentido, são também aplicáveis à Argentina.

124. CÚNEO, Dardo. *Comportamiento y crisis de la classe empresaria*. Buenos Aires, 1967.

125. CEPAL. *Estudio económico de América Latina*. Santiago de Chile, 1964 y 1966, e *El uso de fertilizantes en América Latina*. Santiago de Chile, 1966.

necessidades de consumo dos trabalhadores oferece, involuntariamente, uma boa chave para a compreensão das limitações do desenvolvimento industrial argentino: o mercado interno não se estende nem se aprofunda na medida suficiente. A política de desenvolvimento econômico implantada pelo próprio Perón nunca rompeu a estrutura do subdesenvolvimento agropecuário. Em junho de 1952, num discurso que proferiu no Teatro Colón, Perón desmentiu que tivesse a intenção de fazer uma reforma agrária, e a Sociedade Rural comentou, oficialmente: "Foi uma dissertação magistral".

Na Bolívia, graças à reforma agrária de 1952, melhorou visivelmente a alimentação em vastas zonas rurais do altiplano, tanto que até foram comprovadas mudanças na estatura dos camponeses. No entanto, o conjunto da população boliviana ainda consome somente uns 60 por cento das proteínas necessárias à dieta mínima e uma quinta parte do cálcio, e nas áreas rurais o *deficit* é ainda mais agudo do que estas médias. Não se pode dizer, de modo algum, que a reforma tenha fracassado, mas a divisão das terras altas não bastou para impedir que, em nossos dias, a Bolívia gaste a quinta parte de suas divisas para importar alimentos do estrangeiro.

A reforma agrária que, desde 1969, o governo do Peru pôs em prática, está a mostrar-se como uma experiência de mudança em profundidade. E quanto à expropriação de alguns latifúndios chilenos por parte do governo de Eduardo Frei, é justo reconhecer que abriu caminho para a reforma agrária mais radical anunciada pelo novo presidente, Salvador Allende, enquanto escrevo estas páginas.

As treze colônias do norte e a importância de não nascer importante

A apropriação privada da terra, na América Latina, sempre se antecipou ao seu cultivo útil. Os traços mais retrógrados do sistema de posse hoje em vigor não provêm das crises, mas nasceram durante os períodos de maior prosperidade; ao contrário, os períodos de depressão econômica apaziguaram a voracidade dos latifundiários na conquista de novas terras. No Brasil, por exemplo, a decadência do açúcar e o virtual desaparecimento do ouro e dos diamantes tornaram possível, entre 1820 e 1850, uma legislação que assegurava a propriedade da terra a quem a ocupasse e a fizesse produzir. Em 1850, a ascensão do café como novo "produto rei" determinou a sanção da Lei de Terras, cozinhada segundo o paladar de políticos e militares do regime oligárquico para negar a propriedade da terra a quem nela trabalhava, na medida em que iam se abrindo, para o sul e para o oeste, os gigantescos espaços interiores do país. Essa lei "foi reforçada e ratificada desde então por uma copiosíssima legislação que estabelecia a compra como única forma de acesso à terra, e criava um sistema cartorial de registro que tornava quase impraticável ao lavrador a legalização de sua possessão"[126].

A legislação norte-americana da mesma época assumiu um objetivo oposto para promover a colonização interna dos Estados Unidos. Rangiam as carretas dos pioneiros que iam empurrando a fronteira, à custa da matança dos indígenas, para as terras virgens do Oeste: a Lei Lincoln de 1862, o *Homested Act*, assegurava a cada família a propriedade de lotes de 65 hectares. Cada beneficiário se comprometia a cultivar sua parcela por um período de cinco anos[127]. O domínio público foi colonizado com uma rapidez assombrosa; a população aumentava e se propagava como uma enorme mancha de azeite sobre o mapa. A terra acessível, fértil e quase gratuita atraía os camponeses europeus com um ímã irresistível: cruzavam o oceano e também os Apalaches rumo às pradarias abertas. Foram granjeiros livres, portanto, que ocuparam os novos territórios do Centro e do Oeste. Enquanto o país crescia em superfície e em população, criavam-se fontes de trabalho agrícola e, ao mesmo tempo, gerava-se um mercado interno com grande poder aquisitivo, a enorme massa de granjeiros proprietários, para sustentar a pujança do desenvolvimento industrial.

Em troca, os trabalhadores rurais que, há mais de um século, alargaram com ímpeto a fronteira interior do Brasil, não foram e nem são famílias de camponeses livres em busca de um pedaço de terra própria, como observa Ribeiro, mas trabalhadores braçais contratados para servir os latifundiários que, previamente, tomaram posse de grandes espaços vazios. Os desertos interiores nunca foram acessíveis à população rural. Os trabalhadores foram abrindo o país a golpes de facão, através da selva, mas em proveito alheio. A colonização significou uma ampliação das áreas do latifúndio. Entre 1950 e 1960, 65 latifúndios brasileiros absorveram uma quarta parte das novas terras incorporadas à agricultura.[128]

Esses dois sistemas opostos de colonização interior mostram uma das diferenças mais importantes entre os modelos de desenvolvimento dos Estados Unidos e da América Latina. Por que o Norte é rico e o Sul é pobre? O

---

126. RIBEIRO, Darcy. *Las Américas y la civilización*, t.II: *Los pueblos nuevos*. Buenos Aires, 1969.
127. KIRKLAND, Edward C. *Historia económica de Estados Unidos*. México, 1941.
128. FURTADO, Celso. *Um projeto para o Brasil*. Rio de Janeiro, 1969.

rio Bravo assinala muito mais do que uma fronteira geográfica. O profundo desequilíbrio de nossos dias, que parece confirmar a profecia de Hegel sobre a inevitável guerra entre uma e outra América, nasceu da expansão imperialista dos Estados Unidos ou tem raízes mais antigas? Em verdade, já na matriz colonial o norte e o sul geraram sociedades nem um pouco parecidas e a serviço de fins distintos[129]. Os peregrinos do *Mayflower* não atravessaram o mar para conquistar tesouros legendários nem para explorar a mão de obra indígena, escassa no Norte, mas para se estabelecer com suas famílias e reproduzir no Novo Mundo o sistema de vida e de trabalho que praticavam na Europa. Não eram soldados da fortuna, mas pioneiros; não vinham para conquistar e sim para colonizar: fundaram "colônias de povoamento". É certo que o processo posterior desenvolveu, ao sul da baía de Delaware, uma economia de plantações escravistas semelhante à que surgiu na América Latina, mas com a diferença de que nos Estados Unidos o centro de gravidade esteve desde o princípio radicado nas granjas e nas oficinas da Nova Inglaterra, de onde sairiam os exércitos vencedores da Guerra de Secessão no século XIX. Os colonos da Nova Inglaterra, núcleo original da civilização norte-americana, não atuaram nunca como agentes coloniais da acumulação capitalista europeia; desde o princípio viveram a serviço de seu próprio desenvolvimento e do desenvolvimento de sua nova terra. As treze colônias do norte serviram de desembocadura para o exército de camponeses e artesãos europeus que o desenvolvimento metropolitano ia lançando fora do mercado de trabalho. Trabalhadores *livres* formaram a base daquela nova sociedade deste lado do mar.

Espanha e Portugal, em troca, contaram com uma grande abundância de mão de obra *servil* na América Latina. A escravidão dos indígenas foi sucedida pelo transplante em massa de escravos africanos. Ao longo dos séculos, houve sempre uma enorme legião de camponeses desempregados disponíveis para serem encaminhados aos centros de produção: as zonas florescentes sempre coexistiram com as decadentes, no ritmo dos apogeus e das quedas das exportações de metais preciosos ou açúcar, e as zonas de decadência abasteciam de mão de obra as zonas florescentes. Essa estrutura persiste até nossos dias, e também na atualidade implica um baixo nível dos salários, pela pressão que os desempregados exercem sobre o mercado de trabalho, e frustra o crescimento do mercado interno de consumo. De resto, distintamente dos puritanos do Norte, as classes dominantes da sociedade colonial latino-americana não se

---

129. HANKE, Lewis et alii. *Do the Americas Have a Common History?* New York, 1964. Os autores dão asas à imaginação no afã de encontrar identidades entre os processos históricos do Norte e do Sul.

voltaram jamais para o desenvolvimento econômico interno. Terras-tenentes, mineradores e mercadores tinham nascido para cumprir outra função: abastecer a Europa de ouro, prata e alimentos. Os caminhos transportavam a carga numa só direção: até o porto e os mercados de ultramar. Esta é também a chave que explica a expansão dos Estados Unidos como unidade nacional e o fracionamento da América Latina: nossos centros de produção não estavam conectados entre si, formavam um leque com o vértice muito distante.

As treze colônias do norte tiveram, pode-se dizer, a felicidade da desgraça. Sua experiência histórica mostrou a tremenda importância de não nascer importante. Porque ao norte da América não havia ouro, nem prata, nem civilizações indígenas com densas concentrações de população já organizada para o trabalho, e nem solos tropicais de fertilidade fabulosa na franja costeira que os peregrinos ingleses colonizaram. A natureza se mostrou avara, e também a história: faltavam os metais e a mão de obra escrava para arrancar os metais do ventre da terra. Foi uma sorte. Além disso, desde Maryland até a Nova Escócia, passando pela Nova Inglaterra, as colônias do norte, devido ao clima e às características dos solos, produziam exatamente o mesmo que a agricultura britânica, isto é, não ofereciam à metrópole, como adverte Bagú, uma produção *complementar*.[130]

Muito diferente era a situação das Antilhas e das colônias ibéricas de terra firme. Das terras tropicais brotavam o açúcar, o tabaco, o algodão, o anil, a terebintina; uma pequena ilha do Caribe, do ponto de vista econômico, era mais importante para a Inglaterra do que as treze colônias matrizes dos Estados Unidos.

Essas circunstâncias explicam a ascensão e a consolidação dos Estados Unidos como um sistema economicamente autônomo, que não drenava para fora a riqueza gerada em seu seio. Eram frouxos os laços que uniam as colônias à metrópole; em Barbados e na Jamaica, em troca, só se reinvestiam os capitais indispensáveis para repor escravos na medida em que iam faltando. Não foram fatores raciais, como se vê, os que decidiram o desenvolvimento de uns e o subdesenvolvimento de outros: as ilhas britânicas das Antilhas não tinham nenhum vínculo com a Espanha ou Portugal. A verdade é que a insignificância econômica das treze colônias permitiu a precoce diversificação de suas exportações e iluminou o impetuoso desenvolvimento das manufaturas. A industrialização norte-americana contou, desde antes da independência, com estímulos e proteções oficiais. A Inglaterra se mostrava tolerante, ao mesmo tempo em que proibia estritamente que suas ilhas antilhanas fabricassem até mesmo um alfinete.

---

130. BAGÚ, op. cit.

As fontes subterrâneas do poder

A economia norte-americana precisa dos minerais da América Latina como os pulmões precisam de ar

Os astronautas tinham acabado de imprimir as primeiras pegadas humanas na superfície lunar, e em julho de 1969 o pai da façanha, Werner von Braun, anunciava à imprensa que os Estados Unidos planejavam instalar uma distante estação no espaço, com propósitos bem mais próximos: "Desta maravilhosa plataforma de observação poderemos investigar todas as riquezas da terra: os poços de petróleo desconhecidos, as minas de cobre e zinco (...)".

O petróleo continua sendo o principal combustível de nosso tempo, e os norte-americanos importam a sétima parte do petróleo que consomem. Para matar vietnamitas, precisam de balas, e as balas precisam de cobre: os Estados Unidos compram além de suas fronteiras uma quinta parte do cobre que gastam. A falta de zinco é cada vez mais preocupante: a metade vem do exterior. Não se fabricam aviões sem alumínio, e não se fabrica o alumínio sem bauxita: os Estados Unidos quase não tem bauxita. Seus grandes centros siderúrgicos – Pittsburgh, Cleveland, Detroit – não encontram ferro suficiente nas jazidas de Minnesota, que estão em vias de se extinguir, e o manganês não há no território nacional: a economia norte-americana importa um terço do ferro e todo o manganês que necessita. Para produzir motores de retropropulsão, não contam com níquel nem com cromo em seu subsolo. Para fabricar aços especiais, requer-se o tungstênio: importam a quarta parte.

A crescente dependência de provisão estrangeira decreta uma também crescente identificação entre os interesses capitalistas norte-americanos na América Latina e a segurança nacional dos Estados Unidos. A estabilidade interna da primeira potência mundial se mostra intimamente ligada aos investimentos norte-americanos ao sul do rio Bravo. Cerca de metade desses investimentos é dedicada à extração de petróleo e à exploração de riquezas minerais, "indispensáveis à economia dos Estados Unidos tanto na paz como na guerra"[1]. O presidente do Conselho Internacional da Câmara de Comércio do país do Norte o define assim: "Historicamente, uma das principais razões dos Estados Unidos para investir no exterior é o desenvolvimento de recursos naturais e, mais especialmente, petróleo. É perfeitamente óbvio que os incentivos desse tipo de investimento devem ser incrementados. Nossas necessidades de matérias-primas estão em constante crescimento na medida em que a população se expande e o nível de vida sobe. Ao mesmo tempo, nossos recursos domésticos se esgotam (...)"[2]. Os laboratórios científicos do governo, das universidades e das grandes corporações envergonham a imaginação com o ritmo febril de suas invenções e descobrimentos, mas a nova tecnologia não encontrou o modo de prescindir dos materiais básicos que a natureza, e só ela, proporciona.

Ao mesmo tempo, vão-se debilitando as respostas que o subsolo nacional é capaz de dar ao desafio do crescimento industrial dos Estados Unidos.[3]

---

1. LIEUWEN, Edwin. *Thu United States and the Challenge to Security in Latin America*. Ohio, 1966.

2. COURTNEY, Philip, em trabalho apresentado no II Congresso Internacional de Poupança e Investimento. Bruxelas, 1959.

3. MAGDOFF, Harry. "La era del imperialismo". *Monthly Review*, selecciones en castellano. Santiago de Chile, janeiro-fevereiro de 1969; e JULIEN, Claude. *L'empire américan*. Paris, 1969.

O subsolo também produz golpes de Estado, revoluções, histórias de espionagens e aventuras na floresta amazônica

No Brasil, as esplêndidas jazidas de ferro do vale do Paraopeba derrubaram dois presidentes, Jânio Quadros e João Goulart, antes que o marechal Castelo Branco, assaltante do poder em 1964, amavelmente as cedesse à Hanna Mining Co. Outro amigo anterior do embaixador dos Estados Unidos, o presidente Eurico Dutra (1946-51), concedera à Bethlehem Steel, alguns anos antes, os 40 milhões de toneladas de manganês do estado do Amapá, uma das maiores jazidas do mundo, em troca de 4 por cento para o Estado sobre as rendas da exportação; desde então, a Bethlehem está empurrando as montanhas para os Estados Unidos com tanto entusiasmo que se receia que, em quinze anos, o Brasil fique sem manganês para prover sua própria siderurgia. Além disso, de cada 100 dólares que a Bethlehem investe na extração de minerais, 88 correspondem a uma gentileza do governo brasileiro: as isenções de impostos em nome do "desenvolvimento da região". A experiência do ouro perdido em Minas Gerais – "ouro branco, ouro negro, ouro podre", escreveu o poeta Manuel Bandeira –, como se sabe, não serviu para nada: o Brasil continua se desfazendo gratuitamente de suas fontes naturais de desenvolvimento[4]. Por sua parte, o ditador René Barrientos se apoderou da Bolívia em 1964 e, entre matança e matança de mineiros, outorgou à firma Philips Brothers a concessão da mina Matilde, que contém chumbo, prata e grandes quantidades de zinco com um teor doze vezes mais alto do que nas minas norte-americanas. A empresa foi autorizada a transportar zinco bruto, para elaborá-lo em suas refinarias no estrangeiro, pagando ao Estado nada menos do que 1,5 por cento do valor de venda do mineral[5]. No Peru, em 1968, perdeu-se misteriosamente a página 11 do convênio que o presidente Bellaúnde Terry tinha assinado aos pés de uma filial da Standard Oil, e o general Velasco Alvarado derrubou o presidente, tomou as rédeas do país e nacionalizou os poços e a refinaria da empresa. Na Venezuela, o grande lago de petróleo da Standard Oil e da Gulf, tem seu lugar a maior missão

---

4. O governo do México, por sua vez, constatou a tempo que o país, um dos principais exportadores mundiais de enxofre, estava se esvaziando. A Texas Gulf Sulphur Co. e a Pan American Sulfur tinham garantido que as reservas com que contavam suas concessões eram seis vezes mais abundantes do que em realidade o eram, e o governo, em 1965, resolveu limitar as vendas para o exterior.

5. ALMARAZ PAZ, Sergio. *Réquiem para uma república.* La Paz, 1969.

militar norte-americana da América Latina. Os frequentes golpes de Estado na Argentina acontecem antes e depois de cada licitação petrolífera. O cobre não era de modo algum alheio à desproporcionada ajuda militar que o Chile recebia do Pentágono até o triunfo eleitoral das forças de esquerda encabeçadas por Salvador Allende; as reservas norte-americanas de cobre tinham caído em mais de 60 por cento entre 1965 e 1969. Em 1964, em seu gabinete de Havana, Che Guevara me demonstrou que a Cuba de Batista não era só de açúcar: as grandes jazidas cubanas de níquel e manganês, na sua opinião, explicavam melhor a fúria cega do Império contra a revolução. Desde aquela conversação, as reservas de níquel dos Estados Unidos se reduziram à terça parte: a empresa norte-americana Nicro-Nickel tinha sido nacionalizada e o presidente Johnson ameaçava os metalúrgicos franceses com um embargo às suas exportações para os Estados Unidos se comprassem o mineral de Cuba.

Os minerais tiveram muito a ver com a queda do governo do socialista Cheddi Jagan, que em fins de 1964 tinha obtido novamente a maioria de votos naquilo que então era a Guiana Inglesa. O país que hoje se chama Guiana é o quarto produtor mundial de bauxita e figura no terceiro lugar entre os produtores latino-americanos de manganês. A CIA desempenhou um papel decisivo na derrota de Jagan. Arnold Zander, o dirigente máximo da greve que serviu de provocação e pretexto para negar com trapaças a vitória eleitoral de Jagan, admitiu publicamente tempos depois que seu sindicato tinha recebido uma chuva de dólares de uma das fundações da Agência Central de Inteligência dos Estados Unidos[6]. O novo regime garantiu que não correriam perigo os interesses da Aluminium Company of America na Guiana: já sem sobressaltos, a empresa poderia continuar levando a bauxita e vendendo-a para si própria ao mesmo preço de 1938, ainda que desde então se tivesse multiplicado o preço do alumínio[7]. O negócio já não corria perigo. A bauxita do Arkansas vale o dobro da bauxita da Guiana. Os Estados Unidos dispõem de muito pouca bauxita em seu território; empregando matéria-prima alheia e muito barata, produzem quase a metade do alumínio que é elaborado no mundo.

---

6. JULIEN, op. cit.
7. Arthur Davis, presidente da Aluminium Co. durante longo tempo, morreu em 1962 e legou 300 milhões de dólares a fundações de caridade, com a expressa condição de que gastassem os fundos fora do território dos Estados Unidos. Nem mesmo por esta via a Guiana pôde recuperar sequer uma parcela da riqueza que a empresa lhe usurpou. RENO, Philip. "Aluminium Profits and Caribbean People." *Monthly Review*. New York, outubro de 1963. E do mesmo autor: "El drama de la Guayana Británica. Un pueblo desde la esclavitud a la lucha por el socialismo." *Monthly Review*, seleções em castelhano. Buenos Aires, janeiro-fevereiro de 1965.

Para abastecer-se da maior parte dos minerais estratégicos considerados de valor crítico para seu potencial de guerra, os Estados Unidos dependem de fontes estrangeiras. "O motor de retropropulsão, a turbina de gás e os reatores nucleares têm hoje uma enorme influência sobre a demanda de materiais que só podem ser obtidos no exterior", diz Magdoff neste sentido[8]. A imperiosa necessidade de minerais estratégicos, imprescindíveis para salvaguardar o poder militar e atômico dos Estados Unidos, aparece claramente vinculada à compra de terras na Amazônia brasileira, por meios geralmente fraudulentos. Na década de 60, numerosas empresas norte-americanas, conduzidas pela mão de aventureiros e contrabandistas profissionais, lançaram-se num *rush* febril sobre essa floresta gigantesca. Previamente, em virtude de acordo firmado em 1964, os aviões da Força Aérea dos Estados Unidos tinham sobrevoado e fotografado toda a região, empregando cintilômetros para detectar jazidas de minerais radioativos pela emissão de ondas de luz de intensidade variável, eletromagnetômetro para radiografar o subsolo rico em minerais não ferrosos, e magnetômetro para descobrir e medir o ferro. Os informes e as fotografias obtidas no levantamento da extensão e da profundidade das riquezas secretas da Amazônia foram colocados à disposição de empresas privadas interessadas no assunto, graças aos bons serviços da Geological Survey do governo dos Estados Unidos[9]. Na mesma região foi comprovada a existência de ouro, prata, diamantes, gipsita, hematita, magnetita, tântalo, tório, urânio, quartzo, cobre, manganês, chumbo, sulfato, potássio, bauxita, zinco, zircônio, cromo e mercúrio. Tão aberto é o céu da selva virgem do Mato Grosso até as planuras do sul de Goiás que, segundo delirava a revista *Time* em sua última edição latino-americana de 1967, pode-se ver ao mesmo tempo o sol brilhante e meia dúzia de relâmpagos de diferentes tormentas. O governo ofereceu isenção de impostos e outras seduções para colonizar os espaços virgens desse universo mágico e selvagem. Segundo a *Time*, os capitalistas estrangeiros, antes de 1967, compraram a sete centavos o acre uma superfície maior do que a que somam os territórios de Connecticut, Rhode Island, Delaware, Massachusetts e New Hampshire. "Devemos manter as portas bem abertas ao investimento estrangeiro", dizia o diretor da agência governamental para o desenvolvimento da Amazônia, "porque necessitamos mais do que aquilo que podemos obter." Para justificar o levantamento aerofotogramétrico feito pela aviação norte-americana, o governo

---

8. MAGDOFF, op. cit.
9. ALVES, Hermano. "Aerofotogrametria". *Correio da Manhã*. Rio de Janeiro, 8 de junho de 1967.

declarou antes que carecia de recursos. Na América Latina é normal: *sempre se entregam os recursos em nome da falta de recursos.*

O Congresso brasileiro realizou uma investigação que culminou num alentado informe sobre o tema[10]. Enumeram-se nele casos de venda ou usurpação de terras de 20 milhões de hectares, estendidas de maneira tão curiosa que, segundo a comissão investigadora, "formam um cordão para isolar a Amazônia do resto do Brasil". A "exploração clandestina de minerais muito valiosos" figura no informe como um dos principais interesses da ambição norte-americana de abrir uma *nova fronteira* dentro do Brasil. O depoimento do gabinete do Ministério do Exército, incluído no informe, salienta "o interesse do próprio governo norte-americano em manter sob seu controle uma vasta extensão de terra para ulterior utilização, seja para a exploração de minerais, particularmente os radioativos, seja como base de uma colonização dirigida". O Conselho de Segurança Nacional se manifestou: "Causa suspeita o fato de que as áreas ocupadas, ou em vias de ocupação, por elementos estrangeiros, coincidam com regiões submetidas a campanhas de esterilização de mulheres brasileiras por estrangeiros". De fato, segundo o jornal *Correio da Manhã*, "mais de vinte missões religiosas estrangeiras, sobretudo as da igreja protestante dos Estados Unidos, estão ocupando a Amazônia nos pontos mais ricos em minerais radioativos, ouro e diamantes (...). Difundem em grande escala diversos contraceptivos, como o dispositivo intrauterino, e ensinam inglês aos índios catequizados (...). Suas áreas estão cercadas por elementos armados e nelas ninguém pode entrar"[11]. Não é demais lembrar que a Amazônia é a zona de maior extensão entre todos os desertos do planeta habitáveis pelo homem. O *controle da natalidade* foi posto em prática nesse grandioso espaço vazio para evitar a concorrência demográfica dos raríssimos brasileiros que, em remotos rincões da floresta ou das imensas planícies, vivem e se reproduzem.

A uma comissão do Congresso o general Riograndino Kruel afirmou que "o volume de contrabando de materiais que contêm tório e urânio alcança a cifra astronômica de um milhão de toneladas". Algum tempo antes,

---

10. Informe da Comissão Parlamentar de Inquérito sobre a venda de terras brasileiras a pessoas físicas ou jurídicas estrangeiras. Brasília, 3 de junho de 1968.
11. *Correio da Manhã*. Rio de Janeiro, 30 de junho de 1968.

em setembro de 1966, Kruel, chefe da Polícia Federal, havia denunciado "a impertinente e sistemática interferência" de um cônsul dos Estados Unidos no processo aberto contra quatro cidadãos norte-americanos, acusados de contrabandear minerais atômicos brasileiros. Em seu juízo, as 40 toneladas de mineral radioativo encontradas com eles bastavam para condená-los. Pouco depois, três deles fugiram do Brasil misteriosamente. O contrabando não era um fenômeno novo, mas se intensificara. O Brasil perde a cada ano 100 milhões de dólares tão só pela evasão clandestina de diamantes brutos[12]. Contudo, o contrabando só se faz necessário em grau relativo. As concessões legais arrancam do Brasil, sem qualquer empecilho, suas mais fabulosas riquezas minerais. Para citar apenas um exemplo, nova conta de um comprido colar, a maior jazida de nióbio do mundo, em Araxá, pertence a uma filial da Niobium Corporation, de Nova York. Do nióbio provêm vários metais que, por sua grande resistência às altas temperaturas, são empregados na construção de reatores nucleares, foguetes e naves espaciais, satélites ou simples jatos. A empresa aproveita para extrair também, junto com o nióbio, boas quantidades de tântalo, tório, urânio, pirocloro e terras raras de alto teor mineral.

Um químico alemão derrotou os vencedores da Guerra do Pacífico

A história do salitre, seu apogeu e sua queda, é muito ilustrativa da ilusória duração das prosperidades latino-americanas no mercado mundial: *o sempre efêmero sopro das glórias e o peso sempre perdurável das catástrofes.*

Em meados do século passado, as negras profecias de Malthus pairavam sobre o Velho Mundo. A população europeia crescia vertiginosamente e era imprescindível conferir nova vida aos solos cansados, para que a produção de alimentos pudesse aumentar em proporção equivalente. O guano teve suas propriedades fertilizantes revelada nos laboratórios britânicos; a partir de 1840, desde a costa peruana, começou sua exportação em grande escala. Os alcatrazes e as gaivotas, alimentados pelos fabulosos cardumes de correntes que lambem as margens, tinham acumulado nas ilhas e ilhotas, desde tempos imemoriais, grandes montanhas de excrementos ricos em nitrogênio, amoníaco, fosfatos e sais alcalinos: o guano se conservava puro nas costas

---
12. SCHILLING, Paulo R. *Brasil para extranjeros.* Montevideo, 1966.

sem chuva do Peru[13]. Pouco depois do lançamento internacional do guano, a química agrícola descobriu que eram ainda maiores as propriedades nutritivas do salitre, e em 1850 já era muito intenso o seu emprego como adubo em campos europeus. As terras do velho continente dedicadas ao cultivo do trigo, empobrecidas pela erosão, recebiam avidamente os carregamentos de nitrato de soda provenientes das salitreiras peruanas de Tarapacá e, em seguida, da província boliviana de Antofagasta[14]. Graças ao salitre e ao guano, que jaziam nas costas do Pacífico "quase ao alcance dos barcos que vinham buscá-los"[15], o fantasma da fome se afastou da Europa.

A oligarquia de Lima, soberba e presunçosa como nenhuma outra, continuava enriquecendo à farta e acumulando símbolos de seu poder nos palácios e nos mausoléus de mármore de Carrara que a capital levantava em meio a desertos de areia. Antigamente, as grandes famílias limenhas tinham prosperado à custa da prata de Potosí, e agora passavam a viver da merda dos pássaros e do grumo branco e brilhante das salitreiras. O Peru acreditava que era independente, mas a Inglaterra ocupava o lugar da Espanha. "O país se sentiu rico", escrevia Mariátegui, "o Estado usou sem medida o seu crédito, entregou-se ao desperdício, hipotecando seu futuro às finanças inglesas." Em 1868, segundo Romero, os gastos e as dívidas do Estado já eram muito maiores do que o valor das vendas para o exterior. Os depósitos de guano serviam de garantia para os empréstimos britânicos, e a Europa jogava com os preços; a rapina dos exportadores fazia estragos: aquilo que a natureza havia acumulado nas ilhas ao longo de milênios era dilapidado em poucos anos. Entrementes, nos pampas salitreiros – conta Bermúdez –, os trabalhadores sobreviviam em choças "miseráveis de uma só peça que mal ultrapassavam a altura de um homem, feitas de pedras, caliça e barro".

A exploração do salitre rapidamente se estendeu até a província boliviana de Antofagasta, embora o negócio não fosse boliviano e sim peruano, e mais do que peruano, chileno. Quando o governo da Bolívia quis aplicar um

---

13. SAMHABER, Ernst. *Sudamérica, biografía de un continente.* Buenos Aires, 1946.
As aves guaneiras são as mais valiosas do mundo, escrevia Robert Cushman Murphy muito depois do apogeu, "por seus rendimentos em dólares em cada digestão". Estão acima, dizia, do rouxinol de Shakespeare que cantava na sacada de Julieta, acima da pomba que sobrevoou a Arca de Noé e, de resto, das tristes andorinhas de Bécquer. ROMERO, Emílio. *Historia económica del Perú.* Buenos Aires, 1949.

14. BERMÚDEZ, Óscar. *Historia del salitre desde sus orígenes hasta la Guerra del Pacífico.* Santiago de Chile, 1963.

15. MARIÁTEQUI, José Carlos. *Siete ensayos de interpretación de la realidad peruana.* Montevideo, 1970.

imposto às salitreiras que operavam em seu território, os batalhões militares do Chile invadiram a província para nunca mais sair. Até aquela época, o deserto fizera o papel de zona de amortecimento para os conflitos entre Chile, Peru e Bolívia. O salitre desencadeou a luta. A Guerra do Pacífico começou em 1879 e foi até 1883. As forças armadas chilenas, que já em 1879 tinham ocupado também os portos peruanos da região do salitre, Patillos, Iquique, Pisagua, Junín, entraram vitoriosas em Lima, e no dia seguinte a fortaleza de Callao se rendeu. A derrota provocou a mutilação e a sangria do Peru. A economia nacional perdeu seus dois principais recursos, paralisaram-se as forças produtivas, caiu a moeda, fechou-se o crédito exterior[16]. O colapso, advertia Mariátegui, não trouxe consigo uma liquidação do passado: a estrutura da economia colonial permaneceu invicta, embora lhe faltassem suas fontes de sustentação. A Bolívia, por sua vez, não se deu conta do que perdera com a guerra: a mina de cobre mais importante do mundo atual, Chuquicamata, localiza-se exatamente na província agora chilena de Antofagasta. Mas... e os vencedores?

O salitre e o iodo somavam 5 por cento das rendas do Estado chileno em 1880; dez anos depois, mais de metade das receitas fiscais provinham da exportação de nitrato dos territórios conquistados. No mesmo período, triplicaram os investimentos ingleses no Chile: a região do salitre tornou-se uma feitoria britânica[17]. Os ingleses se apossaram do salitre empregando procedimentos nada custosos. O governo do Peru expropriara as salitreiras em 1875, pagando com bônus; a guerra reduziu o valor desses papéis, cinco anos depois, à décima parte. Alguns aventureiros ousados, como John Thomas North e seu sócio Robert Harvey, aproveitaram-se da conjuntura. Enquanto chilenos, peruanos e bolivianos trocavam tiros no campo de batalha, os ingleses se apropriaram dos bônus graças aos créditos que lhes foram proporcionados, sem dificuldade alguma, pelo Banco de Valparaíso e

---

16. O Peru perdeu a província salitreira de Tarapacá e algumas importantes ilhas guaneiras, mas conservou as jazidas de guano da costa norte. O guano continuava sendo o principal fertilizante da agricultura peruana, até que, a partir de 1960, o auge da farinha de pescado aniquilou os alcatrazes e as gaivotas. As empresas pesqueiras, em sua maioria norte-americanas, arrasaram rapidamente os bancos de anchovinhas próximos da costa, para alimentar com farinha peruana os porcos e as aves dos Estados Unidos e da Europa, e os pássaros guaneiros passaram a perseguir os pescadores mar afora, cada vez mais longe. Sem resistência para o regresso, caíam no mar. Outros não iam, e assim era possível ver, em 1962 e 1963, bandos de alcatrazes procurando comida na principal avenida de Lima: quando já não podiam mais levantar voo, tombavam mortos nas ruas da cidade.

17. RAMÍREZ NECOCHEA, Hernán. *Historia del imperialismo en Chile*. Santiago de Chile, 1960.

outros bancos chilenos. Por eles estavam lutando os soldados, embora não o soubessem. O governo chileno recompensou prontamente o sacrifício de North, Harvey, Inglis, James, Bush, Robertson e outros laboriosos homens de empresa: em 1881 determinou a devolução das salitreiras aos seus *legítimos donos*, isto quando já a metade dos bônus passara às mãos prodigiosas de especuladores britânicos. Para financiar esse saque não saíra da Inglaterra nem um único pêni.

Ao abrir-se a década de 90, o Chile destinava à Inglaterra três quartas partes de suas exportações, e da Inglaterra recebia quase a metade de suas importações; sua dependência comercial era ainda maior do que aquela que, na mesma época, afetava a Índia. A guerra havia concedido ao Chile o monopólio mundial dos nitratos naturais, mas o rei do salitre era John Thomas North. Uma de suas empresas, a Liverpool Nitrate Company, pagava dividendos de 40 por cento. Esse personagem havia desembarcado no porto de Valparaíso, em 1866, com apenas dez libras esterlinas no bolso do velho traje coberto de pó; 30 anos depois, os príncipes e os duques, os políticos mais proeminentes e os grandes industriais sentavam-se à mesa de sua mansão londrina. North inventara para si um posto de coronel e se filiara, como correspondia a um cavalheiro de seu quilate, ao Partido Conservador e à Loja Maçônica de Kent. Lorde Dorchester, Lorde Randolph Churchill e o marquês de Stockpole participavam de suas festas extravagantes, nas quais North dançava fantasiado de Henrique VIII[18]. Enquanto isso, em seu distante reino do salitre, os obreiros chilenos não folgavam no domingo, trabalhavam até dezesseis horas diárias e recebiam salários com fichas que perdiam metade de seu valor nos armazéns das empresas.

Entre 1886 e 1890, sob a presidência de José Manuel Balmaceda, o Estado chileno executou, conforme Ramírez Necochea, "os planos de progresso mais ambiciosos de sua história". Balmaceda impulsionou o desenvolvimento de algumas indústrias, realizou importantes obras públicas, renovou a educação, tomou providências para romper o monopólio da empresa britânica de ferrovias em Tarapacá e contratou com a Alemanha o primeiro e único empréstimo que o Chile *não* recebeu da Inglaterra em todo o século passado. Em 1888, anunciou que era necessário nacionalizar os distritos salitreiros mediante a constituição de empresas chilenas, e se negou a vender aos ingleses as terras salitreiras de propriedade do Estado. Três anos depois sobreveio a guerra civil. North e seus colegas financiaram regiamente os re-

---

18. RAMÍREZ NECOCHEA, Hernán. *Balmaceda y la contrarrevolución de 1891*. Santiago de Chile, 1969.

beldes[19], e os barcos de guerra britânicos bloquearam o litoral do Chile, enquanto em Londres a imprensa bradava contra Balmaceda, "ditador da pior espécie", "carniceiro". Derrotado, Balmaceda se suicidou. O embaixador inglês informou ao Foreign Office: "A comunidade britânica não faz segredo de sua satisfação pela queda de Balmaceda, cujo triunfo, acredita-se, teria trazido sérios prejuízos para os interesses comerciais britânicos". De imediato se apequenaram os investimentos estatais em estradas, ferrovias, colonização, educação e obras públicas, ao mesmo tempo em que as empresas britânicas ampliavam seus domínios.

Às vésperas da Primeira Guerra Mundial, dois terços da receita nacional do Chile provinham da exportação de nitratos, mas o pampa salitreiro estava mais amplo e alheio do que nunca. A prosperidade não tinha servido para desenvolver e diversificar o país, mas, ao contrário, só servira para acentuar suas deformações estruturais. O Chile funcionava como um apêndice da economia britânica: o mais importante abastecedor de adubos do mercado europeu não tinha direito a uma vida própria. E então um químico alemão, em seu laboratório, derrotou os generais que, tempos antes, haviam triunfado no campo de batalha. O aperfeiçoamento do processo Haber-Bosch para produzir nitratos, obtendo o nitrogênio do ar, derrubou definitivamente o salitre e provocou uma estrepitosa queda da economia chilena. A crise do salitre era a crise do Chile, profunda ferida, porque o Chile vivia do salitre e para o salitre – e o salitre estava em mãos estrangeiras.

No resseco deserto de Tamarugal, onde os reflexos da terra podem queimar os olhos, fui testemunha do arrasamento de Tarapacá. Ali havia 120 usinas salitreiras na época do apogeu e agora resta apenas uma em funcionamento. No pampa não há umidade nem carunchos, de modo que não só foram vendidas as máquinas como

---

19. O Senado encabeçava a oposição ao presidente, e era notória a atração de muitos de seus membros pelas libras esterlinas. O suborno de chilenos, segundo os ingleses, era "um costume do país". Assim o definiu em 1897 o sócio de North, Robert Harvey, durante o processo que alguns pequenos acionistas entraram contra ele e outros diretores da The Nitrate Railways Co. Explicando o desembolso de 100 mil libras para subornos, disse Harvey: "A administração pública no Chile, como você sabe, é muito corrupta (...). Não digo que seja necessário subornar juízes, mas acredito que muitos membros do Senado, escassos de recursos, vão tirar algum benefício de parte desse dinheiro em troca de seus votos; e ele também serviu para impedir que o governo em absoluto se negasse a ouvir nossos protestos e reclamações (...)." RAMÍREZ NECOCHEA, op. cit.

sucata, mas também as tábuas de pinho de Oregon das melhores casas, as folhas de zinco e até parafusos e pregos em boas condições. Surgiram operários especializados em desmanchar povoados: eram os únicos que conseguiam trabalho nessas imensidões arrasadas e abandonadas. Vi os escombros e os buracos, os povoados fantasmas, as linhas mortas da Nitrate Railways, os fios mudos do telégrafo, os esqueletos das usinas salitreiras despedaçadas pelo bombardeio dos anos, as cruzes dos cemitérios batidas à noite pelo vento frio, os montes esbranquiçados da caliça que ia sobrando nas escavações. "Aqui corria o dinheiro e todos acreditavam que nunca acabaria", contaram-me os aldeões sobreviventes. O passado parece um paraíso comparado com o presente, e até os domingos, que em 1889 não existiam para os trabalhadores e que logo foram conquistados pacificamente na luta sindical, são lembrados com todos os seus fulgores: "Cada domingo no pampa salitreiro", contava-me um velho muito velho, "era para nós uma festa nacional, um novo 18 de setembro a cada semana". Iquique, o maior porto do salitre, "porto de primeira" segundo seu *slogan* oficial, tinha sido o cenário de mais de uma matança de operários, mas seu teatro municipal, de estilo *belle époque*, recebia os melhores cantores da ópera europeia antes de Santiago.

Dentes de cobre sobre o Chile

O cobre não demorou muito para ocupar o lugar do salitre na economia chilena, ao mesmo tempo em que a hegemonia britânica abria passagem ao domínio dos Estados Unidos. Às vésperas da crise de 1929, os investimentos norte-americanos no Chile ascendiam a mais de 400 milhões de dólares, quase todos destinados à exploração e ao transporte do cobre. Até a vitória eleitoral das forças da Unidade Popular em 1970, as maiores jazidas do metal vermelho continuavam nas mãos da Anaconda Copper Mining Co. e da Kennecott Copper Co., duas empresas intimamente ligadas entre si, como parte do mesmo consórcio mundial. Em meio século, ambas remeteram do Chile para suas matrizes quatro bilhões de dólares, caudaloso sangue que se evadiu sob diversos títulos, e em contrapartida tinham efetivado, segundo suas próprias e infladas cifras, um investimento total que não passava de 800 milhões, quase tudo proveniente de lucros arrancados ao país[20]. A hemorragia fora

---

20. As mesmas empresas industrializavam o mineral chileno em suas fábricas longínquas. Anaconda American Brass, Anaconda Wire and Cable e Kennecott Wire and Cable figuram entre as principais fábricas de bronze e arame do mundo inteiro. CADEMARTORI, José. *La economía chilena*. Santiago de Chile, 1968.

aumentando na medida em que a produção crescia, até superar os 100 milhões por ano nos últimos tempos. Os donos do cobre eram os donos do Chile.

Enquanto escrevo isto, em fins de 1970, Salvador Allende fala da sacada do palácio do governo para uma multidão fervorosa; anuncia que assinou o projeto de reforma constitucional que tornará possível a nacionalização da mineração. Em 1969, diz ele, a Anaconda alcançou no Chile lucros de 79 milhões de dólares, que equivalem a 80 por cento de suas rendas em todo o mundo: no entanto, acrescenta, a Anaconda tem no Chile menos da sexta parte de seus investimentos no exterior. A *guerra bacteriológica* da direita, uma planejada campanha de propaganda destinada a semear o terror para evitar a nacionalização do cobre e as demais reformas de estrutura anunciadas pela esquerda, foi tão intensa quanto nas eleições anteriores. Os jornais publicaram fotos mostrando tanques soviéticos movimentando-se diante do palácio presidencial de La Moneda; nas paredes de Santiago apareciam cartazes que mostravam guerrilheiros barbados arrastando jovens inocentes para a morte; tocavam a campainha de cada casa e aparecia uma senhora: "Você tem quatro filhos? Dois irão para a União Soviética e dois para Cuba". Tudo foi inútil. O cobre, anuncia Allende, será chileno.

Os Estados Unidos, por sua vez, com as pernas presas na armadilha das guerras do sudeste asiático, não ocultaram o mal-estar oficial diante da marcha dos acontecimentos ao sul da cordilheira dos Andes. O Chile, contudo, não está ao alcance de uma súbita expedição dos *marines*, e Allende, de resto, é presidente com todos os requisitos da democracia representativa que o país do norte formalmente prega. O imperialismo atravessa as primeiras etapas de um novo ciclo crítico, cujos signos já são nítidos em sua economia; sua função de polícia mundial tornou-se mais cara e mais difícil. E a guerra de preços? Agora a produção chilena é vendida em mercados diversos, e pode abrir mercados novos entre os países socialistas; os Estados Unidos carecem de meios para bloquear, em escala universal, as vendas do cobre que os chilenos querem recuperar. Muito diferente, por certo, era a situação do açúcar cubano doze anos atrás, integralmente destinado ao mercado norte-americano e inteiramente dependente de seu preço. Quando Eduardo Frei ganhou as eleições em 1964, a cotação do cobre subiu de imediato com visível alívio; quando Allende ganhou as de 1970, o preço, que já vinha baixando, caiu mais ainda. Mas o cobre, habitualmente sujeito às severas flutuações de preços, havia desfrutado de preços razoavelmente altos nos últimos anos, e como a demanda excede a oferta, a escassez impede que o nível tenha quedas consideráveis. Embora o alumínio, em grande medida, tenha ocupado o lugar do cobre como condutor de eletricidade, o alumínio também requer cobre, e também não foram encontrados sucedâneos mais baratos e eficazes para substituí-lo na indústria do aço e na indústria química, e o metal vermelho continua sendo a principal matéria-prima nas fábricas de pólvora, latão e arame.[21]

Ao longo das faldas da cordilheira, o Chile possui as maiores reservas de cobre do mundo, uma terça parte do total até agora conhecido. O cobre chileno geralmente aparece associado a outros metais, como o ouro, a prata e o molibdênio. É um fator adicional para estimular a exploração. Além disso, os obreiros chilenos, para as empresas, são baratos: com seus baixíssimos custos no Chile, a Anaconda e a Kennecott financiam com sobras seus altos custos nos Estados Unidos, do mesmo modo que o cobre chileno paga, pela via dos "gastos no exterior", mais de dez milhões anuais para a manutenção de seus representantes em Nova York. O salário médio das minas chilenas mal alcançava, em 1964, a oitava parte do salário básico nas refinarias da Kennecott nos Estados Unidos, ainda que a produtividade tanto de uns quanto de outros estivesse no mesmo nível[22]. Não eram iguais, portanto, e nem o são, as condições de vida. Os mineiros chilenos, geralmente, vivem em estreitos e sórdidos quartinhos, separados de suas famílias, que moram em casinholas miseráveis de arrabalde; afastados, decerto, do pessoal estrangeiro, que nas grandes minas habita um universo à parte, minúsculos estados dentro do Estado, onde só se fala inglês e até são editados jornais para sua exclusiva leitura. A produtividade obreira no Chile foi aumentando na medida em que as empresas mecanizavam seus meios de exploração. Desde 1945, a produção de cobre aumentou em 50 por cento, mas o número de operários empregados nas minas reduziu-se a uma terça parte.

A nacionalização dará um fim a um estado de coisas que se tornou insuportável para o país, e evitará que se repita com o cobre a experiência de saque e queda no vazio que sofreu o Chile no ciclo do salitre. Porque os impostos que as empresas pagam ao Estado não compensam de modo algum o inflexível esgotamento dos recursos minerais que a natureza concedeu e não renovará. De resto, os impostos diminuíram em termos relativos, desde que, em 1955, foi estabelecido o sistema de tributação decrescente de acordo com os aumentos da produção, e desde a "chilenização" do cobre determinada pelo governo de Frei. Em 1965, Frei tornou o Estado sócio da Kennecott e

---

21. GRANT-SUTTIE, R. I. "Sucedáneos del cobre." In: *Finanzas y desarrollo*.Revista do FMI e do BIRF. Washington, junho de 1969.
22. VERA, Mario & CATALÁN, Elmo. *La encrucijada del cobre.* Santiago de Chile, 1965.

permitiu às empresas pouco menos que triplicar seus lucros, através de um regime tributário que lhes foi muito propício. No novo regime, os gravames foram aplicados sobre um preço médio de 29 centavos a libra, ainda que o preço, empurrado pela grande demanda mundial, tenha subido até 70 centavos. Com a diferença de impostos entre o preço fictício e o preço real, o Chile perdeu uma enorme quantidade de dólares, como reconheceu o próprio Radomiro Tomic, o candidato eleito para suceder Frei no período seguinte. Em 1969, o governo de Frei celebrou com a Anaconda um acordo para lhe comprar 51 por cento das ações em quotas semestrais, em condições tais que desencadearam um novo escândalo político e deram maior impulso ao crescimento das forças de esquerda. O presidente da Anaconda dissera previamente ao presidente do Chile, segundo a versão divulgada pela imprensa: "Excelência, os capitalistas não conservam os bens por motivos sentimentais, mas por razões econômicas. É normal que uma família guarde um roupeiro que pertenceu a um avô; as empresas, no entanto, não têm avô. A Anaconda pode vender todos os seus bens. Depende só do preço que lhe paguem".

Os mineiros do estanho, por baixo e por cima da terra

Há pouco menos de um século, um homem quase morto de fome lutava contra as rochas em meio às desolações do altiplano da Bolívia. A dinamite explodiu. Quando ele se aproximou para recolher os pedaços de pedra triturados pela explosão, deslumbrou-se. Tinha nas mãos cacos do mais rico veio de estanho do mundo. Ao amanhecer do dia seguinte, montou a cavalo rumo a Huanuni. A análise das amostras confirmou o valor do achado. O estanho podia ser levado diretamente do veio para o porto, sem necessidade de passar por processo algum de concentração. Aquele homem se tornou o rei do estanho, e quando morreu a revista *Fortune* afirmou que ele era um dos dez multimilionários mais multimilionários do planeta. Chamava-se Simón Patiño. Da Europa, durante muitos anos, fez e derrubou presidentes e ministros bolivianos, planificou a fome dos operários e organizou suas matanças, ramificou e estendeu sua fortuna pessoal: a Bolívia era um país que existia só para servi-lo.

A partir das jornadas revolucionárias de abril de 1952, a Bolívia nacionalizou o estanho. No entanto, aquelas riquíssimas minas agora já eram pobres. No cerro Juan del Valle, onde Patiño descobrira o fabuloso filão, a lei do estanho se reduzira 120 vezes. Das 156 mil toneladas de rocha que saem mensalmente pelas bocas das minas, são recuperadas apenas 400. As perfurações já somam, em quilômetros, uma distância duas vezes maior do que aquela que separa a mina da cidade de La Paz: o cerro, por dentro, é um formigueiro atravessado por infinitas galerias, corredores, túneis e chaminés. Está a caminho de tornar-se uma casca oca. A cada ano perde um pouco mais de altura, e a lenta derrubada vai carcomendo sua crista: de longe, parece um dente cariado.

Antenor Patiño não só recebeu uma considerável indenização pelas minas que seu pai espremeu, como também manteve o controle do preço e do destino do estanho expropriado. Da Europa, não cessava de sorrir. "Mister Patiño é o afável rei do estanho boliviano", seguiriam comentando as crônicas sociais muitos anos depois da nacionalização[23]. Porque a nacionalização, conquista fundamental da revolução de 1952, não modificou o papel da Bolívia na divisão internacional do trabalho. A Bolívia seguiu exportando o material bruto, e quase todo o estanho ainda é refinado nos fornos de Liverpool da empresa Williams, Harvey and Co., que pertence a Patiño. A nacionalização das fontes de produção de qualquer matéria-prima, como ensina a dolorosa experiência, não é suficiente. Um país pode continuar tão condenado à impotência como antes, ainda que, nominalmente, torne-se o dono de seu subsolo. Ao longo de sua história, a Bolívia produziu minerais brutos e discursos refinados. Abundam a retórica e a miséria; desde sempre, escritores afetados e doutores de fraque se devotaram à absolvição dos culpados. De cada dez bolivianos, seis ainda não sabem ler; a metade

---

23. *The New York Times* de 13 de agosto de 1969 o definia nesses termos, ao descrever em êxtase as férias do duque e da duquesa de Windsor no castelo do século XVI que Patiño possui nos arredores de Lisboa. "Agrada-nos dar aos empregados um pouco de calma e de paz", confessava a senhora, enquanto explicava para Charlotte Curtis seu programa do dia.
Depois, é o tempo das férias de montanha na Suíça; os fotógrafos e os jornalistas perseguem os condes e os artistas da moda em Saint Moritz. Uma milionária de 50 anos acaba de perder o segundo marido, vice-presidente da Ford, e sorri diante dos *flashes*: anuncia seu próximo casamento com um jovenzinho que a toma pelo braço e olha com olhos assustados. Ao lado, outro casal do grande mundo. Ele é um homem de baixa estatura e traços indígenas: sobrancelhas espessas, olhos duros, nariz achatado, pômulos salientes. Antenor Patiño continua parecendo boliviano. Numa revista, Antenor aparece fantasiado de príncipe oriental, com turbante e tudo, entre vários príncipes autênticos que se reuniram no palácio do barão Alexis de Rédé: a princesa Margarita da Dinamarca, o príncipe Enrique, María Pía de Saboya e seu primo o príncipe Miguel de Bourbon-Parma, o príncipe Lobckowitz e outros trabalhadores.

das crianças não frequenta a escola. Recém em 1971, a Bolívia terá em funcionamento sua própria fundição nacional de estanho, levantada em Oruro, ao cabo de uma história interminável de traições, sabotagens, intrigas e sangue derramado[24]. Esse país que, até agora, não podia produzir seus próprios lingotes, dá-se ao luxo de contar com oito faculdades de Direito, destinadas à fabricação de vampiros de índios.

Contam que, há um século, o ditador Mariano Melgarejo obrigou o embaixador da Inglaterra a beber um barril inteiro de chocolate, como castigo por ter recusado um copo de chicha. Depois o embaixador teve de desfilar pela rua principal de La Paz, montado ao contrário num burro. E foi devolvido para Londres. Dizem que então a rainha Vitória, enfurecida, mandou trazer o mapa da América do Sul, desenhou com giz uma cruz sobre a Bolívia e decretou: "A Bolívia não existe". Para o mundo, de fato, a Bolívia não existia e nem existiu depois: o saque da prata e, posteriormente, do estanho, não passaram de um exercício do direito natural dos países ricos. Afinal, as embalagens de lata identificam os Estados Unidos tanto quanto o emblema da águia e a torta de maçã. Mas tal embalagem não é só um símbolo *pop* dos Estados Unidos; *embora não se saiba, é também um símbolo da silicose nas minas de Huanuni e Século XX: a lata contém estanho, e os mineiros bolivianos morrem com os pulmões apodrecidos para que o mundo possa consumir estanho barato. Meia dúzia de homens fixa seu preço mundial.* Para os consumidores de conservas ou os manipuladores da Bolsa, que importa a dura vida do mineiro da Bolívia? Os norte-americanos compram a maior parte do estanho que é

---

24. Quando o general Alfredo Ovando anunciou, em julho de 1966, que se chegara a um acordo com a empresa alemã Klochner para a instalação dos fornos estatais, disse também que teriam um novo destino "essas pobres minas que, até agora, só serviram para abrir buracos nos pulmões de nossos irmãos mineiros". Esses homens que dão sua vida ao mineral, escrevia Sergio Almaraz Paz (*El poder y la caída. El estaño en la historia de Bolivia.* La Paz; Cochabamba, 1967), "não o possuem. Nunca o possuíram, nem antes nem depois de 1952. Porque o que acontece é que o estanho, para aproveitamento imediato, nada vale senão com o brilhante aspecto de um lingote. O mineral, pó pesado de terroso aspecto, certamente não serve para nada, ou só serve para ser despejado à boca do forno.
Almaraz Paz contou a história de um industrial, Mariano Peró, que ao longo de 30 anos sustentou uma guerra solitária para que o estanho boliviano fosse refinado em Oruro e não em Liverpool. Em 1946, poucos dias depois da queda do presidente nacionalista Gualberto Villarroel, Peró entrou no Palacio Quemado. Ia recolher dois lingotes de estanho. Eram os primeiros lingotes produzidos em sua fundição de Oruro, e já não havia sentido que aquele par de símbolos, que encarnavam a nação, continuassem decorando o gabinete do Presidente da República. Villarroel tinha sido enforcado num poste da Plaza Murillo e a partir de sua queda o poder da *rosca* oligárquica fora restaurado. Mariano Peró apanhou os lingotes e foi embora com eles. Estavam manchados de sangue seco.

refinado no planeta: para manter em dado limite os preços, periodicamente ameaçam lançar no mercado suas enormes reservas do mineral, compradas por muito menos do que a cotação, a preços de "contribuição democrática" nos anos da Segunda Guerra Mundial. Segundo os dados da FAO, o cidadão médio dos Estados Unidos consome cinco vezes mais carne e leite e vinte vezes mais ovos do que um habitante da Bolívia. E os mineiros estão muito abaixo da média nacional. No cemitério de Catavi, onde os cegos rezam pelos mortos em troca de uma moeda, dói encontrar, entre as lápides escuras dos adultos, um sem-número de cruzes brancas sobre as tumbas pequeninas. De cada duas crianças nascidas nas minas, morre uma pouco tempo depois de abrir os olhos. A outra, a que sobrevive, seguramente vai ser mineira quando crescer. E antes dos 30 anos já não terá pulmões.

O cemitério range. Debaixo dos túmulos, foram cavados incontáveis túneis, cavernas de boca estreita onde mal cabem os homens que ali se introduzem como viscachas, em busca do mineral. Novas jazidas de estanho se acumularam nos aterros ao longo dos anos, toneladas de resíduos sobre resíduos despejados em gigantescos montes cinzentos que, assim, somaram estanho ao estanho da paisagem. Quando cai a chuva com violência das nuvens próximas, os desempregados se agacham ao longo das ruas de terra de Llallagua, onde os homens se embriagam desesperadamente nas bodegas de chicha: vão recolhendo e calculando o peso do estanho arrastado pela chuva. Ali o estanho é um deus de lata que reina sobre os homens e as coisas, e está presente em todos os lugares. Não é só no ventre do velho cerro de Patiño que há estanho. Anunciado pelo brilho negro da cassiterita, há estanho até nas paredes de adobe dos acampamentos. Há estanho também na lama amarelada que avança arrastando as sobras da mina, e há estanho ainda nas águas envenenadas que correm da montanha; o estanho está presente na terra e na rocha, na superfície e no subsolo, nas areias e nas pedras do leito do rio Seco. Nessas terras áridas e pedregosas, a quase 4 mil metros de altitude, onde não cresce o pasto e onde tudo, até as pessoas, tem a cor escura do estanho, os homens sofrem estoicamente seu obrigado jejum e não conhecem a festa do mundo. Vivem em acampamentos, amontoados em casas de uma única peça de chão batido; o vento cortante entra pelas frestas. Um informe universitário sobre a mina de Colquiri revela que, de cada dez rapazes pesquisados, seis dormem na mesma cama de suas irmãs, e acrescenta: "Muitos pais se sentem constrangidos quando seus filhos os observam durante o ato sexual". Não há banheiros; as latrinas são pequenos cubículos cheios de imundície e moscas: as pessoas preferem usar os quintais, áreas abertas, onde ao menos circula o ar, apesar do lixo e dos excrementos acumulados e dos porcos que se refocilam felizes. Também é coletivo o serviço de água: é preciso esperar que a água chegue e se apressar, fazer a fila, recolher a água do tanque público com latões de gasolina ou jarros de barro. A comida é escassa e de mau aspecto: batatas, macarrão, arroz, farinha, milho miúdo e um naco de carne dura.

Estávamos no fundo do cerro Juan del Valle. O uivo penetrante de uma sirene, que chamava os trabalhadores do primeiro turno, ressoara no acampamento algumas horas antes. Recorrendo galerias, passávamos do calor tropical ao frio polar e novamente ao calor, sem sair, durante horas, de uma mesma atmosfera envenenada. Aspirando aquele ar espesso – umidade, gases, pó, fumaça –, podíamos compreender por que os mineiros, em poucos anos, perdem os sentidos do olfato e do gosto. Enquanto trabalhavam, todos mastigavam folhas de coca com cinza, e isto também era parte da obra de aniquilação, pois a coca, como se sabe, ao atenuar a fome e mascarar a fadiga, vai apagando o sistema de alarmas com que conta o organismo para continuar vivo. Mas o pior era o pó. Os capacetes com lâmpada acoplada irradiavam um rebuliço de círculos de luz que salpicavam a gruta negra e deixavam ver, à sua passagem, cortinas de um pó branco e denso: o implacável pó da sílica. O mortal alento da terra vai envolvendo pouco a pouco. No primeiro ano, sentem-se os primeiros sintomas, e em dez anos entra-se no cemitério. Dentro da mina são usadas perfuratrizes suecas em seus últimos modelos, mas os sistemas de ventilação e as condições de trabalho não melhoraram com o tempo. Na superfície, os trabalhadores independentes usam picareta e pesadas marretas de doze libras para lutar com a rocha, exatamente como há 100 anos, e peneiras, filtros, coadores para concentrar o material em campo aberto. Ganham centavos e trabalham como animais. No entanto, muitos deles têm, ao menos, a vantagem do ar livre. Dentro da mina, os obreiros são presos condenados sem apelação a morrer por asfixia.

Cessara o estrépito das brocas e os operários faziam uma pausa enquanto aguardávamos a explosão de mais de vinte cargas de dinamite. A mina também proporciona mortes rápidas e sonoras: basta um erro na contagem das detonações ou que a mecha demore mais do que o normal para arder. Basta também que uma rocha solta, um pesado fragmento desprenda-se sobre um crânio. Ou basta o inferno da metralhadora: a noite de São João de 1967 foi a última conta de um longo rosário de matanças. De madrugada, os soldados tomaram posição nas colinas, joelhos no chão, e lançaram um furacão de balas sobre os acampamentos iluminados pelas fogueiras da festa[25]. Mas a morte lenta e silenciosa é a especialidade da mina. O vômito de sangue, a tosse, a sensação de um peso de chumbo nas costas e uma aguda opressão no peito são os sinais que a anunciam. Depois do exame médico vêm as peregrinações burocráticas, que nunca se acabam. Dão o prazo de três meses para desocupar a casa.

Já havia cessado o estrépito das brocas e a explosão logo estremeceria aquele veio escorregadio cor de café e lembrando uma cobra. Agora era possível falar. O volume da coca inflava as bochechas dos operários e pelas comissuras de seus lábios escorria uma baba esverdeada. Um mineiro passou, apressado, chapinhando no barro entre os trilhos da galeria. "Esse é novato", disseram-me, "viu só? Com sua calça do exército e o blusão amarelo sobressai sua juventude. Ele entrou agorinha e como trabalha. Ainda é um bom braço. *Ainda não sente nada.*"

Os tecnocratas e os burocratas não morrem de silicose, mas vivem dela. O gerente geral da COMIBOL, Corporação Mineira Boliviana, ganha 100 vezes mais do que um obreiro. De um barranco que cai a pique no leito do rio, no limite de Llallagua, pode-se ver o pampa de María Barzola. Chama-se assim em homenagem a uma militante operária que, há quase 30 anos, à frente de uma manifestação, caiu com a bandeira da Bolívia cosida ao corpo pelas rajadas de metralhadoras. E além do pampa de María Barzola pode-se ver o melhor campo de golfe da Bolívia: é o campo usado pelos engenheiros e principais funcionários de Catavi. O ditador René Barrientos reduziu à metade o salário de fome dos mineiros, em 1964, ao mesmo tempo em que elevou a remuneração de técnicos e burocratas proeminentes. Os estipêndios do

---

25. "Quando me sento, bêbado estou. Três, quatro, vejo as gentes. Não posso comer só. Uma *huahua* eu sou, pois. Uma criança." Saturnino Condori, velho pedreiro do acampamento mineiro da mina Século XX, há mais de três anos está deitado numa cama do hospital de Catavi. É uma das vítimas da matança da noite de São João, em 1967. Ele nem sequer estivera a festejar. Ofereceram-lhe um pagamento triplo para que trabalhasse no sábado, 24, e então, diferentemente dos demais, resolveu não se afundar no delírio da chicha e da farra. Deitou-se cedo. Nessa noite sonhou que um cavaleiro atirava espinhos em seu corpo. "Me atirou espinhos grandes". Despertou várias vezes, pois a chuva de balas sobre o acampamento começou às cinco da manhã. "Meu corpo se desarranjou, se desmanchou, uma mornidão me pegou e eu assustado, assustado, assim eu estava. Minha mulher disse: anda, foge. Mas eu não tinha feito nada, nem tinha ido a parte alguma. Anda, anda, ela disse. Tiroteios havia de noite, que será isso, que será, pap-pap-pap-pap-pap e eu despertando e dormindo assim, aos poucos, e nem assim escapei. Minha mulher disse: anda logo, anda, foge. Mas o que vão me fazer, eu digo, sou um pedreiro particular, o que vão me fazer?" Ele despertou por volta das oito da manhã. Ergueu-se na cama. A bala atravessou o teto, atravessou o chapéu de sua mulher e rebentou sua coluna vertebral.

pessoal superior são secretos. Secretos e em dólares. Há um poderoso *grupo assessor* formado por técnicos do Banco Interamericano de Desenvolvimento, da Aliança para o Progresso e da banca estrangeira credora, cujos conselhos orientam a mineração nacionalizada da Bolívia de tal modo que, nesta altura, a COMIBOL, convertida num Estado dentro do Estado, constitui uma propaganda viva contra a nacionalização de qualquer coisa. O poder da velha *rosca* oligárquica foi substituído pelo poder de numerosíssimos membros de uma "nova classe" que têm dedicado seus melhores esforços para sabotar por dentro a mineração estatal. Os engenheiros não só torpedearam todos os projetos e planos destinados à criação de uma fundição nacional, como também colaboraram para que as minas do Estado ficassem fechadas nos limites das velhas jazidas de Patiño, Aramayo e Hochschild, em acelerado processo de esgotamento de reservas. Entre fins de 1964 e abril de 1969, o general Barrientos rompeu a barreira do som na entrega dos recursos do subsolo boliviano ao capital imperialista, com a aberta cumplicidade de técnicos e gerentes. Sergio Almaraz, num de seus livros[26], conta a história da concessão dos aterros de estanho à International Mining Processing Co. Com um capital declarado de apenas cinco mil dólares, a empresa de tão pomposo nome obtem um contrato que lhe permitirá ganhar mais de 900 milhões.

Dentes de ferro sobre o Brasil

Pelo ferro que compram do Brasil e da Venezuela, os Estados Unidos pagam menos do que pelo ferro extraído de seu próprio subsolo. Mas esta não é a chave da ânsia norte-americana de apossar-se de jazidas de ferro no exterior: a posse ou o controle das minas fora de suas fronteiras constitui, mais do que um negócio, um imperativo da segurança nacional. O subsolo norte-americano, como vimos, já se exaure. Sem o ferro não se faz o aço, e 85 por cento da produção industrial dos Estados Unidos, de uma forma ou de outra, contém aço. Quando, em 1969, reduziram-se os fornecimentos do Canadá, houve um imediato aumento das importações da América Latina.

O cerro Bolívar, na Venezuela, é tão rico que a terra dele retirada pela US Steel Co. é carregada diretamente para os porões dos navios rumo aos Estados Unidos. O cerro expõe em suas encostas as profundas feridas que lhe infligem os *bulldozers*: a empresa estima que contém cerca de oito bilhões

---

26. ALMARAZ PAZ, op. cit.

de dólares em ferro. Num só ano, em 1960, a US Steel e a Bethlehem Steel repartiram ganhos equivalentes a mais de 30 por cento do capital investido no ferro da Venezuela, e o volume desses lucros resultou igual à soma de todos os impostos pagos ao Estado venezuelano nos dez anos transcorridos desde 1950[27]. Como as duas empresas vendem o ferro com destino aos seus próprios estabelecimentos siderúrgicos nos Estados Unidos, não têm o menor interesse na defesa do preço; ao contrário, convêm-lhes que o custo da matéria-prima seja o mais barato possível. A cotação internacional do ferro, que caíra verticalmente entre 1958 e 1964, estabilizou-se relativamente nos anos posteriores e permanece estancada; entrementes, o preço do aço não parou de subir. *O aço é produzido nos centros ricos do mundo, o ferro nos subúrbios pobres; o aço paga salários de "aristocracia operária", e o ferro, diárias de mera subsistência.*

Graças às informações recolhidas e divulgadas, lá por 1910, por um Congresso Internacional de Geologia reunido em Estocolmo, os homens de negócios dos Estados Unidos puderam, pela primeira vez, avaliar as dimensões dos tesouros escondidos sob o solo de uma série de países, um dos quais, talvez o mais tentador, era o Brasil. Muitos anos depois, em 1948, a embaixada dos Estados Unidos criou um cargo novo no Brasil, o *adido mineral*, que logo teve tanto trabalho quanto o adido militar e o adido cultural: tanto que, rapidamente, foram designados dois *adidos minerais* no lugar de um só[28]. Pouco depois, a Bethlehem Steel recebia do governo de Dutra as esplêndidas jazidas de manganês do Amapá. Em 1952, o acordo militar assinado com os Estados Unidos proibiu o Brasil de vender matérias-primas de valor estratégico – como o ferro – para os países socialistas. Esta foi uma das causas da trágica queda do presidente Getúlio Vargas, que desobedeceu essa imposição e, em 1953 e 1954, vendeu ferro para a Polônia e a Tchecoslováquia a preços mais altos do que aquele que era pago pelos Estados Unidos. Em 1957, a Hanna Mining Co. comprou, por seis milhões de dólares, a maioria das ações de uma empresa britânica, a Saint John Mining Co., que se dedicava à extração do ouro em Minas Gerais desde os distantes tempos do Império. A Saint John operava no vale do Paraopeba, onde jaz a maior concentração de ferro do mundo inteiro, avaliada em 200 bilhões de dólares. A empresa inglesa não estava legalmente habilitada a explorar essa fabulosa riqueza, e tampouco a

---

27. PLAZA, Salvador de la. In: *Perfiles de la economía venezolana*, volume coletivo. Caracas, 1964.
28. PEREIRA, Osny Duarte. *Ferro e independência. Um desafio à dignidade nacional.* Rio de Janeiro, 1967.

Hanna estaria, de acordo com as claras disposições constitucionais e legais que Duarte Pereira enumera em sua obra sobre o tema. Mas este foi, logo se soube, o negócio do século.

George Humphrey, diretor presidente da Hanna, era então membro proeminente do governo dos Estados Unidos, como secretário do Tesouro e como diretor do Eximbank, o banco oficial para financiamento de operações de comércio exterior. A Saint John havia solicitado um empréstimo ao Eximbank: não teve sorte até que a Hanna se apoderou da empresa. A partir de então, desencadearam-se as mais furiosas pressões sobre os sucessivos governos do Brasil. Os diretores, advogados e assessores da Hanna – Lucas Lopes, José Luiz Bulhões Pereira, Roberto Campos, Mário da Silva Pinto, Otávio Gouveia de Bulhões – eram também membros de alto nível do governo do Brasil, e continuaram ocupando cargos de ministros, embaixadores ou diretores de serviços nos ciclos seguintes. A Hanna não havia escolhido mal seu estado-maior. O bombardeio se tornou cada vez mais intenso para que fosse reconhecido à Hanna o direito de explorar o ferro que, a rigor, pertencia ao Estado. Em 21 de agosto de 1961 o presidente Jânio Quadros assinou uma resolução que anulava as ilegais autorizações estendidas a favor da Hanna e restituía as jazidas de ferro de Minas Gerais à reserva nacional. Quatro dias depois, os ministros militares obrigaram Quadros a renunciar: "Forças terríveis se levantaram contra mim...", dizia o texto da renúncia.

O levantamento popular encabeçado por Leonel Brizola em Porto Alegre frustrou o golpe dos militares e colocou no poder o vice-presidente de Quadros, João Goulart. Em julho de 1962, quando um ministro quis pôr em prática o decreto fatal contra a Hanna – que fora mutilado no Diário Oficial –, o embaixador dos Estados Unidos, Lincoln Gordon, enviou um telegrama a Goulart, protestando com viva indignação pelo atentado que o governo ia cometer contra os interesses da uma empresa norte-americana. O Poder Judiciário confirmou a validade da resolução de Jânio Quadros, mas Goulart vacilava. Enquanto isto, o Brasil dava os primeiros passos para estabelecer um entreposto de minerais no Adriático, com o fim de abastecer de ferro vários países europeus, capitalistas e socialistas: a venda direta do ferro significava um desafio insuportável para as grandes empresas que manejam os preços em escala mundial. O entreposto nunca se tornou realidade, mas outras medidas nacionalistas – como o dique oposto à drenagem dos lucros das empresas estrangeiras – passaram a viger e proporcionaram detonadores para a explosiva situação política. A espada de Dâmocles da resolução de Quadros permanecia em suspenso sobre a cabeça da Hanna. Até que, no último dia de março de 1964, prorrompeu um golpe de Estado em Minas Gerais, casualmente o cenário das jazidas de ferro em disputa. "Para a Hanna", escreveu a revista *Fortune*, "a revolta que derrubou Goulart na primavera passada chegou como um desses resgates de último minuto pelo Primeiro de Cavalaria."[29]

Homens da Hanna passaram a ocupar a vice-presidência do Brasil e três dos ministérios. No mesmo dia da insurreição militar, o *Washington Star* havia publicado um editorial no mínimo profético: "Eis aqui uma situação em que um bom e efetivo golpe de Estado, no velho estilo, de líderes militares conservadores, pode servir aos melhores interesses de todas as Américas"[30]. Goulart ainda não renunciara nem abandonara o Brasil quando Lyndon Johnson, sem poder conter-se, enviou seu célebre telegrama ao presidente do Congresso brasileiro, que havia assumido provisoriamente a presidência do país: "O povo norte-americano acompanhou com ansiedade as dificuldades políticas e econômicas pelas quais tem atravessado sua grande nação, e admirou a resoluta vontade da comunidade brasileira de solucionar essas dificuldades no marco da democracia constitucional e sem guerra civil"[31]. Pouco mais de um mês decorrera quando o embaixador Lincoln Gordon, que percorria euforicamente os quartéis, pronunciou um discurso na Escola Superior de Guerra, afirmando que o triunfo da conspiração de Castelo Branco "poderia ser incluído, ao lado da proposta do Plano Marshall, do bloqueio de Berlim, da derrota da agressão comunista na Coreia e da solução da crise dos foguetes em Cuba, como um dos mais importantes momentos de mudança na história mundial de meados do século XX"[32]. Um dos membros militares da embaixada dos Estados Unidos tinha oferecido ajuda material aos conspiradores, pouco antes da eclosão do golpe[33], e o próprio Gordon lhes sugerira que os Estados Unidos reconheceriam um governo se ele fosse capaz de se sustentar dois dias em São Paulo[34]. Não vale a pena esbanjar

---

29. "Immovable mountains". *Fortune*, abril de 1965.
30. Conf. PEDROSA, Mário. *A opção brasileira*. Rio de Janeiro, 1966.
31. De Lyndon Johnson a Rainieri Mazzilli, 2 de abril de 1964, versão da Associated Press.
32. Segundo informou o jornal *O Estado de São Paulo*, 4 de maio de 1964.
33. STACCHINI, José. *Mobilização de audácia*. São Paulo, 1965.
34. SIEKMAN, Philip. "When Executives Turned Revolutionaries". *Fortune*, julho de 1964.

testemunhos sobre a importância que teve, no desenvolvimento e no desenlace dos acontecimentos, a ajuda econômica dos Estados Unidos, da qual, de resto, nos ocuparemos mais adiante, ou a assistência norte-americana no plano militar ou sindical.[35]

Depois que cansaram de atirar na fogueira ou ao fundo da baía da Guanabara os livros de autores russos tais como Dostoiévski, Tolstói ou Gorki, e depois ainda de ter condenado ao exílio, à prisão ou à sepultura um número considerável de brasileiros, a flamante ditadura de Castelo Branco pôs mãos à obra: entregou o ferro e todo o resto. A Hanna recebeu seu decreto de 24 de dezembro de 1964. Esse presente de Natal não só lhe dava toda a segurança para explorar em paz as jazidas do Paraopeba, como também garantia os planos da empresa de ampliar um porto próprio a 60 milhas do Rio de Janeiro e de construir uma ferrovia destinada ao transporte do ferro. Em outubro de 1965, a Hanna formou um consórcio com a Bethlehem Steel para a exploração conjunta do ferro presenteado. Essa espécie de aliança, frequente no Brasil, não pode se efetivar nos Estados Unidos, pois ali as leis a proíbem[36]. O incansável Lincoln Gordon tinha chegado ao fim de sua missão – já todo mundo era feliz e a fábula havia terminado – e passara a presidir uma universidade em Baltimore. Em abril de 1966, Johnson designou seu substituto, John Tuthill, depois de vários meses de vacilações, e explicou que se demorara porque para o Brasil era preciso nomear um bom economista.

A US Steel não ficou atrás. Acaso pretendiam deixá-la sem convite para o jantar? Pouco depois se associou com a empresa mineira do Estado, a Companhia Vale do Rio Doce, que assim se transformou em seu pseudônimo oficial. Por esta via a US Steel, resignando-se a *nada mais* do que 49 por cento das ações, obteve a concessão das jazidas de ferro da serra dos Carajás, na Amazônia. Sua magnitude, segundo afirmam os técnicos, é comparável à coroa de ferro da Hanna-Bethlehem em Minas Gerais. Como de costume, o governo aduziu que o Brasil não dispunha de capitais para fazer a exploração por sua própria conta.

---

35. Vejam-se as declarações ante o Comitê de Assuntos Exteriores da Câmara de Representantes dos Estados Unidos, citadas por MAGDOFF, op. cit., e o revelador artigo de Eugene Methvin em *Selecciones de Reader's Digest* em espanhol, de dezembro de 1966: segundo Methvin, graças aos bons serviços do Instituto Americano para o Desenvolvimento do Sindicalismo Livre, com sede em Washington, os golpistas brasileiros puderam coordenar por telegrama seus movimentos de tropa, e o novo regime militar recompensou o IADSL designando quatro de seus graduados "para que fizessem uma limpa nos sindicatos dominados pelos vermelhos (...)".

36. DUARTE PEREIRA, op. cit.

O petróleo, as maldições e as façanhas

Como o gás natural, o petróleo é o principal combustível entre todos que põem em marcha o mundo contemporâneo, uma matéria-prima de crescente importância para a indústria química e o material estratégico primordial para as atividades militares. Nenhum outro ímã atrai tanto os capitais estrangeiros como o "ouro negro", nem existe outra fonte tão fabulosa de lucros; o petróleo é a riqueza mais monopolizada em todo o sistema capitalista. Não há empresários cujo poder político se compare com o que exercem as grandes corporações petrolíferas. A Standard Oil e a Shell entronizam e destronam reis e presidentes, financiam conspirações palacianas e golpes de Estado, têm a seu serviço um sem-número de generais, ministros e James Bonds, e em todas as comarcas e em todos os idiomas decidem o curso da guerra e da paz. A Standard Oil Co. de Nova Jersey é a maior empresa industrial do mundo capitalista; e fora dos Estados Unidos não existe nenhuma empresa industrial mais poderosa do que a Royal Dutch Schell. As filiais vendem o petróleo cru para as subsidiárias, que o refinam e vendem os combustíveis às sucursais para sua distribuição: em todo esse circuito, o sangue não sai fora do aparelho circulatório interno do cartel, que além disso possui os oleodutos e grande parte da frota petroleira dos sete mares. Os preços são manipulados em escala mundial para reduzir os impostos a pagar e aumentar os lucros a cobrar: o petróleo cru sempre aumenta menos do que o refinado.

Como acontece com o café ou com a carne, com o petróleo os países ricos ganham muito mais consumindo-o do que os países pobres produzindo-o. A diferença é de dez a um: dos onze dólares que custam os derivados de um barril de petróleo, os países exportadores da matéria-prima mais importante do mundo recebem apenas um dólar, resultado da soma dos impostos e dos custos da extração, ao passo que os países da área desenvolvida, onde se localizam as matrizes das corporações petrolíferas, ficam com dez dólares, resultado da soma de seus próprios impostos e taxas, oito vezes maiores do que os impostos dos países produtores, e dos custos e lucros do transporte, do refino, do processamento e da distribuição que as grandes empresas monopolizam.[37]

O petróleo que brota nos Estados Unidos tem um alto preço (sua imensa frota de automóveis bebe gasolina barata graças aos subsídios públicos). Mas a cotação do petróleo da Venezuela e do Oriente Médio foi caindo, desde 1957, ao longo de toda a década de 60. Cada barril de petróleo venezuelano,

---

37. Segundo dados publicados pela Organização dos Países Exportadores de Petróleo. MIERES, Francisco. *El petróleo y la problemática estructural venezolana.* Caracas, 1969.

por exemplo, valia em 1957, em média, 2,65 dólares. Em fins de 1970, o preço é de 1,86 dólares. O governo de Rafael Caldera anuncia que vai fixar unilateralmente um preço muito maior, mas de todos os modos o novo preço, segundo as cifras que os comentaristas manejam e apesar do escândalo que se pressente, não alcançará o nível de 1957. Os Estados Unidos são, ao mesmo tempo, os principais produtores e os principais importadores de petróleo no mundo. Na época em que a maior parte do petróleo cru vendido pelas corporações provinha do subsolo norte-americano, o preço mantinha-se alto; durante a Segunda Guerra Mundial, os Estados Unidos se converteram em importadores, e o cartel começou a aplicar uma nova política de preços: a cotação passou a cair sistematicamente. *Curiosa inversão das "leis do mercado": o preço do petróleo cai, embora não cesse de aumentar a demanda mundial*, na medida em que se multiplicam as fábricas, os automóveis e as usinas geradoras de energia. E outro paradoxo: *ainda que o preço do petróleo baixe, em todos os lugares sobem os preços que os consumidores pagam pelos combustíveis*. Há uma desproporção descomunal entre o preço do cru e o dos derivados. Toda esta cadeia de absurdos é perfeitamente racional, não é necessário recorrer a forças sobrenaturais para encontrar uma explicação. Porque o negócio do petróleo no mundo capitalista está, como vimos, nas mãos de um cartel todo-poderoso.

O cartel nasceu em 1928, num castelo do norte da Escócia rodeado pela bruma, quando a Standard Oil de Nova Jersey, a Shell e a Anglo-Iranian, hoje chamada British Petroleum, celebraram um acordo para dividir o planeta. A Standard de Nova York e a da Califórnia, a Gulf e a Texaco se integraram posteriormente ao núcleo dirigente do cartel[38]. A Standard Oil, fundada por Rockefeller em 1870, dividira-se em 35 diferentes empresas em 1911, pela aplicação da lei Sherman contra os trustes; a irmã maior da numerosa família Standard, em nossos dias, é a empresa de Nova Jersey. Suas vendas de petróleo, somadas às vendas da Standard de Nova York e da Califórnia, abarcam hoje em dia a metade das vendas totais do cartel. As empresas petrolíferas do grupo Rockefeller são de tal magnitude que somam nada menos do que a terça parte do total de proveitos que as empresas norte-americanas de qualquer tipo, em

---

38. Informe do Senado dos Estados Unidos; *Actas secretas del cártel petrolero*. Buenos Aires, 1961; e O'CONNOR, Harvey. *El império del petróleo*. La Habana, 1961.

seu conjunto, tiram do mundo inteiro. A Jersey, típica corporação multinacional, obtém seus maiores lucros fora das fronteiras; a América Latina lhe dá mais lucros do que os Estados Unidos e o Canadá somados: ao sul do rio Bravo, sua taxa de lucros é quatro vezes mais alta[39]. *As filiais da Venezuela produziram, em 1957, mais da metade dos ganhos da Standard Oil de Nova Jersey em todos os lugares; nesse mesmo ano, as filiais venezuelanas proporcionaram à Shell a metade de seus ganhos no mundo inteiro.*[40]

Essas corporações multinacionais não pertencem às múltiplas nações onde operam: são multinacionais, simplesmente, na medida em que, desde os quatro pontos cardeais, arrastam grandes caudais de petróleo e dólares para os centros de poder do sistema capitalista. Por certo, não precisam exportar capitais para financiar a expansão de seus negócios: os lucros usurpados dos países pobres não só derivam em linha reta para as poucas cidades onde habitam seus maiores cortadores de cupons, como também são parcialmente reinvestidos para robustecer e estender a rede internacional de operações. A estrutura do cartel implica o domínio de numerosos países e a penetração em seus numerosos governos; o petróleo encharca presidentes e ditadores, e acentua as deformações estruturais das sociedades que ele põe a seu serviço. São as empresas que, com um lápis sobre o mapa do mundo, decidem quais serão as zonas de exploração e quais as de reserva, e são elas que fixam os preços que vão receber os produtores e vão pagar os consumidores. A riqueza natural da Venezuela e outros países latino-americanos com petróleo no subsolo, objetos do assalto e do saque organizado, tornou-se o principal instrumento de sua servidão política e de sua degradação social. Essa é uma longa história de façanhas e de maldições, infâmias e desafios.

Cuba proporcionava, por vias complementares, robustos lucros à Standard Oil de Nova Jersey. A Jersey comprava petróleo cru da Creole Petroleum, sua filial na Venezuela, e o refinava e distribuía na ilha, e tudo a preços que melhor lhe convinham para cada uma das etapas. Em outubro de 1959, em plena efervescência revolucionária, o Departamento de Estado enviou uma nota oficial a Havana manifestando sua preocupação pelo futuro dos investimentos norte-americanos em Cuba: já tinham começado os bombardeios de aviões "piratas" procedentes do Norte, e as relações estavam tensas. Em janeiro de 1960, Eisenhower anunciou a redução da cota cubana de açúcar, e em fevereiro Fidel Castro assinou um acordo comercial com a União Soviética

---

39. BARAN, Paul A. & SWEEZY, Paul M. *El capital monopolista*. México, 1970.
40. MIERES, op. cit.

para permutar açúcar por petróleo e outros produtos a preços razoáveis. A Jersey, a Shell e a Texaco se negaram a refinar o petróleo soviético: em julho, o governo cubano interveio e as nacionalizou sem qualquer compensação. Encabeçadas pela Standard Oil de Nova Jersey, as empresas deram início ao bloqueio. Ao boicote do pessoal qualificado somaram-se o boicote das reposições essenciais do maquinário e o boicote dos fretes. O conflito era uma prova de soberania[41], e Cuba se saiu com honra. Ao mesmo tempo, deixou de ser uma estrela na constelação da bandeira dos Estados Unidos e uma peça da engrenagem mundial da Standard Oil.

O México sofrera, vinte anos antes, um embargo internacional decretado pela Standard Oil de Nova Jersey e pela Royal Dutch Shell. Entre 1939 e 1942, o cartel comandou o bloqueio das exportações mexicanas de petróleo e dos abastecimentos necessários para seus poços e refinarias. O presidente Lázaro Cárdenas havia nacionalizado as empresas. Nelson Rockefeller, que em 1930 graduara-se em Economia escrevendo uma tese sobre as virtudes de sua Standard Oil, foi ao México para negociar um acordo, mas Cárdenas não voltou atrás. A Standard e a Shell, que haviam repartido o território mexicano, abocanhando a primeira o norte e a segunda o sul, não só se negavam a aceitar as resoluções da Suprema Corte na aplicação das leis trabalhistas mexicanas, como também tinham arrasado as jazidas da famosa Faja de Oro numa velocidade vertiginosa, e obrigavam os mexicanos a pagar, por seu próprio petróleo, preços mais altos do que cobravam nos Estados Unidos e na Europa por esse mesmo petróleo[42]. Em poucos meses, a febre exportadora esgotara brutalmente muitos poços que poderiam continuar produzindo durante 30 ou 40 anos. "Tiraram do México", escreve O'Connor, "seus depósitos mais ricos, e só lhe deixaram uma coleção de refinarias antiquadas, campos exaustos, o pobrerio da cidade de Tampico e amargas recordações." Em menos de vinte anos, a produção reduzira-se à quinta parte. O México herdou uma indústria decrépita, orientada para a demanda estrangeira, e até desapareceram os meios de transporte. Cárdenas tornou a recuperação do petróleo uma grande causa nacional, contornando a crise à força de imagi-

---

41. TANZER, Michael. *The Political Economy of International Oil and the Underdeveloped Countries.* Boston, 1969.
42. O'CONNOR, Harvey. *La crisis mundial del petróleo.* Buenos Aires, 1963. Este fenômeno continua sendo usual em vários países. Na Colômbia, por exemplo, onde o petróleo é exportado livremente e sem pagar impostos, a refinaria estatal compra das companhias estrangeiras o petróleo colombiano com um acréscimo de 37 por cento sobre o preço internacional, e é preciso que o valor seja pago em dólares. ALAMEDA OSPINA, Raúl, na revista *Esquina.* Bogotá, janeiro de 1968.

nação e de coragem. Pemex, Petróleos Mexicanos, a empresa criada em 1938 para encarregar-se de toda a produção e do mercado, é hoje a maior empresa não estrangeira de toda a América Latina. À custa dos lucros produzidos pela Pemex, o governo mexicano pagou, entre 1947 e 1962, vultuosas indenizações às empresas, embora, como diz bem Jesús Silva Herzog, "o México não é devedor dessas companhias piratas, mas seu legítimo credor"[43]. Em 1949, a Standard Oil interpôs veto a um empréstimo que os Estados Unidos concederiam à Pemex, e muito anos depois, já cicatrizadas as feridas por obra das generosas indenizações, a Pemex teve uma experiência semelhante no Banco Interamericano de Desenvolvimento.

O Uruguai foi o país que criou a primeira refinaria estatal na América Latina. A ANCAP, Administração Nacional de Combustíveis, Álcool e Portland, nasceu em 1931, e o refino e a venda de petróleo cru figuravam entre suas principais atividades. Era a resposta nacional a uma longa historia de abusos do truste no rio da Prata. Paralelamente, o Estado contratou a compra de petróleo barato na União Soviética. De imediato, o cartel financiou uma furiosa campanha de desprestígio contra a empresa industrial do Estado uruguaio e começou sua tarefa de extorsão e ameaça. Afirmava-se que o Uruguai não encontraria quem lhe vendesse o maquinário e que iria ficar sem petróleo cru, que o Estado era um péssimo administrador e não podia se encarregar de tão complicado negócio. O golpe palaciano de março de 1933 exalava certo odor a petróleo: a ditadura de Gabriel Terra anulou o direito da ANCAP ao monopólio da importação de combustíveis, e em janeiro de 1938 assinou *convênios secretos* com o cartel, ominosos entendimentos que foram ignorados pelo público até um quarto de século depois e que hoje ainda se encontram em vigor. De acordo com seus termos, o país está obrigado a comprar 40 por cento de petróleo cru sem licitação e onde lhe indicarem a Standard Oil, a Shell, a Atlantic e a Texaco, a preços fixados pelo cartel. Além disso, o Estado, que conserva o monopólio do refino, paga todas as despesas das empresas, incluindo a propaganda, os salários privilegiados e o luxuoso mobiliário de seus escritórios[44]. *Isto é progresso*, canta a televisão, e o bombardeio de publicidade não custa um único centavo à Standard Oil. O advogado do Banco da República tem também a seu cargo as relações públicas da Standard Oil: o Estado lhe paga dois salários.

---

43. SILVA HERZOG, Jesús. *Historia de la exportación de las empresas petroleras*. México, 1964.
44. TRIAS, Vivian. *Imperialismo y petróleo en el Uruguay*. Montevideo, 1963. Veja-se também o discurso do deputado Enrique Erro no diário de sessões da Câmara de Representantes, nº 1.211, tomo 577, Montevideo, 8 de setembro de 1966.

Por volta de 1939, a refinaria da ANCAP levantava, com êxito, suas torres chamejantes: a empresa tinha sido mutilada pouco depois de nascer, como vimos, mas ainda representava um exemplo de desafio vitorioso frente às pressões do cartel. O chefe do Conselho Nacional de Petróleo do Brasil, general Horta Barbosa, esteve em Montevidéu e se entusiasmou com a experiência: durante o primeiro ano de funcionamento a refinaria uruguaia pagara quase a totalidade dos gastos de sua instalação. Graças aos esforços do general Barbosa, somados ao fervor de outros militares nacionalistas, a Petrobras, a empresa estatal brasileira, pôde iniciar suas operações em 1953 ao grito de *O petróleo é nosso*. Atualmente, a Petrobras é a maior empresa do Brasil[45]. Explora, extrai e refina o petróleo brasileiro. Mas também a Petrobras foi mutilada. O cartel lhe arrebatou duas grandes fontes de lucros: em primeiro lugar, a distribuição da gasolina, dos óleos, do querosene e de diversos fluídos, um estupendo negócio que a Esso, a Shell e a Atlantic manejam por telefone sem maiores dificuldades e com tão bom resultado que, depois da indústria automobilística, é a mais forte operação dos investimentos norte-americanos no Brasil; em segundo lugar, a indústria petroquímica, generoso manancial de proveitos, que há pouco tempo foi desnacionalizada pelo governo do marechal Castelo Branco. Recentemente, o cartel desencadeou uma ruidosa campanha destinada a despojar a Petrobras do monopólio do refino. Os defensores da Petrobras recordam que a iniciativa privada, que gozava de campo livre, não se ocupara do petróleo brasileiro antes de 1953[46], e procuram devolver à frágil memória do público um episódio bem ilustrativo da boa vontade dos monopólios. Em novembro de 1960, a Petrobras encomendou a dois técnicos brasileiros que encabeçassem uma revisão geral das jazidas sedimentárias do país. Como resultado dessas pesquisas, o pequeno estado nordestino do Sergipe passou à vanguarda na produção de petróleo. Pouco antes, em agosto, o técnico norte-americano Walter Link, que tinha sido o principal geólogo da Standard Oil de Nova Jersey, recebera do Estado brasileiro meio milhão de dólares por uma montanha de mapas e um extenso informe que taxava de "inexpressiva" a espessura sedimentária de Sergipe: até então era considerada grau B, e Link a rebaixou para o grau C.

---

45. A Petrobras figurava em primeiro lugar na lista das 500 maiores empresas, publicada por *Conjuntura econômica*. Rio de Janeiro, 1970. (9) v.24.
46. Declarações do engenheiro Márcio Leite Cesarino em *Correio da Manhã*. Rio de Janeiro, 28 de janeiro de 1967.

Depois se soube que era grau A⁴⁷. Segundo O'Connor, Link trabalhara todo o tempo como um agente da Standard, de antemão decidido a não encontrar petróleo, para que o Brasil continuasse a depender das importações da filial de Rockefeller na Venezuela.

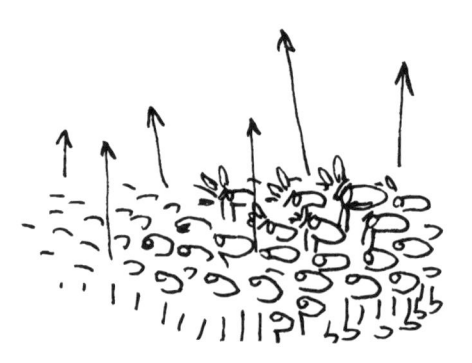

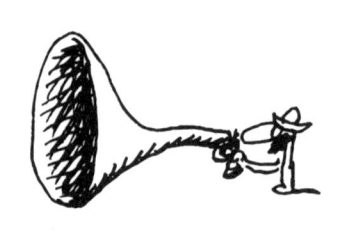

Também na Argentina as empresas estrangeiras e seus múltiplos ecos nativos sempre sustentam que o subsolo contém escasso petróleo, embora as investigações dos técnicos do YPF (Yacimientos Petrolíferos Fiscales) tenham indicado com toda a convicção que subjaz petróleo em cerca de metade do território nacional, e que também há petróleo abundante na vasta plataforma marítima da costa atlântica. Cada vez que se começa a falar na pobreza do subsolo argentino o governo autoriza uma nova concessão em benefício de algum membro do cartel. A empresa estatal, YPF, foi vítima de continuada e sistemática sabotagem desde suas origens até o presente. Não faz muitos anos, a Argentina foi um dos últimos cenários históricos da luta interimperialista entre a Inglaterra, no desesperado ocaso, e os ascendentes Estados Unidos. Os acordos do cartel não impediram que a Shell e a Standard disputassem o petróleo argentino por meios às vezes violentos: há uma série de eloquentes coincidências nos golpes de estado que se sucederam ao longo dos últimos 40 anos. O Congresso argentino se aprestava para votar a lei da nacionalização do petróleo, em 6 de setembro de 1930, quando o caudilho nacionalista Hipólito Ybargoyen foi derrubado da presidência do país por uma quartelada de José Félix Uriburu. O governo de Ramón Castillo caiu em junho de 1943, quando estava prestes a assinar um convênio que promovia a extração de petróleo por capitais norte-americanos. Em setembro de 1955, Juan Domingo Perón seguiu para o exílio quando o Congresso estava por aprovar uma concessão à California Oil Co. Arturo Frondizi desencadeou

---

47. O jornal *Correio da Manhã* publicou em 19 de fevereiro de 1967 um amplo extrato do documento.

várias e agudas crises militares, nas três armas, ao anunciar o chamado à licitação que oferecia todo o subsolo do país às empresas interessadas em extrair petróleo: em agosto de 1959, a licitação foi declarada deserta. Em seguida ressuscitou e, em outubro de 1960, foi considerada sem efeito. Frondizi autorizou várias concessões em benefício das empresas norte-americanas do cartel, e os interesses britânicos – decisivos na Marinha e no setor "colorado" do exército – não foram alheios à sua queda em março de 1962. Arturo Illia anulou as concessões e foi derrubado em 1966; no ano seguinte, Juan Carlos Onganía promulgou uma lei de hidrocarburetos que favorecia os interesses norte-americanos nessa disputa interna.

O petróleo não provocou apenas golpes de estado na América Latina. Também causou uma guerra, a do Chaco (1932-35), entre os povos mais pobres da América do Sul: a "Guerra dos soldados nus", como René Zavaleta chamou a feroz matança recíproca entre Bolívia e Paraguai[48]. Em 30 de maio de 1934, o senador por Louisiana Huey Long sacudiu os Estados Unidos com um violento discurso em que denunciava que a Standard Oil de Nova Jersey provocara o conflito e que financiava o exército boliviano para, por seu intermédio, apoderar-se do Chaco paraguaio, necessário para que fosse estendido um oleoduto da Bolívia até o rio, e além disso presumivelmente rico em petróleo: "Estes criminosos foram lá e alugaram seus assassinos", afirmou[49]. Os paraguaios, por sua vez, marchavam para o matadouro empurrados pela Shell: à medida que avançavam para o norte, os soldados descobriam as perfurações da Standard no cenário da discórdia. Era uma disputa entre duas empresas, inimigas e ao mesmo tempo sócias dentro do cartel, mas não lhes pertencia o sangue derramado. O Paraguai, finalmente, ganhou a guerra, mas perdeu a paz. Spruille Braden, notório representante da Standard Oil, presidiu a comissão de negociadores que preservou para a Bolívia, e para Rockefeller, vários mil quilômetros quadrados que os paraguaios reivindicavam.

Muito próximos do último território daquelas batalhas estão os poços de petróleo e as vastas jazidas de gás natural que a Gulf Oil Co., a empresa da família Mellon, perdeu na Bolívia em outubro de 1969. "Para os bolivianos

---
48. ZAVALETA MERCADO, René. *Bolivia. El desarrollo de la conciencia nacional.* Montevideo, 1967.
49. O senador Long não economizou nenhum adjetivo para a Standard Oil: *chamou-a de criminosa, malfeitora, facínora, assassina doméstica, assassina estrangeira, conspiradora internacional, covil de salteadores e ladrões rapaces, conjunto de vândalos e ladrões.* Reproduzido na revista *Guarania.* Buenos Aires, novembro de 1934.

terminou o tempo do desprezo", clamou o general Alfredo Ovando ao anunciar a nacionalização das sacadas do Palacio Quemado. Quinze dias antes, quando ainda não tinha tomado o poder, Ovando jurara para um grupo de intelectuais nacionalistas que nacionalizaria a Gulf; tinha redigido o decreto, assinara-o e o guardara, sem data, num envelope. E cinco meses antes, no Cañadón del Arque, o helicóptero do general René Barrientos se chocara contra os fios do telégrafo e tombara. A imaginação não teria sido capaz de inventar uma morte tão perfeita. O helicóptero era um presente pessoal da Gulf Oil Co.; o telégrafo, como se sabe, pertence ao Estado. Junto com Barrientos arderam duas maletas de dinheiro que ele levava para repartir, cédula por cédula, entre os camponeses, e algumas submetralhadoras que tão logo se incendiaram começaram a disparar uma chuva de balas à volta do helicóptero, de tal modo que ninguém conseguiu se aproximar para resgatar o ditador enquanto era queimado vivo.

Além de decretar a nacionalização, Ovando aboliu o Código do Petróleo, chamado Código Davenport em homenagem ao advogado que o redigira em inglês. Para a elaboração do Código, a Bolívia obtivera, em 1956, um empréstimo dos Estados Unidos; no entanto, o Eximbank, a sistema bancário privado de Nova York, e o Banco Mundial, sempre haviam respondido negativamente às solicitações de crédito para o desenvolvimento do YPFB, a empresa petrolífera do Estado. O governo norte-americano sempre assumia as causas das corporações petrolíferas privadas[50]. Em função do Código, a Gulf recebeu então, por um prazo de 40 anos, a concessão dos campos mais ricos de petróleo de todo o país. O Código fixava uma ridícula participação do Estado nos lucros da empresa: por muitos anos, apenas 11 por cento. O Estado era sócio nos gastos do concessionário, mas não tinha nenhum controle sobre esses gastos, e se chegou a uma situação extrema em matéria de oferendas: todos os riscos eram para a YPFB, e nenhum para a Gulf. Na *Carta de Intenções* assinada pela Gulf em fins

---

50. Os exemplos abundam na história, a recente ou a distante. Irving Florman, embaixador dos Estados Unidos na Bolívia, informava para Donald Dawson, da Casa Branca, em 28 de dezembro de 1950: "Desde que cheguei aqui, tenho trabalhado diligentemente no projeto de abrir amplamente a indústria petrolífera da Bolívia para a penetração da empresa privada norte-americana, ajudando nosso programa de defesa nacional em larga escala". E também: "Sabia que você se interessaria em ouvir que a indústria petrolífera da Bolívia e toda esta terra agora estão abertas à livre-iniciativa norte-americana. A Bolívia, portanto, é o primeiro país do mundo que fez a desnacionalização, ou uma nacionalização ao contrário, e eu me sinto orgulhoso por ter sido capaz de cumprir esta missão para meu país e para sua administração". A cópia fotostática desta carta, extraída da biblioteca de Harry Truman, foi reproduzida em *NACLA Newsletter*. Nova York, fevereiro de 1969.

de 1966, durante a ditadura de Barrientos, estabeleceu-se, de fato, que nas operações conjuntas com a YPFB, a Gulf recuperaria o total de seus capitais investidos na exploração de uma dada área, se nela não se encontrasse petróleo. Se o petróleo aparecesse, os gastos seriam recuperados através da exploração posterior, porém já de entrada seriam carregados no passivo da empresa estatal. E a Gulf fixaria as despesas segundo o seu paladar[51]. Nessa mesma *Carta de Intenções*, a Gulf se atribuiu, com toda a tranquilidade, a propriedade das jazidas de gás que em momento algum lhe fora concedida. O subsolo da Bolívia contém muito mais gás do que petróleo. O general Barrientos fez um gesto de quem se distrai: foi o suficiente. Uma simples troca de mãos para decidir o destino da principal reserva de energia da Bolívia. Mas a função ainda não havia terminado.

Um ano antes da expropriação da Gulf na Bolívia pelo general Alfredo Ovando, outro general nacionalista, Juan Velasco Alvarado, tinha estatizado as jazidas e a refinaria da International Petroleum Co., filial da Standard Oil de Nova Jersey no Peru. Velasco tomara o poder à frente de uma junta militar e na crista da onda de um grande escândalo político: o governo de Fernando Balaúnde Terry havia *perdido* a página final do convênio de Talara, subscrito entre o Estado e a IPC. A página 11, misteriosamente evaporada, trazia a garantia do preço mínimo que a empresa norte-americana devia pagar pelo petróleo cru nacional em sua refinaria. O escândalo não terminava ali. Ao mesmo tempo, tornou-se público que a subsidiária da Standard lesara o Peru, ao longo de meio século, em mais de um bilhão de dólares, através de impostos evitados, de regalias e outras e variadas formas de fraude e corrupção. O diretor da IPC entrevistara-se com o presidente Balaúnde em 60 ocasiões antes de chegar ao acordo que provocou o levante militar; durante dois anos, enquanto avançavam, interrompiam-se e começavam de novo as negociações com a empresa, o Departamento de Estado suspendeu todo tipo de ajuda ao Peru[52]. Virtualmente não sobrou tempo para reativar a ajuda, a vacilação selou a sorte do presidente acossado. Quando a empresa de Rockefeller apresentou seu protesto à corte judicial peruana, o público atirou moedinhas no rosto de seus advogados.

---

51. Interpelação de 11 e 12 de outubro de 1966 de Marcelo Quiroga Santa Cruz na Câmara dos Deputados. *Revista Jurídica*, edição extraordinária. Cochabamba, 1967.
52. Quando o escândalo explodiu, a embaixada dos Estados Unidos não guardou um prudente silêncio. Um de seus funcionários chegou a afirmar que não existia nenhum original do contrato de Talara. GOODWIN, Richard N. "El conflicto con a IPC: Carta de Peru", reproduzido do *New Yorker* por *Comercio Exterior*. México, julho de 1969.

A América Latina é uma caixa de surpresas; nunca se esgota a capacidade de assombrar desta torturada região do mundo. Nos Andes, o nacionalismo militar ressurgiu, com ímpeto, como um rio subterrâneo longamente escondido. Os mesmos generais que hoje estão levando adiante, num processo contraditório, uma política de reforma e de afirmação patriótica, pouco antes tinham aniquilado os guerrilheiros. Muitas das bandeiras dos caídos foram recolhidas pelos seus próprios vencedores. Os militares peruanos regaram com *napalm* algumas zonas guerrilheiras, em 1965, e tinha sido a International Petroleum Co., filial da Standard Oil de Nova Jersey, que lhes proporcionara a gasolina e o *know-how* para a elaboração das bombas na base aérea de Las Palmas, perto de Lima[53].

O lago de Maracaibo no bucho dos grandes abutres do metal

Ainda que sua participação no mercado mundial, nos anos 60, tenha sido reduzida à metade, a Venezuela, em 1970, ainda é o maior exportador latino-americano de petróleo. Da Venezuela provém quase a metade dos lucros que os capitais norte-americanos subtraem de toda a América Latina. Esse é um dos países mais ricos do planeta e também um dos mais pobres e mais violentos. Exibe a mais alta renda *per capita* da América Latina e possui a mais completa e ultramoderna rede de estradas; em proporção ao número de habitantes, nenhuma outra nação do mundo bebe tanto uísque escocês. As reservas de petróleo, gás e ferro que seu subsolo oferece à exploração imediata poderiam multiplicar por dez a riqueza de cada um dos venezuelanos; em suas vastas terras virgens poderia caber, inteira, a população da Alemanha ou da Inglaterra. Em meio século, as sondas extraíram uma renda petroleira tão fabulosa que representa o dobro do Plano Marshall para a reconstrução da Europa; desde que jorrou o primeiro poço, a população se multiplicou por três e o orçamento nacional por 100, mas boa parte da população, que disputa os restos da minoria dominante, não se alimenta melhor do que na

---

53. GEYER, Georgie Anne. "Seized U.S. oil firm made napalm." *New York Post*, 7 de abril de 1969.

época em que o país dependia do cacau e de café⁵⁴. Caracas, a capital, cresceu sete vezes em 30 anos; a cidade patriarcal de arejados pátios, praça maior e catedral silenciosa, eriçou-se de arranha-céus na mesma medida em que brotaram as torres de petróleo no lago de Maracaibo. Hoje, é um pesadelo de ar-condicionado, supersônica e estrepitosa, um centro da cultura do petróleo que prefere o consumo à criação e que multiplica as necessidades artificiais para ocultar as reais. Caracas ama os produtos sintéticos e os alimentos enlatados: não caminha nunca, só se movimenta em automóvel, e com os gases dos motores envenenou o outrora límpido ar do vale; Caracas custa a dormir, pois não pode sofrear a ânsia de ganhar, e comprar, consumir e gastar, e de se apossar de tudo. Nas encostas dos morros, mais de meio milhão de esquecidos contempla, de suas choças erguidas com lixo, o esbanjamento alheio. Relampejam milhares e milhares de automóveis último modelo pelas avenidas da dourada capital. Na véspera das festas, os barcos chegam ao porto de La Guaira lotados de champanhe francês, uísque da Escócia e pinheiros de Natal que vêm do Canadá, enquanto a metade das crianças e dos jovens da Venezuela, em 1970, segundo os censos, continua fora da sala de aula.

Três milhões e meio de barris de petróleo a Venezuela produz ao dia para pôr em movimento o maquinário industrial do mundo capitalista, mas as diversas filiais da Standard Oil, da Shell, da Gulf e da Texaco não exploram quatro quintas partes de suas concessões, que continuam sendo reservas virgens, e mais da metade do valor das exportações não volta nunca ao país. Os folhetos de publicidade da Creole (Standard Oil) exaltam a filantropia da corporação na Venezuela nos mesmos termos em que, em meados do século XVIII, proclamava suas virtudes a Real Companhia Guipuzcoana; os lucros

---

54. Na redação deste capítulo, o autor utilizou, além das obras já citadas de Harvey O'Connor e Francisco Mieres, os seguintes livros: ARAÚJO, Orlando. *Operación Puerto Rico sobre Venezuela*. Caracas, 1967; BRITO, Federico. *Venezuela siglo XX*. La Habana, 1967; FALCON URBANO, M. A. *Desarrollo e industrialización de Venezuela*. Caracas, 1969; HOCHMAN, Elena, MUJICA, Héctor et alii. *Venezuela 1º*. Caracas, 1963; KREHM, William. *Democracia y tiranías en el Caribe*. Buenos Aires, 1959; os ensaios de D.F. Maza Zavala, Salvador de la Plaza, Pedro Esteban Mejia y Leonardo Montiel Ortega no volume citado na nota 232; QUINTERO, Rodolfo. *La cultura del petróleo*. Caracas, 1968; RANGEL, Domingo Alberto. *El processo del capitalismo contemporáneo en Venezuela*. Caracas, 1968; USLAR PIETRI, Arturo. "¿Tiene un porvenir la juventud venezolana?" In: *Cuadernos Americanos*. México, março/abril de 1968; e Nações Unidas-CEPAL. *Estudio económico de América Latina – 1969*. Santiago de Chile, 1970.

arrancados desta grande vaca leiteira só são comparáveis, em proporção ao capital investido, àqueles que no passado obtinham os mercadores de escravos ou os corsários. Nenhum país produziu tanto para o capitalismo mundial em tão pouco tempo: a Venezuela drenou uma riqueza que, segundo Rangel, excede a que os espanhóis usurparam de Potosí ou os ingleses da Índia. A primeira Convenção Nacional de Economistas revelou que os ganhos reais das empresas petrolíferas na Venezuela tinham subido, em 1961, para 38 por cento, e em 1962, para 48 por cento, embora as taxas de lucro anunciadas em seus balanços fossem de 15 e 17 por cento, respectivamente. A diferença corre por conta da magia da contabilidade e das transferências ocultas. De resto, na complicada relojoaria do negócio do petróleo, com seus múltiplos e simultâneos sistemas de preços, torna-se muito difícil estimar o volume dos lucros que se ocultam atrás da baixa artificial da cotação do petróleo cru, que do poço à bomba de gasolina circula sempre pelas mesmas veias, e atrás da alta artificial dos gastos de produção, onde se computam salários de fábula e muito inflados custos de publicidade. O certo é que, segundo os números oficiais, na última década a Venezuela não registrou o ingresso de novos investimentos do exterior, mas registrou, sim, um sistemático *desinvestimento*. A Venezuela sofre a sangria de mais de 700 milhões de dólares anuais, convictos e confessos como "rendas do capital estrangeiro". Os únicos investimentos novos provêm dos ganhos que o próprio país proporciona. Enquanto isso, os custos da extração do petróleo vão baixando em linha vertical, pois as empresas, progressivamente, ocupam menos mão de obra. Só entre 1959 e 1962 reduziu-se em mais de dez mil o número de operários: restaram pouco mais de 30 mil em atividade, e em fins de 1970 o petróleo ocupa nada mais do que 23 mil trabalhadores. A produção, no entanto, cresceu consideravelmente na última década.

Como consequência do desemprego crescente, agravou-se a crise dos acampamentos petroleiros do lago de Maracaibo. O lago é um bosque de torres. Dentro das armações de ferros cruzados, o implacável cabeceio dos balancins, há meio século, gera toda a opulência e toda a miséria da Venezuela. Ardem os queimadores junto aos balancins, queimando impunemente o gás natural que o país se dá ao luxo de presentear à atmosfera. Encontram-se balancins até nos fundos das casas e nas esquinas das ruas das cidades que brotaram aos jorros, como o petróleo, nas costas do lago: ali o petróleo tinge de preto as ruas e as roupas, os alimentos e as paredes, e até as profissionais do amor recebem apelidos petroleiros, tais como "a Tubeira", a "Quatro Válvulas", a "Guindaste" ou a "Rebocadora". Os preços da vestimenta e da comida são mais altos do que em Caracas. Essas aldeias modernas, de triste nascimento e ao mesmo tempo aceleradas pela alegria do dinheiro fácil, já descobriram que não têm destino. Quando se esgotam os poços, a sobrevivência se torna matéria de milagre: restam os esqueletos das casas, as águas oleosas de veneno matando peixes e lambendo as zonas abandonadas. A desgraça também acomete as cidades que vivem da exploração de poços em atividade, pela mecanização crescente e as demissões em massa. "Por aqui o petróleo nos passou por cima", dizia um morador de Lagunillas em 1966. Cabimas, que durante meio século foi a maior fonte de petróleo da Venezuela, e que tanta prosperidade deu a Caracas e ao mundo, não tem sequer vasos sanitários. Conta apenas com um par de avenidas asfaltadas.

A euforia se alastrara muitos anos atrás. Por volta de 1917, o petróleo já coexistia, na Venezuela, com os latifúndios tradicionais, as imensas áreas despovoadas e de terras ociosas, onde os fazendeiros vigiavam o rendimento de sua força de trabalho chicoteando os peões ou enterrando-os vivos até a cintura. Em fins de 1922, irrompeu o poço La Rosa, que jorrava 100 mil barris por dia, e se desencadeou a tormenta petroleira. Brotaram as sondas e os guindastes no lago de Maracaibo, subitamente invadido por estranhos equipamentos e homens com capacete de cortiça; afluíam camponeses e se instalavam naqueles solos ferventes, entre tambores e latas de óleo, para oferecer seus braços ao petróleo. Os sotaques de Oklahoma e do Texas ressoavam pela primeira vez nas planícies e nas matas, até nas mais ocultas comarcas. Setenta e três empresas surgiram num santiamém. O rei do carnaval das concessões era o ditador Juan Vicente Gómez, um pecuarista dos Andes que ocupou seus 27 anos de governo (1908-35) fazendo filhos e negócios. Enquanto as torrentes negras nasciam aos borbotões, Gómez tirava ações petroleiras de seus bolsos repletos e com elas presenteava seus amigos, seus parentes, seus cortesãos, o médico que cuidava de sua próstata e os generais que cuidavam de suas costas, os poetas que cantavam sua glória e o arcebispo que lhe dava permissão para comer carne na Sexta-Feira Santa. As grandes potências cobriam o peito de Gómez de cintilantes condecorações: era preciso alimentar os automóveis que invadiam os caminhos do mundo. Os favoritos do ditador vendiam suas concessões à Shell, ou à Standard Oil, ou à Gulf; o tráfico de influências e de subornos estimulou a especulação e a fome de subsolos. As comunidades indígenas foram despojadas de suas terras, e muitas famílias de agricultores, por bem ou por mal, perderam suas propriedades. A lei do petróleo de 1922 foi redigida pelos representantes de três firmas dos Estados Unidos. Os campos de petróleo estavam cercados e tinham polícia própria.

Era proibida a entrada de quem não apresentasse documentos expedidos pela empresa; estava interdito até o trânsito pelas estradas que conduziam o petróleo até os portos. Quando Gómez morreu, em 1935, os operários petroleiros cortaram as cercas de arame farpado que rodeavam os acampamentos e se declararam em greve.

Em 1948, com a queda do governo de Rómulo Gallegos, fechou-se o ciclo reformista inaugurado três anos antes, e os militares vitoriosos prontamente reduziram a participação do Estado no petróleo extraído pelas filiais do cartel. A baixa nos impostos, em 1954, traduziu-se em mais de 300 milhões de dólares de ganhos adicionais para a Standard Oil. Em 1953, um homem de negócios dos Estados Unidos havia declarado em Caracas: "Aqui, você tem a liberdade de fazer o que quiser com seu dinheiro; para mim, esta liberdade vale mais do que todas as liberdades políticas e civis juntas"[55]. Quando o ditador Marcos Pérez Jiménez foi derrubado em 1958, a Venezuela era um vasto poço de petróleo rodeado de cárceres e câmaras de tortura que importava tudo dos Estados Unidos: os automóveis e as geladeiras, o leite condensado, os ovos, as alfaces, as leis e os decretos. A maior das empresas de Rockefeller, a Creole, havia declarado em 1957 lucros que chegavam quase à metade de seus investimentos totais. A junta revolucionária do governo elevou o imposto de renda das maiores empresas de 25 para 45 por cento. Em represália, o cartel impôs a imediata queda de preço do petróleo venezuelano e foi então que começaram as despedidas em massa de operários. Tanto desabou o preço que, apesar do aumento dos impostos e do maior volume do petróleo exportado, em 1958 o Estado arrecadou 60 milhões de dólares menos do que no ano anterior.

Os governos seguintes não nacionalizaram a indústria petrolífera, mas tampouco autorizaram, até 1970, novas concessões às empresas estrangeiras para a extração do ouro negro. Entrementes, o cartel acelerou a produção de suas jazidas no Oriente Próximo e no Canadá; na Venezuela, virtualmente cessou a prospecção de novos poços e a exportação está paralisada. A política de negar novas concessões perdeu sentido, na medida em que a Corporação Venezuelana do Petróleo, o organismo estatal, não assumiu a responsabilidade vacante. A Corporação limitou-se a perfurar uns poucos poços aqui e ali, confirmando que sua função não é outra senão aquela que lhe atribuiu o presidente Rómulo Betancourt: "Não alcançar a dimensão de grande empresa, mas servir de intermediária para as negociações na nova fórmula de concessões". A nova fórmula, ainda que várias vezes anunciada, não foi posta em prática.

---

55. *Time*, edição para a América Latina, 11 de setembro de 1953.

Entrementes, um forte impulso industrializador que ganhava corpo e força nas duas últimas décadas já mostra visíveis sintomas de esgotamento, e vive uma impotência muito conhecida na América Latina: o mercado interno, reprimido pela pobreza das maiorias, não é capaz de sustentar o desenvolvimento manufatureiro além de certos limites. De outra parte, a reforma agrária, inaugurada pelo governo da Ação Democrática, ficou em menos da metade do caminho que propusera recorrer, segundo as promessas de seus criadores. A Venezuela compra no exterior, sobretudo nos Estados Unidos, boa parte dos alimentos que consome. O prato nacional, por exemplo, que é o feijão-preto, chega do norte em grande quantidade, e nos sacos fulgura a palavra "beans".

Salvador Garmendia, o romancista que reinventou o inferno pré-fabricado de toda essa cultura de conquista, a cultura do petróleo, escrevia-me numa carta de meados de 1969: "Já viste um balancim, o aparelho que extrai o petróleo cru? Tem a forma de um grande pássaro negro cuja pontiaguda cabeça sobe e desce pesadamente, dia e noite, sem parar um só segundo: é o único abutre que não come merda. O que acontecerá quando ouvirmos o ruído característico do sorvedouro ao acabar o líquido? A *ouverture* grotesca já começa a ser ouvida no lago de Maracaibo, onde do dia para a noite brotaram povoados fabulosos com cinemas, supermercados, *dancings*, ajuntamento de putas e jogatinas em que o dinheiro não valia quase nada. Há pouco andei por lá e senti uma garra no estômago. O cheiro de morto e de sucata é mais forte do que o do óleo. Os povoados estão quase desertos, carcomidos, todos ulcerados pela ruína, as ruas embarradas, as lojas em escombros. Um antigo mergulhador das empresas submerge diariamente, armado de uma serra, para cortar pedaços de canos abandonados e vender como ferro-velho. As pessoas começam a falar das *companhias* como quem evoca uma fábula dourada. Vive-se de um passado mítico e funambulesco de fortunas perdidas num lance de dados e bebedeiras de sete dias. Os balancins continuam cabeceando, e a chuva de dólares cai em Miraflores, o palácio do governo, para transformar-se em autopista e outros monstros de cimento armado. E 70 por cento do país vive à margem de tudo. Nas cidades prospera uma desnorteada classe média com altos salários, que se enche de objetos inúteis, vive aturdida pela publicidade e professa a imbecilidade e o mau gosto de forma estridente. Recentemente o governo anunciou com grande pompa que acabou com o analfabetismo. Resultado: na passada festa eleitoral, o censo dos inscritos contabilizou 1 milhão de analfabetos entre os dezoito e os 50 anos de idade".

Segunda parte

O desenvolvimento é uma viagem com mais náufragos do que navegantes

História da morte prematura

Do rio, os navios de guerra britânicos saudavam a independência

Em 1823, George Canning, cérebro do império britânico, estava celebrando seus triunfos universais. O encarregado de negócios da França teve de suportar a humilhação deste brinde: "Vossa seja a glória do triunfo, seguida pelo desastre e pela ruína; nosso seja o tráfico sem glória da indústria e da prosperidade sempre crescente (...). A idade da cavalaria passou, sucedida pela idade dos economistas e dos calculistas". Londres vivia o princípio de uma longa festa; Napoleão tinha sido derrotado alguns anos antes, e a era da *pax britannica* se abria sobre o mundo. Na América Latina, a independência garantira perpetuidade ao poder dos donos da terra e dos comerciantes enriquecidos nos grandes portos de exportação, à custa da antecipada ruína dos países nascentes. As antigas colônias espanholas, e também o Brasil, eram mercados ávidos para os tecidos ingleses e para as libras esterlinas a tantos por cento. Canning não se enganara ao escrever, em 1824: "A coisa está feita; o prego está pregado, a América espanhola é livre; e se não negligenciarmos tristemente os nossos assuntos, é *inglesa*".[1]

A máquina a vapor, o tear mecânico e o aperfeiçoamento da máquina de tecer tinham feito amadurecer vertiginosamente a revolução industrial na Inglaterra. Multiplicavam-se as fábricas e os bancos; os motores de combustão interna haviam modernizado a navegação e um sem-número de grandes navios rumavam para os quatro pontos cardeais universalizando a expansão industrial inglesa. A economia britânica pagava com tecidos de algodão os couros do rio da Prata, o guano e o nitrato do Peru, o cobre do Chile, o açúcar de Cuba, o café do Brasil. As exportações industriais, os fretes, os seguros, os juros dos empréstimos e os dividendos dos investimentos alimentariam, ao longo do século XIX, a pujante prosperidade da Inglaterra. Em verdade, antes das guerras de independência os ingleses já controlavam boa parte do comércio legal entre a Espanha e suas colônias, e haviam lançado às costas da América Latina um caudaloso e persistente fluxo de mercadorias de contrabando. O tráfico de escravos proporcionava um anteparo eficaz para o comércio clandestino, ainda que ao fim e ao cabo as alfândegas também registrassem, em toda a América Latina, uma esmagadora maioria de produtos que não provinham da Espanha. Nos fatos, o monopólio espanhol nunca existiu: "(...) a colônia já estava perdida para a metrópole muito antes de 1810, e a revolução não representou nada mais que um reconhecimento político de semelhante estado de coisas".[2]

As tropas britânicas tinham conquistado Trinidad, no Caribe, ao preço de uma só baixa, mas o comandante da expedição, Sir Ralph Abercromby, estava convencido de que não seriam fáceis outras conquistas militares na América espanhola. Pouco depois, fracassaram as invasões inglesas no rio da Prata. A derrota fortaleceu a opinião de Abercromby sobre a ineficácia das expedições armadas e o momento histórico dos diplomatas, mercadores e banqueiros: uma nova ordem liberal nas colônias espanholas ofereceria à Grã-Bretanha a oportunidade de abocanhar as nove décimas partes do comércio da América espanhola[3]. A febre da independência fervia em terras hispano-americanas. A partir de 1810, Londres aplicou uma política serpejante

---

1. KAUFMANN, William W. *La política británica y la independencia de la América Latina (1804-1828)*. Caracas, 1963.

2. KOSSOK, Manfred. *El virreinato del Río de la Plata. Su estructura económico-social*. Buenos Aires, 1959.

3. FERNS, H. S. *Gran Bretaña y Argentina en el siglo XIX*. Buenos Aires, 1966.

e dúplice, cujas flutuações obedeceram à necessidade de favorecer o comércio inglês, impedir que a América Latina caísse nas mãos dos Estados Unidos ou da França e prevenir uma possível infecção interna do jacobinismo nos novos países que nasciam para a liberdade.

Quando se constituiu a junta revolucionária em Buenos Aires, em 25 de maio de 1810, uma salva de canhonaços dos navios britânicos a saudou desde o rio. O capitão do navio *Mutine* pronunciou, em nome de Sua Majestade, um inflamado discurso: o júbilo invadia os corações britânicos. Buenos Aires levou apenas três dias para eliminar certas proibições que dificultavam o comércio com estrangeiros; doze dias depois, reduziu de 50 para 7,5 por cento os impostos que incidiam sobre as vendas ao exterior de couros e sebo. Tinham passado seis semanas desde 25 de maio quando foi tornada sem efeito a proibição de exportar ouro e prata em moedas, de modo que pudessem circular em Londres sem inconvenientes. Em setembro de 1811, um triunvirato substituiu a junta como autoridade governante: foram novamente reduzidos, e em alguns casos abolidos, os impostos de exportação e importação. A partir de 1813, quando a Assembleia se declarou autoridade soberana, os comerciantes estrangeiros ficaram desobrigados de vender suas mercadorias através dos comerciantes nativos: "O comércio, em verdade, tornou-se livre"[4]. Já em 1812, alguns comerciantes britânicos comunicaram ao Foreign Office: "Conseguimos (...) substituir com êxito os tecidos alemães e franceses". Tinham substituído também a produção dos tecedores argentinos, estrangulados pelo porto livre-cambista. E o mesmo processo se registrou, com variantes, em outras regiões da América Latina.

De Yorkshire e Lancashire, dos Cheviots e Gales, brotavam sem cessar artigos de algodão e de lã, de ferro e de couro, de madeira e porcelana. Os teares de Manchester, as ferrarias de Shaffield, as olarias de Worcester e Staffordshire inundavam os mercados latino-americanos. *O livre-comércio enriquecia os portos que viviam da exportação e elevava aos céus o nível de esbanjamento das oligarquias ansiosas por desfrutar de todo o luxo que o mundo oferecia, e arruinava as incipientes manufaturas locais e frustrava a expansão do mercado interno.* As indústrias domésticas, precárias e de muito baixo nível técnico, tinham surgido no mundo colonial apesar das proibições da metrópole, e experimentaram uma culminância, às vésperas da independência, em consequência do afrouxamento dos laços opressores da Espanha e das dificuldades de abastecimento que a guerra europeia provocou. Nos primeiros anos do século XIX, as oficinas estavam ressuscitando depois dos mortíferos

---

4. *Ibid.*

efeitos da decisão que o rei tomara em 1778, autorizando o livre-comércio entre os portos da Espanha e da América. Uma avalanche de mercadorias estrangeiras arrasara as manufaturas têxteis e a produção colonial de cerâmica e objetos de metal, e os artesãos não tiveram muitos anos para se recuperar do golpe: a independência abriu completamente as portas à livre concorrência da indústria já desenvolvida da Europa. *Os vaivéns posteriores nas políticas aduaneiras dos governos da independência gerariam sucessivas mortes e renascimentos das manufaturas locais, sem a possibilidade de um desenvolvimento sustentado no tempo.*

As dimensões do infanticídio industrial

Quando nascia o século XX, Alexander von Humboldt calculou o valor da produção manufatureira do México em uns sete ou oito milhões de pesos, a maior parte correspondente a manufaturas têxteis. Os estabelecimentos especializados elaboravam panos, tecidos de algodão e linho; mais de 200 teares ocupavam, em Querétaro, 1.500 operários, e em Puebla trabalhavam 1.200 tecedores de algodão[5]. No Peru, os toscos produtos da colônia nunca alcançaram a perfeição dos tecidos indígenas anteriores à chegada de Pizarro, "mas em compensação, sua importância econômica foi muito grande"[6]. A indústria repousava sobre o trabalho forçado dos índios, encarcerados em seus locais de trabalho desde o clarear do dia até tarde da noite. A independência aniquilou o precário desenvolvimento alcançado. Em Ayacucho, Cacamorsa, Tarma, os trabalhos eram de considerável magnitude. O povoado inteiro de Pacaicasa, hoje morto, "formava um só e vasto estabelecimento de teares com mais de mil operários", diz Romero em sua obra; Paucarcolla, que abastecia de cobertores de lã uma vasta região, está desaparecendo "e atualmente não existe ali nem uma só fábrica"[7]. No Chile, uma das mais distantes possessões espanholas, o isolamento favoreceu o desenvolvimento de uma atividade industrial incipiente desde a alvorada do período colonial. Havia fiações, tecelagens, curtumes; as cordas chilenas proviam todos os navios do Mar do Sul; fabricavam-se artigos de metal, desde alambiques e canhões

---

5. HUMBOLDT, Alexander von. *Ensayo sobre el reino de la Nueva España*. México, 1944.
6. ROMERO, Emilio. *Historia económica del Perú*. Buenos Aires, 1949.
7. *Ibid.*

até joias, baixelas finas e relógios. Construíam-se embarcações e veículos[8]. Também no Brasil os estabelecimentos têxteis e metalúrgicos, que vinham ensaiando seus modestos primeiros passos desde o século XVIII, foram arrasados pelas importações estrangeiras. Essas duas atividades manufatureiras tinham conseguido progredir consideravelmente apesar dos obstáculos impostos pelo pacto colonial com Lisboa, mas desde 1807 a monarquia portuguesa instalada no Rio de Janeiro era apenas um joguete nas mãos britânicas, e o poder de Londres tinha outra força. "Até a abertura dos portos", diz Caio Prado Júnior, "as deficiências do comércio português funcionavam como barreira protetora de uma pequena indústria local; pobre indústria artesanal, é verdade, mas assim mesmo suficiente para satisfazer uma parte do consumo interno. Essa pequena indústria não vai sobreviver à livre concorrência estrangeira, nem mesmo nos produtos mais insignificantes."[9]

A Bolívia era o centro têxtil mais importante do vice-reinado rio-platense. Em Cochabamba, no fim do século, havia 80 mil pessoas dedicadas à fabricação de lenços de algodão, panos diversos e toalhas, segundo o testemunho do intendente Francisco de Viedma. Em Oruro e La Paz também tinham surgido estabelecimentos que, junto com os de Cochabamba, ofereciam mantas, ponchos e baetas muito resistentes à população, às tropas de linha do exército e às guarnições da fronteira. De Mojos, Chiquitos e Guarayos provinham finíssimos tecidos de linho e de algodão, chapéus de palha, vicunha ou carneiro, e charutos de folha. "Todas essas indústrias desapareceram com a concorrência de artigos similares estrangeiros", constatava, sem grande tristeza, um volume dedicado à Bolívia no primeiro centenário de sua independência.[10]

O litoral da Argentina era a região mais atrasada e menos povoada do país, antes que a independência deslocasse para Buenos Aires, em prejuízo das províncias mediterrâneas, o centro de gravidade da vida econômica e política. No princípio do século XIX, apenas a décima parte da população argentina residia em Buenos Aires, Santa Fé e Entre Ríos[11]. Com ritmo lento e através de meios rudimentares desenvolvera-se uma indústria nativa nas regiões do centro e do norte, enquanto no litoral, segundo dizia em 1795 o

---

8. RAMÍREZ NECOCHEA, Hernán. *Antecedentes económicos de la independencia de Chile.* Santiago de Chile, 1959.

9. PRADO JÚNIOR, Caio. *Historia económica del Brasil.* Buenos Aires, 1960.

10. THE UNIVERSITY SOCIETY. *Bolivia en el primer centenario de su independencia.* La Paz, 1925.

11. ALEN LISCANO, Luis C. *Imperialismo y comercio libre.* Buenos Aires, 1963.

procurador Larramendi, não existia "nenhuma arte nem manufatura". Em Tucumán e Santiago del Estero, que atualmente são poços de subdesenvolvimento, floresciam as oficinas têxteis, que fabricavam ponchos de três classes distintas, e em outros estabelecimentos produziam-se excelentes carroças, charutos, cigarros, couros e solas. Em Catamarca, lenços de todos os tipos, tecidos finos, baetilhas de algodão preto para uso dos clérigos; Córdoba fabricava mais de 70 mil ponchos, vinte mil cobertores e 40 mil varas de baeta por ano, sapatos e artigos de couro, cinchas e chicotes, tapetes e cordovãos. Os curtumes e as correarias mais importantes estavam em Corrientes. Eram famosos os finos arreios de Salta. Mendoza produzia entre 2 e 3 milhões de litros de vinho por ano, em nada inferiores aos de Andaluzia, e San Juan destilava 350 mil litros anuais de aguardente. Mendoza e San Juan formavam "a garganta do comércio" entre o Atlântico e o Pacífico na América do Sul.[12]

Os agentes comerciais de Manchester, Glasgow e Liverpool percorreram a Argentina e copiaram os modelos dos ponchos santiaguinos e cordoveses e dos artigos de couro de Corrientes, além dos estribos de madeira "ao uso do país". Os ponchos argentinos valiam sete pesos, os de Yorkshire, três. A indústria têxtil mais desenvolvida do mundo triunfava a galope contra as tecelagens nativas, e outro tanto ocorria com a produção de botas, esporas, relhos, freios e até pregos para ferraduras. A miséria assolou as províncias do interior argentino, que prontamente se insurgiram contra a ditadura do porto de Buenos Aires. Os principais mercadores (Escalada, Belgrano, Pueyrredón, Vieytes, Las Heras, Cerviño) haviam empolgado o poder que fora arrebatado à Espanha[13] e o comércio lhes oferecia a possibilidade de comprar sedas e facas inglesas, panos de Louviers, tecidos finos de Flandres, sabres suíços, gim holandês, presunto de Westfalia e charutos de Hamburgo. Em troca, a Argentina exportava couro, sebo, ossos, carne salgada, e os pecuaristas da província de Buenos Aires aumentavam seus mercados graças ao livre-comércio. O cônsul inglês no Prata, Woodbine Parish, descrevia em 1837 para um gordo gaúcho dos pampas: "Todas as peças da tua roupa e, exceto o que for de couro, tudo o que está ao teu redor: há alguma coisa que não seja inglesa? Se tua mulher tem uma saia, há dez possibilidade contra uma que tenha sido fabricada em Manchester. A chaleira e a panela em que vocês cozinham, a louça em que comem todos os dias, a faca, as esporas, o freio, o

---

12. SANTOS MARTÍNEZ, Pedro. *Las industrias durante el virreinato (1776-1810)*. Buenos Aires, 1969.
13. LEVENE, Ricardo. Introducción a *Documentos para la historia argentina*, 1919. In: *Obras completas*. Buenos Aires, 1962.

poncho que agasalha, todos são artigos trazidos da Inglaterra"¹⁴. A Argentina trazia da Inglaterra até as pedras das calçadas.

Aproximadamente na mesma época, James Watson Webb, embaixador dos Estados Unidos no Rio de Janeiro, relatava: "Em todas as fazendas do Brasil, os amos e seus escravos se vestem com manufaturas do trabalho livre, e nove décimos desses produtos são ingleses. A Inglaterra provê o capital necessário para os melhoramentos internos do Brasil e fabrica todos os utensílios de uso corrente, da enxada para cima, e quase todos os artigos de luxo ou de uso prático, desde o alfinete ao mais caro vestido. A cerâmica inglesa, os artigos ingleses de vidro, ferro e madeira são tão comuns quanto os panos de lã e tecidos de algodão. A Grã-Bretanha fornece ao Brasil seus barcos a vapor e a vela, faz o calçamento e arruma as ruas, ilumina com gás as cidades, constrói as ferrovias, explora suas minas, é o seu banqueiro, estende seus fios telegráficos, faz o transporte postal, constrói seus móveis, motores, vagões (...)"¹⁵. A euforia da livre importação enlouquecia os mercadores dos portos; naqueles anos, o Brasil recebia também ataúdes, já forrados e prontos para receber os mortos, selas de montaria, candelabros de cristal, caçarolas e até patins para gelo, de uso mais do que improvável nas ardentes costas do trópico; também carteiras, embora ainda não existisse no Brasil o papel-moeda, e uma quantidade inexplicável de instrumentos de matemática¹⁶. O Tratado de Comércio e Navegação assinado em 1810 atribuía à importação de produtos ingleses uma tarifa menor do que a aplicada aos produtos portugueses, e seu texto tinha sido tão precariamente traduzido que a palavra *policy*, por exemplo, em português passou a significar *polícia* em vez de *política*¹⁷. Os ingleses gozavam no Brasil do direito de justiça especial, que os subtraía da jurisdição da justiça nacional: o Brasil era "um membro não oficial do império econômico da Grã-Bretanha".¹⁸

---

14. PARISH, Woodbine. *Buenos Aires y las provincias del Río de la Plata*. Buenos Aires, 1958.
15. SCHILLING, Paulo. *Brasil para extranjeros*. Montevideo, 1966.
16. MANCHESTER, Alan K. *British preeminence in Brazil: its rise and decline*. Chapel Hill, North Carolina, 1933.
17. FURTADO, Celso. *Formación económica del Brasil*. México; Buenos Aires, 1959.
18. NORMANO, J. F. *Evolução econômica do Brasil*. São Paulo, 1934.

Em meados do século, um viajante sueco chegou a Valparaíso e foi testemunha da dissipação e da ostentação que a liberdade de comércio facilitava ao Chile. Ele escreveu: "A única forma de se mostrar superior é submeter-se aos ditames das revistas da moda de Paris, ao fraque preto e todos os acessórios que lhe correspondem (...). A senhora compra um elegante chapéu que a faz sentir-se uma consumada parisiense, enquanto o marido coloca um duro e alto gravatão e se considera no pináculo da cultura europeia"[19]. Três ou quatro casas inglesas tinham açambarcado o mercado do cobre chileno, e manejavam os preços segundo os interesses das fundições de Swansea, Liverpool e Cardiff. Em 1838, o cônsul-geral da Inglaterra informava ao seu governo sobre o "prodigioso incremento" das exportações do cobre, que era transportado "principalmente, se não completamente, em barcos britânicos ou a serviço de britânicos"[20]. Os comerciantes ingleses monopolizavam o comércio em Santiago e Valparaíso, e o Chile, em ordem de importância para os produtos ingleses, era o segundo mercado latino-americano.

Os grandes portos da América Latina, escalas de trânsito das riquezas extraídas do solo e do subsolo destinadas a longínquos centros de poder, consolidavam-se como instrumentos de conquista e dominação contra os países aos quais pertenciam, e eram os drenos por onde se escoava a renda nacional. Os portos e as capitais queriam se parecer com Paris ou Londres, e na retaguarda tinham o deserto.

Protecionismo e livre-câmbio na América Latina: o curto voo de Lucas Alamán

A expansão dos mercados latino-americanos acelerava a acumulação de capitais nas sementeiras da indústria britânica. Fazia já muito tempo que o Atlântico se tornara o eixo do comércio mundial, e os ingleses tinham sabido tirar proveito da localização de sua ilha, cheia de portos, a meio caminho do Báltico e do Mediterrâneo e apontando as costas da América. A Inglaterra organizava um sistema universal e se tornava a prodigiosa fábrica abastecedora do planeta: do mundo inteiro vinham as matérias-primas e no mundo inteiro se derramavam as mercadorias elaboradas. O império contava com o maior porto e o mais poderoso sistema financeiro de seu tempo; tinha o mais alto grau de

---

19. BEYHAUT, Gustavo. *Raíces contemporáneas de América Latina*. Buenos Aires, 1964.
20. RAMÍREZ NECOCHEA, Hernán. *Historia del imperialismo en Chile*. Santiago do Chile, 1960.

especialização comercial, dispunha do monopólio mundial dos seguros e dos fretes, e dominava o mercado internacional do ouro. Friederich List, pai da união aduaneira alemã, havia advertido que o livre-comércio era o principal produto de exportação da Grã-Bretanha[21]. Nada enfurecia tanto os ingleses quanto o protecionismo aduaneiro, e às vezes faziam sabê-lo numa linguagem de sangue e fogo, como na Guerra do Ópio contra a China. No entanto, a livre concorrência nos mercados se converteu numa verdade revelada para a Inglaterra *somente a partir do momento em que teve certeza de que era a mais forte, e depois de ter desenvolvido sua própria indústria têxtil ao abrigo da legislação protecionista mais severa da Europa. No difícil começo, quando a indústria britânica ainda levava desvantagem, o cidadão inglês que fosse surpreendido exportando lã crua, sem elaborar, era condenado a perder a mão direita, e se reincidia, era enforcado; estava proibido de enterrar um cadáver sem que antes o pároco do lugar garantisse que a mortalha provinha de uma fábrica nacional.*[22]

"Todos os fenômenos deletérios suscitados pela livre concorrência no interior de um país", observou Marx, "se reproduzem em proporções mais gigantescas no mercado mundial"[23]. O ingresso da América Latina na órbita britânica, da qual só sairia para se incorporar à órbita norte-americana, ocorreu nos termos desse quadro geral, e nele se consolidou a dependência dos novos países independentes. A livre circulação de mercadorias e a livre circulação do dinheiro para os pagamentos, assim como a transferência de capitais, tiveram consequências dramáticas.

No México, Vicente Guerrero chegou ao poder, em 1829, "nos ombros do desespero dos artesãos, insuflados pelo grande demagogo Lorenzo de Zavala, que lançou sobre as lojas repletas de mercadorias inglesas do Parián uma turba faminta e desesperada"[24]. Pouco durou Guerrero no poder, e caiu em meio à indiferença dos trabalhadores, pois não quis ou não pôde opor um dique à importação de mercadorias europeias, "cuja abundância", diz Chávez Orozco,

---

21. Este economista alemão, nascido em 1789, propagou nos Estados Unidos e em sua própria pátria a doutrina do protecionismo aduaneiro e do fomento industrial. Suicidou-se em 1846, mas suas ideias se impuseram nos dois países.

22. VÉLIZ, Claudio. "La mesa de tres patas". In: *Desarrollo económico*, v.3 (1 e 2). Santiago de Chile, setembro de 1963.

23. "Não é estranho que os livre-cambistas sejam incapazes de compreender como um país pode enriquecer à custa de outro, pois estes mesmos senhores tampouco querem compreender como no interior de um país uma classe pode enriquecer à custa de outra. MARX, Karl. "Discurso sobre el libre cambio." In: *Miseria de la filosofía*. Moscou, s.f.

24. CHÁVEZ OROZCO, Luis. "La industria de transformación mexicana (1821-1867)." In: BANCO NACIONAL DE COMERCIO EXTERIOR. *Colección de documentos para la historia del comercio exterior de México*. México, 1962. t.VII.

"levava ao desemprego as massas artesãs das cidades, que antes da independência, sobretudo nos períodos bélicos da Europa, viviam com certa folga". A indústria mexicana carecera de capitais, mão de obra suficiente e técnicas modernas; não tivera uma organização adequada, nem meios de comunicação e de transporte para chegar aos mercados e às fontes de abastecimento. "Sobraram-lhe unicamente interferências, restrições e impedimentos de toda ordem", diz Alonso Aguilar[25]. Apesar disso, como notara Humboldt, a indústria havia despertado nos momentos de estancamento do comércio exterior, quando se interrompiam ou se tornavam problemáticas as comunicações marítimas, e começara a fabricar o aço e a fazer uso do ferro e do mercúrio. O liberalismo que a independência trouxe consigo agregava pérolas à coroa britânica e paralisava os estabelecimentos têxteis e metalúrgicos do México, Puebla e Guadalajara.

Lucas Alamán, um político conservador de grande capacidade, percebeu a tempo que as ideias de Adam Smith continham veneno para a economia nacional, e propiciou, como ministro, a criação de um banco estatal, o Banco de Avio, com o fim de incrementar a industrialização. Um imposto aplicado aos tecidos estrangeiros de algodão proporcionaria ao país os recursos para comprar no exterior as máquinas e os meios técnicos que o México precisava para abastecer-se de tecidos de algodão de fabricação própria. O país dispunha de matéria-prima, contava com energia hidráulica mais barata do que o carvão e podia formar rapidamente bons operários. O Banco nasceu em 1830, e pouco depois chegaram das melhores fábricas europeias as máquinas mais modernas para fiar e tecer algodão; além disso, o Estado contratou especialistas estrangeiros na técnica têxtil. Em 1844, as grandes fábricas de Puebla produziram um milhão e 400 mil cortes de manta grossa. A nova capacidade industrial do país ultrapassava a demanda interna; o mercado de consumo do "reino da desigualdade", formado em sua grande maioria por índios famintos, não podia sustentar a continuidade daquele desenvolvimento fabril vertiginoso. Contra essa muralha se chocava o esforço de romper a estrutura herdada da colônia. A tal ponto se modernizara a indústria que as fábricas têxteis norte-americanas, por volta de 1840, contavam em média com menos fusos do que as fábricas mexicanas[26]. Dez anos depois, a proporção se invertera com sobras. A instabilidade política, as pressões dos comerciantes ingleses e franceses e seus poderosos sócios internos, as mesquinhas dimensões

---

25. AGUILAR MONTEVERDE, Alonso. *Dialéctica de la economía mexicana*. México, 1968.

26. BAZANT, Jan. *Estudio sobre la productividad de la industria algodonera mexicana en 1843-1845 (Lucas Alamán y la revolución industrial en México)*. In: Banco Nacional de Comercio Exterior, op. cit.

do mercado interno, de antemão estrangulado pela economia mineira e latifundiária, derrubaram a exitosa experiência. Antes de 1850 já se interrompera o progresso da indústria têxtil mexicana. Os criadores do Banco de Avio tinham ampliado seu raio de ação, e quando ele se extinguiu, os créditos abarcavam também as tecelagens de lã, as fábricas de tapetes e a produção de ferro e de papel. Esteban de Antuñano sustentava, inclusive, a necessidade de que o México criasse o quanto antes uma indústria nacional de maquinarias, "para resistir ao egoísmo europeu".

O maior mérito do ciclo industrializador de Alamán e Antuñano reside em que ambos restabeleceram a identidade "entre a independência política e a independência econômica, e o fato de preconizar, como único meio de defesa contra os povos poderosos e agressivos, um enérgico impulso à economia industrial"[27]. O próprio Alamán se tornou industrial, criou o maior estabelecimento têxtil mexicano daquele tempo (chamava-se Cocolapan e ainda existe) e organizou os industriais como grupo de pressão frente aos sucessivos governos livre-cambistas[28]. Mas Alamán, conservador e católico, não chegou a equacionar a questão agrária, porque ele mesmo se sentia ideologicamente ligado à velha ordem, e não percebeu que o desenvolvimento industrial estava de antemão condenado a ficar no meio do caminho, sem bases de sustentação, naquele país de latifúndios infinitos e miséria generalizada.

As lanças montoneras e o ódio que sobreviveu a Juan Manuel Rosas

Protecionismo contra livre-câmbio, o país contra o porto: no fundo, esta foi a luta que ardeu por trás das guerras civis argentinas durante o século passado.

---

27. CHÁVEZ OROZCO, op. cit.

28. No tomo III da citada coleção de documentos do Banco Nacional de Comércio Exterior são transcritos vários arrazoados protecionistas publicados en *El Siglo XIX* em fins de 1850: "Passada já a conquista da civilização espanhola com seus três séculos de dominação militar, entrou o México numa nova era, que também pode ser chamada de conquista, mas científica e mercantil (..). Sua potência são os navios mercantes; sua prédica é a absoluta liberdade econômica; sua norma poderosíssima em relação aos povos menos adiantados é a lei da reciprocidade (...). 'Levai à Europa', disse-nos, 'quantas manufaturas possais (exceto, no entanto, as que nós proibimos); e em contrapartida permiti que tragamos quantas manufaturas possamos, ainda que arruinando vossas artes (...)'. Adotemos as doutrinas que eles (nossos senhores do outro lado do oceano e do rio Bravo) dão e não tomam, e nosso erário crescerá um pouco, se queiramos (..), mas não será fomentando o trabalho do povo mexicano, mas o dos povos inglês e francês, suíço e da América do Norte".

Buenos Aires, que no século XVII ainda era uma grande aldeia de 400 casas, apoderou-se da nação inteira a partir da Revolução de Maio e da independência. Era o porto único, e por ele tinham de passar todos os produtos que entravam e saíam do país. As deformações que a hegemonia portenha impôs à nação se notam claramente em nossos dias: a capital abarca, com seus subúrbios, mais de um terço da população total da Argentina, e exerce sobre as províncias diversas formas de proxenetismo. Naquela época, detinha o monopólio da renda aduaneira, dos bancos e da emissão de moeda, e prosperava vertiginosamente à custa das províncias do interior. A quase totalidade da receita de Buenos Aires provinha da alfândega nacional, que o porto usurpava em proveito próprio, e mais da metade se destinava aos gastos de guerra contra as províncias, que deste modo *pagavam para ser aniquiladas.*[29]

Da Sala de Comércio de Buenos Aires, fundada em 1810, os ingleses alongavam seus telescópios para vigiar a passagem dos navios e abasteciam os portenhos com tecidos finos, flores artificiais, guarda-chuvas, botões e chocolates, enquanto uma inundação de ponchos e estribos de fabricação inglesa fazia seus estragos no interior do país. Para aquilatar a importância que o mercado mundial então atribuía aos couros rio-platenses, é preciso remontar a uma época em que os plásticos e os revestimentos sintéticos não existiam nem mesmo como suspeita na imaginação dos químicos. Nenhum cenário mais propício que a fértil planície do litoral para a criação de gado em larga escala. Em 1816, descobriu-se um novo sistema que permitia conservar indefinidamente os couros, através de um tratamento de arsênico; de resto, prosperavam e se multiplicavam as charqueadas. O Brasil, as Antilhas e a África abriam seus mercados para a importação do charque, e na medida em que a carne salgada, cortada em mantas secas, ia ganhando consumidores estrangeiros, os consumidores argentinos notavam a mudança. Criaram-se impostos para o consumo interno da carne, ao mesmo tempo em que eram desoneradas as exportações; em poucos anos, o preço dos novilhos se multiplicou por três, e as estâncias valorizaram suas terras. Os gaúchos estavam acostumados a caçar livremente os novilhos a céu aberto, no pampa sem aramados, para comer o lombo e se desfazer do resto, com a única obrigação de entregar o couro ao dono do campo. As coisas mudaram. A reorganização da produção implicava

---

29. BURGIN, Miron. *Aspectos económicos del federalismo argentino.* Buenos Aires, 1960.

a submissão do gaúcho nômade a uma nova dependência servil: um decreto de 1815 estabeleceu que todo homem do campo que não tivesse propriedades seria reputado servente, com a obrigação de portar uma papeleta assinada a cada três meses pelo seu patrão. Ou era servente, ou era vadio, e os vadios eram incorporados, à força, nos batalhões de fronteira[30]. O *criollo* rude, que servira de carne de canhão nos exércitos patriotas, era convertido em pária, em peão miserável ou em milico de fortim. Ou se rebelava, lança em punho, no redemoinho das *montoneras*[31]. Esse gaúcho arisco, despossuído de tudo exceto de glória e de coragem, nutriu as cargas de cavalaria que por vezes desafiaram os bem armados exércitos de linha de Buenos Aires. O surgimento da estância capitalista, no pampa úmido do litoral, colocava todo o país a serviço das exportações de couro e carne, e a marchar de mãos dadas com a ditadura do porto livre-cambista de Buenos Aires. O uruguaio José Artigas havia sido, até a derrota e o exílio, o mais lúcido dos caudilhos que lideraram o combate das massas *criollas* contra os comerciantes e os terras-tenentes atados ao mercado mundial, mas muitos anos depois Felipe Varela ainda foi capaz de desencadear uma grande rebelião no norte argentino porque, como constava em sua proclamação, "ser provinciano é ser mendigo sem pátria, sem liberdade, sem direitos". Sua insurreição encontrou ressonância em todo o interior mediterrâneo. Foi o último *montonero*; morreu tuberculoso e na miséria, em 1870[32]. O defensor da "União Americana", projeto de ressurreição da Pátria

---

30. ÁLVAREZ, Juan. *Las guerras civiles argentinas.* Buenos Aires, 1912.

31. A *montonera* "nasce no descampado como os redemoinhos. Arremete, brada e despedaça como os redemoinhos e se detém, de repente, e morre como eles" . VEGA DÍAZ, Dardo de la. *La Rioja heroica.* Mendoza, 1955.
José Hernández, que foi soldado da causa federal, cantou no *Martín Fierro*, o mais popular dos livros argentinos, as desditas do gaúcho desterrado de sua querência e perseguido pela autoridade: *Vive el áquila en su nido, / el tigre vive en la selva, / el zorro en la cueva agena, / y en su destino inconstante, / sólo el gaucho vive errante / donde la suerte o lleva. / Porque: Para él son los calabozos, / para él las duras prisiones, / en su boca no hay razones / aunque la razón le sobre, / que son campanas de palo / las razones de los pobres.*
José Abelardo Ramos observa (*Revolución y contrarrevolución en la Argentina.* Buenos Aires, 1965) que os dois sobrenomes verdadeiros que aparecem no *Martín Fierro* são os de Anchorena y Gainza, nomes representativos da oligarquia que exterminou a *criollaje* em armas, e que hoje em dia se fundiram na família proprietária do diário *La Prensa*.
Ricardo Güiraldes mostrou em *Don Segundo Sombra* (Buenos Aires, 1939) o rosto oposto de Martín Fierro: o gaúcho domesticado, amarrado à diária, bajulador do patrão, bom para ser usado no folclore nostálgico ou para ser lastimado.

32. ORTEGA PEÑA, Rodolfo & DUHALDE, Eduardo Luis. *Felipe Varela contra el Imperio Británico.* Buenos Aires, 1966. Em 1870, também o Paraguai caía banhado em sangue pela invasão estrangeira. Era o único Estado latino-americano que não tinha entrado na prisão imperialista.

Grande despedaçada, ainda é considerado um bandoleiro – como o era Artigas não faz muito – na história argentina ensinada nas escolas.

Felipe Varela nascera num pequeno povoado perdido entre as serras de Catamarca e tinha sido uma sentida testemunha da pobreza de sua província, arruinada pelo porto soberbo e distante. Em fins de 1824, quando Varela tinha três anos de idade, Catamarca não conseguiu pagar os gastos dos delegados que enviou ao Congresso Constituinte que se reuniu em Buenos Aires, e na mesma situação estavam Misiones, Santiago del Estero e outras províncias. O deputado catamarquenho Manuel Antonio Acevedo denunciava a "ominosa mudança" que a concorrência dos produtos estrangeiros havia provocado: "Catamarca tem olhado há algum tempo, sem poder solucionar, os problemas de nossa agricultura, com produtos inferiores às suas despesas; e também para sua indústria, sem um consumo capaz de alentar aqueles que a fomentam e a exercem, e para seu comércio, quase em total abandono[33]. O representante da província de Corrientes, general-brigadeiro Pedro Ferré, resumia assim, em 1830, as consequências possíveis do protecionismo que ele propugnava: "Sim, sem dúvida, um pequeno número de homens de fortuna padecerá, pois estarão privados de excelentes vinhos e licores (...). As classes menos acomodadas não acharão muita diferença nos vinhos e licores que atualmente bebem, exceto no preço, e diminuirão o consumo, o que não me parece prejudicial. Nossos camponeses não usarão ponchos ingleses; não vão levar consigo boleadeiras e laços feitos na Inglaterra; não vestiremos roupas de estrangeiros; e outras regras que podemos fixar; mas em troca começará a ser menos desgraçada a condição de povoados inteiros de argentinos, e não nos perseguirá a lembrança da espantosa miséria a que hoje são condenados".[34]

Dando um passo importante para a reconstrução da unidade nacional dilacerada pela guerra, o governo de Juan Manuel de Rosas, em 1835, editou uma lei aduaneira que extração protecionista. A lei proibia a importação de manufaturas de ferro e latão, arreios de cavalo, ponchos, cintos, faixas de lã ou de algodão, xergas, produtos granjeiros, rodas de carroças, velas de sebo e pentes, e estipulava pesados impostos à introdução de carruagens, sapatos, cordões, roupas, cavalgaduras, frutas secas e bebidas alcoólicas. Não era cobrado imposto sobre a carne transportada em navios de bandeira argentina, e eram estimuladas as correarias nacionais e a cultura do tabaco. Os efeitos foram notados sem demora. Até a batalha de Caseros, que derrubou Rosas em 1852, navegavam pelos rios escunas e navios construídos nos estaleiros de

---

33. BURGIN, op. cit.
34. ÁLVAREZ, op. cit.

Corrientes e Santa Fé, havia em Buenos Aires mais de 100 fábricas prósperas, e todos os viajantes coincidiam na opinião de que eram excelentes os tecidos e os sapatos elaborados em Córdoba e Tucumán, os cigarros e os artesanatos de Salta, os vinhos e as aguardentes de Mendoza e San Juan. A marcenaria de Tucumán exportava para o Chile, Bolívia e Peru[35]. Dez anos depois da aprovação da lei, os navios de guerra da Inglaterra e da França rebentaram a canhonaços as correntes estendidas no rio Paraná, abrindo à navegação os rios interiores argentinos que Rosa mantivera, dir-se-ia, hermeticamente fechados. À invasão seguiu-se o bloqueio. Dez memoriais dos centros industriais de Yorkshire, Liverpool, Manchester, Leeds, Halifax e Bradford, assinados por 1.500 banqueiros, comerciantes e industriais, tinham instado o governo inglês a tomar providências contra as restrições impostas ao comércio no Prata.

A despeito dos progressos decorrentes da lei aduaneira, o bloqueio evidenciou as limitações da indústria nacional, que não estava capacitada para satisfazer a demanda interna. Na verdade, desde 1841 o protecionismo vinha enfraquecendo, ao invés de acentuar-se; Rosas representava como ninguém os interesses dos estancieiros charqueadores da província de Buenos Aires, e não existia, nem nasceu, uma burguesia industrial capaz de impulsionar o desenvolvimento de um capitalismo nacional autêntico e pujante: a grande estância ocupava o centro da vida econômica do país, e nenhuma política industrial podia ser empreendida com independência e vigor sem derrubar a onipotência do latifúndio exportador. Rosa, no fundo, sempre permaneceu fiel à sua classe. "O homem que era o melhor ginete da província"[36], guitarrista e bailarino, grande domador, que se orientava nas noites de tormenta e sem estrelas mastigando algumas ervas do pasto, e era um grande estancieiro produtor de carne seca e couros, os terras-tenentes tinham convertido em seu chefe. A lenda negra que logo foi urdida para difamá-lo não pode ocultar o caráter nacional e popular de muitos de seus atos de governo[37], mas a contradição de classes explica a ausência de uma política industrial dinâmica e sustentada, que ultrapassasse a cirurgia aduaneira, no governo do caudilho dos pecuaristas. Esta ausência não pode ser atribuída à instabilidade e às penúrias implícitas nas guerras nacionais

---

35. RAMOS, op.cit.

36. BUSANICHE, José Luis. *Rosas visto por sus contemporáneos*. Buenos Aires, 1955.

37. José Rivera Indarte realizou, em suas célebres *Tablas de sangre*, um inventário dos crimes de Rosas, para estremecer a sensibilidade europeia. Segundo o *Atlas* de Londres, a casa bancária inglesa de Samuel Lafone pagou ao escritor um pêni por morto. Rosas havia proibido a exportação de ouro e prata, duro golpe no Império, e dissolvera o Banco Nacional, que era um instrumento do comércio britânico. CADY, John F. *La intervención extranjera en el Río de la Plata*. Buenos Aires, 1943.

e no bloqueio estrangeiro. Afinal, em meio ao torvelinho de uma revolução acossada, vinte anos antes José Artigas combinou suas normas industrialistas e integradoras com uma reforma agrária em profundidade.

Num livro fecundo[38], Vivian Trías compara o protecionismo de Rosas com o ciclo de medidas que Artigas irradiou desde a Banda Oriental, entre 1813 e 1815, para conquistar a verdadeira independência na área do vice-reinado rio-platense. Rosas não proibiu os mercadores estrangeiros de exercer o comércio no mercado interno, nem devolveu ao país as rendas alfandegárias que Buenos Aires continuou usurpando, nem terminou com a ditadura do porto único. No entanto, a nacionalização do comércio interior e a quebra do monopólio portuário e alfandegário de Buenos Aires haviam sido capítulos fundamentais da política artiguista, assim como a questão agrária. Artigas pretendera a livre navegação nos rios interiores, mas Rosas nunca abriu às províncias essa chave de acesso ao comércio de ultramar. No fundo, Rosas também permaneceu fiel à sua privilegiada província. A despeito de todas essas limitações, o nacionalismo e o populismo do "gaúcho de olhos azuis" seguem gerando ódio nas classes dominantes argentinas. Rosas continua sendo "réu de lesa-pátria", de acordo com uma lei de 1857 ainda vigente, e o país ainda se nega a abrir uma sepultura nacional para seus ossos enterrados na Europa. Sua imagem oficial é a imagem de um assassino.

Superada a heresia de Rosas, a oligarquia se reencontrou com seu destino. Em 1858, o presidente da comissão diretora da exposição rural declarava inaugurado o evento com estas palavras: "Nós, que ainda estamos na infância, contentemo-nos com a humilde ideia de enviar àqueles bazares europeus os nossos produtos e matérias-primas, para que nos devolvam transformados por meio dos poderosos agentes de que dispõem. O que pede a Europa são matérias-primas, para trocá-las por ricos artefatos".[39]

O ilustre Domingo Faustino Sarmiento e outros escritores liberais viram na *montonera* camponesa não mais do que o símbolo da barbárie, o atraso e a ignorância, o anacronismo das campanhas pastoris frente à civilização que a cidade encarnava: o poncho e o chiripá contra o fraque; a lança e o punhal contra a tropa de linha; o analfabetismo contra a escola[40]. Em 1861, Sarmiento

---

38. TRÍAS, Vivian. *Juan Manuel de Rosas*. Montevideo, 1970.

39. Discurso de Gervásio A. de Posadas, conf. CÚNEO, Dardo. *Comportamiento y crisis de la clase empresaria*. Buenos Aires, 1967. Em 1876, o ministro da Fazenda disse no Congresso: "Não devemos criar um direito exagerado que torne impossível a entrada do calçado, de modo que quatro remendões aqui floresçam, enquanto mil fabricantes de calçado estrangeiros não possam vender um só par de sapatos".

40. BAZÁN, Armando Raúl. Las bases sociales de la montonera. *Revista de Historia Americana y Argentina*. Mendoza (7-8), 1962-3.

escrevia a Mitre: "Não economize sangue dos gaúchos, é a única coisa que eles têm de humano. É preciso tornar útil para o país este adubo". Tanto desprezo e tanto ódio revelavam uma negação da própria pátria que continha também, por certo, uma expressão de política econômica: "Não somos industriais nem navegantes", afirmava Sarmiento, "e a Europa nos abastecerá de seus produtos por longos séculos, em troca de nossas matérias-primas."[41]

O presidente Bartolomeu Mitre, a partir de 1862, levou adiante uma guerra de extermínio contra as províncias e seus últimos caudilhos. Sarmiento foi nomeado comandante da guerra e as tropas marcharam rumo ao norte para matar gaúchos, "animais bípedes de tão perversa condição". Em La Rioja, *Chacho* Peñaloza, general das planícies, que irradiava sua influência até Mendoza e San Juan, era um dos últimos redutos da rebelião contra o porto, e Buenos Aires considerou que havia chegado a hora de acabar com ele. Cortaram-lhe a cabeça e a cravaram, em exibição, no centro da Praça de Olta. A ferrovia e as estradas arremataram a ruína de La Rioja, que havia começado a revolução em 1810: o livre-câmbio provocou a crise de seus artesanatos e acentuou a crônica pobreza da região. No século XX, os camponeses de La Rioja fogem de suas aldeias nas montanhas ou nas planícies e descem até Buenos Aires para oferecer seus braços: como os camponeses de outras províncias, só chegam às portas da cidade. Nos subúrbios encontram lugar junto a outros 700 mil habitantes das *villas miserias* e, bem ou mal, arranjam-se com as migalhas do banquete da grande capital. Você nota mudanças naqueles que foram embora e voltam de visita? – perguntaram os sociólogos aos 150 sobreviventes de uma aldeia de La Rioja, há poucos anos. Eles responderam, com inveja, que em Buenos Aires tinham melhorado o traje, os modos e a maneira de falar dos emigrados, e que alguns, inclusive, tinham voltado "mais brancos".[42]

A Guerra da Tríplice Aliança contra o Paraguai aniquilou a única experiência exitosa de desenvolvimento independente

O homem viajava ao meu lado, silencioso. Seu perfil, nariz afilado, altos pômulos, recortava-se contra a forte luz do meio-dia. Íamos para Assunção, partindo

---
41. SARMIENTO, Domingo Faustino. *Facundo*. Buenos Aires, 1952.
42. MARGULIS, Mario. *Migración y marginalidad en la sociedad argentina*. Buenos Aires, 1968.

da fronteira sul, num ônibus para vinte pessoas que, não sei como, transportava 50. Depois de algumas horas, uma parada. Sentamo-nos num pátio aberto, à sombra de uma árvore de folhas carnosas. Aos nossos olhos, abria-se o brilho ofuscante da vasta, despovoada, intacta terra vermelha: de horizonte a horizonte, nada perturba a transparência do ar do Paraguai. Fumamos. Meu companheiro, camponês de fala guarani, desabafou algumas palavras tristes em castelhano. "Os paraguaios somos pobres e poucos", disse-me. Explicou que havia descido até Encarnación à procura de trabalho, mas nada encontrara. Tinha conseguido apenas juntar uns pesos para a passagem de volta. Muitos anos antes, quando moço, tinha tentado a sorte em Buenos Aires e no sul do Brasil. Agora vinha a colheita do algodão e muitos *braceros* paraguaios pegavam a estrada, como em todos os anos, rumo às terras argentinas. "Mas eu já tenho 63 anos, meu coração já não suporta essas andanças enroladas."

Somam meio milhão os paraguaios que abandonaram definitivamente a pátria, nos últimos vinte anos. *A miséria induz ao êxodo os habitantes do país que, até quase um século atrás, era o mais avançado da América do Sul.* O Paraguai tem agora uma população que apenas duplica a que tinha então, e como a Bolívia, é um dos dois países sul-americanos mais pobres e atrasados. Os paraguaios padecem a herança de uma guerra de extermínio que se integrou à história da América Latina como o seu capítulo mais infame. Chamou-se Guerra da Tríplice Aliança. Brasil, Argentina e Uruguai encarregaram-se do genocídio. Não deixaram pedra sobre pedra e tampouco habitantes varões entre os escombros. Embora a Inglaterra não tenha participado diretamente na horrorosa façanha, foram seus mercadores, seus banqueiros e seus industriais que resultaram beneficiados com o crime do Paraguai. *A invasão foi financiada, do princípio ao fim, pelo Banco de Londres, pela casa Baring Brothers e pela banca Rothschild, através de empréstimos a juros leoninos que hipotecaram o destino dos países vencedores.*[43]

Até sua destruição, o Paraguaio se destacava como uma exceção na América Latina: a única nação que o capital estrangeiro não havia defor-

---

43. Para escrever este capítulo, o autor consultou as seguintes obras: ALBERDI, Juan Bautista. *Historia de la guerra del Paraguay.* Buenos Aires, 1962; BOX, Pelham Horton. *Los orígenes de la Guerra de la Triple Alianza.* Buenos Aires; Asunción, 1958; CARDOZO, Efraim. *El império del Brasil y el Rio de la Plata.* Buenos Aires, 1961; CHAVES, Julio César. *El presidente López.* Buenos Aires, 1955; PEREYRA, Carlos. *Francisco Solano López y la guerra del Paraguay.* Buenos Aires, 1945; PÉREZ ACOSTA, Juan F. *Carlos Antonio López, obrero máximo. Labor administrativa y constructiva.* Asunción, 1948; ROSA, José Maria. *La guerra del Paraguay y las montoneras argentinas.* Buenos Aires, 1965; MITRE, Bartolomé & GÓMEZ, Juan Carlos. *Cartas polémicas sobre la guerra del Paraguay.* Buenos Aires, 1940. Prólogo de J. Natalício González; também um trabalho inédito de Vivian Trias sobre o tema.

mado. O longo governo de mão de ferro do ditador Gaspar Rodríguez de Francia (1814-1840) havia incubado, na matriz do isolamento, um desenvolvimento econômico autônomo e sustentado. O Estado onipotente, paternalista, ocupava o lugar de uma burguesia nacional que não existia, na tarefa de organizar a nação e orientar seus recursos e seu destino. Francia apoiara-se nas massas campesinas para esmagar a oligarquia paraguaia e conquistara a paz interior estendendo um estrito cordão sanitário nas fronteiras com os restantes países do vice-reinado do Rio da Prata. As expropriações, os desterros, as prisões, as perseguições e as multas não tinham servido de instrumentos para a consolidação do domínio interno dos latifundiários e comerciantes, mas, ao contrário, tinham sido usados para sua destruição. Não existiam, nem nasceriam mais tarde, as liberdades políticas e o direito de oposição, mas naquela etapa histórica só os saudosos dos privilégios perdidos estranhariam a falta de democracia. Não havia grandes fortunas privadas quando Francia morreu, e o Paraguai era o único país da América Latina que não tinha mendigos, famélicos ou ladrões[44]; os viajantes da época encontravam ali um oásis de tranquilidade em meio às demais comarcas convulsionadas por contínuas guerras. O agente norte-americano Hopkins informava em 1845 ao seu governo que no Paraguai "não há criança que não saiba ler e escrever". Era também o único país que não vivia com o olhar cravado no outro lado do mar. O comércio exterior não se constituía no eixo da vida nacional; a doutrina liberal, expressão ideológica da articulação mundial dos mercados, carecia de respostas para os desafios que o Paraguai, obrigado a crescer para dentro por causa de seu isolamento mediterrâneo, estava equacionando desde o princípio do século. O extermínio da oligarquia tornou possível a concentração das bases econômicas fundamentais nas mãos do Estado, para levar adiante esta política autárquica de desenvolvimento dentro das fronteiras.

---

44. Francia integra, como um dos exemplares mais horrorosos, o bestiário da história oficial. As deformações ópticas impostas pelo liberalismo não são um privilégio das classes dominantes na América Latina; muitos intelectuais de esquerda, que costumam olhar com lentes alheias para a história de nossos países, também compartilham certos mitos da direita, suas canonizações e suas excomunhões. O *Canto general*, de Pablo Neruda (Buenos Aires, 1955), esplêndida homenagem poética aos povos latino-americanos, exibe claramente este desacerto. Neruda ignora Artigas, Carlos Antonio e Francisco Solano López; em troca, identifica-se com Sarmiento. Qualifica Francia de "rei leproso, rodeado / pelas extensões de erva-mate", que "fechou o Paraguai como um ninho / de sua majestade" e "amarrou / tortura e barro às fronteiras". Com Rosas não é mais amável: clama contra os "punhais, gargalhadas de mazorca /sobre o martírio" de uma "Argentina roubada a coronhadas / no vapor da aurora, castigada / até sangrar e enlouquecer, vazia / montada por rudes capatazes".

Os posteriores governos de Carlos Antonio López e seu filho Francisco Solano López continuaram e revigoraram a tarefa. A economia estava em pleno crescimento. Quando os invasores apareceram no horizonte, em 1865, o Paraguai contava com uma linha de telégrafos, uma ferrovia e uma boa quantidade de fábricas de materiais de construção, tecidos, lenços, ponchos, papel, tinta, louça e pólvora. Duzentos técnicos estrangeiros, muito bem pagos pelo Estado, colaboravam decisivamente. Desde 1850, a fundição de Ibycui fabricava canhões, morteiros e balas de todos os calibres; no arsenal de Assunção eram fabricados canhões de bronze, obuses e balas. A siderurgia nacional, como todas as demais atividades econômicas essenciais, estava nas mãos do Estado. O país dispunha de uma frota mercante nacional, e tinham sido construídos no estaleiro de Assunção muitos dos navios que ostentavam a bandeira paraguaia ao longo do rio Paraná ou cruzavam o Atlântico e o Mediterrâneo. O Estado virtualmente monopolizava o comércio exterior: a erva-mate e o tabaco abasteciam o consumo do sul do continente; as madeiras valiosas eram exportadas para a Europa. A balança comercial mostrava um expressivo *superavit*. O Paraguai tinha uma moeda forte e estável, e possuía suficiente riqueza para efetivar enormes investimentos públicos sem recorrer ao capital estrangeiro. *O país não devia nem um centavo no exterior*, e estava em condições de manter o melhor exército da América do Sul, contratar técnicos ingleses que se colocavam a serviço do país em vez de pôr o país a seu serviço, e enviar à Europa muitos jovens universitários paraguaios para que se aperfeiçoassem em seus estudos. O excedente econômico gerado pela produção agrícola não era esbanjado no luxo estéril de uma oligarquia inexistente, nem ia parar nos bolsos de atravessadores, nem nas mãos rapinantes dos usurários, nem na rubrica lucros que o Império britânico nutria com os serviços de fretes e seguros. A esponja imperialista não absorvia a riqueza que o país produzia. 98 por cento do território paraguaio era de propriedade pública: o Estado cedia aos camponeses a exploração das parcelas em troca da obrigação de povoá-las e cultivá-las de forma permanente e sem o direito de vendê-las. Além disso, havia 64 *estancias de la patria*, fazendas que o Estado administrava diretamente. As obras de irrigação, represas e canais, e as novas pontes e estradas contribuíam em importante grau para a elevação da produtividade agrícola. Foi resgatada a tradição indígena das colheitas anuais, que fora descartada pelos conquistadores. O alento vivo das tradições jesuítas sem dúvida facilitava todo esse processo criador.[45]

O Estado paraguaio praticava um zeloso protecionismo da indústria nacional e do mercado interno, especialmente reforçado em 1864; os rios interiores não estavam abertos aos navios britânicos que bombardeavam o resto da América Latina com manufaturas de Manchester e Liverpool. *O comércio inglês não dissimulava sua inquietude, não só porque se lhe afigurava invulnerável aquele último foco de resistência nacional no coração do continente, mas também e sobretudo pela força do exemplo que a experiência paraguaia irradiava perigosamente para a vizinhança. O país mais progressista da América Latina construía seu futuro sem investimentos estrangeiros, sem empréstimos da banca inglesa e sem as bênçãos do livre-comércio.*

Mas à medida que o Paraguai ia avançando neste processo, tornava-se mais aguda sua necessidade de romper a reclusão. O desenvolvimento industrial requeria contatos mais intensos e diretos com o mercado internacional e as fontes da técnica avançada. O Paraguai estava objetivamente bloqueado entre a Argentina e o Brasil, e os dois países podiam negar o

---

45. Os fanáticos monges da Companhia de Jesus, "guarda negra do Papa", tinham assumido a defesa da ordem medieval frente às novas forças que irrompiam no cenário histórico europeu. Na América hispânica, contudo, as missões dos jesuítas se desenvolveram sob um signo progressista. Através do exemplo da abnegação e do ascetismo, vinham purificar uma igreja católica entregue ao ócio e ao gozo desenfreado dos bens que a conquista pusera à disposição do clero. Foram as missões do Paraguai as que alcançaram mais alto nível; em pouco mais de um século e meio (1603-1768) definiram a capacidade e os fins de seus criadores. Os jesuítas atraíram, mediante a linguagem da música, os índios guaranis que tinham buscado proteção na floresta ou que nela haviam permanecido sem integrar-se ao *processo civilizatório* dos *encomenderos* e dos latifundiários. Assim, 150 mil índios guaranis puderam reencontrar-se com sua organização comunitária primitiva e ressuscitar suas próprias técnicas nos ofícios e nas artes. Nas missões não existia o latifúndio; a terra era cultivada em parte para a satisfação das necessidades individuais e em parte para desenvolver obras de interesse geral e adquirir os instrumentos de trabalho necessários, que eram de propriedade coletiva. A vida dos índios estava sabiamente organizada; nas oficinas e nas escolas se tornavam músicos, artesãos, agricultores, tecedores, atores, pintores, construtores. O dinheiro não era conhecido; era proibida a entrada dos comerciantes, que deviam negociar instalados em hotéis a certa distância. A Coroa, finalmente, sucumbiu à pressão dos *encomenderos criollos*, e os jesuítas foram expulsos da América. Os latifundiários e os escravistas se lançaram à caça dos índios. Os cadáveres pendiam das árvores nas missões; povoados inteiros foram vendidos nos mercados de escravos do Brasil. Muitos índios voltaram a encontrar refúgio na selva. As bibliotecas dos jesuítas foram parar nos fornos, como combustível, ou utilizadas para fazer cartuchos de pólvora. RAMOS, Jorge Abelardo. *Historia de la nación latinoamericana*. Buenos Aires, 1968.

oxigênio aos seus pulmões fechando-lhe, como fizeram Rivadavia e Rosas, as bocas dos rios, ou fixando impostos arbitrários para o trânsito de suas mercadorias. De outra parte, para seus vizinhos era imprescindível, em nome da consolidação do estado oligárquico, acabar com o escândalo daquele país que se bastava a si mesmo e não queria ajoelhar-se diante dos mercadores britânicos.

O ministro inglês em Buenos Aires, Edward Thornton, participou ativamente dos preparativos da guerra. Às vésperas da deflagração, estava presente, como assessor do governo, nas reuniões do gabinete argentino, sentando-se ao lado do presidente Bartolomeu Mitre. Diante de seu atento olhar foi maquinada a trama de provocações e de enganos que culminou com o acordo argentino-brasileiro e selou a sorte do Paraguai. Venâncio Flores invadiu o Uruguai, na garupa da intervenção dos dois grandes vizinhos, e depois da matança de Paysandú estabeleceu em Montevidéu seu governo devotado ao Rio de Janeiro e a Buenos Aires. A Tríplice Aliança estava em funcionamento. O presidente paraguaio havia ameaçado com a guerra se o Uruguai fosse tomado de assalto: ele sabia que assim se fechava a tenaz de ferro na garganta de seu país encurralado pela geografia e pelos inimigos. O historiador liberal Efraim Cardozo, no entanto, não vê nenhum inconveniente em sustentar que López confrontou o Brasil simplesmente porque estava ofendido: o imperador lhe negara a mão de uma de suas filhas. A guerra nascia. Não era obra de Cupido, mas de Mercúrio.

A imprensa de Buenos Aires chamava o presidente paraguaio López de "Átila da América". E clamavam os editoriais: "É preciso matá-lo como a um réptil". Em setembro de 1864, Thornton enviou a Londres um extenso informe confidencial, datado de Assunção. Descrevia o Paraguai como Dante o inferno, mas punha em evidência o que realmente interessava: "Os impostos de importação de quase todos os artigos são de vinte a 25 por cento *ad valorem*; mas como este valor é calculado sobre o preço corrente dos artigos, o imposto que se paga chega frequentemente a uma cifra entre 40 e 50 por cento do preço da fatura. Os impostos de exportação são de 10 a 20 por cento do valor..." Em abril de 1865, o *Standard*, diário inglês de Buenos Aires, já celebrava a declaração de guerra da Argentina contra o Paraguai, cujo presidente "infringiu todos os usos das nações civilizadas", e anunciava que a espada do presidente argentino Mitre "levará em sua trajetória, além do peso das glórias passadas, o impulso irresistível da opinião pública por uma causa justa". O tratado com o Brasil e o Uruguai foi assinado em 10 de maio de 1865; seus termos draconianos foram publicados um ano depois no diário britânico *The Times*, que o obteve dos banqueiros credores da Argentina e do Brasil: os futuros vencedores repartiam antecipadamente os despojos do vencido. A Argentina assegurava para si o território de Misiones e o imenso Chaco; o Brasil devorava uma imensa área a oeste de suas fronteiras. O Uruguai, governado por um títere das duas potências, não ficava com nada. Mitre anunciou que tomaria Assunção em três meses. A guerra, contudo, durou cinco anos. Foi uma carnificina, executada ao longo dos fortins que defendiam, de tanto em tanto, o rio Paraguai. O "oprobrioso tirano" Francisco Solano López encarnou heroicamente a vontade nacional de sobreviver; o povo paraguaio, que no último meio século não conhecera guerra alguma, imolou-se ao seu lado. Homens, mulheres, crianças e velhos: todos se bateram como leões. Os prisioneiros feridos arrancavam as ataduras para que não os obrigassem a lutar contra seus irmãos.

Em 1870, López, à frente de um exército de espectros, velhos e meninos que punham barba postiça para impressionar de longe, internou-se na selva. Por traição real ou imaginária, fuzilou seu irmão e um bispo que com ele marchavam naquela caravana sem destino. Quando, finalmente, o presidente paraguaio foi assassinado à bala e lançaço na densa mata do cerro Corá, ainda conseguiu dizer: "Morro com minha pátria", e era verdade.

As tropas invasoras assaltaram os escombros de Assunção com a faca entre os dentes. Vinham para redimir o povo paraguaio, e o exterminaram. No começo da guerra, o Paraguai tinha uma população um pouco menor do que a da Argentina. Tão só 250 mil paraguaios, menos do que a sexta parte, sobreviviam em 1870. Era o triunfo da civilização. Os vencedores, arruinados pelo alto custo do crime, estavam nas mãos dos banqueiros ingleses que tinham financiado a aventura. O império escravista de Pedro II, cujas tropas se nutriam de escravos e de presos, ainda ganhou territórios, mais de 60 mil quilômetros quadrados, e mão de obra, pois muitos prisioneiros paraguaios foram levados para trabalhar nos cafezais paulistas com a marca de ferro da escravidão. A Argentina do presidente Mitre, que havia esmagado seus próprios caudilhos federais, ficou com 94 mil quilômetros quadrados de terra paraguaia e outros frutos do butim, segundo o próprio Mitre havia anunciado quando escreveu: "Os prisioneiros e demais artigos de guerra nós dividiremos na forma combinada". O Uruguai, onde os herdeiros de Artigas já estavam mortos ou derrotados, e a oligarquia mandava, participou da guerra como sócio minoritário e sem recompensas. Alguns dos soldados uruguaios enviados à campanha do Paraguai tinham embarcado nos navios com as mãos amarradas. Os três países experimentaram uma bancarrota financeira que agravou a dependência da Inglaterra. A matança do Paraguai os marcou para sempre.[46]

O Brasil havia cumprido a missão que o Império britânico lhe atribuíra desde os tempos em que os ingleses transladaram o trono português para o Rio de Janeiro. No princípio do século XIX, tinham sido claras as instruções de Canning ao embaixador, lorde Strangford: "Fazer do Brasil um empório para as manufaturas britânicas destinadas ao consumo de toda a América do Sul". Pouco antes do início da guerra, o presidente da Argentina inaugurara uma nova linha férrea *britânica* em seu país e pronunciara um inflamado discurso: "Qual a força que impele o progresso? Senhores, é o capital inglês!" *Do Paraguai derrotado não desapareceu só a população: também as tarifas aduaneiras, os fornos de fundição, os rios fechados ao comércio, a independência econômica e vastas zonas de seu território.* Dentro das fronteiras reduzidas pelo espólio, os vencedores implantaram o livre-câmbio e o latifúndio. Tudo foi saqueado e tudo foi vendido: as terras e os matos, as minas, os ervais, os prédios das escolas. Sucessivos governos títeres seriam instalados em Assunção pelas forças estrangeiras de ocupação. Tão logo terminou a guerra, sobre as ruínas ainda fumegantes do Paraguai caiu o primeiro empréstimo estrangeiro de sua história. Era britânico, claro. Seu valor nominal alcançava um milhão de libras esterlinas, mas ao Paraguai chegou menos da metade; nos anos seguintes, os refinanciamentos elevaram a dívida a mais de três milhões. A Guerra do Ópio havia terminado quando foi assinado em Nanking o tratado de livre-comércio que assegurou aos comerciantes britânicos o direito de introduzir livremente a droga no território chinês. Também a liberdade de comércio foi garantida pelo Paraguai depois da derrota. Foram abandonadas as plantações de algodão, e Manchester arruinou a produção têxtil; a indústria nacional não ressuscitou jamais.

O Partido Colorado, que hoje governa o Paraguai, especula alegremente com a memória dos heróis, mas ostenta ao pé de sua ata de fundação a assinatura de 22 traidores do marechal Solano López, "legionários" a serviço das tropas brasileiras de ocupação. O ditador Alfredo Stroessner, que nos últimos quinze anos converteu o Paraguai num grande campo de concen-

---

46. Solano López ainda arde na memória. Quando o Museu Histórico Nacional do Rio de Janeiro anunciou, em setembro de 1969, que inauguraria uma vitrina dedicada ao presidente paraguaio, os militares reagiram furiosamente. O general Mourão Filho, que desencadeara o golpe de Estado de 1964, declarou à imprensa: "Um vento de loucura varre o país (...). Solano López é uma figura que deve ser apagada para sempre de nossa história, como paradigma de ditador uniformizado sul-americano. Foi um sanguinário que destruiu o Paraguai, conduzindo-o a uma guerra impossível".

tração, fez sua especialização militar no Brasil, e os generais brasileiros o devolveram ao seu país com altas qualificações e ardentes elogios: "É digno de um grande futuro..." Durante seu reinado, Stroessner descartou os interesses anglo-argentinos, dominantes no Paraguai nas últimas décadas, em benefício do Brasil e seus donos norte-americanos. Desde 1870, Brasil e Argentina, que *libertaram* o Paraguai para comê-lo com duas bocas, alternam-se no aproveitamento dos despojos do país derrotado, mas, por sua vez, padecem o imperialismo da grande potência do momento. O Paraguai padece duas vezes: o imperialismo e o subimperialismo. Antes o Império britânico era o elo maior da corrente de dependências sucessivas. Atualmente, os Estados Unidos, que não ignoram a importância geopolítica desse país encravado no centro da América do Sul, mantém em solo paraguaio um sem-número de assessores que treinam e orientam as forças armadas, cozinham os planos econômicos, reestruturam a universidade ao seu arbítrio, inventam um novo esquema político *democrático* para o país e retribuem com empréstimos onerosos os bons serviços do regime[47]. Mas o Paraguai é também colônia de colônias. Usando a reforma agrária como pretexto, o governo de Stroessner, fazendo-se de distraído, derrogou a disposição legal que proibia a venda a estrangeiros de terras das zonas de fronteira seca, e hoje até os territórios fiscais caíram nas mãos de latifundiários brasileiros do café. A onda invasora atravessa o rio Paraná com a cumplicidade do presidente, associados a terras-tenentes que falam português. Cheguei à movediça fronteira do nordeste do Paraguai com cédulas que estampavam o rosto do vencido marechal Solano López, e ali pude descobrir que só têm valor aqueles que estampam a efígie do vitorioso imperador Pedro II. O resultado da Guerra da Tríplice Aliança, transcorrido um século, ganha ardente atualidade. Os guardas brasileiros exigem passaportes dos cidadãos paraguaios para que possam circular em seu próprio país; são brasileiras as bandeiras e as igrejas. A pirataria de terra abarca também os saltos do Guayrá, a maior fonte potencial de energia de toda a América Latina, que hoje se chamam, em português, *Sete Quedas*, e a zona de Itaipu, onde o Brasil vai construir a maior central hidrelétrica do mundo.

O subimperialismo, ou imperialismo de segundo grau, expressa-se de mil maneiras. Quando o presidente Johnson, em 1965, decidiu submergir em sangue os dominicanos, Stroessner enviou soldados paraguaios a São

---

47. Pouco antes das eleições de princípios de 1968, o general Stroessner visitou os Estados Unidos. "Quando me encontrei com o presidente Johnson", declarou à France Press, "comentei que há doze anos desempenho as funções de primeiro magistrado por mandato das urnas. Johnson me respondeu que esta era uma razão a mais para continuar exercendo-as no período vindouro".

Domingos para que colaborassem no serviço. O batalhão se chamou – uma piada sinistra – "Marechal Solano López". Os paraguaios atuavam sob as ordens de um general brasileiro, porque foi o Brasil que recebeu as honras da traição: o general Penasco Alvim comandou as tropas latino-americanas cúmplices da matança. Exemplos outros e semelhantes podem ser citados. O Paraguai outorgou ao Brasil uma concessão de petróleo em seu território, mas o negócio da distribuição de combustíveis e a petroquímica, no Brasil, pertencem aos norte-americanos. A Missão Cultural Brasileira é dona da Faculdade de Filosofia e Pedagogia da universidade paraguaia, mas os norte-americanos, em nossos dias, manejam as universidades do Brasil. O estado-maior do exército paraguaio recebe assessoramento não só de técnicos do Pentágono, mas também de generais brasileiros, que por sua vez respondem ao Pentágono como o eco responde à voz. Pela via aberta do contrabando, os produtos industriais do Brasil invadem o mercado paraguaio, mas muitas das respectivas fábricas em São Paulo são, desde a avalanche desnacionalizadora destes últimos anos, propriedade de corporações multinacionais.

Stroessner se considera herdeiro dos López. Pode o Paraguai de um século atrás ser impunemente comparado com o Paraguai de agora, empório do contrabando na bacia do Prata e reino da corrupção institucionalizada? Num ato político em que o partido do governo, entre manifestações de júbilo e aplausos, identificava o Paraguai de outrora com o de hoje, um jovenzinho, com a bandeja apoiada no peito, vendia cigarros contrabandeados: a fervorosa assistência fumava nervosamente Kent, Marlboro, Camel e Benson &

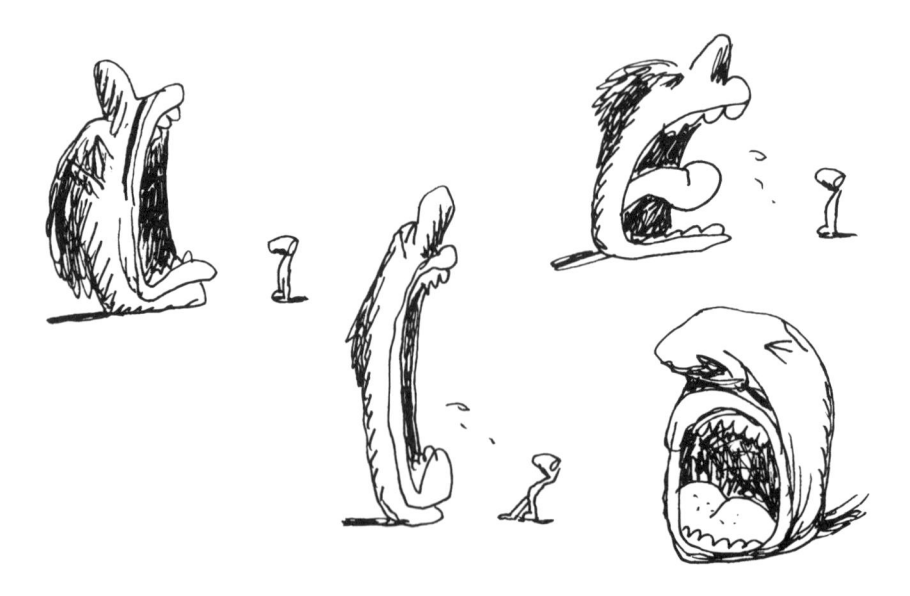

Hedges. Em Assunção, a escassa classe média bebe uísque Ballantine's em vez da aguardente paraguaia. Veem-se nas ruas os últimos modelos dos mais luxuosos automóveis fabricados nos Estados Unidos ou Europa, trazidos ao país de contrabando ou através do pagamento prévio de minguados impostos, ao mesmo tempo em que circulam carretas de bois carregando lentamente os frutos para o mercado: a terra é trabalhada com arados de madeira e os táxis são Impalas 1970. Stroessner diz que o contrabando é "o preço da paz": os generais enchem os bolsos e não conspiram. A indústria, no entanto, agoniza antes de crescer. O Estado sequer cumpre o decreto que manda preferir os produtos das fábricas nacionais nas aquisições públicas. Os únicos triunfos que, com orgulho, o Estado exibe nesta matéria, são as fábricas da Coca-cola, Crush e Pepsi-Cola, instaladas em fins de 1966 como contribuição norte-americana para o progresso do povo paraguaio.

O Estado manifesta que só vai intervir diretamente na criação de empresas "quando o setor privado não demonstrar interesse"[48], e o Banco Central comunica ao Fundo Monetário Internacional que "decidiu implantar um regime de mercado livre de câmbios e abolir as restrições ao comércio e às transações em divisas"; um folheto editado pelo Ministério de Indústria e Comércio informa aos investidores que o país outorga "concessões especiais para o capital estrangeiro". Isentam-se as empresas estrangeiras do pagamento de impostos e de tarifas aduaneiras "para criar um clima propício aos investimentos". Um ano depois de instalar-se em Assunção, o National City Bank de Nova York recupera integralmente o capital investido. A banca estrangeira, dona da poupança interna, proporciona ao Paraguai créditos externos que acentuam sua deformação econômica e hipotecam ainda mais sua soberania. No campo, 1,5 por cento dos proprietários dispõe de 90 por cento das terras exploradas, e se cultiva uma área equivalente a menos de 2 por cento da superfície total do país. O plano oficial de colonização no triângulo de Caaguazú oferece aos camponeses famintos mais tumbas do que prosperidade.[49]

---

48. Presidencia de la Nación. Secretaría Técnica de Planificación. *Plan nacional de desarrollo económico y social*. Asunción, 1966.

49. Muitos dos camponeses optaram por retornar à região minifundiária do centro do país ou seguiram o caminho do novo êxodo para o Brasil, onde seus braços baratos se oferecem nos ervais do Paraná e do Mato Grosso ou nas plantações de café do Paraná. É desesperadora a situação dos pioneiros que se encontram com a selva sem a menor orientação técnica e sem nenhuma assistência creditícia, com terras *concedidas* pelo governo, das quais terão de arrancar frutos suficientes para a alimentação e para poder *pagá-las*, pois se o camponês não paga pela terra o preço estipulado não recebe o título de propriedade.

A Tríplice Aliança continua sendo um grande êxito.

Os fornos da fundição de Ibycuí, onde foram forjados os canhões que defenderam a pátria invadida, estão num lugar que agora se chama "Mina-cué", que em guarani significa "Foi mina".

Ali, entre pântanos e mosquitos, junto à caliça de um muro destruído, jaz ainda a base da chaminé que, há um século, os invasores explodiram com dinamite, e também os pedaços de ferro retorcido das instalações desfeitas. Vivem na zona uns poucos camponeses em farrapos, que nem sequer sabem qual foi a guerra que destruiu tudo aquilo. Contudo, dizem eles que em certas noites ali se escutam ruídos de máquinas e batidas de martelos, estampidos de canhões e alaridos de soldados.

Os empréstimos e as ferrovias na deformação econômica da América Latina

O visconde Chateaubriand, ministro de assuntos estrangeiros na França no reinado de Luís XVIII, escrevia com despeito e, provavelmente, com boa base de informação: "No momento da emancipação, as colônias espanholas se tornaram uma espécie de colônias inglesas"[50]. Citava alguns números. Dizia que, entre 1822 e 1826, Inglaterra havia proporcionado dez empréstimos às colônias espanholas libertadas, num valor nominal de cerca de 21 milhões de libras esterlinas, mas que, deduzidos os juros e as comissões dos intermediários, a sobra que chegou às terras da América era de apenas sete milhões. Ao mesmo tempo, criavam-se em Londres mais de 40 sociedades anônimas para explorar os recursos naturais – minas, agricultura – da América Latina e para instalar empresas de serviços públicos. Os bancos brotavam como cogumelos em solo britânico: num só ano, 1836, foram fundados 48 bancos. Apareceram as ferrovias inglesas no Panamá, em meados do século, e a primeira linha de bondes foi inaugurada em 1868, por uma empresa britânica, na cidade brasileira de Recife, enquanto a banca da Inglaterra financiava diretamente o tesouro dos governos[51]. Os bônus públicos latino-americanos, com suas crises e culminâncias, circulavam ativamente no mercado financeiro inglês. Os serviços públicos estavam em mãos britânicas; os novos estados nasciam sobrecarregados pelos gastos militares e ainda deviam fazer frente ao *deficit*

---

50. SCALABRINI ORTIZ, R. *Política británica en el Río de la Plata*. Buenos Aires, 1940.
51. RIPPY, J. Fred. *British investments in Latin America (1822-1949)*. Minneapolis, 1959.

dos pagamentos externos. O livre-comércio implicava um frenético aumento das importações, sobretudo das importações de luxo; para que uma minoria pudesse estar na moda, os governos contraíam empréstimos que sempre geravam a necessidade de novos empréstimos: os países hipotecavam de antemão seus destinos, alienavam a liberdade econômica e a soberania política. O mesmo processo ocorria – e segue ocorrendo ainda hoje, embora os credores sejam outros e outros também os mecanismos – em toda a América Latina, com a exceção, aniquilada, do Paraguai. O financiamento externo tornava-se, como a morfina, imprescindível. Abriam-se buracos para tapar buracos. A deterioração dos termos comerciais de intercâmbio não é tampouco um fenômeno exclusivo de nossos dias: segundo Celso Furtado[52], os preços das exportações brasileiras entre 1821 e 1830, e entre 1841 e 1850, baixaram quase à metade, enquanto os preços das importações estrangeiras permaneciam estáveis: as vulneráveis economias latino-americanas compensavam a queda com empréstimos.

"As finanças desses jovens estados", escreveu Schnerb, "não estão saneadas (...). É preciso recorrer à inflação, que produz a depreciação da moeda, e aos empréstimos onerosos. A história dessas repúblicas, de certo modo, é a história de suas obrigações econômicas contraídas com o absorvente mundo das finanças europeias"[53]. As bancarrotas, as suspensões de pagamento e os refinanciamentos desesperados, de fato eram frequentes. As libras esterlinas escorriam como água entre os dedos da mão aberta. Do empréstimo de um milhão de libras acordado pelo governo de Buenos Aires, em 1824, com a casa Baring Brothers, a Argentina recebeu apenas 570 mil, e não em ouro, como rezava o contrato, mas em papéis. O empréstimo consistiu no envio de ordens de pagamento aos comerciantes ingleses estabelecidos em Buenos Aires, e eles não dispunham de ouro para entregar ao país, pois sua missão era justamente remeter a Londres todo metal precioso que lhes caísse diante dos olhos. Foram recebidas letras, portanto, mas foi preciso pagar, claro está, em ouro reluzente: quase no princípio do século XX, a Argentina cancelou esta dívida, que havia aumentado, ao longo de sucessivos refinanciamentos, para quatro milhões de libras[54]. A província de Buenos Aires ficava hipotecada em sua totalidade – todas as suas rendas, todas as suas terras públicas – como garantia de pagamento. Dizia o ministro da Fazenda, na época em

---

52. FURTADO, op. cit.
53. SCHNERB, Robert. *Le XIXe siècle. L'apogée de l'expansion européenne (1815-1914)*, t.6 da História Geral das Civilizações, dirigida por Maurice Crouzet. Paris, 1968.
54. SCALABRINI ORTIZ, op. cit.

que o empréstimo foi contratado: "Não estamos em condições de tomar uma atitude contra o comércio estrangeiro, especialmente o inglês, pois atrelados como estamos a grandes dívidas com essa nação, estaríamos expostos a um rompimento que nos causaria grandes males". A utilização da dívida como instrumento de chantagem, como se vê, não é uma intervenção norte-americana recente.

As operações agiotistas encarceravam os países livres. Em meados do século XIX, o serviço da dívida externa já absorvia quase 40 por cento do orçamento do Brasil, e o panorama era semelhante em todos os lugares. As ferrovias também se integravam decisivamente à jaula de ferro da dependência: estenderam a influência imperialista, já em plena época do capitalismo dos monopólios, até as retaguardas das economias coloniais.

Muitos dos empréstimos se destinavam ao financiamento de ferrovias, com o fim de facilitar o embarque para o exterior de minerais e alimentos. As linhas férreas não constituíam uma rede que unisse as diversas regiões interiores entre si: conectavam os centros de produção com os portos. O desenho coincide com os dedos da mão aberta: assim as ferrovias, tantas vezes saudadas como fatores do progresso, impediam a formação e o desenvolvimento do mercado interno. Isto também era feito de outras maneiras, sobretudo por meio de uma política de tarifas posta a serviço da hegemonia britânica. Os fretes dos produtos elaborados no interior argentino, por exemplo, eram muito mais caros do que os fretes dos produtos enviados em bruto. As tarifas ferroviárias pareciam uma maldição, inviabilizando a fabricação de cigarros nas comarcas do tabaco, fiar ou tecer nos centros lanígeros, ou trabalhar a madeira em zonas florestosas[55]. A ferrovia argentina por certo desenvolveu a indústria florestal em Santiago del Estero, mas com tais consequências que um autor santiaguino chega a dizer: "Oxalá Santiago não tivesse nem uma só árvore"[56]. Os dormentes das linhas férreas eram de madeira, e o carvão vegetal servia de combustível; as madeireiras, criadas pelo trem, desintegraram os núcleos rurais de população, destruíram a agricultura e a pecuária, por arrasar as pastagens e os matos de abrigo, escravizaram na floresta várias gerações de santiaguinos e provocaram a despovoação. O êxodo em massa não cessou, e hoje Santiago del Estero é uma das províncias mais pobres da Argentina. A utilização do petróleo como combustível ferroviário submergiu a região numa profunda crise.

---

55. *Ibid.*
56. RETONDO, J. Eduardo. *El bosque y la industria florestal en Santiago del Estero.* Santiago del Estero, 1962.

Não foram capitais ingleses os que estenderam as primeiras linhas férreas na Argentina, Brasil, Chile, Guatemala, México e Uruguai. Tampouco no Paraguai, como já vimos, mas as ferrovias construídas pelo Estado paraguaio, com a colaboração de técnicos europeus por ele contratados, passaram às mãos inglesas após a derrota. Idêntico destino tiveram as ferrovias e os trens nos demais países, sem que ocorresse o desembolso de nenhum centavo de investimento novo; acresce que o Estado se preocupou em assegurar às empresas, por contrato, um nível mínimo de lucros, para preveni-las de possíveis surpresas desagradáveis.

Muitas décadas depois, ao término da Segunda Guerra Mundial, quando já as ferrovias não rendiam dividendos e tinham caído em relativo desuso, a administração pública as retomou. Quase todos os estados compraram dos ingleses apenas ferro-velho, e o que nacionalizaram de fato foram as perdas das empresas.

Na época do auge ferroviário, as empresas britânicas haviam obtido, com frequência, consideráveis concessões de terras de cada lado das linhas, além das próprias linhas e o direito de construir novos ramais. As terras eram um estupendo negócio adicional: o fabuloso presente concedido em 1911 à Brazil Railway significou o incêndio de um sem-número de cabanas e a expulsão ou a morte das famílias camponesas assentadas na área da concessão. Esse foi o gatilho que deflagrou a rebelião do *Contestado*, uma das mais intensas páginas da fúria popular de toda a história do Brasil.

Protecionismo e livre-câmbio nos Estados Unidos: o êxito não foi obra de uma mão invisível

Em 1865, enquanto a Tríplice Aliança anunciava a próxima destruição do Paraguai, o general Ulisses Grant celebrava, em Appomatox, a rendição do general Robert Lee. A Guerra da Secessão terminava com a vitória dos centros industriais do norte, protecionistas inveterados, sobre os plantadores livre-cambistas de algodão e de tabaco do sul. *A guerra que selaria o destino colonial da América Latina nascia ao mesmo tempo em que morria a guerra que tornou possível a consolidação dos Estados Unidos como potência mundial.* Convertido pouco depois em Presidente dos Estados Unidos, Grant afirmou: "Durante séculos a Inglaterra confiou na proteção, levando-a até seus extremos, e obteve com isto resultados satisfatórios. Não há dúvida de que deve sua força atual a esse sistema. Após dois séculos, a Inglaterra julgou conveniente adotar o livre-comércio, pois entende que a proteção já nada lhe oferece. Muito bem, então, cavalheiros, meu conhecimento de meu país me leva a acreditar que, dentro de 200 anos, quando a América já tiver obtido da proteção tudo o que a proteção pode lhe dar, ela também adotará o livre-comércio".[57]

Dois séculos e meio antes, o adolescente capitalismo inglês transferira para as colônias do norte da América seus homens, seus capitais, suas formas de viver, sua energia, seus projetos. As treze colônias, válvulas de escape para a população europeia excedente, aproveitaram rapidamente o *handicap* que lhes dava a pobreza de seu solo e seu subsolo e geraram desde cedo *uma consciência industrializadora que a metrópole deixou crescer sem maiores problemas*. Em 1631, os recém-chegados colonos de Boston lançaram ao mar uma balandra de 30 toneladas, *Blessing of the Bay*, construída por eles, e desde então a indústria naval ganhou um assombroso impulso. O carvalho branco, abundante nos bosques, dava boa madeira para as pranchas profundas e as armações interiores dos barcos; de pinho faziam a coberta, os gurupês e os mastros. Massachusetts concedia subvenções à produção de cânhamo para cordas e sogas, e também estimulava a fabricação local de lonas e velames. Ao norte e ao sul de Boston, prósperos estaleiros cobriram as costas. Os governos das colônias concediam subvenções e prêmios às manufaturas de todos os tipos. Eram promovidos com incentivos o cultivo do linho e a produção de lã, matérias-primas para os tecidos de fio cru que, embora não fossem muito elegantes, eram resistentes e *eram nacionais*. Para explorar as jazidas de ferro de Lyn, em 1643 surgiu o primeiro forno de fundição; em pouco tempo, Massachusetts abastecia de ferro toda a região. Como os estímulos à produção têxtil não pareciam suficientes, esta colônia optou pela coação: em 1655, criou uma lei que, sob a ameaça de penas graves, obrigava cada família a ter ao menos um fiandeiro em contínua e intensa atividade. Cada condado de Virginia estava obrigado, nessa mesma época, a selecionar crianças para instruí-las na manufatura têxtil. Ao mesmo tempo, era proibida a exportação de couros, para que fossem transformados, nos limites da colônia, em botas, correias e arreios.

"As desvantagens com que tem de lutar a indústria colonial procedem de qualquer parte, menos da política colonial inglesa", diz Kirkland[58]. Ao

---

57. Citado por FRANK, André Gunder. *Capitalism and Underdevelopment in Latin America*. New York, 1967.
58. KIRKLAND, Edward C. *Historia económica de Estados Unidos*. México, 1941.

contrário, as dificuldades de comunicação faziam com que a legislação proibitiva perdesse quase toda a sua força a 3 mil milhas de distância, e favoreciam a tendência ao auto-abastecimento. As colônias do norte não enviavam à Inglaterra nem prata nem ouro nem açúcar, e em troca suas necessidades de consumo provocavam um excesso de importações que de algum modo era preciso sustar. Não eram intensas as relações comerciais através do mar; era imprescindível desenvolver as manufaturas locais para sobreviver. No século XVIII, a Inglaterra ainda prestava tão pouca atenção às colônias do norte que não impedia que se transferissem para suas fábricas as técnicas metropolitanas mais avançadas, num processo real que desmentia as proibições de papel do pacto colonial. *Este não era o caso, por certo, das colônias latino-americanas, que proporcionavam o ar, a água e o sal ao capitalismo ascendente na Europa e podiam nutrir com abundância o consumo luxuoso de suas classes dominantes, que importavam de ultramar as manufaturais mais finas e mais caras. Na América Latina, as únicas atividades em expansão eram aquelas que pendiam para a exportação; e assim foi também nos séculos seguintes: os interesses econômicos e políticos da burguesia mineradora ou terra-tenente nunca coincidia com a necessidade de um desenvolvimento econômico para dentro, e os comerciantes não estavam ligados ao Novo Mundo em maior medida do que aos mercados estrangeiros dos metais e dos alimentos que vendiam, e às fontes estrangeiras dos artigos manufaturados que compravam.*

Quando declarou sua independência, a população norte-americana equivalia, em quantidade, à do Brasil. A metrópole portuguesa, tão subdesenvolvida quanto a espanhola, exportava seu subdesenvolvimento para a colônia. A economia brasileira foi instrumentalizada em proveito da Inglaterra, para abastecer suas necessidades de ouro ao longo de todo o século XVIII. A estrutura de classes da colônia refletia essa função provedora. Diferentemente dos Estados Unidos, a classe dominante do Brasil não era formada pelos granjeiros, fabricantes empreendedores e comerciantes internos. Os principais intérpretes dos ideais das classes dominantes nos dois países, Alexander Hamilton e o Visconde de Cairú, expressam claramente a distinção entre uma e outra[59]. Ambos tinham sido discípulos de Adam Smith, na Inglaterra. No entanto, enquanto Hamilton se transformara num paladino da industrialização e promovia o estímulo e a proteção do Estado à manufatura nacional, Cairú acreditava na mão invisível que atua na magia do liberalismo: *deixai fazer, deixai passar, deixar vender*.

Enquanto morria o século XVIII, os Estados Unidos contavam já com a segunda frota mercante do mundo, totalmente formada por barcos construídos nos estaleiros nacionais, e as fábricas têxteis e siderúrgicas estavam em pleno e pujante crescimento. Pouco tempo depois, nasceu a indústria do maquinário: as fábricas já não precisavam comprar no estrangeiro seus bens de capital. Nas campinas da Nova Inglaterra os fervorosos puritanos do *Mayflower* tinham lançado as bases de uma nação; no litoral de baías profundas, ao longo dos grandes estaleiros, uma burguesia industrial havia prosperado ininterruptamente. O tráfico comercial com as Antilhas, que incluía a venda de escravos africanos, desempenhou, como vimos em outro capítulo,

---

59. FURTADO, op. cit.

uma função capital neste sentido, mas a façanha norte-americana não teria explicação se não tivesse sido, desde o princípio, animada pelo mais ardente dos nacionalismos. George Washington havia aconselhado em sua mensagem de adeus: os Estados Unidos deviam seguir uma rota solitária[60]. Emerson proclamava em 1837: "Temos escutado por tempo demais as refinadas musas da Europa. Nós vamos andar com nossos pés, vamos trabalhar com nossas mãos e falar segundo nossas próprias convicções".[61]

Os fundos públicos ampliavam as dimensões do mercado interno. O Estado estendia estradas e ferrovias, construía pontes e canais[62]. Em meados do século, o estado da Pennsylvania participava da gestão de mais de 150 empresas de economia mista, além de administrar os 100 milhões de dólares investidos em empresas públicas. As operações militares de conquista, que arrebataram ao México mais de metade de sua superfície, também contribuíram em grande medida para o progresso do país. O Estado não participava do desenvolvimento somente através dos investimentos de capital e dos gastos militares orientados para a expansão; no Norte, tinha começado a aplicar um zeloso protecionismo aduaneiro. Os terras-tenentes do Sul eram, ao contrário, livre-cambistas. A produção de algodão era duplicada a cada dez anos, e embora proporcionasse grandes rendas comerciais à nação inteira e alimentasse os modernos teares de Massachusetts, dependia sobretudo dos mercados europeus. A aristocracia sulista estava vinculada em primeiro lugar ao mercado mundial, no estilo latino-americano; do trabalho de seus escravos provinha 80 por cento do algodão usado nas fiações europeias. Quando o Norte somou a abolição da escravatura ao protecionismo industrial, a contradição resultou na eclosão da guerra. O Norte e o Sul enfrentavam dois mundos na verdade opostos, dois tempos históricos diferentes, duas antagônicas concepções do destino nacional. *O século XX ganhou esta guerra contra o século XIX.*

---

60. FOHLEN, Claude. *L'Amérique anglo-saxonne de 1815 à nos jours*. Paris, 1965.

61. SCHNERB, op. cit.

62. "O capital do Estado assume o risco inicial (...). A ajuda oficial às ferrovias não somente facilita a reunião de capitais, como também reduz os custos da construção. Em alguns casos, entre outros para as linhas marginais, os fundos públicos tornaram possível a construção de ferrovias que não teriam sido feitas de outro modo. Em outro número de casos ainda mais importante, aceleraram a realização de projetos que a utilização de capitais privados teria certamente atrasado. PIERCE, Harry H. *Railroads of New York. A Study of Government Aid 1826-1875*. Cambridge, Massachusetts, 1953.

Que todo homem livre cante...
O velho Rei Algodão está morto e enterrado,

clamava o poeta do exército vitorioso⁶³. A partir da derrota do general Lee, adquiriram um valor sagrado as taxas aduaneiras, que tinham sido elevadas durante o conflito como um meio de conseguir recursos e foram mantidas para proteger a indústria vencedora. Em 1890, o Congresso votou a chamada tarifa McKinley, ultraprotecionista, e em 1897 a lei Dingley elevou novamente os direitos de alfândega. Pouco depois, os países desenvolvidos da Europa viram-se obrigados a impor barreiras aduaneiras frente à erupção das manufaturas norte-americanas perigosamente competitivas. A palavra *truste* tinha sido pronunciada pela primeira vez em 1882; o petróleo, o aço, os alimentos, as ferrovias e o tabaco estavam nas mãos de monopólios, que avançavam com botas de sete léguas.⁶⁴

Antes da Guerra de Secessão, o general Grant participara do despojamento do México. Depois da Guerra de Secessão, o general Grant foi um presidente com ideias protecionistas. Tudo fazia parte do mesmo processo de afirmação nacional. A indústria do Norte conduzia a história e, já dona do poder político, zelava através do Estado pela boa saúde de seus interesses prevalentes. A fronteira agrícola voava para o Oeste e para o Sul, à custa dos índios e dos mexicanos, mas em sua marcha não ia criando latifúndios, antes semeava de pequenos proprietários os novos espaços abertos. A terra da promissão não atraía tão só camponeses europeus: os mestres artesãos dos mais diversos ofícios e os operários especializados em mecânica, metalurgia e siderurgia também vieram da Europa para fecundar a intensa industrialização norte-americana. Em fins do século passado, os Estados Unidos já eram a primeira potência industrial do planeta; em 30 anos, desde a guerra

---

63. FOHLEN, op. cit.

64. O Sul se transformou numa colônia interna dos capitalistas do Norte. Depois da guerra, a propaganda pró construção de fiações nas duas Carolinas, Geórgia e Alabama, assumiu o caráter de cruzada. Mas este não era o triunfo de uma causa moral, as novas indústrias não nasciam por puro humanitarismo: o Sul oferecia mão de obra menos cara, energia mais barata e lucros altíssimos, que às vezes chegavam a 75 por 100. Os capitais vinham do Norte para atar o Sul ao centro de gravidade do sistema. A indústria do tabaco, concentrada na Carolina do Norte, estava na dependência direta do truste Duke, que se mudou para Nova Jersey para aproveitar uma legislação mais favorável; a Tennessee Coal and Iron Co., que exportava o ferro e o carvão de Alabama, passou em 1907 ao controle da U. S. Steel, que desde então fixou preços e assim eliminou uma concorrência incômoda. No princípio do século, a renda *per capita* do Sul estava reduzida à metade do que era antes da guerra. WOODWARD, C. Vann. "Origins of the New South 1879-1913." In: *A history of the South*. Baton Rouge, 1948.

civil, as fábricas tinham multiplicado por sete sua capacidade de produção. O volume norte-americano de carvão já equivalia ao da Inglaterra, e o de aço o duplicava; as linhas férreas eram nove vezes mais extensas. O centro do universo capitalista começava a mudar de lugar.

Como a Inglaterra, os Estados Unidos também exportará, a partir da Segunda Guerra Mundial, a doutrina do livre-câmbio, do livre-comércio e da livre concorrência, mas só *para o consumo alheio*. O Fundo Monetário Internacional e o Banco Mundial nasceram juntos para negar aos países subdesenvolvidos o direito de proteger suas indústrias nacionais, e para neles esmorecer a ação do Estado. Serão atribuídas infalíveis propriedades curativas à iniciativa privada. No entanto, os Estados Unidos não abandonarão uma política econômica que continua sendo, na atualidade, rigorosamente protecionista, e que por certo presta bom ouvido às vozes da própria história: no norte, nunca confundiram a doença com o remédio.

A estrutura contemporânea da espoliação

Um talismã vazio de poderes

Quando Lênin escreveu, na primavera de 1916, seu livro sobre o imperialismo, o capital norte-americano abarcava menos de um quinto do total dos investimentos privados diretos, de origem estrangeira, na América Latina. Em 1970, abarca cerca de três quartas partes. O imperialismo que Lênin conheceu – a rapacidade dos centros industriais na busca de mercados mundiais para a exportação de suas mercadorias; a febre de apossar-se de todas as fontes possíveis de matérias-primas; o saque do ferro, do carvão, do petróleo; as ferrovias articulando o domínio das áreas submetidas; os empréstimos vorazes dos monopólios financeiros; as expedições militares e as guerras de conquista – era um imperialismo que regava com sal os lugares em que uma colônia ou semicolônia tivesse ousado levantar fábrica própria. Para os países pobres, a industrialização, privilégio das metrópoles, resultava incompatível com o sistema de domínio imposto pelos países ricos. A partir da Segunda Guerra Mundial, consolida-se na América Latina um recuo dos interesses europeus em benefício do arrasador avanço dos investimentos norte-americanos. E se assiste, desde então, a uma mudança importante no destino dos investimentos. Passo a passo, ano atrás de ano, vão perdendo importância relativa os capitais aplicados nos serviços públicos e na mineração, enquanto aumenta a proporção dos investimentos em petróleo e, sobretudo, na indústria manufatureira. Atualmente, de cada três dólares investidos na América Latina, um corresponde à indústria.[1]

Em troca de investimentos insignificantes, as filiais das grandes corporações saltam por cima das barreiras alfandegárias latino-americanas, paradoxalmente levantadas contra a concorrência estrangeira, e se apoderam dos processos internos de industrialização. Exportam fábricas ou, frequentemente, encurralam e devoram as fábricas nacionais já existentes. Para tanto, contam com a entusiástica ajuda da maioria dos governos locais e com a capacidade de extorsão que os organismos internacionais de crédito colocam à sua disposição. O capital imperialista apossa-se dos mercados *por dentro*, fazendo com que se tornem seus os setores cardeais da indústria local: conquista ou constrói as fortalezas decisivas, de onde domina o resto. A OEA descreve assim o processo: "As empresas latino-americanas vão tendo um predomínio sobre as indústrias e tecnologias já estabelecidas e de menor sofisticação, ao passo que o investimento privado norte-americano, e provavelmente também o proveniente de outros países industrializados, vai aumentando rapidamente sua participação em certas indústrias dinâmicas que exigem um grau de avanço tecnológico relativamente alto e que são mais importantes na determinação do curso do desenvolvimento econômico[2]. Assim, o dinamismo das fábricas norte-americanas ao sul do rio Bravo é muito mais intenso do que o da indústria latino-americana em geral. São eloquentes os ritmos dos três maiores países: para um índice 100 em 1961, o produto industrial na Argentina passou a ser 112,5 em 1965, e no mesmo período as vendas das

---

1. Há 40 anos, o investimento norte-americano em indústrias de transformação só representava 6 em cada 100 do valor total dos capitais dos Estados Unidos na América Latina. Em 1960, a proporção já roçava 20 em 100, e logo continuou subindo até cerca de uma terça parte do total. NACIONES UNIDAS / CEPAL. *El financiamiento externo de América Latina*. Nova York; Santiago de Chile, 1964, e *Estudio económico de América Latina*, de 1967, 1968 e 1969.
2. SECRETARÍA GENERAL DE LA ORGANIZACIÓN DE ESTADOS AMERICANOS. *El financiamiento externo para el desarrollo de la América Latina*. Washington, 1969. Documento de distribución limitada; sextas reuniones anuales del CIES.

empresas filiais dos Estados Unidos subiram para 166,3. Para o Brasil, as cifras respectivas são de 109,2 e 120; para o México, de 142,2 e 186,8.[3]

O interesse das corporações imperialistas de apropriar-se do crescimento industrial latino-americano e capitalizá-lo em seu benefício não implica, claro está, um desinteresse por todas as outras formas tradicionais de exploração. É verdade que a ferrovia da United Fruit Co. na Guatemala já não era rentável, e que a Electric Bond and Share e a International Telephone and Telegraph Corporation realizaram esplêndidos negócios quando foram nacionalizadas no Brasil, com indenizações em ouro puro em troca de instalações oxidadas e seu maquinário de museu. Mas o abandono dos serviços públicos em troca de atividades mais lucrativas nada tem a ver com o abandono das matérias-primas. Que futuro teria o Império sem o petróleo e os minerais da América Latina? Apesar da relativa diminuição dos investimentos em minas, a economia norte-americana não pode prescindir, como vimos em outro capítulo, dos abastecimentos vitais e dos robustos lucros que chegam do Sul. *Além disso, os investimentos que tornam as fábricas latino-americanas meras peças da engrenagem mundial das gigantescas corporações em absoluto não alteram a divisão internacional do trabalho. Não sofre a menor modificação o sistema de vasos comunicantes por onde circulam os capitais e as mercadorias entre os países pobres e os países ricos. A América Latina continua exportando seu desemprego e sua miséria: as matérias-primas que o mercado mundial necessita, e de cuja venda depende a economia da região, e certos produtos industriais elaborados, com mão de obra barata, por filiais das corporações internacionais. O intercâmbio desigual funciona como sempre: os salários de fome da América Latina contribuem para financiar os altos salários dos Estados Unidos e da Europa.*

Não faltam políticos e tecnocratas dispostos a demonstrar que a invasão do capital estrangeiro "industrializador" beneficia as áreas em que irrompe. Diferentemente do antigo, este imperialismo novo implicaria uma ação na verdade civilizadora, uma bênção para os países dominados, de modo que, pela primeira vez, a letra das declarações de amor da potência dominante do momento coincidiria com suas intenções reais. As consciências culpadas, então, já não precisariam de álibis, pois não seriam culpáveis: o imperialismo atual irradiaria tecnologia e progresso, e até seria de mau gosto a utilização desta velha e odiosa palavra para defini-lo. Sempre que o imperialismo começa a exaltar suas próprias virtudes, convém revistar seus bolsos. E comprovar que este novo modelo de imperialismo não torna suas colônias mais prósperas, conquanto

---

3. Dados do Departamento de Comércio dos Estados Unidos e do Comitê Interamericano da Aliança para o Progresso. Secretaría General de la OEA, op. cit.

enriqueça seus polos de desenvolvimento; não alivia as tensões sociais regionais, antes as agrava; dissemina ainda mais a pobreza e concentra ainda mais a riqueza: paga salários vinte vezes menores do que em Detroit e estipula preços três vezes maiores do que em Nova York; torna-se dono do mercado interno e das etapas cruciais do aparelho produtivo; apropria-se do progresso, decide seus rumos e lhe fixa as fronteiras; dispõe do crédito nacional e orienta a seu talante o comércio exterior; não só desnacionaliza a indústria como também os lucros que a indústria produz; estimula o desperdício de recursos ao desviar para o exterior parte substancial do excedente econômico; não emprega capitais no desenvolvimento, antes os subtrai. A CEPAL indicou que a hemorragia dos lucros dos investimentos diretos dos Estados Unidos na América Latina, nestes últimos anos, foi cinco vezes maior do que a transfusão de investimentos novos. Para que as empresas possam garantir seus lucros, os países se hipotecam a si mesmos, endividando-se com a banca estrangeira e com os organismos internacionais de crédito, e assim avultam o caudal das próximas sangrias. O investimento industrial, nesse sentido, atua com as mesmas consequências do investimento "tradicional".

No marco de aço de um capitalismo mundial integrado em torno das grandes corporações norte-americanas, a industrialização da América Latina se identifica cada vez menos com o progresso e com a libertação nacional. *O talismã foi despojado de poderes nas decisivas derrotas do século passado, quando os portos triunfaram sobre os países e a liberdade de comércio arrasou a indústria nacional recém-nascida. O século XX não engendrou uma burguesia industrial forte e criadora que fosse capaz de retomar a tarefa e levá-la até as últimas consequências. Todas as tentativas ficaram na metade do caminho. Aconteceu com a burguesia industrial da América Latina o mesmo que acontece com os anões: chegou à decrepitude sem ter crescido.* Nossos burgueses, hoje em dia, são comissionistas ou funcionários das corporações estrangeiras todo-poderosas. Em honra da verdade, nunca acumularam méritos para ter melhor destino.

São as sentinelas que abrem as portas: a esterilidade culpável da burguesia nacional

A atual estrutura da indústria na Argentina, Brasil e México – os três grandes polos de desenvolvimento na América Latina – já expõe as deformações características de um desenvolvimento *reflexo*. Nos demais países, mais débeis, a satelitização da indústria se operou sem maiores dificuldades, salvo alguma exceção. Não é, por certo, um capitalismo competitivo, aquele que hoje exporta fábricas além de mercadorias e capitais, penetra e monopoliza tudo: esta é a integração industrial consolidada, em escala internacional, pelo capitalismo na idade das grandes corporações multinacionais, monopólios de dimensões infinitas que abrangem as atividades mais diversas nos mais diversos rincões do globo terrestre.[4]

Na América Latina, os capitais norte-americanos se concentram mais intensamente do que nos próprios Estados Unidos; um punhado de empresas controla a imensa maioria dos investimentos. *Para elas, a nação não é uma tarefa a ser empreendida, nem uma bandeira a defender, nem um destino a conquistar: a nação nada mais é senão um obstáculo a saltar – às vezes a soberania incomoda – e uma sumarenta fruta a devorar.* Para as classes dominantes dentro de cada país, constitui a nação, pelo contrário, uma missão a cumprir? O grande galope do capital imperialista encontrou a indústria local sem defesas e sem consciência de seu papel histórico. *A burguesia se associou à invasão estrangeira sem derramar lágrimas nem sangue*; e quanto ao Estado, sua influência na economia latino-americana, que se debilita há duas décadas, reduziu-se ao mínimo graças aos bons ofícios do Fundo Monetário Internacional. As corporações norte-americanas entraram na Europa com passos de conquistador e a tal ponto se apoderaram do desenvolvimento do velho continente que, sem demora – é o que se anuncia –, a indústria norte-americana ali instalada será a terceira potência industrial do planeta, depois dos Estados Unidos e da União Soviética[5]. Se a burguesia europeia, com toda a sua tradição e pujança, não conseguiu opor um dique à maré, caberia esperar que a burguesia latino-americana, nesta altura da história, encabeçasse a impossível aventura de um desenvolvimento capitalista independente? Ao contrário, na América Latina o processo de desnacionalização foi muito mais fulminante e barato, e teve consequências incomparavelmente piores.

O crescimento fabril da América Latina, em nosso século, foi determinado no exterior. Não foi gerado por uma política planificada e direcionada ao desenvolvimento nacional, nem coroou a maturação das forças produtivas, nem resultou da erupção de conflitos internos, já "superados", entre os terras-tenentes e um artesanato nacional que morreu pouco depois de nascer. A indústria latino-americana nasceu do próprio ventre do sistema agroexportador, para responder ao agudo desequilíbrio provocado pela queda do comércio exterior. De fato, as duas guerras mundiais e, sobretudo, a profunda depressão que o capitalismo

---

4. BARAN, Paul A. & SWEEZY, Paul M. *El capital monopolista*. México, 1971.
5. SERVAN-SCHREIBET, J. J. *El desafío americano*. Santiago de Chile, 1968.

sofreu a partir da explosão da *sexta-feira negra* de outubro de 1929, causaram uma violenta redução das exportações da região, e em consequência fizeram cair, também de repente, a capacidade de importar. Os preços internos dos artigos industriais estrangeiros, subitamente escassos, subiram verticalmente. Não surgiu, então, uma classe industrial livre da dependência tradicional: o grande impulso manufatureiro proveio do capital acumulado em mãos dos terras-tenentes e dos importadores. Foram os grandes pecuaristas que impuseram o controle de câmbios na Argentina; o presidente da Sociedade Rural, convertido em ministro da Agricultura, declarava em 1933: "O isolamento em que o mundo nos colocou nos obriga a fabricar no país aquilo que já não podemos adquirir nos países que não nos compram"[6]. Os fazendeiros do café aplicaram na industrialização de São Paulo boa parte de seus capitais acumulados no comércio exterior: "Diferentemente da industrialização nos países desenvolvidos", diagnostica um documento governamental [7], "o processo da industrialização brasileira não se deu paulatinamente, inserto num processo de transformação econômica geral. Foi um fenômeno rápido e intenso, que se sobrepôs à estrutura econômico-social preexistente sem modificá-la por inteiro, dando origem às profundas diferenças setoriais e regionais que caracterizam a sociedade brasileira".

A nova indústria se abrigou atrás das barreiras alfandegárias que os governos levantaram para protegê-la, e cresceu graças a medidas que o Estado adotou para restringir e controlar as importações, fixar taxas especiais de câmbio, evitar impostos, comprar ou financiar os excedentes de produção, abrir estradas para possibilitar o transporte de matérias-primas e mercadorias, e criar e ampliar as fontes de energia. Os governos de Getúlio Vargas (1930-45 e 1951-54), Lázaro Cárdenas (1934-40) e Juan Domingo Perón (1946-55), de orientação nacionalista e amplo prestígio popular, expressaram no Brasil, México e Argentina a necessidade de um ponto de partida, desenvolvimento ou consolidação, segundo cada caso e cada período, da indústria nacional. Na verdade, o "espírito de empresa", que tem uma série de traços característicos da burguesia industrial nos países capitalistas desenvolvidos, foi na América Latina uma característica do Estado, marcadamente nesses períodos de decisivo impulso. *O Estado ocupou o lugar de uma classe*

---

6. Citado por PARERA DENNIS, Alfredo. "Naturaleza de las relaciones entre las clases dominantes argentinas y las metrópolis." In: *Fichas de investigación económica y social*. Buenos Aires, dezembro de 1964.

7. MINISTÉRIO DO PLANEJAMENTO E COORDENAÇÃO GERAL. *A industrialização brasileira: diagnóstico e perspectivas*. Rio de Janeiro, 1969.

social cujo aparecimento a história reclamava sem muito êxito: encarnou a nação e impôs o acesso político e econômico das massas populares aos benefícios da industrialização. Nessa matriz, obra de caudilhos populistas, não se formou uma burguesia industrial essencialmente diferenciada do conjunto das classes até então dominantes. Perón, por exemplo, fez com que entrasse em pânico a União Industrial, cujos dirigentes, não sem razão, viam que o fantasma das *montoneras* provincianas reaparecia na rebelião dos proletários dos subúrbios de Buenos Aires. As forças da coalizão conservadora, antes que Perón as derrotasse nas eleições de fevereiro de 1946, receberam um famoso cheque do líder dos industriais; na hora da queda do regime, dez anos depois, os donos das fábricas mais importantes voltaram a confirmar que não eram fundamentais suas contradições com a oligarquia da qual, mal ou bem, faziam parte. Em 1956, a União Industrial, a Sociedade Rural e a Bolsa de Comércio formaram uma frente comum em defesa da liberdade de associação, da livre empresa, da liberdade de comércio e da livre contratação de pessoal[8]. No Brasil, um importante setor da burguesia fabril juntou-se às forças que induziram Vargas ao suicídio. A experiência mexicana, neste sentido, teve características excepcionais, e por certo prometia muito mais do que aquilo que de fato deu ao processo de mudança na América Latina. O ciclo nacionalista de Lázaro Cárdenas foi o único que quebrou os pratos com os latifundiários e levou adiante a reforma agrária que já convulsionava o país desde 1910; nos demais países, e não só na Argentina e no Brasil, os governos industrializadores deixaram intacta a estrutura fundiária, que continuou estrangulando o desenvolvimento do mercado interno e da produção agropecuária.[9]

No geral, a indústria aterrissou como um avião, sem modificar o aeroporto em suas estruturas básicas: condicionada pela demanda de um mercado interno previamente existente, serviu às suas necessidades de consumo e não chegou a ampliá-lo na profunda e extensa medida que as grandes mu-

---

8. CÚNEO, Dardo. *Comportamiento y crisis de la clase empresaria*. Buenos Aires, 1967.

9. Chile, Colômbia e Uruguai também viveram processos de industrialização substitutiva de importações, nos períodos aqui descritos. O presidente uruguaio José Batlle y Ordóñez (1903-7 e 1911-15), algum tempo antes, foi um profeta da revolução burguesa na América Latina. A jornada de trabalho de oito horas foi consagrada em lei no Uruguai antes que nos Estados Unidos. A experiência de *welfare state* de Batlle não se limitou a pôr em prática a legislação social mais avançada de seu tempo, também impulsionou fortemente o desenvolvimento cultural e a educação das massas, nacionalizou os serviços públicos e várias atividades produtivas de considerável importância econômica. Mas não tocou no poder dos donos da terra, não nacionalizou os bancos nem o comércio anterior. Atualmente, o Uruguai padece as consequências dessas omissões, talvez inevitáveis, do profeta, e das traições de seus herdeiros.

danças de estrutura teriam tornado possível, se ocorridas. Do mesmo modo, o desenvolvimento industrial foi obrigado a um aumento das importações de maquinário, peças de reposição, combustíveis e produtos intermediários[10], mas as exportações, fontes das divisas, não podiam dar resposta a esse desafio porque provinham de um campo condenado ao atraso por seus donos. Sob o governo de Perón, o Estado argentino chegou a monopolizar a exportação de grãos; em troca, nem sequer arranhou o regime de propriedade da terra, nem nacionalizou os grandes frigoríficos norte-americanos e britânicos e nem os exportadores de lã[11]. O impulso oficial à indústria pesada foi fraco, o Estado não percebeu a tempo que, se não desenvolvesse uma tecnologia própria, sua política nacionalista tentaria voar com as asas cortadas. Já em 1953, Perón, que tinha chegado ao poder enfrentando diretamente o embaixador dos Estados Unidos, recebia com elogios a visita de Milton Eisenhower e pedia cooperação do capital estrangeiro para impulsionar as indústrias dinâmicas[12]. A necessidade de "associação" da indústria nacional com as corporações imperialistas se tornava peremptória na medida em que eram queimadas etapas na substituição das manufaturas importadas e as novas fábricas requeriam níveis mais altos de técnica e organização. A tendência também ia amadurecendo no seio do modelo industrializador de Getúlio Vargas; pôs-se a descoberto na trágica decisão final do caudilho. Os oligopólios estrangeiros, que concentram a mais moderno tecnologia, apoderavam-se não muito secretamente da indústria nacional de todos os países da América Latina, inclusive o México, através da venda de técnicas de fabricação, patentes e novos equipamentos. Wall Street tinha tomado em definitivo o lugar de Lombard Street, e foram norte-americanas as principais empresas que abriram caminho para

---

10. "A passagem à produção interna de um determinado bem "substitui" apenas parte do valor agregado que antes era gerado fora da economia (...). Na medida em que o consumo desse bem "substituído" se expande rapidamente, a demanda derivada por importações pode ultrapassar em breve a economia de divisas. TAVARES, Maria da Conceição. *O processo de substituição de importações como modelo de desenvolvimento recente na América Latina.* CEPAL/ILPES. Rio de Janeiro, s.d.

11. VIÑAS, Ismael & GASTIAZORO, Eugenio. *Economía e dependência (1900-1968).* Buenos Aires, 1968.

12. O ministro de Assuntos Econômicos, respondendo a uma pergunta da revista *Visión*, em 27 de novembro de 1953:
– Além da indústria do petróleo, que outras indústrias a Argentina deseja desenvolver com a cooperação do capital estrangeiro?
– Para ser mais preciso, em ordem de prioridade citaremos o *petróleo*... Em segundo lugar, a *indústria siderúrgica*... A *química pesada*... A fabricação de *elementos para o transporte*... A fabricação de *rodas e eixos*... E a construção no país dos *motores diesel*.
Citado por PARERA DENNIS, op. cit.

o usufruto de um superpoder na região. À penetração na área manufatureira somava-se a ingerência cada vez maior nos circuitos bancários e comerciais; o mercado da América Latina foi-se integrando ao mercado interno das corporações multinacionais.

Em 1965, Roberto Campos, o czar econômico da ditadura de Castelo Branco, sentenciava: "A era dos líderes carismáticos, cercados por uma aura romântica, está cedendo lugar à tecnocracia"[13]. A embaixada norte-americana participou diretamente no golpe de Estado que derrubou o governo de João Goulart. A queda de Goulart, herdeiro de Vargas no estilo e nas intenções, assinalou a liquidação do populismo e da política de massas. "Somos uma nação vencida, dominada, conquistada, destruída", escrevia-me do Rio de Janeiro um amigo, poucos meses depois do triunfo da conspiração militar: a desnacionalização do Brasil implicava a necessidade de exercer, com mão de ferro, uma ditadura impopular. O desenvolvimento capitalista já não se compaginava com as grandes mobilizações de massas em torno de caudilhos como Vargas. Era preciso proibir as greves, destruir os sindicatos e os partidos, encarcerar, torturar, matar, e apequenar pela violência os salários dos operários, de modo que pudesse ser contida, à custa da maior pobreza dos pobres, a vertigem da inflação. Uma pesquisa realizada em 1966 e 1967 revelou que 84 por cento dos grandes industriais do Brasil considerava que o governo de Goulart aplicara uma política econômica prejudicial. Entre eles estavam, sem dúvida, muitos dos grandes capitães da burguesia nacional nos quais Goulart tentara escorar-se para conter a sangria imperialista da economia brasileira[14]. O mesmo processo de repressão e asfixia do povo teve lugar durante o regime do general Juan Carlos Onganía, na Argentina; na verdade, este processo havia começado com a derrota peronista em 1955, assim como no Brasil se desencadeara com o tiro de Vargas em 1954. A desnacionalização da indústria no México também coincidiu com um endurecimento da política repressiva do partido que monopoliza o governo.

Fernando Henrique Cardoso assinalou[15] que a indústria leve ou *tradicional*, crescida à generosa sombra dos governos populistas,

---

13. IANNI, Otávio. *O colapso do populismo no Brasil*. Rio de Janeiro, 1968.
14. MARTINS, Luciano. *Industrialização, burguesia nacional e desenvolvimento*. Rio de Janeiro, 1968.
15. CARDOSO, Fernando Henrique. *Ideologías de la burguesía industrial en sociedades dependientes (Argentina y Brasil)*. México, 1970.

exige uma expansão do consumo de massas: as pessoas que compram camisas e cigarros. A indústria *dinâmica* – bens intermediários e bens de capital –, ao contrário, dirige-se a um mercado restrito, em cujo pináculo estão as grandes empresas e o Estado: poucos consumidores, de grande capacidade financeira. *A indústria dinâmica, atualmente em mãos estrangeiras, escora-se na existência prévia da indústria tradicional, e a subordina.* Nos setores tradicionais, de baixa tecnologia, o capital nacional conserva alguma força; quanto menos vinculado ao modo internacional de produção pela dependência tecnológica ou financeira, maior tendência mostra o capitalista de olhar com bons olhos a reforma agrária e a elevação da capacidade de consumo das classes populares através da luta sindical. Os mais comprometidos com o exterior, representantes da indústria dinâmica, simplesmente requerem, em troca, o fortalecimento dos laços econômicos entre as ilhas de desenvolvimento dos países dependentes e o sistema econômico mundial, e subordinam as transformações internas a esse objetivo prioritário. Eles falam em nome de toda a burguesia industrial, como o revela, entre outras coisas, o resultado das recentes pesquisas praticadas na Argentina e no Brasil, que servem de matéria-prima para o trabalho de Cardoso. *Os grandes empresários se manifestam em termos contundentes contra a reforma agrária; em sua maioria, negam que o setor fabril tenha interesses divergentes dos setores rurais, e consideram que para o desenvolvimento da indústria não há nada mais importante do que a coesão de todas as classes produtoras e o fortalecimento do bloco ocidental.* Só uns 2 por cento dos grandes industriais do Brasil e da Argentina consideram que, politicamente, é preciso contar, em primeiro lugar, com os trabalhadores. Os pesquisados, em sua maioria, eram *empresários nacionais*; também em sua maioria, com as mãos e os pés atados aos centros estrangeiros de poder pelas múltiplas sogas da dependência.

Caberia, nesta altura, esperar outro resultado? A burguesia industrial integra a constelação de uma classe dominante que, por sua vez, é dominada pelo exterior. Os principais latifundiários da costa do Peru, hoje expropriados pelo governo de Velasco Alvarado, são donos de 31 indústrias de transformação e de muitas outras e distintas empresas[16]. Outro tanto ocorre em todos os outros países[17]. O México não é uma exceção: a burguesia nacional, subordinada aos grandes consórcios norte-americanos, receia muito mais a

---

16. BOURRICAUD, François, BRAVO BRESANI, Jorge, FAVRE, Henri, e PIEL, Jean. *La oligarquía en el Perú.* Lima, 1969. A informação é do trabalho de Favre.

17. LAGOS ESCOBAR, Ricardo. *La concentración del poder económico. Su teoría. Realidad chilena.* Santiago de Chile, 1961, e TRÍAS, Vivian. *Reforma agraria en el Uruguay.* Montevideo, 1962. Ambos oferecem exemplos irrefutáveis: algumas centenas de famílias são proprietárias das fábricas e das terras, das grandes lojas e dos bancos.

pressão das massas do que a opressão do imperialismo, em cujo seio se desenvolve sem independência e sem a imaginação criadora que se lhe atribui, e com eficácia multiplica seus lucros[18]. Na Argentina, o fundador do Jockey Club, centro do prestígio social dos latifundiários, era ao mesmo tempo o líder dos industriais[19], e assim se iniciou, em fins do século passado, uma tradição imortal: *os artesãos enriquecidos se casam com as filhas dos terras-tenentes para abrir, pela via conjugal, as portas dos salões mais exclusivos da oligarquia, ou compram terras com os mesmos objetivos, e não são poucos os pecuaristas que, por sua vez, investiram na indústria, ao menos nos períodos de auge, os excedentes de capital acumulados em suas mãos.*

Faustino Fano, que fez boa parte de sua fortuna como comerciante e industrial têxtil, tornou-se presidente da Sociedade Rural durante quatro períodos consecutivos, até sua morte em 1967: "Fano destruiu a falsa antinomia agro/indústria", proclamavam os necrológios que os jornais lhe devotaram. O excedente industrial se converte em vacas. Os irmãos Di Tella, poderosos industriais, venderam para capitais estrangeiros suas fábricas de automóveis e geladeiras, e agora criam touros de cabanha para as exposições da Sociedade Rural. Meio século antes, a família Anchorena, dona dos horizontes da província de Buenos Aires, levantou uma das mais importantes fábricas metalúrgicas da cidade.

Na Europa e nos Estados Unidos a burguesia industrial surgiu no cenário histórico de outra e muito diferente maneira, e de outra e diferente maneira cresceu e consolidou seu poder.

Que bandeira drapeja sobre as máquinas?

A velha se inclinou e abanou o fogo com a mão. Assim, com o dorso torcido e o pescoço espichado e arado pelas rugas, parecia uma antiga tartaruga negra.

---

18. "Os capitalistas mexicanos são cada vez mais versáteis e ambiciosos. Independentemente do negócio que lhes serviu de ponto de partida para enriquecer, dispõem de uma fluída rede de canais que sempre proporciona a todos, ou ao menos aos mais proeminentes, a possibilidade de multiplicar e entrelaçar seus interesses através da amizade, da associação nos negócios, do casamento, do compadrio, da concessão de muitos favores, do pertencimento a certos clubes ou agremiações, das frequentes reuniões sociais e, por certo, da afinidade de suas posições políticas". AGUILAR MONTEVERDE, Alonso, em *El milagro mexicano*, de vários autores. México, 1970.
19. Era Carlos Pellegrini. Quando o Jockey Club lhe fez uma homenagem, editando seus discursos, suprimiu aqueles que sustentavam as teses industrialistas. CÚNEO, op. cit.

Mas aquele pobre vestido, por certo, não a protegia como uma carapaça, e de resto ela era tão vagarosa só por causa da idade. Às suas costas, também torcido, seu casebre de madeira e lata, e além outros casebres semelhantes do mesmo subúrbio de São Paulo; à sua frente, numa chaleira cor de carvão, já fervia a água para o café. Levou uma latinha aos lábios; antes de beber, balançou a cabeça e fechou os olhos. "O Brasil é nosso", disse. No centro da mesma cidade e nesse mesmo momento, pensou exatamente a mesma coisa, mas em outro idioma, o diretor-executivo da Union Carbide, enquanto levantava uma taça de cristal para celebrar a captura, por sua empresa, de mais uma fábrica brasileira de plásticos. Um dos dois estava errado.

Desde 1964, os sucessivos ditadores militares do Brasil festejam os aniversários das empresas do Estado anunciando sua próxima desnacionalização, que chamam *recuperação*. *A lei 56.570, promulgada em 6 de julho de 1965, reservou para o Estado a exploração da petroquímica; no mesmo dia, a lei 56.571 derrogou a anterior e abriu a exploração para os investimentos privados.* Deste modo, a Dow Chemical, a Union Carbide, a Phillips Petroleum e o grupo Rockefeller obtiveram, diretamente ou através de "associação" com o Estado, o *filet mignon* tão cobiçado: a indústria dos derivados químicos do petróleo, previsível *boom* da década de 70. O que ocorreu durante as horas decorridas entre uma e outra lei? Cortinados que tremem, passos nos corredores, desesperadas batidas na porta, cédulas verdes voando pelos ares, agitação no palácio: de Shakespeare a Brecht, muitos gostariam de ter imaginado estas cenas. *Um ministro do governo reconhece: "Forte no Brasil, além do próprio Estado, só existe o capital estrangeiro, salvo honrosas exceções*[20]. E o governo faz o possível para evitar essa incômoda concorrência para as corporações norte-americanas e europeias.

No Brasil, o ingresso em grandes cifras do capital estrangeiro destinado às manufaturas começou nos anos 50, e recebeu um forte impulso do Plano de Metas (1957-60) posto em prática pelo presidente Juscelino Kubitschek. Aquelas foram as horas da euforia do crescimento. Brasília nascia, brotada de uma galera mágica, no meio do deserto, onde os índios não conheciam nem mesmo a existência da roda; abriam-se estradas; construíam-se grandes represas; das fábricas de automóveis surgia um carro novo a cada dois minutos. A indústria crescia em ritmo acelerado. Eram abertas portas, de par em par, aos investimentos estrangeiros, aplaudia-se a invasão dos dólares, sentia-se a vibração do dinamismo do progresso. As cédulas circulavam com

---

20. Discurso do ministro Hélio Beltrão, no almoço da Associação Comercial do Rio de Janeiro. *Correio do Povo*, 24 de maio de 1969.

a tinta ainda fresca: o salto adiante era financiado pela inflação e por uma pesada dívida externa que seria descarregada, angustiante herança, sobre os governos seguintes. Foi concedido um tipo especial de câmbio, que Kubitschek garantiu, para a remessa de lucros às matrizes das empresas estrangeiras e para a amortização de seus investimentos. O Estado assumia a responsabilidade solidária no pagamento das dívidas contraídas pelas empresas no exterior e fixava também um dólar barato para a amortização e os juros dessas dívidas: segundo um informe da CEPAL[21], mais de 80 por cento do total dos investimentos que chegaram entre 1955 e 1962 provinha de empréstimos obtidos com o aval do Estado. Isto significava que mais do que uma quinta parte dos investimentos das empresas derivavam da banca estrangeira e passavam a engrossar a vultosa dívida externa do Estado brasileiro. Além disso, concediam-se especiais benefícios para a importação de maquinário[22]. As empresas nacionais não gozavam dessas facilidades presenteadas à General Motors e à Volkswagen.

O resultado desnacionalizador desta política de sedução perante o capital imperialista se manifestou quando foram publicados os dados da paciente investigação realizada pelo Instituto de Ciências Sociais da Universidade sobre os grandes grupos econômicos do Brasil[23]. Entre os conglomerados com um capital superior a quatro bilhões de cruzeiros, eram estrangeiros mais da metade, a maioria norte-americanos; acima de dez bilhões de cruzeiros, apareciam doze grupos estrangeiros e apenas cinco nacionais. "Quanto maior é o grupo econômico, maior é a possibilidade de que seja estrangeiro", concluiu Maurício Vinhas de Queiroz na análise da pesquisa. Mas tão ou mais eloquente foi constatar que, dos 24 grupos nacionais com mais de quatro bilhões de capital, apenas nove não estavam ligados, por ações, a capitais dos Estados Unidos ou da Europa, e ainda assim em dois deles apareciam entrecruzamentos com diretorias estrangeiras. A pesquisa detectou dez

---

21. CEPAL/BNDE. *Quince años de la política económica en el Brasil*. Santiago do Chile, 1965.

22. Um economista muito favorável aos investimentos estrangeiros, Eugenio Gudim, calcula que só por esta concessão o Brasil doou às empresas norte-americanas e europeias nada menos do que um bilhão de dólares; Moacir Paixão estimou que os privilégios concedidos à indústria automobilística no período de sua implantação montavam a uma soma equivalente à do orçamento nacional. Paulo Schilling assinala que (em *Brasil para extranjeros*. Montevideo, 1966), ao mesmo tempo em que cedia às grandes corporações internacionais um aluvião de benefícios, e lhes consentia um máximo de lucros com um mínimo de investimento, o Estado brasileiro negava apoio à Fábrica Nacional de Motores, criada na época de Vargas. Posteriormente, durante o governo de Castelo Branco, essa empresa do Estado foi vendida à Alfa Romeo.

23. QUEIROZ, Maurício Vinhas de. "Os grupos multibilionários." In: *Revista do Instituto de Ciências Sociais*. Universidade Federal do Rio de Janeiro, janeiro-dezembro de 1965.

grupos econômicos que exerciam um virtual monopólio em suas respectivas especialidades. Destes dez, oito eram filiais de grandes corporações norte-americanas.

Mas tudo isto parece brincadeira de criança comparado com o que veio depois. Entre 1964 e meados de 1968, quinze fábricas de automotores ou de peças para veículos foram deglutidas pela Ford, Chrysler, Willys, Simca, Volkswagen e Alfa Romeo; no setor elétrico e eletrônico, três importantes empresas brasileiras foram parar em mãos japonesas; Wyeth, Bristol, Mead Johnson e Lever devoraram uns quantos laboratórios, e a produção nacional de medicamentos se reduziu à quinta parte do mercado; a Anaconda se lançou sobre os metais não ferrosos, e a Union Carbide sobre os plásticos, os produtos químicos e a petroquímica; a American Can e a American Machine and Foundry e outras colegas se apossaram de seis empresas nacionais de mecânica e metalurgia; a Companhia de Mineração Geral, uma das maiores fábricas metalúrgicas do Brasil, foi comprada a preço vil por um consórcio do qual participam a Bethlehem Steel, o Chase Manhattan Bank e a Standard Oil. Foram sensacionais as conclusões de uma comissão parlamentar formada para investigar o assunto, mas o governo militar fechou as portas do Congresso, e o público brasileiro jamais conheceu esse dados.[24]

Sob o governo do marechal Castelo Branco foi firmado um acordo de garantia de investimentos que concedia às empresas estrangeiras virtual extraterritorialidade, com a redução de seus impostos sobre a renda e a outorga de facilidades extraordinárias para desfrutar de crédito, além do afrouxamento do torniquete imposto pelo anterior governo de Goulart à drenagem dos lucros. A ditadura acenava para os capitalistas estrangeiros oferecendo o país como os proxenetas oferecem uma mulher, e destacava seus atributos: "O tratamento dado aos estrangeiros no Brasil é um dos mais liberais do

---

24. A comissão chegou à conclusão de que o capital estrangeiro, em 1968, controlava 40 por cento do mercado de capitais do Brasil, 62 por cento de seu comércio exterior, 82 por cento do transporte marítimo, 67 por cento dos transportes aéreos externos, 100 por cento da produção de veículos a motor, 100 por cento da produção de pneus, mais de 80 por cento da indústria farmacêutica, cerca de 50 por cento da química, 59 por cento da produção de máquinas, 62 por cento das fábricas de autopeças, 48 por cento do alumínio e 90 por cento do cimento. A metade do capital estrangeiro correspondia a empresas dos Estados Unidos, seguidas em ordem de importância por empresas alemãs. É oportuno assinalar, de passagem, o peso crescente dos investimentos da Alemanha Federal. De cada dois automóveis fabricados no Brasil, um provém da Volkswagen, que é a fábrica mais importante de toda a região. A primeira fábrica de automóveis da América do Sul foi uma empresa alemã, a Mercedes-Benz Argentina, fundada em 1951. Bayer, Hoechst, BASF e Schering dominam boa parte da indústria química nos países latino-americanos.

mundo... não há restrição à nacionalidade dos acionistas... não existe limite para o percentual de capital registrado que pode ser remetido como lucro... não há limitações ao repatriamento do capital, e o reinvestimento de lucros é considerado um incremento do capital original (...)". [25]

A Argentina disputa com o Brasil o papel de praça predileta dos investimentos imperialistas, e seu governo militar não ficava atrás na exaltação das vantagens, nesse mesmo período: no discurso em que definiu a política econômica argentina, em 1967, o general Juan Carlos Onganía reafirmava que as galinhas concedem às raposas igualdade de oportunidades: "Os investimentos estrangeiros na Argentina são considerados em pé de igualdade com os investimentos de origem interna, de acordo com a política tradicional de nosso país, que nunca discriminou o capital estrangeiro"[26]. A Argentina também não impõe limitações à entrada do capital forâneo, nem à sua gravitação na economia nacional, nem à saída dos lucros e nem à repatriação do capital; os pagamentos das patentes, regalias e assistência técnica são feitos livremente. O governo isenta de impostos as empresas e lhes fixa taxas especiais de câmbio, além de muitos outros estímulos e franquias. Entre 1963 e 1968, foram desnacionalizadas 50 importantes empresas argentinas, 29 delas caindo em mãos norte-americanas, em setores tão diversos como a fundição de aço, a fabricação de automóveis e peças de reposição, a petroquímica, a química, a indústria elétrica, o papel e os cigarros[27]. Em 1962, duas empresas nacionais de capital privado, Siam Di Tella e Indústrias Kaiser Argentinas, figuravam entre as cinco maiores empresas da América Latina; em 1967, ambas foram capturadas pelo capital imperialista. Entre as mais poderosas indústrias do país, que faturam em vendas, cada uma, mais de sete bilhões de pesos anuais, a metade do valor total de vendas pertence às firmas estrangeiras, um terço aos organismos do Estado e apenas um sexto às sociedades privadas de capital argentino.[28]

Dos investimentos norte-americanos na indústria manufatureira da América Latina, o México congrega quase a terça parte. Tampouco este país opõe restrições à transferência de capitais e à repatriação de lucros; as restrições cambiais brilham pela ausência. A *mexicanização* obrigatória dos capitais, que impõe a maioria nacional das ações em algumas indústrias, "foi bem acolhida, em termos gerais, pelos investidores estrangeiros, que reconheceram

---

25. Suplemento especial do *New York Times*, 19 de janeiro de 1969.
26. NICOLAU, Sergio. *La inversión extranjera directa en los países de la ALALC*. México, 1968.
27. GARCIA LUPO, Rogelio. *Contra la ocupación extranjera*. Buenos Aires, 1968.
28. Citado por NACIONES UNIDAS/CEPAL. *Estudio económico de América Latina*, 1968.

publicamente diversas vantagens na criação de empresas mistas", segundo declarava em 1967 o Secretário de Indústria e Comércio do governo: "Cabe notar que, mesmo empresas de renome internacional, adotaram esta forma de associação de companhias que se estabeleceram no México, e igualmente é importante destacar que a política de mexicanização da indústria não só não desestimulou os investimentos estrangeiros no México, como também fez com que fosse batido o recorde de investimentos em 1965; e o volume alcançado em 1965 foi novamente superado em 1966"[29]. Em 1962, das 100 empresas mais importantes do México, 56 eram total ou parcialmente controladas pelo capital estrangeiro, 24 pertenciam ao Estado e vinte ao capital privado mexicano. Essas 20 empresas privadas de capital nacional participam com pouco mais da sétima parte do volume total de vendas das 100 empresas consideradas[30]. Atualmente, as grandes firmas estrangeiras dominam mais da metade dos capitais investidos em computadores, equipamentos de escritório, maquinário e equipamentos industriais; General Motors, Ford, Chrysler e Volkswagen consolidaram seu poderio na indústria de automóveis e na rede de fábricas auxiliares; a nova indústria química pertence à Du Pont, Monsanto, Imperial Chemical, Allied Chemical, Union Carbide e Cyanamid; os principais laboratórios estão nas mãos da Parke Davis, Merck & Co., Sidney Ross e Squibb; a influência da Celanese é decisiva na fabricação de fibras artificiais; Anderson Clayton e Lieber Brothers dominam em grau progressivo a fabricação de óleos comestíveis, e os capitais estrangeiros têm uma presença esmagadora na produção de cimento, cigarros, borracha e derivados, artigos para o lar e alimentos diversos.[31]

---

29. Reportagem da revista *Visión*, 3 de fevereiro de 1967.
30. CECEÑA, José Luis. *Los monopolios en México*. México, 1962.
31. CECEÑA, José Luis. *México en órbita imperial*. México, 1970; e AGUILAR, Alonso & CARMONA, Fernando. *México, riqueza y miseria*. México, 1968.

O bombardeio do Fundo Monetário Internacional facilita o desembarque dos conquistadores

Dois dos ministros do governo que depuseram na comissão parlamentar sobre a desnacionalização do Brasil reconheceram que as medidas adotadas no governo de Castelo Branco, permitindo o fluxo direto do crédito externo para as empresas, tinham deixado em inferioridade de condições as fábricas de capital nacional. Ambos se referiam à célebre Instrução 289, de princípios de 1965: as empresas estrangeiras obtinham empréstimos no exterior a 7 ou 8 por cento, com um tipo especial de câmbio que o governo garantia no caso de desvalorização do cruzeiro, enquanto as empresas nacionais deviam pagar juros de 50 por cento pelos créditos que laboriosamente conseguiam dentro do país. O inventor da medida, Roberto Campos, assim a explicou: "Obviamente, o mundo é desigual. Há quem nasça inteligente e há quem nasça tolo. Há quem nasça atleta e há quem nasça aleijado. O mundo se compõe de pequenas e grandes empresas. Uns morrem cedo, na plenitude da vida; outros se arrastam, criminosamente, numa longa existência inútil. Há uma desigualdade básica fundamental na natureza humana, na condição das coisas. Disto não escapa o mecanismo do crédito. Postular que as empresas nacionais devam ter o mesmo acesso que as empresas estrangeiras têm ao crédito estrangeiro é simplesmente desconhecer as realidades básicas da economia (...)"[32]. De acordo com os termos deste breve e suculento *Manifesto Capitalista*, a lei da selva é o código que naturalmente rege a vida humana, e a injustiça não existe, pois aquilo que conhecemos por injustiça não é senão a expressão da cruel harmonia do universo: os países pobres são pobres porque... são pobres; o destino está escrito nos astros e só nascemos para cumpri-lo: uns, condenados a obedecer; outros, distinguidos para mandar. Uns entrando com o pescoço e outros com a corda. O autor foi o artífice da política do Fundo Monetário Internacional no Brasil.

---

32. Depoimento do ministro Roberto Campos, no informe da Comissão Parlamentar de Inquérito sobre as transações efetuadas entre empresas nacionais e estrangeiras. Versão datilografada. Câmara dos Deputados. Brasília, 6 de setembro de 1968.
Pouco depois, Campos publicou uma curiosa interpretação das atitudes nacionalistas do governo do Peru. Segundo ele, a expropriação da Standard Oil pelo governo do general Velasco Alvarado foi apenas uma "exibição de masculinidade". O nacionalismo, escreveu, não tem outro objeto senão satisfazer a primitiva necessidade de ódio do ser humano. Mas, acrescentou, "o orgulho não gera investimentos, não aumenta o caudal de capitais". Jornal *O Globo*, 25 de fevereiro de 1969.

Como nos demais países da América Latina, a prática das receitas do Fundo Monetário Internacional serviu para que os conquistadores estrangeiros entrassem pisando terra arrasada. Desde fins da década de 50, a recessão econômica, a instabilidade monetária, a redução do crédito e o decréscimo do poder aquisitivo do mercado interno contribuíram fortemente para dobrar a indústria nacional e ajoelhá-la aos pés das corporações imperialistas. Sob pretexto da mágica *estabilização monetária*, o Fundo Monetário Internacional, que com segundas intenções confunde a febre com a enfermidade e a inflação com a crise das estruturas em vigência, impõe na América Latina uma política que agrava os desequilíbrios em lugar de atenuá-los. Liberaliza o comércio, proibindo os câmbios múltiplos e os convênios de troca, obriga ao aperto dos créditos internos até a asfixia, congela os salários e esmorece a atividade estatal. Agrega ao programa as fortes desvalorizações monetárias, teoricamente destinadas a devolver à moeda o seu valor real e a estimular as exportações. Na verdade, as desvalorizações só estimulam a concentração interna de capitais em benefício das classes dominantes, e propiciam a absorção das empresas nacionais por parte dos que chegam de fora com um punhado de dólares nas maletas.

Em toda a América Latina, o sistema produz muito menos do que necessita consumir, e a inflação decorre desta *impotência estrutural.* Mas o FMI não ataca as causas da oferta insuficiente do aparato produtivo e lança suas cargas de cavalaria contra as consequências, esmagando ainda mais a mesquinha capacidade de consumo do mercado interno: *uma demanda excessiva, nestas terras de famintos, seria a culpada pela inflação.* Suas fórmulas não apenas fracassaram na estabilização e no desenvolvimento, como também intensificaram o estrangulamento externo dos países, aumentaram a miséria das grandes massas despossuídas, agravando as tensões sociais, e precipitaram a desnacionalização econômica e financeira, ao influxo dos sagrados mandamentos da liberdade de comércio, da liberdade de concorrência e da liberdade de movimento dos capitais. Os Estados Unidos, que empregam um vasto sistema protecionista – taxas, quotas, subsídios internos –, jamais mereceram a menor observação do FMI. Em troca, com a América Latina o FMI tem sido inflexível: para isto nasceu. Desde que o Chile aceitou a primeira de suas missões, em 1954, os conselhos do FMI se estenderam por todas as partes, e a maioria dos governos segue hoje em dia, cegamente, essas orientações. *A terapêutica piora o enfermo para poder ministrar a droga dos empréstimos e dos investimentos.* O FMI proporciona empréstimos ou dá a imprescindível luz verde para que outros os proporcionem. Nascido nos Estados Unidos, com sede nos Estados Unidos e a serviço dos Estados Unidos, o Fundo opera, de fato, como um inspetor internacional, e sem sua aprovação a banca norte-americana não afrouxa os cordões da bolsa; o Banco Mundial, a Agência para o Desenvolvimento Internacional e outros organismos filantrópicos de alcance universal também condicionam seus créditos à assinatura e ao cumprimento das *Cartas de Intenções* dos governos perante o onipotente organismo. Todos os países latino-americanos reunidos não somam a metade dos votos que os Estados Unidos detém para orientar a política desse supremo artífice do equilíbrio monetário do mundo: o FMI foi criado para institucionalizar o predomínio financeiro de Wall Street no planeta inteiro, quando em fins da Segunda Guerra o dólar inaugurou sua hegemonia como moeda internacional. Nunca foi inficl ao amo.[33]

A burguesia nacional latino-americana tem, decerto, vocação rentista, e não opôs barreiras consideráveis à avalanche estrangeira sobre a indústria, mas também é certo que as corporações imperialistas valeram-se de toda uma gama de métodos de arrasamento. O bombardeio prévio do FMI facilitou a penetração. Assim foram conquistadas empresas, com um simples telefonema, depois de uma brusca queda nas cotações da Bolsa, em troca de um pouco de oxigênio traduzido em ações, ou então executando alguma dívida por abastecimentos ou pelo uso de patentes, marcas ou inovações técnicas. As dívidas, multiplicadas pelas desvalorizações monetárias que obrigam as empresas locais a pagar mais moeda nacional por seus compromissos em dólares, convertem-se numa armadilha mortal. A dependência no fornecimento de tecnologia custa caro: o *know-how* das corporações inclui uma grande perícia na arte de devorar o próximo. Há menos de três anos, um dos últimos moicanos da indústria nacional brasileira declarava a um jornal carioca: "A experiência demonstra que o produto da venda de uma empresa nacional muitas vezes nem chega ao Brasil, e fica rendendo juros no mercado financeiro do país comprador"[34]. Os credores foram pagos com as instalações e as máquinas dos devedores. Os números do Banco Central do Brasil indicam que não menos da quinta parte dos novos investimentos industriais em 1965, 1966 e 1967 correspondem, na verdade, à conversão das dívidas não pagas em investimentos.

À chantagem financeira e tecnológica soma-se a concorrência desleal e livre do forte contra o fraco. Como as filiais das grandes corporações

---

33. LICHTENSZTEJN, Samuel & COURIEL, Alberto. *El FMI y la crisis económica nacional*. Montevideo, 1967; e TRÍAS, Vivian. *La crisis del Imperio*. Montevideo, 1970.
34. GASPARIAN, Fernando. In: *Correio da Manhã*, 1º de maio de 1968.

multinacionais integram uma estrutura mundial, *podem dar-se ao luxo de perder dinheiro durante um ano ou dois, ou o tempo que for necessário. Então baixam os preços e se sentam para esperar a rendição do acossado.* Os bancos colaboram no cerco; a empresa nacional não é tão solvente como parecia: negam-lhe os víveres. Encurralada, a empresa logo vai levantar a bandeira branca. O capitalista local se torna sócio minoritário ou funcionário de seus vencedores. Ou conquista a mais ambicionada das sortes: cobra o resgate de seus bens em ações da matriz estrangeira e termina seus dias regiamente, vivendo de rendas.

A propósito do *dumping* de preços, é ilustrativa a história da captura de uma fábrica brasileira de fitas adesivas, a Adesite, pela poderosa Union Carbide. A Scotch, conhecida empresa com sede em Minnesota e tentáculos universais, começou a vender no mercado brasileiro suas próprias fitas adesivas, com um preço progressivamente menor. As vendas da Adesite iam baixando. Os bancos lhe cortaram o crédito. A Scotch continuava baixando seus preços: caíram 30 por cento, depois 40 por cento. E então apareceu em cena a Union Carbide: comprou a fábrica brasileira a preço de desespero. Posteriormente, a Union Carbide e a Scotch se entenderam, dividindo o mercado nacional em duas partes: repartiram o Brasil, metade para cada uma. E de comum acordo elevaram o preço das fitas adesivas em 50 por cento. Era a digestão. A lei antitruste dos velhos tempos de Vargas tinha sido derrogada anos antes.

A própria Organização dos Estados Americanos reconhece[35] que a abundância de recursos financeiros das filiais norte-americanas, "em momentos de muito escassa liquidez para as empresas nacionais, propiciou que, em certas ocasiões, algumas dessas empresas nacionais fossem compradas por interesses estrangeiros". A penúria de recursos financeiros, aguçada pelo aperto do crédito interno imposto pelo FMI, afoga as empresas locais. No entanto, o mesmo documento da OEA informa que nada menos de 95,7 por cento dos fundos requeridos pelas empresas norte-americanas para seu normal funcionamento e desenvolvimento na América Latina provêm de fontes latino-americanas, na forma de créditos, empréstimos e lucros reinvestidos. Essa proporção é de 80 por cento no caso das indústrias manufatureiras.

---

35. SECRETARÍA GENERAL DE LA OEA, op. cit.

Os Estados Unidos cuidam de sua poupança interna e dispõem da alheia: a invasão dos bancos

A canalização dos recursos nacionais na direção das filiais imperialistas se explica em grande parte pela proliferação de sucursais bancárias norte-americanas, que nos últimos anos brotaram como cogumelos depois da chuva em todas as regiões da América Latina. A ofensiva sobre a poupança local dos satélites está vinculada ao crônico *deficit* da balança de pagamentos dos Estados Unidos, que obriga à contenção de investimentos no estrangeiro, e à dramática deterioração do dólar como moeda do mundo. *A América Latina, além da comida, proporciona a saliva, e os Estados Unidos se limitam a pôr na boca.* Da desnacionalização da indústria resultou um presente.

Segundo o International Banking Survey[36], em 1964 havia 78 sucursais de bancos norte-americanos ao sul do rio Bravo, e em 1967 já eram 133. Tinham 800 milhões de dólares de depósitos em 1964, e em 1967 já somavam 1 bilhão e 270 milhões de dólares. Em 1968 e 1969, a banca estrangeira avançou com ímpeto: o First National City Bank, atualmente, conta com nada menos de 110 filiais semeadas em dezessete países da América Latina. O número inclui vários bancos nacionais adquiridos pelo City nos últimos tempos. O Chase Manhattan Bank, do grupo Rockefeller, adquiriu em 1962 o Banco Lar Brasileiro, com 34 sucursais no Brasil; em 1964, o Banco Continental, com 42 agências no Peru; em 1967, o Banco do Comércio, com 120 sucursais na Colômbia e no Panamá, e o Banco Atlântida, com 24 agências em Honduras; em 1968, o Banco Argentino de Comércio. A revolução cubana tinha nacionalizado 20 agências bancárias dos Estados Unidos, mas os bancos se recuperaram com juros daquele duro golpe: só em 1968, mais de 70 novas filiais de bancos norte-americanos foram abertas na América Central, no Caribe e nos menores países da América do Sul.

É impossível conhecer o simultâneo aumento de atividades paralelas – subsidiárias, *holdings*, financeiras, escritórios de representação – em sua precisa magnitude, mas sabe-se que em igual ou maior proporção aumentaram os fundos latino-americanos absorvidos por bancos que, embora não operem abertamente como sucursais, são controlados do exterior através de

---

36. INTERNATIONAL BANKING SURVEY. *Journal of Commerce*. New York, 25 de fevereiro de 1968

decisivos pacotes de ações ou pela abertura de linhas externas de crédito severamente condicionadas.

Toda essa invasão bancária serve para desviar a poupança latino-americana para as empresas norte-americanas que operam na região, enquanto as empresas nacionais caem estranguladas pela falta de crédito. Os departamentos de relações públicas de vários bancos norte-americanos que operam no exterior apregoam, sem ruborizar, que seu propósito mais importante consiste em canalizar a poupança interna dos países onde operam para uso das corporações multinacionais que são clientes de suas matrizes[37]. Empreendamos um voo de imaginação: poderia um banco latino-americano estabelecer-se em Nova York para captar a poupança nacional dos Estados Unidos? A bolha rebenta no ar: esta insólita aventura está expressamente proibida. Nos Estados Unidos, nenhum banco estrangeiro pode operar como receptor de depósitos dos cidadãos norte-americanos. Em troca, os bancos dos Estados Unidos, através das numerosas filiais, dispõem a seu arbítrio da poupança nacional latino-americana. A América Latina zela pela norte-americanização das finanças, tão ardentemente quanto os Estados Unidos. Em junho de 1966, o Banco Brasileiro de Descontos consultou seus acionistas para adotar uma resolução de grande vigor nacionalista. Em todos os seus documentos imprimiu a frase: *Nós confiamos em Deus*. Orgulhosamente, o banco fez questão de salientar que o dólar ostenta o lema *In God we trust*.

Os bancos latino-americanos, inclusive os invictos, não infiltrados nem sitiados pelos capitais estrangeiros, não orientam os créditos em sentido diverso da orientação que têm as filiais do City, do Chase ou do Bank of America: eles também preferem atender a demanda das empresas industriais e comerciais estrangeiras, que contam com sólidas garantias e operam com amplos volumes.

Um império que importa capitais

O "Programa de ação econômica do governo", elaborado por Roberto Campos, previa que, em resposta à sua política benfeitora, os capitais afluiriam do exterior para incrementar o desenvolvimento do Brasil e contribuir para

---
37. BENNETT, Robert & ALMONTI, Karen. "International Activities of United States Banks". In: *The American Banker*. New York, 1969.

sua estabilidade econômica e financeira[38]. Anunciavam-se para 1965 novos investimentos diretos, de origem estrangeira, de 100 milhões de dólares. Chegaram 70. Assegurava-se que, nos anos seguintes, o nível superaria as previsões de 1965, mas as convocatórias foram inúteis. Em 1967, ingressaram 76 milhões; a evasão resultante de lucros e dividendos, assistência técnica, patentes, *royalties* ou regalias e uso de marcas superou em mais de quatro vezes o investimento novo. A tais sangrias teria de se somar também as remessas clandestinas. O Banco Central admite que, em 1967, emigraram do Brasil fora das vias legais 120 milhões de dólares.

Como se vê, o valor do que saiu é infinitamente maior do que o valor que entrou. Definitivamente, os números dos novos investimentos diretos nos anos cruciais da desnacionalização industrial – 1965, 1966, 1967 – estiveram muito abaixo do nível de 1961[39]. Os investimentos na indústria congregam a maior parte dos capitais norte-americanos no Brasil, mas correspondem a menos de 4 por cento do total dos investimentos dos Estados Unidos nas manufaturas mundiais. Os da Argentina chegam apenas a 3 por cento; os do México, a 3,5. A digestão dos maiores parques industriais da América Latina não exigiu grandes sacrifícios de Wall Street.

"O que caracteriza o capitalismo moderno, no qual impera o monopólio, é a exportação de capital", escreveu Lênin. Em nossos dias, como advertiram Baran e Sweezy, o imperialismo *importa* capitais dos países onde opera. No período 1950-67, os novos investimentos norte-americanos na América Latina totalizaram, sem incluir os lucros reinvestidos, três bilhões e 921 milhões de dólares. No mesmo período, os lucros e os dividendos remetidos ao exterior pelas empresas somaram doze bilhões e 819 milhões de dólares. Os ganhos drenados superaram em mais de três vezes o montante de novos capitais

---

38. MINISTÉRIO DO PLANEJAMENTO E COORDENAÇÃO ECONÔMICA. *Programa de ação econômica do governo*. Rio de Janeiro, novembro de 1964. Dois anos depois, falando na Universidade Mackenzie, em São Paulo, Campos insistia: "Já que as economias em processo de organização não dispõem de recursos para dinamizar-se, pelo simples fato de que se os tivessem não estariam em atraso, é lícito aceitar o concurso de todos quantos queiram correr conosco os riscos da maravilhosa aventura que é o progresso, para dele receber uma parte dos frutos" (22 de dezembro de 1966).

39. "As remessas do Brasil registram uma alta desde a legislação de 1965", celebrava o órgão do Departamento de Comércio dos Estados Unidos. "Aumenta o fluxo de juros, lucros, dividendos e regalias; os termos e as condições dos empréstimos estão sujeitos ao compromisso com o Fundo Monetário Internacional. *International Commerce*, 24 de abril de 1967."

incorporados à região⁴⁰. Desde então, segundo a CEPAL, novamente cresceu a sangria dos lucros, *que nos últimos anos excedeu em cinco vezes os investimentos novos*; a Argentina, o Brasil e o México sofreram os maiores aumentos da evasão. Mas este é um cálculo conservador. Boa parte dos fundos repatriados a título de amortização da dívida corresponde, na verdade, a lucros de investimentos, e os números tampouco incluem as remessas ao exterior relativas a pagamento de patentes, *royalties* e assistência técnica, nem computam outras transferências invisíveis que costumam se esconder atrás dos véus da epígrafe "erros e omissões"⁴¹, nem levam em conta *os lucros que têm as corporações ao inflar os preços dos abastecimentos que proporcionam às suas filiais e ao inflar também, com igual entusiasmo, seus custos operacionais.*

A imaginação das empresas faz outro tanto com os próprios investimentos. De fato, como a vertigem do progresso tecnológico abrevia cada vez mais os prazos de renovação do capital fixo nas economias avançadas, a grande maioria das instalações e dos equipamentos fabris exportados para os países da América Latina cumpriu anteriormente um ciclo de vida útil em seus lugares de origem. A amortização, portanto, já foi feita, de forma total ou parcial. Nos efeitos do investimento no exterior, este pormenor não é contado: o valor atribuído ao maquinário, arbitrariamente elevado, seguramente não seria nem sombra do que é, se formos considerar os frequentes casos de desgaste prévio. De resto, a matriz não tem por que lançar-se em gastos para produzir na América Latina os bens que antes lhe vendia à distância. Os governos se encarregam de ajudar, adiantando recursos à filial que chega para instalar-se e cumprir sua missão redentora: a filial tem acesso ao crédito local a partir do momento em que põe um cartaz no terreno onde erguerá sua fábrica; conta com privilégios cambiais para suas importações – compras que a empresa costuma fazer de si mesma – e até pode conseguir, em alguns países, um tipo especial de câmbio para pagar suas dívidas no exterior, que frequentemente são dívidas do ramo financeiro da mesma corporação. Um cálculo

---

40. SECRETARÍA GENERAL DE LA OEA, op. cit. O presidente Kennedy já reconhecera que em 1960 "do mundo subdesenvolvido, que tem necessidade de capitais, retiramos um bilhão e 300 milhões de dólares, enquanto para lá só exportamos 200 milhões em capitais de investimento". Discurso no congresso da AFL-CIO, em Miami, em 8 de dezembro de 1961.

41. Entre 1955 e 1966, os misteriosos *erros e omissões* somaram, por exemplo, mais de um bilhão de dólares na Venezuela, 743 milhões na Argentina, 714 no Brasil, 310 no Uruguai. NACIONES UNIDAS/CEPAL, op. cit.

feito pela revista *Fichas*[42] indica que as divisas utilizadas na Argentina, entre 1961 e 1964, pela indústria automobilística, são três vezes e meia maiores do que o montante necessário para construir dezessete centrais termelétricas e seis centrais hidrelétricas com uma potência total de mais de 2.200 megawatts, e equivalem ao valor das importações de maquinário e equipamentos requeridos durante onze anos pelas indústrias dinâmicas para provocar um incremento anual de 2,8 por cento no produto por habitante.

Os tecnocratas exigem a bolsa ou a vida com mais eficácia do que os marines

Ao levarem mais dólares do que trazem, as empresas contribuem para aguçar a crônica fome de divisas da região; os países "beneficiados" se descapitalizam ao invés de se capitalizarem. Entra em ação, então, o mecanismo do empréstimo. Os organismos internacionais de crédito desempenham uma função muito importante no desmantelamento das débeis cidadelas defensivas da indústria latino-americana de capital nacional, e na consolidação das estruturas neocoloniais. A *ajuda* funciona como o filantropo do conto, que colocou uma perna de pau em seu porquinho: era porque pouco a pouco o comia. O *déficit* da balança de pagamento dos Estados Unidos, provocado pelos gastos militares e a ajuda estrangeira, crítica espada de Dâmocles sobre a prosperidade norte-americana, *ao mesmo tempo torna possível essa prosperidade*: o Império envia ao exterior seus *marines* para salvar os dólares de seus monopólios quando correm perigo, e com maior eficácia espalha seus tecnocratas e seus empréstimos para ampliar os negócios e assegurar as matérias-primas e os mercados.

O capitalismo dos nossos dias, em seu centro universal de poder, exibe uma identidade evidente dos monopólios privados e do aparato estatal[43]. As corporações multinacionais utilizam diretamente o Estado para acumular, multiplicar e concentrar capitais, aprofundar a revolução tecnológica, militarizar a economia e, mediante diversos mecanismos, garantir o êxito da norte-americanização do mundo capitalista. Neste último sentido cumprem suas funções o Eximbank, Banco de Exportação e Importação, a AID, Agência para o Desenvolvimento Internacional, e outros organismos menores;

---
42. *Fichas de investigación econômica y social*. Buenos Aires, junho de 1965.
43. CHEPRAKOV, V. A. *El capitalismo monopolista de Estado*. Moscou, s.f.; BARAN & SWEEZY, op. cit.; e TRÍAS, op. cit.

também operam assim alguns organismos supostamente internacionais, nos quais os Estados Unidos exercem sua incontestável hegemonia: o Fundo Monetário Internacional e seu irmão gêmeo, o Banco Internacional de Reconstrução e Fomento, e o BID, Banco Interamericano de Desenvolvimento, que se arrogam o direito de decidir a política econômica que devem adotar os países que solicitam crédito. Lançando-se exitosamente ao assalto dos bancos centrais e dos ministérios decisivos, apossam-se de todos os dados secretos da economia e das finanças, redigem e impõem leis nacionais, e proíbem ou autorizam as medidas dos governos, cuja orientação preceituam em todos os detalhes.

A caridade internacional não existe: começa em casa, também para os Estados Unidos. A ajuda externa desempenha, em primeiro lugar, uma função interna: a economia norte-americana se ajuda a si mesma. O próprio Roberto Campos a definia, no tempo em que era embaixador do governo nacionalista de Goulart, como um programa de ampliação de mercados no estrangeiro, destinado à absorção dos excedentes norte-americanos e ao alívio da superprodução na indústria de exportação dos Estados Unidos[44]. O Departamento de Comércio dos Estados Unidos celebrava o bom andamento da Aliança para o Progresso, pouco depois de nascida, observando que o programa criara novos negócios e fontes de trabalho para empresas privadas de 44 estados norte-americanos[45]. Mais recentemente, em sua mensagem ao Congresso de janeiro de 1968, o presidente Johnson assegurou que, em 1969, mais de 90 por cento da ajuda externa norte-americana seria empregada para financiar compras feitas nos Estados Unidos, "e pessoalmente e de forma direta me empenhei para aumentar este percentual"[46]. Em outubro de 1969, as agências noticiosas divulgaram as explosivas declarações do presidente do Comitê Interamericano da Aliança para o Progresso, Carlos Sanz de Santamaría, em Nova York, no sentido de que a ajuda era um muito bom negócio para a economia dos Estados Unidos, assim como para o tesouro desse país. Desde que, em fins da década de 50, desequilibrou-se e entrou em crise a balança norte-americana de pagamentos, os empréstimos foram condicionados à aquisição de bens industriais norte-americanos, geralmente mais caros do que produtos similares de outras partes do mundo. Mais recentemente, entraram em ação certos mecanismos, como as "listas negativas", para evitar que os créditos sirvam à exportação de artigos que os Estados Unidos podem

---

44. *O Estado de São Paulo*, 24 de janeiro de 1963.
45. *International Commerce*, 4 de fevereiro de 1963.
46. *Wall Street Journal*, 31 de janeiro de 1968.

colocar no mercado mundial, em boas condições competitivas, sem recorrer ao expediente da filantropia. As posteriores "listas positivas" tornaram possível, através da *ajuda*, a venda de certas manufaturas norte-americanas a preços entre 31 e 50 por cento mais altos do que os de outras fontes internacionais. Os condicionamentos dos empréstimos – diz a OEA no documento já citado – outorgam "um subsídio geral às exportações norte-americanas". As firmas fabricantes de maquinário sofrem sérias desvantagens de preços no mercado internacional, segundo confessa o Departamento de Comércio dos Estados Unidos, "a menos que possam aproveitar o financiamento mais liberal dos diversos programas de ajuda"[47]. Quando Richard Nixon prometeu uma ajuda não condicionada, em discurso de fins de 1969, só se referiu à possibilidade de que as compras pudessem ser efetuadas, alternativamente, nos países latino-americanos. Este já era, desde antes, o caso dos empréstimos que o Banco Interamericano de Desenvolvimento concede através de seu Fundo para Operações Especiais. Mas a experiência mostra que os Estados Unidos, ou as filiais latino-americanas de suas corporações, são sempre os provedores finalmente eleitos nos contratos. Os empréstimos da AID, do Eximbank e, em sua maioria, os do BID, exigem também que não menos da metade dos embarques seja efetivada em barcos de bandeira norte-americana. Os fretes das embarcações dos Estados Unidos são tão caros que, em alguns casos, chegam até a duplicar os preços das linhas de navegação mais baratas disponíveis no mundo. Normalmente, são também norte-americanas as empresas que seguram as mercadorias transportadas, e norte-americanos são os bancos através dos quais as operações se concretizam.

A Organização dos Estados Americanos fez uma reveladora estimativa da magnitude da ajuda *real* que a América Latina recebe[48]. Separada a palha do grão, chega-se à conclusão de que apenas 38 por cento da ajuda *nominal* pode ser considerada ajuda *real*. Os empréstimos para indústria, mineração, comunicações e os créditos compensatórios só constituem ajuda na quinta parte do total autorizado. No caso do Eximbank, a ajuda viaja do sul para o norte: o financiamento concedido pelo Eximbank, diz a OEA, em lugar de significar ajuda, implica um custo adicional para a região, em virtude dos sobrepreços dos artigos que os Estados Unidos exportam por seu intermédio.

A América Latina proporciona a maioria dos recursos ordinários de capital do Banco Interamericano de Desenvolvimento. Mas os documentos do BID trazem, além de seu próprio selo, o da Aliança para o Progresso,

---
47. *International Commerce*, 17 de julho de 1967.
48. SECRETARÍA GENERAL DE LA OEA, op. cit.

e os Estados Unidos são o único país que conta com o poder de veto em suas operações; os votos dos países latino-americanos, proporcionais a seus aportes de capital, não somam a maioria de dois terços imprescindível para as resoluções importantes. "Se bem que o poder de veto dos Estados Unidos não tenha sido usado, a ameaça de emprego do veto para propósitos políticos já influiu nas decisões", reconhecia Nelson Rockefeller em agosto de 1969, em seu célebre informe a Nixon. Na maior parte dos empréstimos que concede, o BID impõe as mesmas condições que os organismos abertamente norte-americanos: a obrigação de usar os fundos em mercadorias dos Estados Unidos e de transportar ao menos a metade sob a bandeira de barras e estrelas, além da menção expressa da Aliança para o Progresso na publicidade. O BID determina a política de tarifas e de impostos dos serviços que toca com sua varinha de fada boa; decide o quanto se deve cobrar pela água e fixa os impostos para a rede de esgotos ou as residências, valendo-se de prévia proposta de consultores norte-americanos designados com sua anuência. Aprova os planos das obras, redige as licitações, administra os fundos e vigia o seu cumprimento[49]. Na tarefa de reestruturar o ensino superior da região de acordo com as pautas do neocolonialismo cultural, o BID desempenhou um frutífero papel. Seus empréstimos às universidades bloqueiam a possibilidade de modificar, sem seu conhecimento e sua permissão, as leis orgânicas ou os estatutos, e ao mesmo tempo impõe dadas reformas docentes, administrativas e financeiras. O secretário-geral da OEA designa o árbitro em caso de controvérsia.[50]

Os contratos da Agência para o Desenvolvimento Internacional, AID, não só implicam mercadorias e fretes norte-americanos, como também, habitualmente, proíbem o comércio com Cuba e Vietnam do Norte, e obrigam a aceitar a tutela administrativa de seus técnicos. Para compensar o desnível de preços entre os tratores ou os fertilizantes dos Estados Unidos e aqueles que podem ser conseguidos, mais baratos, no mercado mundial, impõem a eliminação de impostos e taxas aduaneiras para os produtos importados com os créditos. A ajuda da AID inclui jipes e armas modernas destinadas à polícia, para que a ordem interna dos países possa ser devidamente salvaguardada. Não em vão, os créditos da AID, na terça parte, são obtidos imediatamente

---

49. No Uruguai, por exemplo, o texto do contrato firmado em 21 de maio de 1963 entre o BID e o governo departamental de Montevidéu, para a ampliação da rede de esgotos.

50. Na Bolívia, por exemplo, o texto do contrato firmado em 1º de abril de 1966 entre o BID e a Universidad Mayor de San Simon, em Cochabamba, para melhorar o ensino das ciências agrícolas.

após a aprovação, ao passo que os dois terços restantes são condicionados ao visto do Fundo Monetário Internacional, cujas receitas, normalmente, provocam o incêndio da agitação social. E se o FMI, por seus próprios meios, não consegue desmontar, peça por peça, como se desmonta um relógio, todos os mecanismos da soberania, a AID costuma exigir também, de passagem, a aprovação de determinas leis e decretos. A AID é o principal veículo dos fundos da Aliança para o Progresso. O Comitê Interamericano da Aliança para o Progresso obteve do governo uruguaio – para citar apenas um exemplo dos labirintos da generosidade – a assinatura de um compromisso pelo qual as receitas e as despesas das empresas estatais, assim como a política oficial em matéria de tarifas, salários e investimentos, passaram ao controle direto desse organismo estrangeiro[51]. Mas as condições mais danosas raramente figuram nos textos dos contratos e nos compromissos públicos, e se escondem nas secretas disposições complementares. O Parlamento uruguaio nunca soube que o governo aceitara, em março de 1968, impor um limite às exportações de arroz daquele ano, para que o país pudesse receber farinha, milho e sorgo sob o amparo da lei de excedentes agrícolas dos Estados Unidos.

Muitas adagas brilham sob a capa da assistência aos países pobres. Teodoro Moscoso, que foi administrador-geral da Aliança para o Progresso, confessou: "(...) pode ocorrer que os Estados Unidos precisem do voto de um dado país na Organização dos Estados Americanos, ou na OEA, e então é possível que o governo desse país – seguindo a consagrada tradição da fria diplomacia – estipule um preço em troca[52]. Em 1962, o delegado do Haiti à Conferência de Punta del Este trocou seu voto ao preço de um aeroporto novo, e assim os Estados Unidos obtiveram a maioria necessária para expulsar Cuba da Organização dos Estados Americanos[53]. O ex-ditador da Guatemala, Miguel Ydígoras Fuentes, declarou que teve de ameaçar os norte-americanos com a sonegação de seu voto nas conferências da Aliança

---

51. Documento publicado pelo jornal *Ya*. Montevidéu, 28 de maio de 1970.

52. *Panorama*. Centro de Estúdios y Documentación Sociales. México, novembro-dezembro de 1965.

53. Também foi prometida à ditadura de Duvalier, em sinal de gratidão, a construção de uma estrada que levasse ao aeroporto. Irving Pflaum (*Arena of decision. Latin American crises*. New York, 1964) e GERASSI, John. (*The great fear in Latin American*. New York, 1965) coincidem em que este foi um caso de suborno. Mas os Estados Unidos não cumpriram as promessas feitas ao Haiti. Duvalier, "Papa Doc", guardião da morte na mitologia vodu, sentiu-se logrado. Segundo dizem, o velho bruxo invocou a ajuda do Diabo para vingar-se de Kennedy e sorriu com satisfação quando os balaços de Dallas deram fim à vida do presidente norte-americano.

para o Progresso para que eles cumprissem a promessa de lhe comprar mais açúcar[54].

À primeira vista, poderia parecer um paradoxo que o Brasil, durante o governo nacionalista de João Goulart (1961-64), tenha sido o país mais favorecido pela Aliança para o Progresso. Mas o paradoxo cessa logo ao conhecer-se a distribuição interna da ajuda recebida: os créditos da Aliança foram semeados como minas explosivas no caminho de Goulart. Carlos Lacerda, governador da Guanabara e, na época, o líder da extrema direita, obteve sete vezes mais dólares do que o Nordeste: foi assim que o estado da Guanabara, com seus escassos quatro milhões de habitantes, criou seus formosos jardins para turistas à beira da baía mais espetacular do mundo, enquanto os nordestinos continuaram sendo a chaga viva da América Latina. Em junho de 1964, já triunfante o golpe de Estado que levou Castelo Branco ao poder, Thomas Mann, subsecretário de Estado para assuntos interamericanos e braço direito do presidente Johnson, explicou: "Os Estados Unidos distribuíram entre os governadores eficientes de certos estados brasileiros a ajuda que era destinada ao governo de Goulart, no entendimento de que assim financiavam a democracia; Washington não deu dinheiro algum para a balança de pagamentos ou para o orçamento federal, porque isto haveria de beneficiar diretamente o governo central"[55].

A administração norte-americana tinha resolvido negar qualquer tipo de auxílio ao governo de Belaúnde Terry, no Peru, "a menos que desse as esperadas garantias de que adotaria uma política indulgente em relação à International Petroleum Company. Belaúnde recusou e, em consequência, em fins de 1965 ainda não tinha recebido sua parte da Aliança para o Progresso"[56]. Posteriormente, como se sabe, cedeu. E perdeu o petróleo e o poder: havia obedecido para sobreviver. Na Bolívia, os empréstimos norte-americanos não proporcionaram um único centavo para que o país pudesse levantar suas próprias fundições de estanho, de modo que o estanho continuou viajando em bruto para Liverpool, e dali, já elaborado, para Nova York; em troca, a *ajuda* deu origem a uma burguesia comercial parasitária, inflou a burocracia, levantou grandes edifícios, estendeu modernas autopistas e outros elefantes brancos, num país que disputa com o Haiti as mais altas taxas de mortalidade infantil na América Latina. Os créditos dos Estados Unidos

---

54. Reportagem de Georgie Anne Geyer. *The Miami Herald*, 24 de dezembro de 1966.
55. Declaração ante a subcomissão da Câmara de Representantes. Citado por SODRÉ, Nelson Werneck. *História militar do Brasil*. Rio de Janeiro, 1965.
56. PIKE, Frederick B. *The modern history of Peru*. New York, 1968.

ou de seus organismos *internacionais* negavam à Bolívia o direito de aceitar as ofertas da União Soviética, Tchecoslováquia e Polônia para criar uma indústria petroquímica, explorar o fundir o zinco, o chumbo e as jazidas de ferro, além de instalar fornos de fundição de estanho e de antimônio. Em troca, a Bolívia ficou obrigada a importar produtos exclusivamente dos Estados Unidos. Quando por fim caiu o governo do Movimento Nacionalista Revolucionário, devorado em seus alicerces pela ajuda norte-americana, o embaixador dos Estados Unidos, Douglas Henderson, começou a assistir pontualmente às reuniões do gabinete do ditador René Barrientos.[57]

Os empréstimos oferecem indicações tão precisas quanto as de um termômetro para avaliar *o clima geral dos negócios* de cada país, e ajudam a eliminar os nuvarrões políticos ou as tormentas revolucionárias do transparente céu dos milionários. "Os Estados Unidos vão canalizar seu programa de ajuda econômica para os países que mostrarem maior inclinação para favorecer o clima dos investimentos, e retirar a ajuda de outros países em que uma *performance* satisfatória não for demonstrada", anunciaram em 1963 diversos homens de negócios encabeçados por David Rockefeller[58]. O texto da lei de ajuda estrangeira é categórico ao determinar a suspensão da assistência a qualquer governo que tenha "nacionalizado, expropriado ou adquirido a propriedade ou o controle de qualquer propriedade pertencente a qualquer cidadão dos Estados Unidos ou qualquer corporação, sociedade ou associação" que pertença a cidadãos norte-americanos, numa proporção não inferior à

---

57. CANELAS, Amado. *Radiografia de la Alianza para o Atraso*. La Paz, 1963; GUMUCIO, Mariano Baptista et alii. *Guerrilleros y generales sobre Bolívia*. Buenos Aires, 1968; e GUNTHER, John. *Inside South América*. New York, 1967.

58. A filha de David, Peggy Rockefeller, decidiu pouco depois ir viver numa favela do Brasil chamada Jacarezinho. Seu pai, um dos homens mais ricos do mundo, viajou ao Brasil para tratar de seus negócios e foi pessoalmente à humilde casa de família que Peggy havia escolhido, provou a humilde comida e constatou, com espanto, que a casa estava cheia de goteiras e que os ratos entravam por baixo da porta. Ao ir embora, deixou sobre a mesa um cheque com vários zeros. Peggy viveu ali durante alguns meses, colaborando com os Corpos da Paz. Os cheques continuaram chegando. Cada um deles equivalia ao que o dono da casa poderia ganhar em dez anos de trabalho. Quando Peggy finalmente se foi, a casa e a família de Jacarezinho estavam transformadas. Nunca a favela conhecera tanta opulência. Peggy tinha vindo do céu em linha reta. Era como ter ganho todas as loterias juntas. O dono da casa, então, passou a ser o mascote do regime. Reportagens na televisão ou no rádio, artigos de jornais e revistas, a publicidade desatada: ele era um exemplo que todos os brasileiros deviam imitar. Saíra da miséria graças à sua inquebrantável vontade de trabalhar e à sua capacidade de economizar: vejam, vejam, ele não gasta em cachaça o que ganha, agora tem televisão, refrigerador, móveis novos, as crianças calçam sapatos. A propaganda esquecia um pequeno detalhe: a visita da fada Peggy. Porque o Brasil tinha 90 milhões de habitantes e o milagre acontecera para um só.

metade⁵⁹. Não em vão o Comitê de Comércio da Aliança para o Progresso conta, entre seus membros mais insignes, com os mais altos executivos do Chase Manhattan, do City Bank, da Standard Oil, da Anaconda e da Grace. A AID prepara o caminho para os capitalistas norte-americanos de múltiplas maneiras; entre outras, exigindo a aprovação de acordos de garantias dos investimentos contra possíveis perdas por guerras, revoluções, insurreições ou crises monetárias. Em 1966, segundo o Departamento de Comércio dos Estados Unidos, os investidores privados norte-americanos receberam essas garantias em quinze países da América Latina, por 100 projetos que somavam mais de 300 milhões de dólares, dentro do Programa de Garantia de Investimentos da AID.⁶⁰

ADELA não é uma canção da revolução mexicana, mas o nome de um consórcio internacional de investidores. Nasceu por iniciativa do First National City Bank de Nova York, da Standard Oil de Nova Jersey e da Ford Motor Co. O grupo Mellon se aliou com entusiasmo, e se aliaram também poderosas empresas europeias porque, na palavra do senador Jacob Javits, "a América Latina proporciona uma excelente oportunidade para que os Estados Unidos, ao convidar a Europa para *entrar*, demonstrem que não buscam uma posição de domínio ou exclusividade"⁶¹. Pois bem, em seu informe anual de 1968, a ADELA *agradeceu muito especialmente ao Banco Interamericano de Desenvolvimento os empréstimos concedidos para incrementar os negócios do consórcio da América Latina*, e no mesmo sentido saudou a obra da Corporação para o Financiamento Internacional, um dos braços do Banco Mundial. A ADELA está em contato permanente com essas duas instituições, para evitar a duplicação dos esforços e avaliar as oportunidades de investimento⁶². Muitos exemplos poderiam ser evocados de outras santas e semelhantes alianças. Na Argentina, os acessos latino-americanos aos recursos ordinários do BID serviram para beneficiar, com

---

59. Hickenlooper Amendment, Section 620, Foreign Assistance Act. Não é casual que este texto legal se refira explicitamente às medidas adotadas contra os interesses norte-americanos "a primeiro de janeiro de 1962 ou em data posterior". A 16 de fevereiro de 1962, o governador Leonel Brizola havia expropriado a companhia de telefones do estado brasileiro do Rio Grande do Sul, subsidiária da International Telephone and Telegraph Corporation, e esta decisão endurecera as relações entre Washington e Brasília. A empresa não aceitava a indenização proposta pelo governo.

60. *International Commerce*, 10 de abril de 1967.

61. Citado por *NACLA Newsletter*, maio-junho de 1970.

62. *ADELA Annual Report*, 1968. Citado por NACLA, op. cit.

mui convenientes empréstimos, empresas como a Petrosur S.A.I.C., filial da Eletric Bond and Share, com mais de dez milhões destinados à construção de um complexo petroquímico, ou para financiar uma fábrica de peças de automotores da Armetal S.A., filial da The Budd Co., Filadélfia, USA[63]. Os créditos da AID tornaram possível a expansão da fábrica de produtos químicos da Atlântica Richfield Co. no Brasil, e o Eximbank proporcionou generosos empréstimos à ICOMI, filial da Bethlehem Steel no mesmo país. Graças aos aportes da Aliança para o Progresso e do Banco Mundial, a Phillips Petroleum Co. pôde criar em 1966, e também no Brasil, o maior complexo de fábricas de fertilizantes na América Latina. Tudo é computado como benefício da *ajuda*, e tudo pesa sobre a dívida externa dos países agraciados pela deusa Fortuna.

Quando Fidel Castro dirigiu-se ao Banco Mundial e ao Fundo Monetário Internacional, nos primeiros tempos da revolução, para recuperar as reservas de divisas estrangeiras, esgotadas pela ditadura de Batista, os dois organismos responderam que, primeiramente, devia aceitar um programa de estabilização que implicava, como em todos os lugares, o desmantelamento do Estado e a paralisação das reformas estruturais[64]. O Banco Mundial e o FMI atuam estreitamente ligados e visando fins comuns; nasceram juntos, em Bretton Woods. Os Estados Unidos contam com a quarta parte dos votos no Banco Mundial; os 22 países da América Latina somam menos do que a décima parte. O Banco Mundial responde aos Estados Unidos como o trovão ao relâmpago.

Segundo explica o banco, a maior parte de seus empréstimos é destinada à construção de estradas e outras vias de comunicação, e ao desenvolvimento das fontes de energia elétrica, "que são uma condição essencial para o crescimento da indústria privada"[65]. De fato, essas obras de infraestrutura facilitam o encaminhamento das matérias-primas aos portos e aos mercados mundiais, e servem ao progresso da indústria já desnacionalizada dos países pobres. O Banco Mundial acredita que, "na maior medida possível, a indústria competitiva deveria ficar em mãos da indústria privada. Isto não significa absolutamente que o Banco exclua os empréstimos às indústrias de propriedade do Estado, mas só assumirá estes financiamentos nos casos em que o capital privado não esteja acessível, e se houver certeza, após os exames, de que

---

63. Banco Interamericano de Desenvolvimento. *Décimo informe anual*, 1969. Washington, 1970.
64. MAGDOFF, Harry. "La era del imperialismo." *Monthly Review*, seleções em castelhano, janeiro-fevereiro de 1969.
65. THE WORLD BANK, IFC and IDA. *Policies and operations*. Washington, 1962.

a participação do governo será compatível com a eficiência das operações e não terá um efeito indevidamente restritivo sobre a expansão da iniciativa e da empresa privadas". Os empréstimos são condicionados à aplicação da receita estabilizadora do FMI e ao pagamento pontual da dívida externa; os empréstimos do Banco são incompatíveis com a adoção de políticas de controle dos lucros das empresas.

Como todas as demais máquinas caça-níqueis das altas finanças internacionais, o Banco também se constitui num eficaz instrumento de extorsão, em benefício de poderes mui concretos. Seus sucessivos presidentes, desde 1946, foram proeminentes homens de negócios dos Estados Unidos. Eugene R. Black, que dirigiu o Banco Mundial de 1949 a 1962, ocupou posteriormente diretorias de numerosas corporações privadas, uma das quais, a Eletric Bond and Chare, é o mais poderoso monopólio de energia elétrica do planeta[66]. Casualmente, em 1966 o Banco Mundial obrigou a Guatemala a aceitar um *acordo honroso* com a Eletric Bond and Share, como condição prévia para a execução do projeto hidrelétrico Jurún-Marinalá: o *acordo honroso* consistia no pagamento de uma avultada indenização pelos danos que a empresa pudesse sofrer numa bacia hidrográfica que lhe fora cedida gratuitamente alguns anos antes, e além disso incluía um compromisso do Estado no sentido de não impedir que a Bond and Share continuasse fixando livremente as tarifas da eletricidade no país. Também casualmente, em 1967 o Banco Mundial impôs à Colômbia o pagamento de 36 milhões de dólares de indenização à Companhia Colombiana de Eletricidade, filial da Bond and Share, por suas envelhecidas máquinas recém nacionalizadas. O Estado colombiano comprou o que lhe pertencia, pois a concessão da empresa vencera em 1944. Três presidentes do Banco Mundial integram a constelação de poder dos Rockefeller. John J. McCloy presidiu o organismo entre 1947 e 1949, e pouco depois entrou para a diretoria do Chase Manhattan Bank. Foi sucedido à frente do Banco Mundial por Eugene R. Black, que fizera o caminho inverso: vinha da diretoria do Chase. George D. Woods, outro homem de Rockefeller, herdou de Black em 1963. Casualmente, o Banco Mundial participa diretamente, com um décimo do capital e substanciais empréstimos, da maior aventura dos Rockefeller no Brasil: a Petroquímica União, o complexo petroquímico mais importante da América do Sul.

---

66. "Nossos programas de ajuda ao estrangeiro (...) estimulam o desenvolvimento de novos mercados para as sociedades americanas (...) e orientam a economia dos beneficiários para o sistema da livre empresa no qual as firmas americanas podem prosperar". BLACK, Eugene R., em *Columbia Journal of World Business*, v.1, 1965.

Mais de metade dos empréstimos que a América Latina recebe provém – com prévia luz verde do FMI – dos organismos privados e oficiais dos Estados Unidos; os bancos privados também somam um percentual importante. O FMI e o Banco Mundial exercem pressões cada vez mais intensas para que os países latino-americanos remodelem suas economias e suas finanças em função do pagamento da dívida externa. O cumprimento dos compromissos contraídos, chave da boa conduta internacional, torna-se cada vez mais difícil e, ao mesmo tempo, cada vez mais imperioso. A região vive o fenômeno que os economistas chamam *a explosão da dívida*. É o círculo vicioso do estrangulamento: os empréstimos aumentam e os investimentos se sucedem e, em consequência, crescem os pagamentos por amortizações, juros, dividendos e outros serviços; para cumprir com esses pagamentos se recorre a novas injeções de capital estrangeiro, que geram compromissos maiores, e assim sucessivamente. O serviço da dívida devora uma proporção crescente das receitas das exportações, que por si mesmas são impotentes – por obra da inflexível deterioração dos preços – para financiar as importações necessárias; os novos empréstimos se tornam imprescindíveis, como o ar ao pulmão, para que os países possam se abastecer. Em 1955, uma quinta parte das exportações era canalizada para o pagamento de amortizações, juros e lucros de investimentos; a proporção continuou crescendo e já está próxima da explosão. Em 1968, os pagamentos representaram 37 por cento das exportações[67]. A continuar-se recorrendo ao capital estrangeiro para cobrir a *brecha do comércio* e financiar a evasão de lucros dos investimentos imperialistas, em 1980 nada menos de 80 por cento das divisas acabaria nas mãos dos credores estrangeiros, e o montante total da dívida chegaria a exceder em seis vezes o valor das exportações[68]. O Banco Mundial havia previsto que em 1980 os pagamentos do serviço da dívida anulariam por completo o influxo de novo capital estrangeiro para o mundo subdesenvolvido, mas já em 1965 a afluência de novos empréstimos e novos investimentos na América Latina foi menor do que o capital drenado na região, apenas por conta de amortizações e juros, para o cumprimento de compromissos anteriormente contraídos.

---

67. NAÇÕES UNIDAS/CEPAL, op. cit.; e *Estudio económico de América Latina, 1969*. Nova York; Santiago de Chile, 1970.

68. Segundo previsões do INSTITUTO LATINOAMERICANO DE PLANIFICACIÓN ECONÓMICA Y SOCIAL. *La brecha comercial y la integración latinoamericana*. México; Santiago de Chile, 1967.

A industrialização não altera a organização da desigualdade no mercado mundial

O intercâmbio de mercadorias constitui, junto com os investimentos diretos no exterior e os empréstimos, a camisa de força da divisão internacional do trabalho. Os países do chamado Terceiro Mundo permutam entre si pouco mais de uma quinta parte de suas exportações, ao passo que as três quartas partes do total de suas vendas exteriores são direcionadas para os centros imperialistas de que são tributários[69]. Em sua maioria, os países latino-americanos se identificam, no mercado mundial, com uma matéria-prima ou com um só alimento[70]. A América Latina dispõe de lã, algodão e fibras naturais em abundância, e conta com uma indústria têxtil já tradicional, mas participa em apenas 0,6 por cento das compras de fios e tecidos da Europa e Estados Unidos. A região foi condenada a vender sobretudo produtos primários, para dar trabalho às fábricas estrangeiras, e acontece que esses produtos "são exportados, em sua grande maioria, por fortes consórcios com vinculações internacionais, que dispõem de influências suficientes nos mercados mundiais para colocar seus produtos nas condições mais convenientes"[71], mas nas mais convenientes para *eles*, que geralmente expressam os interesses dos países compradores: *isto é, a preços mais baixos*. Nos mercados internacionais há um virtual monopólio da demanda de matérias-primas e da oferta de produtos industrializados; já os oferentes de produtos básicos, também compradores de bens acabados, operam dispersos: alguns, fortes, atuam congregados em torno da potência dominante, Estados Unidos, que consome quase tanto quanto o resto do planeta; os outros, os fracos, operam isolados, oprimidos

---

69. JALÉE, Pierre. *Le pillage de Tiers Monde*. Paris, 1966.

70. No triênio 1966-1968, o café proporcionou à Colômbia 64 por cento de suas receitas totais por exportações; ao Brasil, 43 por cento; a El Salvador, 48 por cento; à Guatemala, 42 por cento; à Costa Rica, 36 por cento. A banana representou 61 por cento das divisas do Equador, 54 por cento das do Panamá e 47 por cento das de Honduras. Nicarágua dependeu do algodão em 42 por cento, a República Dominicana do açúcar em 56 por cento. Carnes, couros e lãs proporcionaram ao Uruguai 83 por cento de suas divisas, e à Argentina 38 por cento. O cobre somou 74 por cento das receitas comerciais do Chile, e 26 por cento das do Peru; o estanho alcançou 54 por cento do valor das exportações da Bolívia. Venezuela obteve do petróleo 93 por cento de suas divisas. NACIONES UNIDAS/CEPAL, op. cit. Já o México "depende em mais de 30 por cento de três produtos, em mais de 40 por cento de cinco produtos e em mais de 50 por cento de dez produtos, que têm como principal saída o mercado norte-americano". GONZÁLEZ CASANOVA, Pablo. *La democracia en México*. México, 1965.

71. POLLNER, Marco D. no volume coletivo de INTAL-BID. *Los empresarios y la integración de América Latina*. Buenos Aires, 1967.

contra oprimidos. Nunca existiu nos chamados mercados internacionais o chamado livre jogo da oferta e da procura, e sim uma ditadura, sempre em proveito dos países capitalistas desenvolvidos. Os centros de decisão onde os preços são fixados se encontram em Washington, Nova York, Londres, Paris, Amsterdam e Hamburgo: nos conselhos de ministros e na Bolsa. Pouco ou nada adianta que tenham assinado, com pompa e barulho, acordos internacionais para proteger os preços do trigo (1949) do açúcar (1953), do estanho (1956), do azeite de oliva (1956) e do café (1962). Basta olhar a curva descendente do valor relativo desses produtos para constatar que os acordos nada significaram senão simbólicas desculpas que os países fortes apresentaram aos países fracos quando os preços de seus produtos alcançaram níveis escandalosamente baixos. Cada vez vale menos o que a América Latina vende e, comparativamente, cada vez vale mais o que ela compra.

Com o produto da venda de 22 novilhos o Uruguai, em 1954, podia comprar um trator Ford Major; hoje, necessita mais que o dobro. Um grupo de economistas chilenos que ditou um informe para a central sindical estimou que, se o preço das exportações latino-americanas tivesse crescido desde 1928 no mesmo ritmo que cresceu o preço das importações, a América Latina teria obtido por suas vendas ao exterior, entre 1958 e 1967, 57 bilhões de dólares a mais do que efetivamente recebeu nesse período[72]. Sem voltar tão longe no tempo, e tomando por base os preços de 1950, as Nações Unidas estimam que a América Latina perdeu, por conta da deterioração do intercâmbio, mais de 18 milhões de dólares na década transcorrida entre 1955 e 1964. Posteriormente, a queda continuou. A *brecha do comércio* – diferença entre as necessidades de importação e as receitas obtidas nas exportações – será cada vez maior se não mudarem as atuais estruturas do comércio exterior: cada ano que passa, torna-se mais profundo esse abismo para a América Latina. Se a região se propusesse a alcançar, nos próximos tempos, um ritmo de desenvolvimento ligeiramente superior ao dos últimos quinze anos, que foi baixíssimo, enfrentaria necessidades de importação largamente superiores ao previsível crescimento de suas receitas de divisas por exportações. Segundo os cálculos do ILPES[73], a brecha do comércio subiria, em 1975, para quatro bilhões e 600 milhões de dólares, e em 1980 chegaria a oito bilhões e 300 milhões. Esta última cifra representa nada menos do que a metade do

---

72. CENTRAL ÚNICA DE TRABAJADORES DE CHILE. *América Latina, un mundo que ganar.* Santiago de Chile, 1968.
73. INSTITUTO LATINOAMERICANO DE PLANIFICACIÓN ECONÓMICA Y SOCIAL, op. cit.

valor das exportações previstas para esse ano. Assim, chapéu na mão, os países latino-americanos vão bater, cada vez mais desesperados, às portas dos prestamistas internacionais.

A. Emmanuel sustenta[74] que *a maldição dos preços baixos não afeta determinados produtos, mas determinados países*. Afinal, o carvão, um dos principais produtos de exportação da Inglaterra até não faz muito, não é menos primário do que a lã ou o cobre, e o açúcar requer mais elaboração do que o uísque escocês ou os vinhos franceses; a Suécia e o Canadá exportam madeiras, uma matéria-prima, a preços excelentes. O mercado mundial funda a desigualdade do comércio, segundo Emmanuel, *no intercâmbio entre mais horas de trabalho dos países pobres por menos horas de trabalho dos países ricos: a chave da exploração reside em que existe uma enorme diferença no nível dos salários entre uns e outros países, e em que essa diferença não está associada a diferenças da mesma magnitude na produtividade do trabalho*. São os salários baixos que, conforme Emmanuel, determinam os preços baixos, e não o inverso: os países pobres exportam sua pobreza e assim empobrecem cada vez mais, ao passo que os países ricos obtêm o resultado inverso. Segundo as estimativas de Samir Amin[75], se os produtos exportados pelos países subdesenvolvidos em 1966 tivessem sido produzidos pelos países desenvolvidos, com a mesma técnica, mas com muito mais altos níveis de salários, os preços teriam mudado tanto que os países subdesenvolvidos teriam recebido quatorze bilhões de dólares a mais.

É certo que os países ricos utilizaram e utilizam as barreiras alfandegárias para proteger seus altos salários internos nos produtos em que não podem competir com os países pobres. Os Estados Unidos empregam o Fundo Monetário, o Banco Mundial e os acordos aduaneiros do GATT para impor à América Latina a doutrina do comércio livre e da livre concorrência, obrigando à supressão dos câmbios múltiplos, do regime de quotas e licenças de importação e exportação, e de tarifas e gravames alfandegários, mas de maneira alguma dão o exemplo. Do mesmo modo que, fora de suas fronteiras, tentam suprimir a atividade do Estado, enquanto dentro das fronteiras o Estado norte-americano protege os monopólios mediante um vasto sistema de subsídios e preços privilegiados, os Estados Unidos praticam também um agressivo protecionismo com tarifas elevadas e restrições rigorosas em seu comércio exterior. Os direitos alfandegários combinam-se com outros im-

---

74. EMMANUEL, A. *El cambio desigual*. México, a sair.
75. Citado por FRANK, André Gunder. Toward a theory of capitalism development. In: *Underdevelopment* (inédito).

postos, com as quotas e os embargos⁷⁶. O que ocorreria com a prosperidade dos pecuaristas do Meio-Oeste se os Estados Unidos permitissem o acesso ao seu mercado interno, sem tarifas nem imaginosas proibições sanitárias, da carne de melhor qualidade e menos preço que viria da Argentina ou do Uruguai? O ferro ingressa livremente no mercado norte-americano, mas se estiver convertido em lingotes paga 16 centavos por tonelada, e a tarifa sobe na proporção direta do grau de elaboração; outro tanto ocorre com o cobre e com uma infinidade de produtos: basta secar as bananas, cortar o tabaco, adoçar o cacau, serrar a madeira ou extrair o caroço das tâmaras para que as tarifas sejam descarregadas sobre esses produtos⁷⁷. Em janeiro de 1969, o governo dos Estados Unidos determinou a virtual suspensão das compras de tomate no México, que dão trabalho a 170 mil camponeses do estado de Sinaloa, até que os cultivadores norte-americanos de tomate da Flórida conseguissem que os mexicanos aumentassem o preço para evitar a concorrência.

Mas a maior contradição entre a teoria e a realidade do comércio mundial eclodiu quando a *guerra do café solúvel*, em 1967, tornou-se pública. Então se evidenciou que *só os países ricos têm o direito de explorar em seu benefício as "vantagens naturais comparativas" que, na teoria, determinam a divisão internacional do trabalho*. O mercado mundial do café solúvel, de assombrosa expansão, está nas mãos da Nestlé e da General Foods; estima-se que em não muito tempo estas empresas vão abastecer mais de metade do café que se consome no mundo. Os Estados Unidos e a Europa compram café em grão do Brasil e da África; concentram-no em suas indústrias e vendem para todo o mundo, transformado em café solúvel. O Brasil, que é o maior produtor mundial do café, não tem o direito de competir, exportando seu próprio café solúvel, para aproveitar seus custos mais baixos e dar destino aos excedentes da produção que antes destruía e agora armazena nos depósitos do Estado. O Brasil só tem o direito de proporcionar matéria-prima para enriquecer as fábricas do estrangeiro. Quando as fábricas brasileiras – apenas cinco de um total de 110 no mundo – começaram a oferecer café solúvel no mercado internacional,

---

76. L. Delwart, em *The future of Latin American exports to the United States: 1965 and 1970* (New York, 1970), publica uma lista muito eloquente das restrições em vigência na importação de produtos latino-americanos.

77. MAGDOFF, op. cit.

foram acusadas de concorrência desleal. Os países ricos bradaram aos céus, e o Brasil aceitou uma imposição humilhante: aplicou ao seu café solúvel um imposto interno altíssimo, de modo que fosse posto fora de combate no mercado norte-americano.[78]

A Europa não fica atrás no emprego de barreiras alfandegárias, tributárias e sanitárias contra os produtos latino-americanos. O Mercado Comum cobra altos impostos de importação para defender os altos preços internos de seus produtos agrícolas, e ao mesmo tempo subsidia esses produtos agrícolas para poder exportá-los a preços competitivos: *com o que obtém pelos impostos financia os subsídios. Assim, os países pobres pagam aos seus compradores ricos para que lhes façam concorrência.* Um quilo de carne de lombo de novilho, em Buenos Aires ou Montevidéu, vale cinco vezes menos do que seu preço em Hamburgo ou Munique, pendurado no gancho de um açougue[79]. "Os países desenvolvidos querem permitir que lhes vendamos jatos e computadores, mas nada que estejamos em condições de produzir com vantagem", queixava-se com razão um representante do governo chileno numa conferência internacional.[80]

Os investimentos estrangeiros nas indústrias da América Latina em absoluto não modificaram os termos de seu comércio internacional. *A região continua estrangulando-se no intercâmbio de seus produtos por produtos das economias centrais.* A expansão das vendas das empresas norte-americanas radicadas ao sul do rio Bravo se concentra nos mercados locais e não na exportação. Ao contrário, a proporção correspondente à exportação *tende a diminuir*: segundo a OEA, as filiais norte-americanas exportaram 10 por cento de suas vendas totais em 1962, e apenas 7,5 por cento três anos mais tarde[81]. O comércio dos produtos industrializados pela América Latina só

---

78. Revista *Fator*. Rio de Janeiro, novembro-dezembro de 1968.

79. QUIJANO, Carlos. "Las víctimas del sistema." *Marcha*. Montevideo, 23 de outubro de 1970.

80. *New York Times*, 3 de abril de 1968.

81. SECRETARÍA GENERAL DE LA OEA, op. cit. Uma ampla pesquisa nas subsidiárias norte-americanas no México, realizada em 1969 sob encomenda da National Chamber Foundation, revelou que *as casas matrizes nos Estados Unidos proibiam a venda de seus produtos no exterior à metade das empresas que responderam ao questionário.* As filiais não tinham sido instaladas para isso. WIONCZEK, Miguel S. "La inversión extranjera privada en México: problemas y perspectivas." *Comercio exterior*. México, outubro de 1970.

A relação entre as exportações de manufaturas e o produto bruto industrial, em 1963, não superou 2 por cento na Argentina, Brasil, Peru, Colômbia e Equador; foi de 3,1 por cento no México e 3,2 por cento no Chile. Aldo Ferrer no já citado volume coletivo de INTAL/BID.

cresce dentro da América Latina: em 1955, as manufaturas compreendiam uma décima parte do intercâmbio entre os países da área, e em 1966 a proporção tinha subido para 30 por cento.[82]

O chefe de uma missão técnica norte-americana no Brasil, John Abbink, antecipara, profeticamente, em 1950: "Os Estados Unidos devem estar preparados para 'guiar' a inevitável industrialização dos países não desenvolvidos, isto se se quiser evitar o golpe de um desenvolvimento econômico intensíssimo fora da égide norte-americana (...). A industrialização, se não for controlada de algum modo, levaria a uma substancial redução dos mercados estadunidenses de exportação"[83]. De fato, acaso a industrialização, ainda que seja teleguiada de fora, não substitui com produção nacional as mercadorias que antes cada país tinha de importar do exterior? Celso Furtado adverte que, na medida em que a América Latina avança na substituição de importações de produtos mais complexos, "a dependência de insumos provenientes das matrizes tende a aumentar". Entre 1957 e 1964, duplicaram-se as vendas das filiais norte-americanas, enquanto suas importações, sem incluir os equipamentos, multiplicaram-se por mais de três. "Essa tendência indicaria que a eficácia *substitutiva* é uma função decrescente da expansão industrial controlada por companhias estrangeiras."[84]

A dependência não se rompe, mas muda de qualidade: agora os Estados Unidos vendem na América Latina uma proporção maior de produtos mais sofisticados e de alto nível tecnológico. "A longo prazo", opina o Departamento de Comércio, "à medida que cresce a produção industrial mexicana, criam-se maiores oportunidades para exportações adicionais dos Estados Unidos"[85]. A Argentina, o Brasil e o México são muito bons compradores de maquinário industrial, maquinário elétrico, equipamentos e peças de reposição de origem norte-americana. As filiais das grandes corporações se abastecem nas casas matrizes, a preços deliberadamente caros. Referindo-se aos custos de instalação da indústria automobilística estrangeira na Argentina, Viñas e Gastiazoro dizem, nesse sentido: "Pagando essas importações a preços muito elevados, giravam fundos no exterior. Em muitos casos, esses pagamentos eram tão expressivos que as empresas não só acusavam perdas (apesar do preço que cobravam pelos automóveis), mas também começaram a quebrar, esfumando-se rapidamente o valor das ações colocadas no país

---

82. NAÇÕES UNIDAS/CEPAL, op. cit.
83. *Jornal do Comércio*. Rio de Janeiro, 23 de março de 1950.
84. FURTADO, Celso. *Um projeto para o Brasil*. Rio de Janeiro, 1968.
85. *International Commerce*, 24 de abril de 1967.

(...). O resultado foi que das 22 empresas radicadas sobram atualmente dez, algumas à beira da falência".[86]

Para maior glória do poder mundial das corporações, as subsidiárias dispõem assim das escassas divisas dos países latino-americanos. O esquema de funcionamento da indústria satelitizada, em relação com seus distantes centros de poder, não se distingue muito do tradicional sistema de exploração imperialista dos produtos primários. Antonio García sustenta[87] que a exportação "colombiana" de petróleo cru sempre foi, estritamente, uma transferência física de óleo cru de um campo norte-americano de extração para os centros industriais do refino, comercialização e consumo nos Estados Unidos, e a exportação "hondurenha" ou "guatemalteca" de banana sempre teve um caráter de transferência de alimentos procedida por algumas companhias norte-americanas de certos campos coloniais de cultivo para áreas norte-americanas de comercialização e consumo. Mas as fábricas "argentinas", "brasileiras" ou "mexicanas", para citar apenas as mais importantes, *também integram um espaço econômico que nada tem a ver com sua localização geográfica*. Formam, com muitos outros fios, a teia internacional das corporações, cujas casas matrizes transferem os lucros de um país para outro, faturando as vendas por cima ou por baixo dos preços reais, segundo a direção que desejam dar aos seus ganhos[88]. Recursos fundamentais do comércio exterior ficam assim nas mãos de empresas norte-americanas ou europeias, que orientam a política comercial dos países segundo critérios de governos e diretorias alheios à América Latina. Assim como as filiais dos Estados Unidos não exportam cobre à URSS nem à China, e não vendem petróleo para Cuba, elas tampouco se abastecem de matérias-primas e maquinários nas fontes internacionais mas baratas e convenientes.

Essa eficiência na coordenação das operações em escala mundial, completamente à margem do "livre jogo das forças do mercado", não se traduz, claro está, em preços mais baixos para os consumidores nacionais, mas em lucros maiores para os acionistas estrangeiros. É eloquente o caso dos automóveis. Dentro dos países latino-americanos, as empresas dispõem de mão

---

86. VIÑAS e GASTIAZORO, op. cit.

87. GARCÍA, Antonio. "Las constelaciones del poder y el desarrollo latinoamericano." *Comercio exterior*. México, novembro de 1969.

88. Certamente o mecanismo não é novo. O frigorífico Anglo sempre teve prejuízo no Uruguai, para receber subsídios do Estado e para que rendam lucros milionários seus seis mil açougues em Londres, onde cada quilo de carne uruguaia é vendido por um preço quatro vezes maior do que aquele fixado no Uruguai para a exportação. BERNHARD, Guillermo. *Los monopólios y la industria frigorífica*. Montevideo, 1970.

de obra abundante e muito, mas muito barata, além de uma política oficial em todos os sentidos favorável à expansão dos investimentos: doação de terrenos, tarifas elétricas privilegiadas, redescontos do Estado para financiar as vendas a prazo, dinheiro facilmente acessível e, como se não bastasse, em alguns países o auxílio chegou ao extremo de isentar as empresas do pagamento dos impostos de renda ou das vendas. De outra parte, o controle do mercado é de antemão facilitado pelo prestígio mágico que, aos olhos da classe média, gozam as marcas e os modelos promovidos por gigantescas campanhas mundiais de publicidade. No entanto, todos esses fatores não impedem, e sim determinam que os carros produzidos na região sejam mais caros do que no país de origem das mesmas empresas. As dimensões dos mercados latino-americanos são muito menores, é certo, *mas não é menos certo que nestas terras a ambição de lucros das corporações se excita como em nenhum outro lugar. Um Ford Falcon construído no Chile custa três vezes mais do que nos Estados Unidos*[89]; *um Valiant ou um Fiat fabricados na Argentina têm preços de vendas que duplicam com sobras os preços dos Estados Unidos ou da Itália*[90]; *outro tanto ocorre entre o Volkswagen do Brasil em relação ao que custa na Alemanha*[91].

A deusa Tecnologia não fala espanhol

Wright Patman, o conhecido parlamentar norte-americano, considera que 5 por cento das ações de uma grande corporação podem ser suficientes, em muitos casos, para seu fácil controle por parte de um indivíduo, uma família ou um grupo econômico[92]. Se 5 por cento bastam para a hegemonia no seio das empresas todo-poderosas dos Estados Unidos, qual o percentual de ações necessário para o domínio de uma empresa latino-americana? Em verdade, até menos: as sociedades *mistas*, que são um dos poucos orgulhos ainda acessíveis à burguesia latino-americana, simplesmente decoram o poder estrangeiro com a participação nacional de capitais que podem ser majoritários, mas nunca decisivos perante a fortaleza dos cônjuges de fora. Frequentemente,

---

89. Declarações do presidente Salvador Allende, segundo telegrama da AFP de 12 de dezembro de 1970.
90. Dado publicado no jornal *La Razón*. Buenos Aires, 2 de março de 1970.
91. "Resultados de la industria automovelística." Estudo especial de *Conjuntura econômica*, fevereiro de 1969.
92. *NACLA Newsletter*, abril-maio de 1969.

é o próprio Estado que se associa à empresa imperialista, que assim obtém, já transformada em empresa *nacional*, todas as garantias desejáveis e um clima geral de cooperação e até de carinho. A participação "minoritária" dos capitais estrangeiros se justifica, geralmente, em nome das necessárias transferências de técnicas e patentes. A burguesia latino-americana, burguesia de mercadores sem sentido criativo, atada pelo cordão umbilical ao poder da terra, ajoelha-se nos altares da deusa Tecnologia. *Se levarmos em conta, como prova de desnacionalização, as ações em poder estrangeiro, ainda que sejam poucas, e a dependência tecnológica, que muito raramente é pouca, quantas fábricas poderiam ser consideradas realmente nacionais na América Latina?* No México, por exemplo, é comum que os proprietários estrangeiros da tecnologia *exijam uma parte do pacote acionário das empresas, a par de decisivos controles técnicos e administrativos, da obrigação de vender a produção para determinados intermediários também estrangeiros, e de comprar o maquinário e outros bens de suas casas matrizes*, em troca dos contratos de transmissão de patentes ou know-how[93]. Não só no México. É ilustrativo que os países do chamado Grupo Andino (Bolívia, Colômbia, Chile, Equador e Peru) tenham elaborado o projeto de um regime comum de tratamento dos capitais estrangeiros na área, que se fundamenta na rejeição dos contratos de transferência de tecnologia que tragam condições como estas. O projeto recomenda aos países que também não aceitem que as empresas estrangeiras donas de patentes *venham a fixar os preços dos produtos com elas elaborados ou proíbam sua exportação a determinados países.*

O primeiro sistema de patentes para proteger a propriedade das invenções foi criado, há quase quatro séculos, por *sir* Francis Bacon. E Bacon gostava de dizer: "Conhecimento é poder", e sempre se soube que tinha razão. A ciência universal pouco tem de universal; está objetivamente confinada nos limites das nações avançadas. A América Latina não aplica em seu próprio benefício os resultados da investigação científica *pela simples razão de que não tem nenhuma, e em consequência se condena a padecer a tecnologia dos poderosos, que castiga e desloca as matérias-primas naturais. Até agora, a América Latina foi incapaz de criar uma tecnologia própria para sustentar e defender seu próprio desenvolvimento.* O mero transplante da tecnologia dos países adiantados não só implica a subordinação cultural e, em definitivo, a subordinação econômica, como também – após quatro séculos e meio de experiência na multiplicação dos oásis de modernismo importado em meio

---

93. WIONCZEK, Miguel S. La transmisión de la tecnología a los países en desarrollo: proyecto de un estudio sobre México. *Comercio Exterior*. México, maio de 1968.

aos desertos do atraso e da ignorância – pode-se afirmar que não resolve problema algum do subdesenvolvimento[94]. Esta vasta região de analfabetos investe em pesquisas tecnológicas uma soma 200 vezes menor do que aquela que os Estados Unidos destinam para esses fins. Em 1970, há menos de 1.000 computadores na América Latina e 50 mil nos Estados Unidos. É no norte, por certo, que são desenhados os modelos eletrônicos e são criadas as linguagens de programação que a América Latina importa. O subdesenvolvimento latino-americano não é uma etapa no caminho do desenvolvimento, ainda que se "modernizem" suas deformidades; progride a região sem se libertar da estrutura do atraso, e de nada vale, assinala Manuel Sadosky, a *vantagem* de não participar do progresso com programas e objetivos próprios[95]. Os símbolos da prosperidade são os símbolos da dependência. Recebe-se a tecnologia moderna como no século passado se receberam as ferrovias, a serviço dos interesses estrangeiros que modelam e remodelam o estatuto colonial destes países. "Ocorre conosco o mesmo que a um relógio que se atrasa e não é acertado", diz Sadosky, "embora seus ponteiros sigam caminhando para a frente, a diferença entre a hora que marca e a hora certa será crescente."

As universidades latino-americanas formam, em pequena escala, matemáticos, engenheiros e programadores que, no entanto, não encontram trabalho a não ser no exílio: nós nos damos ao luxo de proporcionar aos Estados Unidos nossos melhores técnicos e os cientistas mais capazes, que emigram atraídos pelos altos salários e pelas grandes possibilidades que, no norte, abrem-se para as pesquisas. De outra parte, cada vez que uma universidade ou um centro de cultura superior tenta, na América Latina, desenvolver as ciências básicas para lançar os fundamentos de uma tecnologia não copiada dos moldes e dos interesses estrangeiros, um oportuno golpe de Estado destrói a experiência sob o pretexto de que assim é incubada a subversão[96]. Este foi o caso, por exemplo, da Universidade de Brasília, subjugada em 1964, e a verdade é que não se equivocam os arcanjos blindados que custodiam a

---

94. URQUIDI, Víctor, em VÉLIZ, Claudio et alii. *Obstacles to change in Latin American.* London, 1967.

95. SADOSKY, Manuel. América Latina y la computación. *Gaceta de la Universidad.* Montevideo, maio de 1970. Sadosky cita, para ilustrar a ilusão desenvolvimentista, o testemunho de um especialista da OEA: "Os países subdesenvolvidos", sustenta George Landau, "têm algumas vantagens em relação aos países desenvolvidos, pois quando incorporam algum novo dispositivo ou processo tecnológico, elegem, em regra, o mais avançado dentro de seu tipo, e assim recolhem o benefício de anos de investigação e o fruto de consideráveis investimentos que precisaram fazer os países mais industrializados para alcançar esses resultados".

96. MAGGIOLO, Oscar J. no volume coletivo *Hacia una política cultural autónoma para América Latina.* Montevideo, 1969.

ordem estabelecida: a política cultural autônoma, se é autêntica, requer e promove profundas mudanças em todas as estruturas vigentes.

A alternativa consiste em descansar nas fontes alheias: a cópia simiesca dos avanços que difundem as grandes corporações, em cujas mãos está a tecnologia mais moderna, para criar novos produtos e para melhorar a qualidade ou reduzir o custo dos produtos existentes. O cérebro eletrônico aplica infalíveis métodos de cálculo para estimar custos e benefícios, e assim, por exemplo, a América Latina importa técnicas de produção desenhadas para economizar mão de obra, ainda que a força de trabalho venha a sobrar e os desempregados estejam a caminho de constituir uma esmagadora maioria em vários países.

Ao controlar as alavancas da tecnologia, as grandes corporações multinacionais manejam também, por razões óbvias, outros aspectos cruciais da economia latino-americana. As casas matrizes, por certo, nunca proporcionam às suas filiais as inovações mais recentes, tampouco estimulam uma independência que não lhes seria conveniente. Uma pesquisa do *Business International*, realizada por encomenda do BID, chegou à conclusão de que "é evidente que as subsidiárias das corporações internacionais que operam na região não realizam esforços significativos em matéria de investigação e desenvolvimento. De fato, a maioria carece de um departamento com tal finalidade, e em raríssimos casos procede a trabalhos de adaptação de tecnologia, enquanto outra minoria de empresas, situadas geralmente na Argentina, Brasil ou México, realiza modestas atividades de investigação"[97]. Raúl Prebisch adverte que "as empresas norte-americanas na Europa instalam laboratórios e realizam investigações que contribuem para fortalecer a capacidade científica e técnica desses países, o que não ocorreu na América Latina", e denuncia algo muito grave: "O investimento nacional, por sua falta de conhecimento especializado (*know-how*), realiza a maior parte de sua transferência de tecnologia recebendo técnicas *que são de domínio público e que são importadas como licenças de conhecimento especializado*".[98]

Em vários sentidos, é altíssimo o custo da dependência tecnológica: também o é em dólares vivos e sonantes, embora as estimativas sejam problemáticas devido aos múltiplos escamoteios que as empresas praticam em suas declarações de remessas para o exterior. Os números oficiais, no en-

---

97. LAGOS, Gustavo et alii. *Las inversiones multinacionales en el desarrollo y la integración de América Latina*. Bogotá, 1968.

98. PREBISCH, Raúl. "La cooperación internacional en el desarrollo latinoamericano." *Desarrollo*. Bogotá, janeiro de 1970. O destacado é meu.

tanto, indicam que no México a drenagem de dólares por assistência técnica, entre 1950 e 1964, multiplicou-se por quinze, enquanto os novos investimentos, no mesmo período, não chegaram sequer a duplicar-se. Três quartas partes do capital estrangeiro no México são destinadas, hoje, à indústria manufatureira; em 1950, a proporção era da quarta parte. Essa concentração de recursos na indústria só implica uma modernização reflexa, com tecnologia de segunda mão, que o país paga como se fosse de primeiríssima. A indústria automobilística, de uma ou de outra maneira, drenou do México um bilhão de dólares, mas um funcionário do sindicato dos automóveis nos Estados Unidos recorreu a nova fábrica da General Motors em Toluca e escreveu depois: "Foi pior que arcaico. Pior, porque foi deliberadamente arcaico, com o obsoleto cuidadosamente planejado (...). As fábricas mexicanas são equipadas deliberadamente com maquinário de baixa produtividade"[99]. O que dizer da gratidão da América Latina em relação à Coca-Cola, à Pepsi e à Crush, que cobram caríssimas licenças industriais de seus concessionários para lhes proporcionar uma pasta que se dissolve na água e é misturada com açúcar e gás?

A marginalização dos homens e das regiões

Grow with Brazil. Grandes anúncios nos jornais de Nova York exortam os empresários norte-americanos a participar do impetuoso crescimento do gigante dos trópicos. A cidade de São Paulo dorme com os olhos abertos; aturdem seus ouvidos a crepitação do desenvolvimento; surgem fábricas e arranha-céus, pontes e estradas, como brotam, subitamente, certas plantas selvagens nas terras cálidas. Mas a tradução correta daquele *slogan* publicitário seria, sabe-se muito bem: "Cresça à custa do Brasil". O desenvolvimento é um banquete de escassos convidados, embora seus resplendores enganem,

---

99. FENSTER, Leo, em julho de 1969. Citado por FRANK, André Gunder. *Lumpenburguesía: lumpendesarrollo.* Montevideo, 1970. As filiais estrangeiras, no entanto, são infinitamente mais modernas do que as empresas nacionais. Na indústria têxtil, por exemplo, um dos últimos redutos do capital nacional, é baixíssimo o grau de automatização. Segundo a CEPAL, em 1962 e 1963 quatro países da Europa investiram em novos equipamentos para sua indústria têxtil uma soma seis vezes maior do que aquela que foi investida para o mesmo fim, em 1964, por toda a América Latina.

e os pratos principais estão reservados às mandíbulas estrangeiras. O Brasil já tem mais de 90 milhões de habitantes, e duplicará sua população antes do final do século, mas as fábricas modernas economizam mão de obra e, terra adentro, o invicto latifúndio nega trabalho. Um menino esfarrapado contempla, com um brilho no olhar, o túnel mais longo do mundo, recém inaugurado no Rio de Janeiro. O menino esfarrapado está orgulhoso de seu país, e com razão, mas é analfabeto e furta para comer.

Em toda a América Latina, a irrupção do capital estrangeiro na área manufatureira, recebida com tanto entusiasmo, evidenciou ainda mais as diferenças entre os "modelos clássicos" de industrialização, tal como se leem na história dos países hoje desenvolvidos, e as características que o processo mostra na América Latina. O sistema vomita homens, mas a indústria se dá ao luxo de sacrificar mão de obra numa proporção maior que a da Europa.[100]

Não existe nenhuma relação coerente entre a mão de obra disponível e a tecnologia que se aplica, exceto a que nasce da conveniência de usar uma das forças de trabalho mais baratas do mundo. Terras ricas, subsolos riquíssimos, homens muito pobres neste reino da abundância e do desamparo: a imensa marginalização dos trabalhadores que o sistema lança à beira do caminho frustra o desenvolvimento do mercado interno e avilta o nível dos salários. A perpetuação do regime vigente de propriedade da terra não só aguça o crônico problema da baixa produtividade rural, pelo desperdício de terra e capital nas grandes fazendas improdutivas e o desperdício de mão de obra na proliferação dos minifúndios, como também deriva numa drenagem caudalosa e crescente de trabalhadores desempregados em direção às cidades. O subemprego rural transforma-se em subemprego urbano. Crescem a burocracia e as populações marginais, aonde vão parar, voragem sem fundo, os homens despojados do direito ao trabalho. As fábricas não oferecem refúgio à mão de obra excedente, mas a existência desse vasto exército de reserva sempre disponível permite o pagamento de salários várias vezes mais baixos do que aqueles que ganham os operários norte-americanos ou alemães. Os salários podem continuar sendo baixos ainda que aumente a produtividade, e a produtividade aumenta à custa da diminuição da mão de obra. A industrialização "satelitizada" tem um caráter excludente: *as massas se multiplicam em ritmo vertiginoso nesta região que ostenta o mais alto índice de crescimento*

---

[100]. As filiais norte-americanas ocupavam na indústria europeia, em 1957 – não há dados mais recentes –, uma proporção de mão de obra, na relação com o capital investido, mais alta que na América Latina. SECRETARIA GERAL DA OEA, op. cit.

demográfico do planeta, mas o desenvolvimento do capitalismo dependente – uma viagem com mais náufragos do que navegantes – marginaliza muito mais pessoas do que as que é capaz de integrar. A proporção de trabalhadores da indústria manufatureira dentro do total da população ativa latino-americana *diminui ao invés de aumentar*: havia 14,5 por cento de trabalhadores na década de 50; hoje há só 11,5 por cento[101]. No Brasil, segundo um estudo recente, "o número total de *novos empregos* que seria necessário criar é de 1,5 milhão *por ano* durante a próxima década"[102]. Mas o *total* de trabalhadores empregados pelas fábricas do Brasil, o país mais industrializado da América Latina, soma, no entanto, apenas dois milhões e meio.

É multitudinária a invasão de braços provenientes das zonas mais pobres de cada país; as cidades excitam e defraudam as expectativas de trabalho de famílias inteiras, atraídas pela esperança de elevar o nível de vida e conseguir um lugar no grande circo mágico da civilização urbana. Uma escada rolante é a revelação do Paraíso, mas o deslumbramento não se come: a cidade torna os pobres ainda mais pobres, pois cruelmente lhes oferece miragens de riquezas às quais jamais terão acesso, automóveis, mansões, máquinas poderosas como Deus e como o Diabo, ao mesmo tempo em que lhes nega um emprego seguro, um teto decente para se recolher e pratos cheios na mesa de cada meio-dia. Um organismo das Nações Unidas[103] estima que ao menos a quarta parte da população das cidades latino-americanas habita "assentamentos que escapam às normas modernas de construção urbana", extenso eufemismo dos técnicos para designar tugúrios conhecidos como *favelas* no Rio de Janeiro, *callampas* em Santiago de Chile, *jacales* no México, *barrios* em Caracas, *barriadas* em Lima, *villas miseria* em Buenos Aires e *cantegriles* em Montevidéu. Em casebres de lata, barro e madeira que brotam antes de cada amanhecer nos cinturões das cidades, acumula-se a população marginal arrojada às cidades pela miséria e pela esperança. *Huaico* em quíchua quer dizer deslizamento de terra, e *huaico* chamam os peruanos à avalanche humana descarregada pela serra sobre a capital da costa: quase 70 por cento dos habitantes de Lima vem das províncias. Em Caracas os chamam *toderos*, porque fazem de tudo: os marginalizados vivem de biscates, mordiscando trabalho aos pouquinhos e de quando em quando, ou cumprem tarefas sórdidas ou

---
101. NACIONES UNIDAS/CEPAL, op. cit.
102. O'BRIEN, F. S. *The Brazilian Population and Labor Force in 1968*, documento para discussão interna. Ministério do Planejamento e Coordenação Geral. Rio de Janeiro, 1969.
103. NACIONES UNIDAS/CEPAL. *Estudio económico de América Latina*, 1967. Nova York; Santiago de Chile, 1968.

proibidas: são serventes, canteiros ou pedreiros ocasionais, vendedores de limonada ou de qualquer coisa, ocasionais eletricistas ou bombeiros hidráulicos ou pintores de paredes, mendigos, ladrões, flanelinhas, braços disponíveis para o que apareça. Como os marginalizados crescem mais depressa do que os "integrados", as Nações Unidas preveem, no estudo citado, que dentro de curtos anos "os assentamentos irregulares vão albergar a maioria da população urbana". *Uma maioria de derrotados.* Enquanto isso, o sistema opta por esconder o lixo debaixo do tapete. Vai varrendo, a ponta de metralhadora, as favelas dos morros da baía e as *villas miseria* da Capital Federal; empurra os marginalizados, aos milhares e milhares, para longe da vista. Rio de Janeiro e Buenos Aires escamoteiam o espetáculo da miséria que o sistema produz e em seguida só se verá a mastigação da prosperidade, não seus excrementos, nessas cidades onde se dilapida a riqueza que a Argentina e o Brasil inteiros criam.

Dentro de cada país se reproduz o sistema internacional de domínio que cada país padece. A concentração da indústria em determinadas zonas reflete a concentração prévia da demanda nos grandes portos ou zonas exportadoras. 80 por cento da indústria brasileira está localizada no triângulo do sudeste – São Paulo, Rio de Janeiro e Belo Horizonte –, enquanto o nordeste famélico tem uma participação cada vez menor no produto industrial nacional; dois terços da indústria argentina estão em Buenos Aires e Rosário; Montevidéu abarca três quartas partes da indústria uruguaia, e outro tanto ocorre com Santiago e Valparaíso no Chile; Lima e seu porto concentram 60 por cento da indústria peruana[104]. O crescente atraso relativo das grandes áreas do interior, submersas na pobreza, não se deve ao seu isolamento, como sustentam alguns, mas, ao contrário, é o resultado da exploração, direta ou indireta, que sofrem dos velhos centros coloniais hoje convertidos em centros industriais. "Um século e meio de história colonial", proclama um líder sindical argentino[105], "presenciou a violação de todos os pactos solidários, a quebra da fé jurada nos hinos e nas constituições, o domínio de Buenos Aires sobre as províncias. Exércitos e alfândegas, leis feitas por poucos e suportadas por muitos, governos que, com algumas exceções, foram agentes do poder estrangeiro, edificaram essa orgulhosa metrópole que acumula a riqueza e o poder. Mas se buscarmos a explicação dessa grandeza e a condenação desse orgulho, vamos encontrá-las

---

104. NACIONES UNIDAS/CEPAL, op. cit.
105. ONGARO, Raimundo. "Carta da prisão." *De frente.* Buenos Aires, 25 de setembro de 1969.

nos ervais missioneiros, nos povos mortos da Florestal, no desespero dos engenhos tucumanos e das minas de Jujuy, nos portos abandonados do Paraná, no êxodo de Berisso: todo um mapa de miséria rodeando um centro de opulência afirmado no exercício de um domínio interno que já não se pode dissimular nem consentir". Em seu estudo do desenvolvimento do subdesenvolvimento no Brasil, André Gunder Frank observou que, sendo o Brasil um país satélite dos Estados Unidos, dentro do Brasil o Nordeste cumpre uma função satélite da "metrópole interna" radicada na região Sudeste. A polarização se torna visível através de numerosos traços: não só porque a imensa maioria dos investimentos privados e públicos se concentram em São Paulo, mas igualmente porque esta cidade gigantesca se apossa também, como por meio de um enorme funil, dos capitais gerados por todo o país, através de um intercâmbio comercial desvantajoso, de uma política arbitrária de preços, de escalas privilegiadas de impostos internos e da apropriação em massa de cérebros e mão de obra capacitada.[106]

A industrialização dependente aguça a concentração de renda, do ponto de vista regional e do ponto de vista social. *A riqueza que gera não se irradia para o país inteiro nem para a sociedade inteira, ela consolida os desníveis existentes e inclusive os aprofunda.* Nem sequer seus próprios obreiros, os "integrados" cada vez menos numerosos, beneficiam-se na mesma medida do crescimento industrial; são os estratos mais altos da pirâmide social os que recolhem os frutos, amargos para muitos, dos aumentos da produtividade. Entre 1955 e 1966, no Brasil, a indústria mecânica, a de materiais elétricos, a de comunicações e a indústria automobilística elevaram sua produtividade em cerca de 30 por cento, mas no mesmo período os salários de seus operários cresceram, em valor real, apenas 6 por cento[107]. A América Latina oferece braços baratos: em 1961, o salário-hora médio nos Estados Unidos elevava-se a dois dólares; na Argentina era de 32 centavos; no Brasil, 28; na Colômbia, 17; no México, 16; e na Guatemala chegava a apenas 10 centavos[108]. Desde então, a brecha cresceu. *Para ganhar o que um operário francês ganha em uma hora, o brasileiro, atualmente, precisa trabalhar dois dias e meio. Com pouco mais de dez horas de serviço, o operário estadunidense ganha o equivalente a um mês de trabalho do carioca. E para receber um salário superior ao correspondente*

---

106. FRANK, André Gunder. *Capitalism and underdevelopment in Latin America*. New York, 1967.
107. MINISTÉRIO DO PLANEJAMENTO E COORDENAÇÃO ECONÔMICA, op. cit.
108. ROMANOVA, Z. *La expansión económica de Estados Unidos en América Latina*. Moscou, s.f.

a uma jornada de oito horas de um operário do Rio de Janeiro, é suficiente que o inglês e o alemão trabalhem menos de trinta minutos[109]. O baixo nível de salários da América Latina só se traduz em preços baixos nos mercados internacionais, onde a região oferece suas matérias-primas a cotações exíguas para que sejam beneficiados os consumidores dos países ricos; nos mercados internos, em troca, onde a indústria desnacionalizada vende manufaturas, os preços são altos, para que sejam altíssimos os lucros das corporações imperialistas.

Todos os economistas coincidem em reconhecer a importância do crescimento da demanda como catapulta do desenvolvimento industrial. Na América Latina, a indústria estrangeira não mostra o menor interesse em ampliar, em extensão e profundidade, o mercado de massas, que só poderia crescer horizontal e verticalmente se apressada a colocação em prática de profundas transformações em toda a estrutura econômico-social, o que implicaria a eclosão de inconvenientes tormentas políticas. O poder de compra da população assalariada, já intervindos ou aniquilados ou domesticados os sindicatos das cidades mais industrializadas, não cresce em medida bastante, e tampouco baixam os preços dos artigos industriais: esta é uma região gigantesca, com um mercado *potencial* enorme e um mercado *real* reduzido pela pobreza de suas maiorias. Virtualmente, *a produção das grandes fábricas de automóveis ou refrigeradores se dirige ao consumo de apenas 5 por cento da população latino-americana.*[110]

Apenas um em cada quatro brasileiros pode se considerar um consumidor real. 45 milhões de brasileiros têm a mesma renda total de 900 mil privilegiados situados no outro extremo da escala social.[111]

---

109. Dados de Serge Birn, técnico norte-americano em organização do trabalho, segundo o *Jornal do Brasil*. Rio de Janeiro, 5 de janeiro de 1969.

110. FRANK, op. cit.

111. NACIONES UNIDAS/CEPAL. *Estudio sobre la distribución del ingreso en América Latina*. Nova York; Santiago de Chile, 1967.
"Na Argentina teve lugar, em anos anteriores a 1953, um processo significativo de redistribuição progressiva de renda. Dos três anos dos quais se tem informação mais detalhada, foi precisamente este o ano que apresentou menor desigualdade, ao passo que foi muito maior em 1959 (...). No México, no período mais extenso compreendido entre os anos 1940 e 1964 (...), há indicações que permitem supor que a perda não foi só relativa, mas também absoluta para 20 por cento das famílias de baixa renda".

A integração da América Latina sob a bandeira listrada e estrelada

Há anjos que ainda acreditam que todos os países terminam na linha de suas fronteiras. São aqueles que afirmam que os Estados Unidos pouco ou nada tem a ver com a integração latino-americana, uma vez que não fazem parte da Associação Latino-Americana de Livre Comércio (ALALC) nem do Mercado Comum Centro-Americano. Como queria o libertador Simón Bolívar, dizem, essa integração não vai além do limite entre o México e seu poderoso vizinho do norte. Aqueles que sustentam esse critério seráfico esquecem – interesseira amnésia – que uma legião de piratas, mercadores, banqueiros, *marines*, embaixadores e capitães de empresa norte-americanos, ao longo de uma história negra, apossaram-se da vida e do destino da maioria dos povos do Sul, e que atualmente também a indústria da América Latina jaz no fundo do aparelho digestivo do Império. "Nossa" união faz a "sua" força, na medida em que os países, ao não romper previamente com os moldes do subdesenvolvimento e da dependência, *integram suas respectivas servidões*.

A documentação oficial da ALALC costuma exaltar a função do capital privado no desenvolvimento da integração. Já vimos em capítulos anteriores em que mãos se encontra esse capital privado. Em meados de abril de 1969, por exemplo, reuniu-se em Assunção a Comissão Consultiva de Assuntos Empresariais. Entre outras coisas, reafirmou "a orientação da economia latino-americana, no sentido de que a integração econômica da Zona será alcançada, fundamentalmente, com base no desenvolvimento da empresa privada". E recomendou que os governos estabeleçam uma legislação comum para a formação de "empresas multinacionais, constituídas predominantemente (*sic*) por capitais e empresários dos países membros". Todas as fechaduras são entregues ao ladrão: na Conferência de Presidentes de Punta del Este, em abril de 1967, chegou-se a propugnar, na declaração final que o próprio Lyndon Johnson encerrou com chave de ouro, a criação de um mercado comum de ações, uma espécie de integração das Bolsas, para que de qualquer lugar da América Latina pudessem ser compradas empresas radicadas em qualquer ponto da região. E foram mais longe os documentos oficiais: até se recomenda claramente a desnacionalização de empresas públicas. Em abril de 1969, realizou-se em Montevidéu a primeira reunião setorial da indústria da carne da ALALC: resolveu "solicitar aos governos (...) que estudem as medidas adequadas para conseguir uma progressiva transferência dos frigoríficos estatais para o setor privado". Simultaneamente, o governo do Uruguai, um dos membros que havia presidido a reunião, pisou fundo no acelerador em sua política de sabotagem contra o Frigorífico Nacional, de propriedade do Estado, em proveito dos frigoríficos privados estrangeiros.

O desarmamento alfandegário, que vai liberando gradualmente a circulação de mercadorias dentro da área da ALALC, está destinado a reorganizar, em benefício das grandes corporações multinacionais, a distribuição dos centros de produção e dos mercados da América Latina. Reina a "economia de escala": na primeira fase, cumprida nestes últimos anos, aperfeiçoou-se a estrangeirização das plataformas de lançamento – as cidades industrializadas –, que haverão de se projetar sobre o mercado regional em seu conjunto. As empresas do Brasil mais interessadas na integração latino-americana são, precisamente, as empresas estrangeiras[112], sobretudo as mais poderosas. Mais de metade das corporações internacionais, na maioria norte-americanas, que responderam a uma pesquisa do Banco Interamericano de Desenvolvimento em toda a América Latina, estava orientando ou se propunha a orientar suas atividades, na segunda metade da década de 60, para o mercado ampliado da ALALC, criando ou robustecendo, para tais efeitos, seus departamentos regionais[113]. Em setembro de 1969, Henry Ford anunciou, no Rio de Janeiro, que desejava integrar-se ao processo econômico do Brasil, "porque a situação está muito boa. Nossa participação inicial consistiu na compra da Willys Overland do Brasil", segundo declarou em conferência de imprensa, e assegurou que exportará veículos brasileiros para vários países da América Latina. A Caterpillar, "uma firma que sempre tratou o mundo como um só mercado", conforme o *Business International,* não demorou a aproveitar as reduções de tarifas tão logo foram negociadas, e em 1965 já fornecia niveladoras e peças de reposição para tratores, de sua fábrica em São Paulo, para vários países da América do Sul. Com a mesma celeridade, a Union Carbide, de sua fábrica mexicana, exportava produtos eletrotécnicos para vários países latino-americanos, fazendo uso das isenções de direitos alfandegários, impostos e depósitos prévios para intercâmbios na área da ALALC[114].

---

112. QUEIROZ, op. cit.

113. LAGOS, Gustavo, no volume do BID, de vários autores, *Las inversiones internacionales en el desarrollo y la integración de América Latina.* Bogotá, 1968.
  Sessenta e quatro por cento das empresas exportava dentro da região, fazendo uso das concessões da ALALC, produtos químicos e petroquímicos, fibras artificiais, materiais eletrônicos, maquinário industrial e agrícola, equipamentos de escritório, motores, instrumentos de medição, tubos de aço e outros produtos.

114. *Businell International/LAFTA, Key America's million consumers,* reportagem investigativa, junho de 1966.

Empobrecidos, isolados, descapitalizados e com gravíssimos problemas de estrutura dentro de cada fronteira, os países latino-americanos abrandam progressivamente suas barreiras econômicas, financeiras e fiscais *para que os monopólios, que ainda estrangulam cada país em separado, possam ampliar seus movimentos e consolidar uma nova divisão do trabalho, em escala regional, mediante a especialização de suas atividades por países e ramos*, a fixação de dimensões ótimas para suas empresas filiais, a redução de custos, a eliminação dos competidores alheios à área e a estabilização dos mercados. As filiais das corporações multinacionais só podem aplicar-se à conquista do mercado latino-americano em determinados itens e sob determinadas condições que não afetem a política mundial adotada por suas casas matrizes. Como vimos em outro capítulo, na América Latina a divisão *internacional* do trabalho continua funcionando nos termos de sempre. Só se admitem novidades dentro da região. Na reunião de Punta Del Este, os presidentes declararam que "a iniciativa privada estrangeira poderá cumprir importante função para assegurar a consecução dos objetivos da integração", e concordaram em que o Banco Interamericano de Desenvolvimento aumentasse "os montantes disponíveis para créditos de exportação *no comércio intralatino-americano*".

A revista *Fortune* avaliava, em 1967, as "sedutoras oportunidades novas" que o mercado comum latino-americano abre para os negócios do norte: "Em mais de uma sala de diretoria, o mercado comum já se tornou um sério elemento para os planos do futuro. A Ford Motor do Brasil, que fabrica os Galaxies, pensa tecer uma linda rede com a Ford da Argentina, que fabrica os Falcons, e alcançar economias de escala produzindo os dois automóveis para maiores mercados. A Kodak, que agora fabrica papel fotográfico no Brasil, gostaria de produzir filmes exportáveis no México e câmaras e projetores na Argentina"[115]. E citava outros exemplos de "racionalização da produção" e de extensão da área de operações de outras corporações, como ITT, General Electric, Remington Rand, Otis Elevator, Worthington, Firestone, Deere, Westinghouse e American Machine and Foundry. Há muitos anos, Raúl Prebisch, vigoroso advogado da ALALC, escrevia: "Outro argumento que escuto com frequência do México a Buenos Aires, passando por Santiago e São Paulo, é que o mercado comum vai oferecer à indústria estrangeira oportunidades de expansão que hoje em dia ela não tem em nossos limitados mercados (...). Existe o temor de que as vantagens do mercado comum sejam usufruídas principalmente por essa indústria estrangeira e não pelas indústrias nacionais (...). Compartilhei desse temor e ainda compartilho, não por mera imaginação, mas porque constatei na prática a realidade deste fato"[116]. Esta constatação não o impediu de assinar, algum tempo depois, um documento no qual se afirma que "corresponde ao capital estrangeiro, sem dúvida, um papel importante no desenvolvimento de nossas economias", a propósito da integração em andamento[117], propondo a constituição de sociedades mistas das quais "o empresário latino-americano participe eficaz e equitativamente". Equitativamente? É preciso salvaguardar, por certo, *a igualdade de oportunidades*. Bem dizia Anatole France que a lei, em sua majestosa igualdade, proíbe tanto o rico quanto o pobre de dormir debaixo das pontes, mendigar nas ruas e roubar pão. *Mas acontece que neste planeta e neste tempo uma só empresa, a General Motors, emprega tantos trabalhadores quanto soma a população ativa do Uruguai, e ganha num só ano uma quantia em dinheiro quatro vezes maior do que todo o produto nacional bruto da Bolívia.*

As corporações já conhecem, por experiências anteriores de integração, as vantagens de atuar como *insiders* no desenvolvimento capitalista de outras comarcas. Não em vão, as vendas das filiais norte-americanas pelo mundo alcançam um total seis vezes maior do que o valor das exportações dos Estados

---

115. "A latin american common market makes common sense for U.S. businessmen too." *Fortune*, junho de 1967.
116. PREBISCH, Raúl. "Problemas de la integración econômica." *Actualidades econômicas financieras*. Montevideo, janeiro de 1962.
117. PREBISCH, SANZ DE SANTAMARÍA, MAYOBRE & HERRERA. *Proposiciones para la creación del Mercado Común Latinoamericano*, documento apresentado ao presidente Frei, em 1966.

Unidos[118]. Na América Latina, como em outras regiões, não imperam as incômodas leis antitrustes dos Estados Unidos. *Aqui os países se convertem, com impunidade plena, em pseudônimos das empresas estrangeiras que os dominam.* O primeiro acordo de complementação na ALALC, em agosto de 1962, foi assinado pela Argentina, Brasil, Chile e Uruguai; na realidade, foi assinado entre a IBM, a IBM, a IBM e a IBM. O acordo eliminava os direitos de importação no comércio de maquinário estatístico e seus componentes entre os quatro países, ao mesmo tempo em que elevava os gravames para importar esse maquinário de fora da área: a IBM World Trade "sugeriu aos governos que, se eliminassem os direitos de comerciar entre si, ela construiria fábricas no Brasil e na Argentina"[119]. Ao segundo acordo, entre os mesmos países, juntou-se o México: foram a RCA e a Philips of Eindhoven que promoveram a isenção para o intercâmbio de equipamentos destinados ao rádio e à televisão.

E assim sucessivamente. Na primavera de 1969, o novo acordo consagrou a divisão do mercado latino-americano de equipamentos de geração, transmissão e distribuição de eletricidade entre a Union Carbide, a General Electric e a Siemens.

O Mercado Comum Centro-Americano, por sua vez – esforço de conjunção das economias raquíticas e deformadas de cinco países –, só serviu para derrubar de uma assopradela os produtores nacionais de tecidos, tintas, medicamentos, cosméticos e bolachas, e para aumentar os lucros e a órbita dos negócios da General Tire and Rubber Co., Procter and Gamble, Grace and Co., Colgate, Palmolive, Sterling Products ou National Biscuit[120]. A liberação de direitos alfandegários também correu parelha, na América Central, com a elevação das barreiras contra a *concorrência estrangeira externa* (para dizer de algum modo), de maneira que as empresas *estrangeiras internas* pudessem vender mais caro e com maiores benefícios: "Os subsídios recebidos através da proteção tarifária excedem o valor total agregado pelo processo doméstico de produção", conclui Roger Hansen.[121]

As empresas estrangeiras têm, como ninguém, senso das proporções. As proporções próprias e as alheias. Que sentido teria instalar no Uruguai, por

---

118. Judd Polk (do U.S. Council of the International Chamber of Commerce) e C.P. Kindleberger (do Massachusetts Institute of Technology) oferecem robustos dados e opiniões sobre a norte-americanização da economia capitalista mundial, na publicação do Departamento de Estado *The multinacional corporation*, Office of External Research. Washington, 1969.

119. *Business International*, op. cit.

120. LÍZANO F., E. "El problema de las inversiones extranjeras en Centro América." *Revista del Banco Central de Costa Rica*. Setembro de 1966.

121. In: *Columbia Journal of World Business*. Citado por *NACLA/Newsletter*, janeiro de 1970.

exemplo, ou na Bolívia, Paraguai ou Equador, com seus mercados minúsculos, uma grande fábrica de automóveis, altos fornos siderúrgicos ou uma fábrica de produtos químicos? São outros os trampolins eleitos, em função das dimensões dos mercados internos e das potencialidades de seu crescimento. FUNSA, a fábrica uruguaia de pneus, depende em grande medida da Firestone, mas são as filiais da Firestone no Brasil e na Argentina que se expandem visando a integração. Tolhe-se a ascensão da empresa instalada no Uruguai aplicando o mesmo critério da Olivetti – empresa italiana invadida pela General Electric –, que fabrica suas máquinas de escrever no Brasil e suas máquinas de calcular na Argentina. "A dotação eficiente de recursos *requer* um desenvolvimento desigual das diferentes partes de um país ou de uma região", sustenta Rosenstein-Rodan[122], e a integração latino-americana terá também seus nordestes e seus polos de desenvolvimento. No balanço dos oito anos de vida do Tratado de Montevidéu que deu origem à ALALC, o delegado uruguaio denunciou que "as diferenças nos graus de desenvolvimento econômico [entre os diversos países] tendem a aguçar-se", pois o mero incremento do comércio num intercâmbio de concessões recíprocas necessariamente aumenta a desigualdade preexistente entre os polos do privilégio e as áreas submetidas. O embaixador do Paraguai, por sua vez, queixou-se em termos parecidos: afirmou que, absurdamente, os países fracos subvencionam o desenvolvimento industrial dos países mais avançados da Zona de Livre Comércio, absorvendo seus altos custos internos através da isenção alfandegária, e disse que dentro da ALALC a deterioração dos termos do intercâmbio castiga seu país tão duramente como se estivesse fora dela: "Por cada tonelada de produtos importados da Zona, o Paraguai paga por dois". A realidade, afirmou o representante do Equador, "é demonstrada por onze países em diferentes graus de desenvolvimento, o que se traduz em maiores e menores capacidades de aproveitar a área do comércio liberado e conduz a uma polarização em benefícios e prejuízos". O embaixador da Colômbia chegou a "uma única conclusão: o programa de liberação, numa protuberante desproporção, favorece os três maiores países"[123]. *À medida que a integração*

---

122. ROSENSTEIN-RODAN, Paul N. *Reflections on regional development*. Citado por *BID*, vários autores, op. cit.

123. Sessões extraordinárias do Comitê Executivo Permanente da ALALC, julho e setembro de 1969. *Apreciaciones sobre el proceso de integración de la ALALC*. Montevideo, 1969.
A integração como um simples processo de redução das barreiras comerciais, adverte o diretor da UNCTAD em Nova York, vai manter "os enclaves de alto desenvolvimento dentro da depressão geral do continente". DELL, Sidney, no volume coletivo *The Movement Toward Latin American Unity*, editado por Ronald Hilton. New York; Washington; London, 1969.

prosperar, os países pequenos irão renunciando às suas receitas aduaneiras – no Paraguai financiam quase a metade do orçamento nacional – em troca da duvidosa vantagem de receber, por exemplo, de São Paulo, Buenos Aires e México, automóveis fabricados pelas mesmas empresas que ainda os vendem de Detroit, Wolfsburg ou Milão pela metade do preço[124]. Essa é a certeza que alenta por baixo das atrições que o processo de integração progressivamente provoca. O exitoso nascimento do Pacto Andino, que congrega as nações do Pacífico, é um dos resultados da visível hegemonia dos três grandes na composição ampliada da ALALC: os pequenos tentam unir-se à parte.

Mas apesar das dificuldades, por espinhosas que possam parecer, os mercados se ampliam à medida que os satélites vão incorporando novos satélites à sua órbita de poder dependente. Sob a ditadura militar de Castelo Branco, o Brasil celebrou um acordo de garantias para os investimentos estrangeiros que descarrega no Estado os riscos e as desvantagens de cada negócio. É muito significativo que o funcionário signatário do convênio tenha defendido perante o Congresso suas humilhantes condições, afirmando que "num futuro próximo, o Brasil estará investindo capitais na Bolívia, Paraguai e Chile e então precisará de acordos desse tipo"[125]. No seio dos governos que se seguiram ao golpe de Estado de 1964, firmou-se uma tendência que atribui ao Brasil uma função "subimperialista" exercida sobre os vizinhos. Um elenco militar de poderosa influência considera o país o grande administrador dos interesses norte-americanos na região, e convoca o Brasil ao exercício, no sul, de uma hegemonia semelhante àquela que, em relação aos Estados Unidos, o Brasil padece. O general Golbery do Couto e Silva invoca, nesse sentido, outro *destino manifesto*[126]. Esse ideólogo do "subimperialismo" escrevia em 1952, referindo-se ao dito *destino manifesto*: "Sobretudo quando ele não se atrita, no Caribe, com nossos irmãos maiores do norte". O general Golbery é o atual presidente da Dow Chemical do Brasil. A desejada estrutura do subdomínio conta, por certo, com abundantes antecedentes históricos, que vão desde o aniquilamento do Paraguai em nome da banca britânica, a

---

124. A indústria automobilística é 100 por cento estrangeira no Brasil e na Argentina, e majoritariamente estrangeira no México. ALALC. *La industria automotriz en la ALALC*. Montevideo, 1969.

125. TRÍAS, Vivian. *Imperialismo y geopolítica en América Latina*. Montevideo, 1967.
O Uruguai, por exemplo, comprometeu-se a incrementar suas importações de maquinário do Brasil, em troca de favores tais como o fornecimento de energia elétrica brasileira para a região Norte do país. Atualmente, os departamentos de Artigas e Rivera não podem aumentar o consumo de energia sem autorização do Brasil.

126. COUTO E SILVA, Golbery. *Aspectos geopolíticos do Brasil*. Rio de Janeiro, 1952.

partir da guerra de 1865, até o envio de tropas brasileiras para encabeçar a operação solidária com a invasão dos *marines* em São Domingos, exatamente um século depois.

Nos últimos anos recrudesceu em grande medida a competição entre os gerentes dos grandes interesses imperialistas, instalados nos governos do Brasil e da Argentina, em torno do agitado problema da liderança continental. Tudo indica que a Argentina não está em condições de resistir ao poderoso desafio brasileiro: o Brasil tem o dobro da superfície e uma população quatro vezes maior, é quase três vezes mais rica sua produção de aço, fabrica o dobro de cimento e gera mais que o dobro de energia; a taxa de renovação de sua frota mercante é quinze vezes mais alta. De resto, tem registrado nas últimas décadas um ritmo de crescimento econômico bastante mais acelerado do que o da Argentina. Até há pouco, a Argentina fabricava mais automóveis e caminhões do que o Brasil. No ritmo atual, em 1975 a indústria automobilística brasileira será três vezes maior do que a da Argentina. A frota marítima, que em 1966 era igual à da Argentina, será equivalente à de toda América Latina reunida. O Brasil oferece ao investimento estrangeiro a magnitude de seu mercado potencial, suas fabulosas riquezas naturais, o grande valor estratégico de seu território – que limita com todos os países sul-americanos menos Equador e Chile –, e todas as condições para que as empresas norte-americanas radicadas no país avancem com botas de sete léguas: o Brasil dispõe de braços mais baratos e mais abundantes do que seu rival. Não por casualidade, a terça parte dos produtos elaborados ou semielaborados que são vendidos dentro da ALALC vêm do Brasil. Este é o país destinado a constituir o eixo da liberação ou da servidão na América Latina. Provavelmente o senador norte-americano Fulbright não teve uma consciência cabal de suas palavras quando, em 1965, atribuiu ao Brasil, em declarações públicas, a missão de dirigir o mercado comum da América Latina.

"Nunca seremos felizes, nunca", profetizara Simón Bolívar

Para que o imperialismo norte-americano possa, hoje em dia, *integrar para reinar* na América Latina, foi necessário que ontem o Império britânico contribuísse para nos dividir com os mesmos fins. Um arquipélago de países, desconectados entre si, nasceu como consequência da frustração de nossa unidade nacional. Quando os povos em armas conquistaram a independência, a América Latina surgia no cenário histórico enlaçada pelas tradições comuns de suas diversas comarcas, exigia uma unidade territorial sem fissuras e falava principalmente dois idiomas da mesma origem, o espanhol e o português. Mas nos faltava, como assinala Trias, uma das condições especiais para a constituição de uma nação única: faltava-nos a comunidade econômica.

Os polos de prosperidade que floresciam para responder às necessidades europeias de metais e alimentos não estavam vinculados entre si: as varinhas do leque tinham seu vértice no outro lado do mar. Os homens e os capitais se deslocavam no vaivém da sorte do ouro ou do açúcar, da prata ou do anil, e só os portos e as capitais, sanguessugas das regiões produtivas, tinham existência permanente. *A América Latina nascia como um só espaço na imaginação e na esperança de Simón Bolívar, José Artigas e José de San Martín, mas estava de antemão repartida pelas deformações básicas do sistema colonial.* As oligarquias portuárias, através do livre-comércio, consolidaram essa estrutura de fragmentação, que era a sua fonte de lucros: aqueles traficantes ilustrados não podiam incubar a unidade nacional que a burguesia encarnou na Europa e nos Estados Unidos. Os ingleses, herdeiros da Espanha e de Portugal desde antes da independência, aperfeiçoaram essa estrutura ao longo de todo o século passado, por meio das intrigas de luvas brancas dos diplomatas, da força de extorsão dos banqueiros e da capacidade de sedução dos comerciantes. "Para nós, a pátria é a América", proclamara Bolívar: a grande Colômbia se dividiu em cinco países e o libertador morreu derrotado: "Nunca seremos felizes, nunca", disse ao general Urdaneta. Traídos por Buenos Aires, San Martín se despojou das insígnias de comando, e Artigas, que chamava de americanos seus soldados, foi morrer em solitário exílio no Paraguai: o Vice-Reinado do Rio da Prata se partiu em quatro. Francisco de Morazán, criador da República Federal da América Central, morreu fuzilado[127], e a cintura da América se fragmentou em cinco pedaços, aos quais se juntaria o Panamá, desprendido da Colômbia por Teddy Roosevelt.

---

127. "Mandou preparar as armas, descobriu-se, mandou apontar, corrigiu a pontaria, deu a voz de fogo e caiu; ainda levantou a cabeça sangrenta e disse: estou vivo; uma nova descarga o matou." BUSTAMANTE MACEO, Gregório. *Historia militar de El Salvador*. San Salvador, 1951.
Na praça de Tegucigalpa, a banda toca música ligeira todos os domingos à noite, ao pé da estátua de bronze de Morazán. Mas a inscrição está errada: esta não é a estampa equestre do campeão da unidade centro-americana. Os hondurenhos que, por ordem do governo, tinham ido a Paris tempos depois do fuzilamento, para contratar um escultor, gastaram o dinheiro em farras e acabaram comprando uma estátua do Marechal Ney no mercado das pulgas. A tragédia da América Central se convertia rapidamente numa farsa.

O resultado está à vista: na atualidade, *qualquer das corporações multinacionais opera com maior coerência e senso de unidade do que este conjunto de ilhas que é a América Latina,* desgarrada por tantas fronteiras e tantos isolamentos. Que integração podem efetivar entre si países que sequer se integraram por dentro? Cada país padece profundas fraturas em seu próprio seio, agudas divisões sociais e tensões não resolvidas entre seus vastos desertos marginais e seus oásis urbanos. O drama se reproduz em escala regional. As ferrovias e as estradas, criadas para transportar a produção ao estrangeiro pelas rotas mais diretas, constituem ainda a prova irrefutável da impotência ou da incapacidade da América Latina de dar vida ao projeto nacional de seus heróis mais lúcidos. O Brasil carece de conexões terrestres permanentes com três de seus vizinhos: Colômbia, Peru e Venezuela; e as cidades do Atlântico não têm comunicação telegráfica direta com as cidades do Pacífico, de modo que os telegramas entre Buenos Aires e Lima, ou entre o Rio de Janeiro e Bogotá, passam inevitavelmente por Nova York; outro tanto ocorre com as linhas telefônicas entre o Caribe e o Sul.

Os países latino-americanos continuam identificando-se cada qual com seu próprio porto, negação de suas raízes e de sua identidade real, a tal ponto que a quase totalidade dos produtos do comércio intrarregional é transportada por mar: os transportes interiores virtualmente não existem. E ocorre ainda que o cartel mundial dos fretes fixa as tarifas e os itinerários segundo seu arbítrio, e a América Latina tem de suportar tarifas exorbitantes e rotas absurdas. Das 118 linhas marítimas regulares que operam na região, há somente dezessete com bandeiras regionais; os fretes sangram a economia latino-americana em um bilhão de dólares por ano[128]. *Assim, as mercadorias enviadas de Porto Alegre a Montevidéu chegam mais rapidamente ao destino se passam por Hamburgo, e outro tanto ocorre com a lã uruguaia em viagem para os Estados Unidos; o frete de Buenos Aires para um porto mexicano do golfo diminui em mais da quarta parte se o trajeto se cumpre através de Southampton[129]. O transporte de madeira do México para a Venezuela custa mais do que o dobro do transporte de madeira da Finlândia para a Venezuela, ainda que, segundo os mapas, o México esteja muito mais perto. Uma remessa direta de produtos químicos de Buenos Aires para Tampico, no México, sai mais cara do que passando por New Orleans.*[130]

---

128. NACIONES UNIDAS/CEPAL. *Los fletes marítimos em El comercio exterior de América Latina.* Nova York; Santiago de Chile, 1968.

129. ÂNGULO H., Enrique, no volume coletivo *Integración de América Latina: experiencias y perspectivas.* México, 1964.

130. DELL, Sidney. *Experiencias de la integración económica en América Latina.* México, 1966.

Muito diferente destino foi proposto e conquistado pelos Estados Unidos. Sete anos depois de sua independência, as treze colônias tinham já duplicado sua superfície, que se estendeu para além dos Aleganios até as ribeiras do Mississippi, e quatro anos mais tarde consolidaram a unidade criando um mercado único. Em 1803, compraram da França, por um preço ridículo, o território da Louisiana, tornando a multiplicar por dois sua superfície. Mais tarde foi a vez da Flórida, e em meados do século, a invasão e a amputação de meio México, em nome do "destino manifesto". Depois, a compra do Alasca, a usurpação do Havaí, Porto Rico e Filipinas. As colônias se tornaram uma nação, e a nação um império, tudo ao longo da colocação em prática de objetivos claramente expressos e perseguidos desde os distantes tempos dos *pais fundadores*. Enquanto o norte da América crescia, desenvolvendo-se para dentro de suas fronteiras em expansão, o sul, desenvolvido para fora, explodia em fragmentos como uma granada.

O atual processo de integração não nos leva a reencontrar nossas origens nem nos aproxima de nossas metas. Já Bolívar havia afirmado, certeira profecia, que os Estados Unidos pareciam destinados pela Providência a encher a América de misérias em nome da liberdade. Não serão a General Motors e a IBM que farão a gentileza de levantar, por nós, as velhas bandeiras da unidade e da emancipação caídas na luta, nem serão os traidores contemporâneos que farão, hoje, a redenção dos heróis ontem traídos. Há muita podridão para lançar ao mar no caminho da reconstrução da América Latina. Os despojados, os humilhados, os amaldiçoados, eles sim têm em suas mãos a tarefa. A causa nacional latino-americana é, antes de tudo, uma causa social: para que a América Latina possa nascer de novo, será preciso derrubar seus donos, país por país. Abrem-se tempos de rebelião e de mudança. Há quem acredite que o destino descansa nos joelhos dos deuses, mas a verdade é que trabalha, como um desafio candente, sobre as consciências dos homens.

Montevidéu, fins de 1970

Sete anos depois

1. Passaram-se sete anos desde a edição inaugural de *As veias abertas da América Latina*.

Este livro tinha sido escrito para uma conversa com as pessoas. Um autor não especializado se dirigia a um público não especializado, com a intenção de divulgar certos fatos que a história oficial, história contada pelos vencedores, esconde ou mente.

A resposta mais estimulante não veio das páginas literárias dos jornais, mas de alguns episódios reais ocorridos na rua. Por exemplo, a moça que estava lendo este livro para sua companheira de banco e acabou levantando-se e lendo em voz alta para todos os passageiros enquanto o ônibus atravessava as ruas de Bogotá; ou a mulher que fugiu de Santiago do Chile, nos dias da matança, com este livro no meio das fraldas do bebê; ou o estudante que durante uma semana recorreu as livrarias da rua Corrientes, em Buenos Aires, e o leu aos pedacinhos, de livraria em livraria, porque não tinha dinheiro para comprá-lo.

De igual modo, os comentários mais favoráveis que este livro recebeu não provêm de nenhum crítico de prestígio, mas das ditaduras militares que o elogiaram proibindo-o. Por exemplo, *As veias* não pode circular em meu país, o Uruguai, nem no Chile, e na Argentina as autoridades o denunciaram, na televisão e nos jornais, como um instrumento de corrupção da juventude. "Não deixam ver o que escrevo", dizia Blas de Otero, "porque escrevo o que vejo."

Creio que não há vaidade na alegria de comprovar, passado um tempo, que *As veias* não foi um livro mudo.

2. Sei que pode parecer sacrílego que este manual de divulgação fale de economia política no estilo de um romance de amor ou de piratas. No entanto, confesso, repugna-me ler algumas obras valiosas de certos sociólogos, politicólogos, economistas ou historiadores, que escrevem em código. A linguagem hermética nem sempre é o preço inevitável da profundidade. Em alguns casos pode esconder, simplesmente, a incapacidade de comunicação elevada à categoria de virtude intelectual. Suspeito de que assim o enfado, com frequência, serve para bendizer a ordem estabelecida: confirma que o conhecimento é um privilégio das elites.

Algo parecido, diga-se de passagem, costuma ocorrer com certa literatura militante dirigida a um público complacente. Parece-me conformista, a despeito da toda a sua possível retórica revolucionária, uma linguagem que mecanicamente repete, para os mesmos ouvidos, as mesmas frases feitas, os mesmos adjetivos, as mesmas fórmulas declamatórias. Talvez essa literatura de paróquia esteja bem longe da revolução quanto a pornografia está longe do erotismo.

3. Alguém escreve para tratar de responder às perguntas que lhe zumbem na cabeça, moscas tenazes que perturbam o sono, e o que alguém escreve logra um sentido coletivo quando de algum modo coincide com a necessidade social da resposta. Escrevi *As veias* para divulgar ideias alheias e experiências próprias que talvez ajudem um pouco, em sua realista medida, a aclarar as interrogações que nos perseguem desde sempre. A América Latina é uma região do mundo condenada à humilhação e à pobreza? Condenada por quem? Culpa de Deus, culpa da natureza? Um clima opressivo, as raças inferiores? A religião, os costumes? Não será a desgraça um produto da história, feita pelos homens e que pelos homens, portanto, pode ser desfeita?

A veneração do passado sempre me pareceu reacionária. A direita elege o passado porque prefere os mortos: mundo quieto, tempo quieto. Os poderosos, que legitimam seus privilégios pela herança, cultivam a nostalgia. Estuda-se história como se visita um museu; e essa coleção de múmias é uma fraude. Mentem-nos o passado como nos mentem o presente: mascaram a realidade. Obriga-se o oprimido a ter como sua uma memória fabricada pelo opressor, alienada, dissecada, estéril. Assim ele haverá de resignar-se a viver uma vida que não é a sua como se fosse a única possível.

Em *As veias*, o passado sempre aparece convocado pelo presente, como memória viva de nosso tempo. Este livro é uma busca de chaves da história passada que contribuem para explicar o tempo presente, que também faz história, a partir do princípio de que a primeira condição para mudar a realidade é conhecê-la. Não se oferece aqui um catálogo de heróis vestidos como para um baile de máscaras e que ao morrer pronunciam frases solenes compridíssimas, mas sim se indaga o som e as pegadas dos passos multitudinários que pressentem nossos passos de agora. *As veias* deriva da realidade, mas também de outros livros, melhores do que este, que nos ajudaram a conhecer o que somos para saber o que podemos ser, e que nos permitiram averiguar de onde viemos para melhor desvendar para onde vamos. Essa realidade e esses livros mostram que o subdesenvolvimento latino-americano é uma consequência do desenvolvimento alheio, que os latino-americanos somos pobres porque é rico o solo que pisamos e que os lugares privilegiados pela natureza foram amaldiçoados pela história. Neste nosso mundo, mundo de centros poderosos e subúrbios submetidos, não há riqueza que pelo menos não seja suspeita.

4. No tempo transcorrido desde a primeira edição de *As veias* a história não deixou de ser, para nós, uma mestra cruel.

O sistema multiplicou a fome e o medo; a riqueza continuou a se concentrar e a pobreza a propagar-se. Assim o reconhecem os documentos dos organismos internacionais especializados, cuja asséptica linguagem chama "países em via de desenvolvimento" às nossas oprimidas comarcas e "redistribuição regressiva da receita" ao empobrecimento implacável da classe trabalhadora.

A engrenagem internacional continua funcionando: os países a serviço das mercadorias, os homens a serviço das coisas.

Com a passagem do tempo, vão-se aperfeiçoando os métodos de exportação das crises. O capital monopolista alcança seu mais alto grau de concentração, e seu domínio internacional dos mercados, dos créditos e dos investimentos torna possível o sistemático e crescente deslocamento das contradições: os subúrbios pagam o preço da prosperidade sem maiores sobressaltos dos centros.

O mercado internacional continua sendo uma das chaves mestras desta operação. Ali exercem sua ditadura as corporações multinacionais – multinacionais, como diz Sweezy, porque operam em muitos países, mas bem nacionais, por certo, em sua propriedade e em seu controle. A organização mundial da desigualdade não se altera pelo fato de que atualmente o Brasil, por exemplo, exporte automóveis para outros países sul-americanos e distantes mercados da África e do Oriente Próximo. Afinal, foi a empresa alemã Volkswagen que entendeu ser mais conveniente exportar automóveis de sua filial brasileira para certos mercados: são brasileiros os baixos custos de produção, os braços baratos, e são alemães os altos lucros.

Tampouco se rompe a camisa de força, magicamente, quando uma matéria-prima consegue escapar da maldição dos preços baixos. Tal foi o caso do petróleo, a partir de 1973. Acaso não é o petróleo um negócio internacional? São empresas árabes ou latino-americanas a Standard Oil de Nova Jersey, agora chamada Exxon, a Royal Dutch Shell ou a Gulf? Quem abocanha a parte do leão? Foi reveladora a reação escandalosa que se propagou contra os países produtores de petróleo, que ousaram defender seu preço e foram imediatamente transformados nos bodes emissários da inflação e do desemprego obreiro na Europa e nos Estados Unidos. Algum dia os países mais desenvolvidos consultaram alguém antes de aumentar o preço de qualquer de seus produtos? Fazia já vinte anos que o preço do petróleo caía sem cessar. Sua cotação vil representou um gigantesco subsídio para os grandes centros industriais do mundo, cujos produtos, em troca, tornaram-se cada vez mais caros. Em relação ao incessante aumento de preço dos produtos estadunidenses e europeus, a nova cotação do petróleo apenas retomou os níveis de 1952. O petróleo cru simplesmente recuperou o poder de compra que tinha duas décadas atrás.

5. Um dos episódios importantes ocorridos nestes sete anos foi a nacionalização do petróleo na Venezuela. A nacionalização não eliminou a dependência venezuelana em matéria de refino e comercialização, mas abriu um novo espaço de autonomia. Logo depois de sua criação, a empresa estatal Petróleos da Venezuela já ocupava o primeiro lugar entre as 500 empresas mais importantes da América Latina. Deu início à exploração de novos mercados, a par dos tradicionais, e rapidamente a Petroven obteve 50 novos clientes.

Como sempre, no entanto, quando o Estado se torna dono da principal riqueza de um país, convém perguntar quem é o dono do Estado. A nacionalização dos recursos básicos, por si só, não implica a redistribuição da receita em proveito da maioria, nem põe necessariamente em perigo o poder nem os privilégios da minoria dominante. Na Venezuela continua funcionando, intacta, a economia do desperdício. Em seu centro resplandece, iluminada a neon, uma classe social multimilionária e pródiga. Em 1976, as importações aumentaram 25 por cento, sobretudo para financiar artigos de luxo que inundam o mercado venezuelano em catarata. Fetichismo da mercadoria como símbolo de poder, existência humana reduzida a relações de competição e consumo: no meio do oceano do subdesenvolvimento a minoria privilegiada imita o modo de vida e as modas dos membros mais ricos das mais opulentas sociedades do mundo: no estrépito de Caracas, como em Nova York, os bens "naturais" por excelência – o ar, a luz, o silêncio – tornam-se cada vez mais caros e escassos. "Cuidado", adverte Juan Pablo Pérez Alfonso, patriarca do nacionalismo venezuelano e profeta da recuperação do petróleo, "pode-se morrer de indigestão tanto quanto de fome".[1]

6. Terminei de escrever *As veias* nos últimos dias de 1970.

Nos últimos dias de 1977, Juan Velasco Alvarado morreu na mesa de cirurgia. Seu féretro foi carregado nos ombros até o cemitério, acompanhado pela maior multidão jamais vista nas ruas de Lima. O general Velasco Alvarado, nascido em casa humilde nas terras secas do norte do Peru, havia comandado um processo de reformas sociais e econômicas. Foi a tentativa de mudança de maior alcance e profundidade na história contemporânea de seu país. A partir do levante de 1968, o governo militar impulsionou uma reforma agrária de verdade e deflagrou a recuperação dos recursos naturais usurpados pelo capital estrangeiro. Mas quando Velasco Alvarado morreu já tinham sido celebradas, tempos antes, as exéquias da revolução. O processo criador teve uma vida fugaz; terminou afogado pela chantagem dos prestamistas e mercadores e pela fragilidade implícita de todo projeto paternalista e sem base popular organizada.

Às vésperas do Natal de 1977, enquanto o coração do general Velasco Alvarado batia pela última vez no Peru, na Bolívia outro general, que com ele em nada se parecia, dava na escrivaninha um golpe seco com o punho. O general Hugo Bánzer, ditador da Bolívia, dizia *não* à anistia dos presos, dos exilados e dos operários demitidos. Quatro mulheres e quatorze crianças, chegadas a La Paz desde as minas de estanho, iniciaram uma greve de fome.

---

1. Entrevista de Jean-Pierre Clerc em *Le Monde*. Paris, 8-9 de maio de 1977.

— Não é o momento – opinaram os entendidos –, nós avisaremos quando.

— Não estamos consultando – disseram as mulheres. – Estamos informando. A decisão está tomada. Lá na mina greve de fome é o que não falta. É só nascer e já começa a greve de fome. Lá também haveremos de morrer. Mais lentamente, mas também haveremos de morrer.

O governo reagiu castigando, ameaçando; mas a greve de fome libertou forças contidas durante muito tempo. Toda a Bolívia estremeceu e mostrou os dentes. Dez dias depois, não eram quatro mulheres e quatorze crianças: 1.400 trabalhadores e estudantes insurgiram-se em greve de fome. A ditadura sentiu o chão faltar sob seus pés. E lhe arrancaram a anistia geral.

Assim atravessaram a fronteira entre 1977 e 1978 dois países andinos. Mais ao norte, no Caribe, o Panamá esperava a prometida liquidação do estatuto colonial do canal, ao cabo de uma espinhosa negociação com o novo governo dos Estados Unidos, e em Cuba o povo estava em festa: a revolução socialista comemorava, invicta, seus primeiros dezenove anos de vida. Poucos dias depois, na Nicarágua, ganhou as ruas a multidão enfurecida. O ditador Somoza, filho do ditador Somoza, espiava pelo buraco da fechadura. Várias empresas foram incendiadas pela cólera popular. Uma delas, chamada Plasmaférésis, arrasada pelo fogo no início de 1978, era propriedade de exilados cubanos e se dedicava a vender sangue nicaraguense aos Estados Unidos.

(No negócio do sangue, como em outros, os produtores recebem apenas a propina. A empresa Hemo Caribbean, por exemplo, paga aos haitianos três dólares por litro, vendendo-o no mercado norte-americano a 25.)

7. Em agosto de 1976, Orlando Letelier publicou um artigo denunciando que o terror da ditadura de Pinochet e a "liberdade econômica" dos pequenos grupos privilegiados eram as duas faces da mesma moeda[2]. Letelier, que tinha sido ministro no governo de Salvador Allende, estava exilado nos Estados Unidos. E ali voou em pedaços pouco depois[3]. Em seu artigo, sustentava que era ab-

---

2. *The Nation*, 28 de agosto de 1976.
3. O crime ocorreu em Washington, em 21 de setembro de 1976. Vários exilados políticos do Uruguai, Chile e Bolívia tinham sido assassinados antes, na Argentina, e os mais notórios foram o general Carlos Prats, figura chave no esquema militar do governo de Allende, cujo automóvel explodiu numa garagem de Buenos Aires em 27 de setembro de 1974; o general Juan José Torres, que havia liderado um breve governo anti-imperialista na Bolívia, crivado de balas em 15 de junho de 1976; os legisladores uruguaios Zelmar Michelini e Hector Gutiérrez Ruiz, sequestrados, torturados e assassinados, também em Buenos Aires, entre 18 e 21 de março de 1976.

surdo falar em livre concorrência numa economia como a chilena, submetida aos monopólios que jogavam arbitrariamente com os preços, e que era risível mencionar os direitos dos trabalhadores num país onde os sindicatos autênticos estavam fora da lei e os salários eram fixados por decretos da junta militar. Letelier descrevia a minuciosa desmontagem das conquistas do povo chileno durante o governo da Unidade Popular. Dos monopólios e oligopólios industriais nacionalizados por Salvador Allende, a ditadura devolveu a metade aos seus antigos proprietários e pôs a outra metade à venda. A Firestone comprou a fábrica nacional de pneus; Parson e Whittemore, uma grande fábrica de polpa de papel... A economia chilena, dizia Letelier, está agora mais concentrada e monopolizada do que às vésperas do governo Allende[4]. *Negócios livres como nunca, gente presa como nunca: na América Latina, a liberdade de empresa é incompatível com as liberdades públicas.*

Liberdade de mercado? No Chile, desde princípios de 1975 é livre o preço do leite. O resultado não se fez por esperar. Duas empresas dominam o mercado. O preço do leite aumentou imediatamente 40 por cento para os consumidores, enquanto para os produtores baixou 22 por cento.

A mortalidade infantil, que tivera uma significativa redução no governo da Unidade Popular, deu um salto dramático a partir de Pinochet. Quando Letelier foi assassinado numa rua de Washington, a quarta parte da população do Chile não tinha renda alguma e sobrevivia graças à caridade alheia ou à própria obstinação e astúcia.

O abismo que na América Latina se aprofunda entre o bem-estar de poucos e a desgraça de muitos é infinitamente maior do que na Europa ou nos Estados Unidos. Por isso, são muito mais ferozes os métodos necessários para conservar essa distância. O Brasil tem um exército enorme e bem equipado, mas destina à educação 5 por cento do orçamento nacional. No Uruguai, atualmente, a metade do orçamento é absorvida pelas forças armadas e pela polícia: a quinta parte da população ativa tem a função de vigiar, perseguir ou castigar os demais.

Sem dúvida, um dos fatos mais importantes dos anos 70 em nossas terras foi uma tragédia: a insurreição militar que em 11 de setembro de 1973 derrubou o governo democrático de Salvador Allende e submergiu o Chile num banho de sangue.

---
4. Também foi aniquilada a reforma agrária que havia começado durante o governo da Democracia Cristã e foi aprofundada pela Unidade Popular. v. ALBUQUERQUE W., Maria Beatriz. "La agricultura chilena: modernización capitalista o regresión a formas tradicionales? Comentarios sobre la contra-reforma agrária em Chile." *Iberoamericana*, v.VI: 2, 1976. Institute of Latin American Studies, Estocolmo.

Pouco antes, em junho, um golpe de Estado no Uruguai dissolvera o Parlamento, pusera os sindicatos fora da lei e proibira todas as atividades políticas.⁵

Em março de 1976, os generais argentinos voltaram ao poder: o governo da viúva de Juan Domingo Perón, transformado num podredouro, desmoronou sem pena nem glória.

Os três países do sul são agora uma chaga do mundo, uma contínua má notícia. Torturas, sequestros, assassinatos e exílios se tornaram fatos corriqueiros. Essas ditaduras são tumores extirpáveis de organismos sãos ou o pus que acusa a infecção do sistema?

Existe sempre, creio, uma íntima relação entre a intensidade da ameaça e a brutalidade da resposta. Não se pode entender o que hoje ocorre no Brasil e na Bolívia sem levar em conta a experiência dos regimes de Jango Goulart e Juan José Torres. Antes de cair, esses governos puseram em prática uma série de reformas sociais e uma política econômica nacionalista, ao longo de um processo interrompido em 1964 no Brasil e em 1971 na Bolívia. *Do mesmo modo, bem se poderia dizer que o Chile, a Argentina e o Uruguai estão pagando o pecado da esperança.* O ciclo de profundas mudanças durante o governo de Allende, as bandeiras de justiça que mobilizaram as massas obreiras argentinas e drapejaram no alto durante o fugaz governo de Héctor Cámpora em 1973, e a acelerada politização da juventude uruguaia foram desafios que um sistema impotente e em crise não podia suportar. O violento oxigênio da liberdade foi fulminante para os espectros, e a guarda pretoriana foi convocada para salvar a ordem. O plano de limpeza é um plano de extermínio.

8. As atas do Congresso dos Estados Unidos costumam registrar testemunhos irrefutáveis sobre as intervenções na América Latina. Mordidas pelos ácidos da culpa, as consciências procedem às catarses nos confessionários do Império. Nestes últimos tempos, por exemplo, multiplicaram-se os reconhecimentos oficiais da responsabilidade dos Estados Unidos em diversos desastres. Amplas confissões públicas provaram, entre outras coisas, que

---

5. Três meses depois, houve eleições na universidade. Eram as únicas eleições que tinham restado. Os candidatos da ditadura obtiveram 2,5 por cento dos votos universitários. Portanto, em defesa da democracia a ditadura prendeu todo mundo e entregou a universidade para esse 2,5 por cento.

o governo dos Estados Unidos participou diretamente, mediante suborno, espionagem e chantagem, da política chilena. A estratégia do crime foi planejada em Washington. Desde 1970, Kissinger e os serviços de informações prepararam cuidadosamente a queda de Allende. Milhões de dólares foram distribuídos entre os inimigos do governo legal da Unidade Popular. Foi assim, por exemplo, que os proprietários de caminhões conseguiram sustentar sua longa greve, que em 1973 paralisou boa parte da economia do país. A certeza da impunidade afrouxa as línguas. Na ocasião do golpe de Estado contra Goulart, os Estados Unidos tinham no Brasil sua maior embaixada no mundo. Lincoln Gordon, o embaixador, treze anos depois reconheceu para um jornalista que, já tempos antes do golpe, seu governo vinha financiando as forças que se opunham às reformas: "Que diabo", disse Gordon, "isto era mais ou menos um hábito naquele período (...). A CIA estava acostumada a dispor de fundos políticos"[6]. Na mesma entrevista, Gordon explicou que, nos dias do golpe, o Pentágono enviou um porta-aviões e quatro navios-tanques às costas brasileiras, "para o caso das forças anti-Goulart necessitarem de ajuda". Esta ajuda, esclareceu, "não seria apenas moral. Nós daríamos apoio logístico, abastecimentos, munições e petróleo".

Desde que o presidente Jimmy Carter inaugurou a política de direitos humanos, tornou-se habitual que os regimes latino-americanos impostos graças à intervenção norte-americana formulem candentes declarações contra a intervenção norte-americana em seus assuntos internos.

Em 1976 e 1977, o Congresso dos Estados Unidos resolveu suspender a ajuda econômica e militar a vários países. No entanto, a maior parte da ajuda externa dos Estados Unidos não passa pelo filtro do Congresso. Apesar das declarações, das resoluções e dos protestos, o regime do general Pinochet recebeu, durante 1976, 290 milhões de dólares de ajuda direta dos Estados Unidos, sem autorização parlamentar. Ao cumprir seu primeiro ano de vida, a ditadura argentina do general Videla tinha recebido 500 milhões de dólares de bancos privados norte-americanos e 415 milhões de duas instituições (Banco Mundial e BID), nas quais os Estados Unidos têm influência decisiva. Os direitos especiais de giro da Argentina no Fundo Monetário Internacional, que era de 64 milhões de dólares em 1975, tinham subido para 700 milhões um par de anos depois.

Parece saudável a preocupação do presidente Carter com a carnificina que tem vitimado alguns países latino-americanos, mas os atuais ditadores não são autodidatas, eles aprenderam as técnicas da repressão e a arte de

---

6. *Veja* (444). São Paulo, 9 de março de 1977.

governar nos cursos do Pentágono nos Estados Unidos e na zona do Canal de Panamá. Esses cursos continuam hoje em dia e, tanto quanto se sabe, seus conteúdos também são os mesmos. Os militares latino-americanos que hoje constrangem os Estados Unidos foram bons alunos. Há uns quantos anos, quando era Secretário da Defesa, o atual presidente do Banco Mundial, Robert McNamara, disse com todas as letras: "Eles são os novos líderes. Não preciso me estender sobre o valor de ter em posição de liderança homens que previamente souberam como nós, americanos, pensamos e fazemos as coisas. A amizade desses homens não tem preço".[7]

Aqueles que fizeram o paralítico, podem nos oferecer uma cadeira de rodas?

9. Os bispos da França falam de outra espécie de responsabilidade, mais profunda, menos visível[8]. "Nós, que pertencemos às nações que pretendem ser as mais avançadas do mundo, somos mais um daqueles que se beneficiam da exploração dos países em vias de desenvolvimento. Não vemos os sofrimentos que isso provoca na carne e no espírito de povos inteiros. Nós contribuímos para reforçar a divisão do mundo atual, no qual se evidencia a dominação dos pobres pelos ricos, dos fracos pelos poderosos. Acaso temos consciência de que nosso esbanjamento de recursos e matérias-primas não seria possível sem o controle do intercâmbio comercial por parte dos países ocidentais? Não vemos quem se aproveita do tráfico de armas, do qual nosso país já deu tristes exemplos? Compreendemos acaso que a militarização dos regimes dos países pobres é uma das consequências da dominação econômica e cultural exercida pelos países industrializados, nos quais a vida se rege pela ânsia do lucro e pelos poderes do dinheiro?"

Ditadores, torturadores, inquisidores: o terror tem funcionários, como o correio ou os bancos, e é aplicado porque é necessário. Não se trata de uma conspiração de perversos. O general Pinochet pode parecer um personagem da *pintura negra* de Goya, um banquete para psicanalistas ou o herdeiro de uma truculenta tradição das repúblicas das bananas. Mas os traços clínicos ou folclóricos de tal ou qual ditador, que servem para condimentar a história, não são a história. Quem se atreveria a sustentar hoje em dia que a Primeira Guerra Mundial eclodiu por causa dos complexos do kaiser Guilherme, que tinha um braço mais curto do que o outro? "Nos países democráticos não

---

7. U.S. HOUSE OF REPRESENTATIVES / COMMITTEE ON APPROPRIATIONS. *Foreign Operations for 1963*. Hearings 87th, Congress, 2nd Session, Part I.
8. Declaração de Lourdes, outubro de 1976.

se revela o caráter de violência que tem a economia; nos países autoritários, ocorre o mesmo com o caráter econômico da violência", escreveu Bertolt Brecht no seu diário de trabalho, em fins de 1940.

Nos países do sul da América Latina, os centuriões ocuparam o poder devido a uma necessidade do sistema, e o terrorismo de Estado começa a funcionar quando as classes dominantes já não podem realizar seus negócios por outros meios. *Em nossos países não existiria a tortura se ela não fosse eficaz; e a democracia formal teria continuidade se se pudesse garantir que não escaparia ao controle dos donos do poder.* Em tempos difíceis, a democracia se torna um crime contra a segurança nacional – ou seja, contra a segurança dos privilégios internos e dos investimentos estrangeiros. Nossas máquinas de moer carne humana integram uma engrenagem internacional. A sociedade inteira se militariza, o estado de exceção adquire permanência e o aparato da repressão torna-se hegemônico, tudo a partir de um aperto no parafuso lá nos centros do sistema imperialista. Quando a sombra da crise espreita, é preciso aumentar o saque aos países pobres para garantir o pleno emprego, as liberdades públicas e as altas taxas de desenvolvimento nos países ricos. *Relações de vítima e verdugo, dialética sinistra: há uma estrutura de humilhações sucessivas que começa nos mercados internacionais e nos centros financeiros e termina na casa de cada cidadão.*

10. O Haiti é o país mais pobre do hemisfério ocidental. Ali há mais lava-pés do que engraxates: crianças que em troca de uma moeda lavam os pés dos clientes descalços, que não têm sapatos para mandar engraxar. Os haitianos vivem, em média, pouco mais de 30 anos. A cada dez haitianos, nove não sabem ler nem escrever. Para o consumo interno, são cultivadas as ásperas encostas das montanhas. Para a exportação, os vales férteis: as melhores terras são destinadas ao café, açúcar, cacau e outros produtos requeridos pelo mercado norte--americano. Quase ninguém joga beisebol no Haiti, mas o Haiti é o principal produtor mundial de bolas de beisebol. No país não faltam oficinas onde as crianças trabalham com cassetes e peças eletrônicas, ganhando um dólar por dia. São, claro, produtos de exportação, e naturalmente também são exportados os lucros, uma vez deduzida a parte que corresponde aos administradores do terror. A menor manifestação de protesto, no Haiti, implica prisão ou morte. Por incrível que pareça, os salários dos trabalhadores haitianos, entre 1971 e 1975, perderam a quarta parte de seu valor real[9]. Significativamente, neste período entrou no país um novo fluxo de capital estadunidense.

---
9. *Le nouvelliste.* Porto Príncipe, 19-20 de março de 1977. Dado citado por CUEVA, Agustín. *Desarrollo del capitalismo em América Latina.* Siglo XXI: México, 1977.

Lembro o editorial de um jornal de Buenos Aires, publicado há dois anos. Um velho jornal conservador urrava de raiva porque num documento internacional a Argentina era mencionada como um país subdesenvolvido e dependente. Como uma sociedade culta, europeia, próspera e branca, podia ser medida pelo mesmo metro com que se media um país tão pobre e tão negro como o Haiti?

Sem dúvida, as diferenças são enormes – embora tenham pouco a ver com a espécie de análise da arrogante oligarquia de Buenos Aires. Mas com todas as diversidades e contradições que se queiram, a Argentina não está a salvo do círculo vicioso que estrangula a economia latino-americana em seu conjunto, e não há esforço de exorcismo intelectual que possa subtraí-la de uma realidade que compartilham, uns mais, outros menos, os outros países da região.

Afinal, as matanças do general Videla não são mais civilizadas do que as do *Papa Doc* Duvalier ou seu herdeiro no trono, ainda que, na Argentina, a repressão tenha um nível tecnológico mais apurado. No essencial, as duas ditaduras atuam a serviço do mesmo objetivo: *proporcionar braços baratos a um mercado internacional que exige produtos baratos.*

Tão logo chegou ao poder, a ditadura de Videla proibiu as greves e decretou a liberdade de preços, ao mesmo tempo em que encarcerava os salários. Cinco meses depois do golpe de Estado, a nova lei de investimentos estrangeiros colocou em igualdade de condições as empresas estrangeiras e as nacionais. Assim, a livre concorrência acabou com a injusta desvantagem em que se encontravam algumas corporações multinacionais frente às empresas locais. Por exemplo, a desamparada General Motors, cujo volume mundial de vendas equivale a nada menos do que o produto nacional bruto da Argentina inteira. Também é livre agora, com frágeis limitações, a remessa de lucros para o exterior e a repatriação do capital investido.

Quando o regime completou seu primeiro ano de vida, o valor real dos salários estava reduzido em 40 por cento. Foi uma façanha do terror. "Quinze mil desaparecidos, dez mil presos, quatro mil mortos, dezenas de milhares de exilados são os números nus desse terror", denunciou o escritor Rodolfo Walsh numa carta aberta. A carta foi enviada em 29 de março de 1977 aos três chefes da junta governante. Nesse mesmo dia, Walsh foi sequestrado e desapareceu.

11. Fontes insuspeitas confirmam que uma ínfima parte dos novos investimentos estrangeiros diretos na América Latina provém do país de origem.

Segundo uma investigação publicada pelo Departamento de Comércio dos Estados Unidos[10], apenas 12 por cento dos fundos vêm da matriz estadunidense, 22 por cento correspondem a lucros obtidos na América Latina e os 66 por cento restantes derivam das fontes de crédito interno e, sobretudo, do crédito internacional. A proporção é semelhante para os investimentos de origem europeia ou japonesa; e é preciso ter em conta que frequentemente esses 12 por cento de investimento que vêm das casas matrizes não são senão o resultado da transferência de maquinário já usado ou simplesmente refletem a cotação arbitrária que as empresas impõem ao seu *know-how* industrial, às patentes e às marcas. *As corporações multinacionais não só usurpam o crédito interno dos países onde operam, em troca de um aporte de capital bastante discutível, mas também multiplicam sua dívida externa.*

A dívida externa latino-americana era, em 1975, quase três vezes maior do que em 1969[11]. Brasil, México, Chile e Uruguai destinaram, em 1975, aproximadamente *a metade* da receita de exportações para pagamento das amortizações e dos juros da dívida, e para pagamento dos lucros das empresas estrangeiras neles estabelecidas. Os serviços da dívida e a remessas de lucros engoliram, nesse ano, 55 por cento das exportações do Panamá e 60 por cento do Peru[12]. Em 1969, cada habitante da Bolívia devia 137 dólares ao exterior. Em 1977, devia 483. Os habitantes da Bolívia não foram consultados nem viram um só centavo desses empréstimos que puseram uma corda ao redor de seus pescoços.

O Citibank não figura como candidato em nenhuma chapa nos raros países latino-americanos em que ainda se realizam eleições; e nenhum dos generais que exercem as ditaduras se chama Fundo Monetário Internacional. Mas qual é a mão que executa e qual é a consciência que ordena? Quem empresta, manda. Para pagar, é preciso exportar mais, e é preciso exportar mais ainda para financiar as importações e fazer frente à hemorragia de lucros e *royalties* que as empresas estrangeiras drenam para suas matrizes. O aumento das exportações, cujo poder de compra diminui, implica salários de fome. A pobreza massiva, chave do êxito de uma economia voltada para o exterior,

---

10. MANTEL, Ida May. "Sources and uses of funds for a sample of majority-owned foreign affiliates of U.S. companies, 1966-1972." conf. U.S. Department of Commerce. *Survey of Current Business*, julho de 1975.

11. NACIONES UNIDAS/CEPAL. *El desarrollo económico y social y las relaciones externas de América Latina*. Santo Domingo (República Dominicana), fevereiro de 1977.

12. O dinheiro, que tem asinhas, viaja sem passaporte. Boa parte dos lucros gerados pela exploração de nossos recursos foge para os Estados Unidos, Suíça, Alemanha Federal e outros países, onde dá um salto de circo e volta para nossas comarcas convertido em empréstimos.

impede o crescimento do mercado interno de consumo na necessária medida para sustentar um desenvolvimento econômico harmonioso. Nossos países se tornam ecos e vão perdendo a voz. Dependem de outros, só existem enquanto respondem às necessidades de outros. Por sua vez, a remodelação da economia em função da demanda externa nos devolve ao estrangulamento original: abre as portas ao saque dos monopólios estrangeiros e obriga a contrair novos e maiores empréstimos junto à banca internacional. *O círculo vicioso é perfeito: a dívida externa e o investimento estrangeiro obrigam à multiplicação das exportações, que o mesmo investimento e dívida vão devorando. A tarefa não pode ser executada com bons modos. Para que os trabalhadores latino-americanos cumpram sua função de reféns da prosperidade alheia, é preciso que sejam mantidos presos – do lado de dentro ou do lado de fora dos cárceres.*

12. A exploração selvagem da mão de obra não é incompatível com a tecnologia intensiva. Nunca foi, em nossas terras: por exemplo, as legiões de operários bolivianos que deixaram seus pulmões nas minas de estanho de Oruro, nos tempos de Simon Patiño, trabalhavam em regime de escravidão assalariada, mas com maquinário moderno. O *barão do estanho* soube combinar os mais altos níveis de tecnologia com os mais baixos níveis de salários.[13]

De resto, em nossos dias, a importação de tecnologia das economias mais adiantadas coincide com o processo de expropriação das empresas industriais de capital local por parte das todo-poderosas corporações multinacionais. O movimento de centralização de capital se cumpre através de "uma *queima* impiedosa dos níveis empresariais *obsoletos*, que não por acaso são justamente os de propriedade nacional"[14]. A desnacionalização acelerada da indústria latino-americana traz consigo uma crescente dependência tecnológica. A tecnologia, decisiva chave do poder, está monopolizada no mundo capitalista pelos centros metropolitanos. A tecnologia vem de segunda mão, mas esses centros cobram pelas cópias como se elas fossem originais. Em 1970, o México pagou o dobro do que pagara em 1968 pela importação de tecnologia estrangeira. Entre 1965 e 1969, o Brasil duplicou seus pagamentos; e outro tanto ocorreu com a Argentina no mesmo período.

O transplante da tecnologia aumenta as robustas dívidas com o exterior e tem devastadores efeitos no mercado de trabalho. Num sistema organizado para a drenagem de lucros para o exterior, a mão de obra da empresa "tradicional" vai perdendo oportunidades de emprego. Em troca de um duvidoso

---

13. CUEVA, op. cit.
14. *Ibid.*

impulso dinamizador no resto da economia, as ilhotas da indústria moderna sacrificam braços ao reduzir o tempo de trabalho necessário para a produção. Por sua vez, a existência de um nutrido e crescente exército de desempregados facilita o assassinato do valor real dos salários.

13. Até os documentos da CEPAL agora falam de uma nova divisão internacional do trabalho. Dentro de alguns anos, arrisca a esperança dos técnicos, talvez a América Latina exporte manufaturas na mesma medida em que hoje vende matérias-primas e alimentos para o exterior. "As diferenças de salários entre os países desenvolvidos e os países em desenvolvimento – incluídos os da América Latina – podem induzir a uma nova divisão de atividades entre países, deslocando dos primeiros para os segundos, devido à concorrência, indústrias cujo custo de trabalho seja muito importante. Os custos da mão de obra para a indústria manufatureira, por exemplo, são geralmente muito mais baixos no México ou no Brasil do que nos Estados Unidos".[15]

Impulso do progresso ou aventura neocolonial? O maquinário elétrico e não elétrico já figura entre os principais produtos de exportação do México. No Brasil, cresce a venda para o exterior de veículos e armamentos. Alguns países latino-americanos vivem uma nova etapa de industrialização, em grande medida induzida e orientada pelas necessidades estrangeiras e pelos donos estrangeiros dos meios de produção. Não será este outro capítulo de nossa história do "desenvolvimento para fora"? Nos mercados internacionais, os preços em constante elevação em regra não correspondem aos "produtos manufaturados", mas às mercadorias mais sofisticadas e de maior componente tecnológico, que são privativas das economias de maior desenvolvimento. *O principal produto de exportação da América Latina, venda o que vender, matéria-prima ou manufaturas, são os braços baratos.*

Não tem sido a nossa história uma contínua experiência de mutilação e desintegração, disfarçada de desenvolvimento? Séculos atrás, a conquista arrasou os solos para implantar culturas de exportação e aniquilou as populações indígenas nos socavões das minas e nas lavagens para satisfazer a

---
15. NACIONES UNIDAS/CEPAL, op. cit.

demanda de prata e ouro de ultramar. A alimentação da população pré-colombiana que conseguiu sobreviver ao extermínio *piorou* com o progresso alheio. Em nossos dias, o povo do Peru produz farinha de peixe, muito rica em proteínas, para as vacas dos Estados Unidos e da Europa, mas as proteínas brilham pela ausência na dieta da maioria dos peruanos. A filial da Volkswagen na Suíça planta uma árvore para cada automóvel que vende, gentileza ecológica, ao mesmo tempo em que a filial da Volkswagen no Brasil arrasa centenas de hectares de matas que dedicará à produção intensiva de carne para exportação. Cada vez vende mais carne ao exterior o povo brasileiro, que raramente come carne. Darcy Ribeiro me dizia que uma *república Volkswagen*, no essencial, não é diferente de uma *república das bananas*. Para cada dólar que produz a exportação de bananas, apenas onze centavos ficam no país produtor[16], e desses onze centavos uma parte insignificante corresponde aos trabalhadores das plantações. Alteram-se as proporções quando um país latino-americano exporta automóveis?

Os navios negreiros já não cruzam o oceano. Agora os traficantes de escravos operam no Ministério do Trabalho. Salário africanos, preços europeus. O que são os golpes de Estado na América Latina senão sucessivos episódios de uma guerra de rapina? As flamantes ditaduras, de pronto, convidam as empresas estrangeiras a explorar a mão de obra local, barata e abundante, o crédito ilimitado, as isenções de impostos e os recursos naturais ao alcance da mão.

14. Os empregados do plano de emergência do governo do Chile recebem salários equivalentes a 30 dólares por mês. Um quilo de pão custa meio dólar. Recebem, portanto, dois quilos de pão por dia. O salário mínimo no Uruguai e na Argentina equivale atualmente ao preço de seis quilos de café. O salário mínimo no Brasil chega a 60 dólares mensais, mas os *boias frias*, obreiros rurais ambulantes, recebem entre 50 centavos e um dólar por dia nas plantações de café, soja e outras culturas de exportação. A forragem que as vacas comem no México contém mais proteínas do que a dieta dos camponeses que delas se ocupam. A carne dessas vacas se destina a umas poucas bocas privilegiadas dentro do país e, principalmente, ao mercado internacional. Ao amparo de uma generosa política de créditos e facilidades oficiais, floresce no México a agricultura de exportação, enquanto entre 1970 e 1976 *baixou* a quantidade de proteínas disponíveis por habitante, e nas zonas rurais

---

16. UNCTAD. *The marketing and distribution system for bananas*, dezembro de 1974.

somente uma em cada cinco crianças mexicanas tem peso e estatura normais[17]. Na Guatemala, o arroz, o milho e os feijões destinados ao consumo interno estão abandonados ao deus-dará, mas o café, o algodão e outros produtos de exportação monopolizaram 87 por cento do crédito. De cada *dez* famílias guatemaltecas que trabalham no cultivo e na colheita do café, principal fonte de divisas do país, apenas *uma* se alimenta segundo os níveis mínimos adequados[18]. No Brasil, somente 5 por cento do crédito agrícola é canalizado para o arroz, feijão, mandioca, que compõem a dieta básica dos brasileiros. O resto está reservado aos produtos de exportação.

A recente queda do preço internacional do açúcar não provocou, como antes ocorria, uma onda de fome entre os camponeses de Cuba. Em Cuba já não existe a desnutrição. A alta quase simultânea do preço internacional do café, ao contrário, não aliviou em nada a crônica miséria dos trabalhadores dos cafezais no Brasil. O aumento da cotação do café em 1976 – ocasional euforia provocada pelas geadas que arrasaram as colheitas brasileiras, "não se refletiu diretamente nos salários", segundo reconheceu um alto dirigente do Instituto Brasileiro do Café.[19]

Na realidade, as culturas de exportação não são, em si mesmas, incompatíveis com o bem-estar da população, nem contradizem, em si mesmas, o desenvolvimento econômico "para dentro". Afinal, as vendas de açúcar ao exterior serviram de alavanca, em Cuba, para a criação de um mundo novo em que todos têm acesso aos frutos do desenvolvimento e a solidariedade é o eixo das relações humanas.

15. Já se sabe quem são os condenados a pagar as crises de reajuste do sistema. Os preços da maioria dos produtos que a América Latina vende baixam implacavelmente em relação aos preços dos produtos que compra dos países que monopolizam a tecnologia, o comércio, o investimento e o crédito. Para compensar a diferença e fazer frente às obrigações ante o capital, *é preciso cobrir com quantidade o que se perde no preço*. Em tal circunstância, as ditaduras do Cone Sul cortaram pela metade os salários dos operários e transformaram cada centro de produção num campo de trabalhos forçados. *Também os operários precisam compensar a queda do valor de sua força de trabalho, que é o*

---

17. "Reflexiones sobre la desnutrición en México." *Comercio Exterior*. Banco Nacional de Comercio exterior S.A., v.28, nº 2. México, fevereiro de 1978.

18. BURBACH, Roger & FLYNN, Patrícia. "Agribusiness Targets Latin American." *NACLA*, v. 12, nº 1. New York, janeiro-fevereiro de 1978.

19. *Idem.*

produto que eles vendem no mercado. Os trabalhadores são obrigados a cobrir em quantidade – em quantidade de horas – o que perdem em poder de compra do salário. As leis do mercado internacional se reproduzem no micromundo de vida de cada trabalhador latino-americano. Para os trabalhadores que têm a sorte de contar com um emprego fixo, as jornadas de oito horas só existem na letra morta das leis. É comum trabalhar dez, doze, até quatorze horas, e muitos também trabalham nos domingos.

Ao mesmo tempo, multiplicaram-se os acidentes de trabalho, sangue humano oferecido aos altares da produtividade. Três exemplos de fins de 1977 no Uruguai:

– As pedreiras das ferrovias, que produzem pedras e balastro, duplicam seus rendimentos. No princípio da primavera, quinze operários morrem numa explosão de *gelinita*.

– Filas de desempregados na frente de uma fábrica de fogos de artifício. Recordes são batidos. Em 20 de dezembro, uma explosão: cinco trabalhadores mortos e dezenas de feridos.

– Em 28 de dezembro, às sete da manhã, os operários se negam a entrar numa fábrica de peixe em conserva porque sentem um forte cheiro de gás. São ameaçados: se não entrarem, vão perder o emprego. Eles continuam se negando. São ameaçados novamente: os soldados serão chamados. A empresa já chamou o exército outras vezes. Os operários entram. Quatro mortos e vários hospitalizados. Havia um vazamento de sal amoníaco.[20]

Enquanto isso, a ditadura proclama com orgulho: os uruguaios podem comprar, mais baratos do que nunca, uísque escocês, marmelada inglesa, presunto da Dinamarca, vinho francês, atum espanhol e trajes de Taiwan.

16. Maria Carolina de Jesus nasceu no meio do lixo e dos urubus.

Cresceu, sofreu, trabalhou duro; amou homens, teve filhos. Numa caderneta ela anotava, com má letra, suas tarefas e seus dias.

Um jornalista, casualmente, leu essas cadernetas, e Maria Carolina de Jesus se tornou uma escritora famosa. Seu livro, *Quarto de despejo*, "A favela", um diário de cinco anos de vida num sórdido subúrbio da cidade de São Paulo, foi traduzido em treze idiomas e lido em 40 países.

Cinderela do Brasil, produto de consumo mundial, Maria Carolina de Jesus saiu da favela, correu mundo, foi entrevistada e fotografada, premiada por críticos, homenageada por cavalheiros e recebida por presidentes.

---

20. Dados de fontes sindicais e jornalísticas, publicados em *Uruguay Informations*, nº 21 e 25, Paris.

E passaram os anos. No início de 1977, numa madrugada de domingo, Maria Carolina de Jesus morreu no meio do lixo e dos urubus. Já ninguém se lembrava da mulher que escrevera: "A fome é a dinamite do corpo humano".

Ela, que tinha vivido de restos, foi uma fugaz eleita. Permitiram-lhe que sentasse à mesa. Depois da sobremesa acabou o encanto. Mas enquanto seu sonho transcorria, o Brasil continuava sendo um país onde, a cada dia, 100 operários se ferem em acidentes de trabalho, e onde, de cada dez crianças, quatro nascem obrigadas a se tornarem mendigos, ladrões ou mágicos.

Ainda que as estatísticas possam sorrir, padecem as pessoas. Em sistemas arrevesados, quando cresce a economia cresce também a injustiça social. No período mais exitoso do "milagre" brasileiro, aumentou a taxa de mortalidade infantil nos subúrbios da cidade mais rica do país. No Equador, a súbita prosperidade do petróleo trouxe a televisão a cores em vez de escolas e hospitais.

As cidades vão inchando até que explodem. Em 1950, a América Latina tinha seis cidades com mais de um milhão de habitantes. Em 1980, terá 25[21]. As populosas legiões de trabalhadores que o campo expulsa compartilham, às margens dos grandes centros urbanos, da mesma sorte que o sistema reserva aos jovens cidadãos que estão *sobrando*. Aperfeiçoam-se – a manha latino-americana – as formas de sobrevivência do *virador*. "O sistema produtivo veio mostrando uma visível insuficiência para gerar emprego produtivo que absorva a crescente força de trabalho da região, em especial os grandes contingentes de mão de obra urbana."[22]

Não faz muito um estudo da Organização Internacional do Trabalho assinalava que na América Latina há mais de 110 milhões de pessoas em condições de "grave pobreza", das quais 70 milhões podem ser consideradas "indigentes"[23]. Que percentual da população come menos do que o necessário? Na linguagem dos técnicos, "ganham menos do que o custo da alimentação mínima equilibrada" 42 por cento da população do Brasil, 43 por cento dos colombianos, 49 por cento dos hondurenhos, 31 por cento dos mexicanos, 45 por cento dos peruanos, 29 por cento dos chilenos e 35 por cento dos equatorianos.[24]

Como afogar a explosão de rebeliões das grandes maiorias condenadas? Como prevenir essas rebeliões? Como evitar que essas maiorias sejam cada

---

21. NACIONES UNIDAS/CEPAL, op. cit.
22. *Idem*.
23. OIT. *Empleo, crecimiento y necesidades esenciales*. Genebra, 1976.
24. NACIONES UNIDAS/CEPAL, op. cit.

vez mais populosas, se o sistema não funciona para elas? Excluída a caridade, resta a polícia.

17. Em nossas terras, a indústria do terror, como qualquer outra, paga caro o *know-how* estrangeiro. Compra-se e se aplica, em grande escala, a tecnologia norte-americana da repressão, ensaiada nos quatro pontos cardeais do planeta. Mas seria injusto não reconhecer certa capacidade criadora, nesse campo de atividades, das classes dominantes latino-americanas.

Nossas burguesias não foram capazes de um desenvolvimento econômico independente, e suas tentativas de criação de uma indústria nacional não passaram de um voo de galinha, curto e baixo. Ao longo de nosso processo histórico, os donos do poder deram também sobradas provas de sua falta de imaginação política e de sua esterilidade cultural. Em troca, souberam montar um gigantesco maquinário do medo e fizeram alguns acréscimos próprios à técnica do extermínio das pessoas e das ideias. Neste sentido, é reveladora a recente experiência dos países do rio da Prata.

"A tarefa de desinfecção nos custará muito tempo", advertiram logo na chegada os militares argentinos. As forças armadas foram sucessivamente convocadas pelas classes dominantes do Uruguai e da Argentina para esmagar as forças da mudança, arrancar suas raízes, perpetuar a ordem interna de privilégios e gerar condições econômicas e políticas sedutoras para o capital estrangeiro: terra arrasada, país em ordem, trabalhadores mansos e baratos. Não há nada mais ordenado do que um cemitério. A população de imediato se tornou o inimigo interior. Qualquer sinal de vida, protesto ou mera dúvida constitui um perigoso desafio do ponto de vista da doutrina militar de segurança nacional.

Articularam-se, portanto, complexos mecanismos de prevenção e de castigo.

Uma profunda racionalidade se esconde debaixo das aparências. *Para operar com eficácia, a repressão deve parecer arbitrária.* Tirando a respiração, toda atividade humana pode constituir um delito. No Uruguai a tortura é aplicada como sistema habitual de interrogatório: *qualquer um pode ser sua vítima*, e não só os suspeitos e os culpáveis de atos de oposição. *Deste modo se propaga o pânico da tortura entre todos os cidadãos, como um gás paralisante que invade cada casa e se introduz na alma de cada cidadão.*

No Chile, a carnificina deixou um saldo de milhares de mortos, mas na Argentina não se fuzila: sequestra-se. As vítimas desaparecem. Os invisíveis exércitos da noite realizam a tarefa. Não há cadáveres, não há responsáveis. Assim a matança – sempre oficiosa, nunca oficial – se efetiva com maior impunidade, e assim se irradia com maior potência a angústia coletiva. Ninguém presta contas, ninguém dá explicações. Cada crime é uma dolorosa incerteza para as pessoas próximas da vítima e também uma advertência para todos os demais. O terrorismo de Estado pretende paralisar a população pelo medo.

No Uruguai, para obter trabalho ou conservá-lo é preciso contar com a chancela dos militares. Num país em que é tão difícil conseguir emprego fora dos quartéis e delegacias, esta obrigação não serve apenas para estimular o êxodo de boa parte dos 300 mil cidadãos fichados como esquerdistas; *também é útil para ameaçar os restantes*. Os jornais de Montevidéu costumam publicar arrependimentos públicos e declarações de cidadãos que, prevenindo-se, batem no peito: "Nunca fui, não sou e não serei".

Na Argentina já não é necessário proibir livros por decreto. O novo Código Penal castiga, como sempre, o autor e o editor de um livro considerado subversivo. Mas agora também castiga o impressor, para que ninguém se atreva a imprimir um texto simplesmente duvidoso, e também o distribuidor e o livreiro, para que ninguém se atreva a vendê-lo, e como se ainda fosse pouco castiga o leitor, para que ninguém se atreva a lê-lo e muito menos guardá-lo. O consumidor de um livro recebe assim o mesmo tratamento que as leis reservam para o consumidor de drogas[25]. *No projeto de uma sociedade de surdos-mudos, cada cidadão deve se transformar em seu próprio Torquemada.*

No Uruguai, não denunciar o outro é delito. Ao ingressar na universidade, os estudantes juram por escrito que denunciarão todo aquele que, no âmbito universitário, tenha "qualquer atividade alheia às funções do estudo". O estudante torna-se corresponsável por qualquer episódio que ocorra em sua presença. *No projeto de uma sociedade de sonâmbulos, cada cidadão deve ser a polícia de si mesmo e dos demais.* O sistema, com toda a razão, desconfia. São 100 mil os policiais e os soldados no Uruguai, e também são 100 mil os informantes. Os espiões trabalham nas ruas, nos cafés, nos ônibus, nas fábricas, nos ginásios, nos escritórios e na universidade. Quem se queixa em voz

---

25. No Uruguai, os inquisidores se modernizaram. Curiosa mescla de barbárie e senso capitalista do negócio. Os militares já não queimam os livros: agora os vendem para as empresas papeleiras. As empresas os picam, convertendo-os em polpa de papel, e os devolvem ao mercado de consumo. Não é verdade que Marx não esteja ao alcance do público. Não está em forma de livros. Está em forma de guardanapo.

alta porque está tão cara e tão dura a vida, vai preso: cometeu um "atentado contra a força moral das Forças Armadas", que é punido com prisão de três a seis anos.

18. No referendo de janeiro de 1978, o voto *sim* para a ditadura de Pinochet era dado com uma cruz sob a bandeira do Chile. O voto *não* era marcado debaixo de um retângulo preto.

O sistema quer confundir-se com o país. O sistema é o país, diz a propaganda oficial que dia e noite bombardeia os cidadãos. O inimigo do sistema é um traidor da pátria. A capacidade de indignação contra a injustiça e a vontade de mudar constituem provas da deserção. Em muitos países da América Latina, quem não está desterrado além das fronteiras vive o exílio em sua própria terra.

No entanto, ao mesmo tempo em que Pinochet celebrava sua vitória, a ditadura chamava "ausentismo laboral coletivo" às greves que eclodiam em todo o Chile apesar do terror. A grande maioria dos sequestrados e desaparecidos da Argentina é formada por operários que desenvolveram alguma atividade sindical. Sem cessar são geradas, na inesgotável imaginação popular, novas formas de luta, como a operação-padrão, e a solidariedade encontra novos canais para eludir o medo. Várias greves unânimes se sucederam na Argentina ao longo de 1977, quando o perigo de perder a vida era tão certo quando o risco de perder o emprego. Não se destrói de uma penada o poder de resposta de uma classe obreira organizada e com longa tradição de luta. Em maio do mesmo ano, quando a ditadura uruguaia fez o balanço de seu programa de esvaziamento de consciências e castração coletiva, viu-se obrigada a reconhecer que "ainda resta no país 37 por cento de cidadãos interessados pela política".[26]

Nestas terras, não assistimos à infância selvagem do capitalismo, mas sua decrepitude. *O subdesenvolvimento não é uma etapa do desenvolvimento. É a sua consequência.* O subdesenvolvimento da América Latina provém do desenvolvimento alheio e continua alimentando-o. Impotente pela sua função de servidão internacional, moribundo desde que nasceu, o sistema tem pés de barro. Quer identificar-se como destino e confundir-se com a eternidade. Toda memória é subversiva, porque é diferente, e também qualquer projeto de futuro. Obriga-se o zumbi a comer sem sal: o sal, perigoso, poderia

---

26. Conferência de imprensa do presidente Aparício Méndez em Paysandu, a 21 de maio de 1977. "Estamos evitando no país a tragédia da paixão política", disse o presidente. "Os homens de bem não falam de ditaduras, não pensam em ditaduras nem reclamam direitos humanos."

despertá-lo. O sistema encontra seu paradigma na imutável sociedade das formigas. Por isso se dá mal com a história dos homens, pela frequência com que muda. E porque na história dos homens cada ato de destruição encontra sua resposta, cedo ou tarde, num ato de criação.

Eduardo Galeano
Calella, Barcelona, abril de 1978

Índice remissivo

A

Abbink, John 279
Abercromby, Ralph 202
Ação Democrática 197
Acevedo Díaz, Eduardo 65
Acevedo, Manuel Antonio 214
açúcar 9-10, 46, 67-68, 70, 72-73, 77-102, 104-106, 111-113, 116-117, 131, 143-144, 153, 155-156, 160, 169, 184-185, 202, 233, 268, 274-276, 285, 299, 313, 319
ADELA 270
Aguilar Monteverde, Alonso 63, 210, 249
AID 263, 265-267, 270-271
ALALC 253, 291-292, 294-298
Alamán, Lucas 54, 208, 210-211
Alameda Ospina, Raúl 185
Alberdi, Juan Bautista 218
Albuquerque W., María Beatriz de 309
Alemanha Federal 113, 252, 315
Alen Lascano, Luis C 205
Alexandre Magno 39
Alfa Romeo 251, 252
algodão 67, 79, 84, 91, 98-100, 113-118, 131, 152, 156, 202-207, 210, 214, 218, 224, 231, 235, 274, 319
Aliança para o Progresso 17, 21, 23, 150, 177, 241, 264-268, 270-271
Allende, Salvador 153, 160, 169, 281, 308-311
Almaraz Paz, Sergio 159, 177
Almonti, Karen 260
Alonso-Barba, Álvaro 49
Alonso Osorio y Díez de Rivera Martos y Figueroa, dom Beltrán, duque de Albuquerque, marquês de Alcañices, dos Balbases, de Cadreita, de Cuéllar, de Cullera, de Montaos, conde de Fuensaldaña, de Grajal, de Huelma, de Ledesma, de la Torre, de Villanueva 44
Alonso Zuazo 102
alumínio 158, 160, 169-170, 252
Aluminium Co. of America 160
Alvarado, Pedro de 32, 34-35
Álvarez, Juan 213-214
Alves, Hermano 161
Alvim, Panasco 226
Amado, Jorge 112-113
Amazônia 22, 66, 68, 106-107, 110, 161-162, 181
América Central 32, 55, 60, 120, 126-128, 130-131, 133, 259, 295, 299
American Can 252
American Coffee Corp. 116
American Machine and Foundry 252, 294
Amin, Samir 276
Anaconda American Brass 168
Anaconda Copper Mining Co. 168
Anaconda Wire and Cable 168
analfabetismo 92, 197, 216
ANCAP 186-187
Anchorena, família 249
Anderson Clayton and Co. 115-116, 148
Ângulo H., Enrique 300
Anônimos, autores (de Tlatelolco) 34
Antilhas 31, 45, 55, 80, 83, 90, 100-101, 105, 156, 212, 234
Antonil (padre jesuíta) 70, 104
Antuñano, Esteban de 211
Aramayo 177
Araújo, Orlando 193
Arbenz, Jacob 134
Areche 62

Arévalo, Juan José 134
Argentina 20, 49, 86, 115, 139, 143, 151-152, 160, 188, 202, 205-207, 212-213, 216, 218-219, 221-225, 229-231, 240, 242, 244-249, 252-253, 261-263, 270, 274, 277-279, 281, 284, 288-290, 293-298, 304, 308, 310-311, 314, 316, 318, 322-324
Aristóteles 22
Arkwright 114
Arriaga, Antonio Juan de 61
Arrubla, Mario 119, 122
Artigas, José 137-140, 142, 146, 213-214, 216, 219, 223, 297, 299
Associated Press 132, 180
astecas 33, 60-61
Astorpilco (cacique inca) 62
Asturias, Miguel Ángel 130
Atahualpa 31, 34, 36, 62
Atlantic 186-187
Atlântica Richfield Co. 271
automobilística, indústria 187, 251, 263, 279, 285, 289, 297-298

B

Bacon, Francis 58, 282
Bagú, Sergio 13, 47, 61, 98, 156
Bairoch, Paul 150
Balaguer, Joaquín 97
Balboa, Vasco Nunes de 32
Ball, George W. 21
Balmaceda, José Manuel 166
Baltra Cortés, Alberto 149
banana 9, 30, 113, 128, 131-133, 274, 280
Banco de Londres 218
Banco de Valparaíso 165
Banco Mundial 21, 190, 237, 257, 270-273, 276, 311, 312
Bandeira, Manuel 159
Bank of America 260
Bánzer, Hugo 307
Baran, Paul 46, 261

Barbosa, Horta 187
Barinas, marquês de 55
Baring Brothers 218, 229
Barnet, Miguel 104
Barrán, José Pedro 86
Barrientos, René 159, 176, 190, 269
Barrios, Justo Rufino 126
Barzola, María 176
Bastidas, Antonio 93
Batista, Fulgencio 89, 91, 94, 96, 160, 271
Batlle y Ordóñez, José 245
bauxita 158, 160, 161
Bazán, Armando Raúl 216
Bazant, Jan 210
Beals, Carieton 132
Beaujeau-Garnier, J. 47
Bejarano, Álvaro 51
Belaúnde Terry, Fernando 268
Belgrano 206
Beltrão, Hélio 250
Bennett, Robert A. 260
Bermúdez, Óscar 164
Bernárdez, D., Joseph Ribera 53
Bernhard, Guillermo 280
Bertrán de Lis y Pidal Gorouski y Chico de Guzmán, duquesa de Albuquerque e marquesa dos Alcañices y dos Balbases, dona Teresa 44
Betancourt, Rómulo 196
Bethlehem Steel 75, 159, 178, 181, 252, 271
Beyhaut, Gustavo 208
Bianchi, Andrés 91
BID 264-266, 270, 274, 278, 284, 292, 296, 311
BIRF 170
Birn, Serge 290
Black, Eugene R. 272
Blase Bonpane (padre) 137
Böckler, Carlos Guzmán 68
Bodin 58
Bolívar, Simón 138, 291

Bolívia 22, 39, 49, 52-53, 60, 107-108, 153, 159, 164-165, 171-174, 176-177, 189-191, 205, 215, 218, 266, 268-269, 274, 282, 294, 296-297, 307-308, 310, 315
Bonaparte, Napoleão 74, 85, 134, 201
Bonaparte, Paulina 85
Bonilla Sánchez, Arturo 66, 148
Borbón-Parma, príncipe Miguel de 172
borracha 9, 18, 66, 106-111, 113, 144, 254
Bosch, Juan 97
Boti, Regino 92
Boxer, C. R. 70, 71, 72
Braden, Spruille 189
Brasil 4, 18, 20, 22, 30, 32, 55, 66, 68-75, 77-84, 86, 97, 99, 101, 103-122, 151, 153-154, 159, 162-163, 177-181, 187-188, 201-202, 205, 207, 212, 218, 221-227, 230-231, 234, 241-242, 244-245, 247-248, 250-253, 255-259, 261-262, 268-269, 271-272, 274, 277-279, 281, 284-290, 292-298, 300, 306, 309-311, 315-321
Braun, Werner von 157
Brazil Railway 231
Brecht, Bertolt 250, 313
British Petroleum 183
Brito, Federico 193
Brito, Francisco Tavares de 70
Brizola, Leonel 179, 270
Brown, irmãos 101
Bruschera, Óscar 139
Buffon 58
Bulhões, Otávio Gouveia de 179
Bunker, Ellsworth 97
Burgin, Mirón 212, 214
burguesia nacional, papel de, na América Latina 137, 219, 242, 247-248, 257
Busaniche, José Luis 215
Bush 11, 166
Business International 284, 292, 295
Bustamante, Bernardo 140

Bustamante Maceo, Gregorio 299
Butler, Smedley D. 129

C

cacau 9, 48, 79, 98-99, 111-113, 193, 277, 313
Cademartori, José 168
Cady, John F. 215
café 9, 17, 67, 79, 84-85, 98-99, 106, 108, 111-113, 116-128, 131-134, 143, 153, 176, 182, 193, 202, 225, 227, 244, 250, 274-275, 277-278, 313, 318-319
café solúvel 277
Cairú, visconde de 234
Caldera, Rafael 183
California Oil Co. 188
  veja-se Standard Oil Co.
Cámpora, Héctor J. 310
Campos, Roberto 179, 247, 255, 260-261, 264
Canelas, Amado 269
Cañete y Domínguez, Pedro Vicente 36
Canning, George 201-202, 224
capitalismo 18-19, 41, 46-48, 84, 111, 115, 129, 132, 138, 193-194, 215, 230, 232, 234, 242-243, 261, 263, 287, 313, 324
Capitán, L. 29, 98
Capoche, Luis 36
Cárdenas, Cuauhtémoc 148
Cárdenas, Lázaro 147-148, 185, 244-245
Cardoso, Fernando Henrique 247
Cardozo, Efraim 218
Carías, Tiburcio 132
Carlos II 56, 99
Carlos III 64, 140
Carlos V 38, 41-43, 98, 102
Carmona, Fernando 53, 116, 144, 147-148, 254
Carneiro, Edison 103
Carpentier, Alejo 85
Carranza, Venustiano 145-146, 148

Carter, James 311
Cartwright 114
Caruso 107, 109
Casa Bayona, conde de 105
Casa de Contratação de Sevilla 39-41
Castelo Branco, Humberto 67, 159, 180-181, 187, 247, 251-252, 255, 268, 297
Castillo Armas 135-136
Castillo, Ramón 188
Castro, Fidel 92-93, 95, 184, 271
Castro, Josué de 20, 80
Catalán, Elmo 170
Caterpillar 292
Ceceña, José Luis 254
Central Única de Trabalhadores 275
CEPAL 113, 121, 152, 193, 240, 242, 246, 251, 253, 262, 273-274, 279, 285, 287-288, 290, 300, 315, 317, 321
Cepeda Samudio, Álvaro 130
Cervantes Saavedra, Miguel de 43
Cerviño 206
Cesarino, Márcio Leite 187
Chateaubriand, visconde de 228
Chávez Orozco, Luis 53, 209
Cheprakov, V. A. 263
Chile 22, 32, 46, 60, 81, 87, 113, 127, 132, 152, 158, 160, 164-171, 193, 202, 204-205, 208-209, 215, 231, 240, 243, 245, 248, 251, 256, 273-275, 278, 281-282, 287-288, 290, 295, 297-298, 300, 303-304, 308-310, 315, 318, 322, 324
Chinchilla, Ernesto 136
Chrysler 252
Churchill, Randolph 166
CIA 135, 160, 311
CIES 240
Clerc, Jean-Pierre 307
cobre 9, 17, 91, 131, 144, 157-158, 160-161, 165, 168-170, 202, 208, 274, 276-277, 280
coca 64, 175-176
Cochin, Augusto 98
Códice Florentino 33, 35
Colbert 40, 98
Colgate-Palmolive 295
Collier, John 55, 61
Colômbia 60, 79, 117, 119-120, 122-126, 129-130, 185, 245, 259, 272, 274, 278, 282, 289, 296, 299-300
Colombo, Cristóvão 27, 29, 77
Colombo, Diego 102
Columbia Journal of World Business 272
Comércio Exterior 211
comércio internacional
    destruição massiva da produção para defender os preços 122
    deterioração dos termos do intercâmbio 296
COMIBOL 176-177
Comitê Interamericano de Desenvolvimento Agrícola 116
Companhia Vale do Rio Doce 181
Concolorcovo 57
Conder, Josiah 56
Condori, Saturnino 176
Congresso Internacional de Geologia 178
Conjuntura Econômica 187, 281
controle da natalidade
    veja-se esterilização 21, 162
Corão 130
Corporação Venezuelana do Petróleo 196
Correio da Manhã 161-162, 187-188, 257
Correio do Povo 250
Cortez, Hernán 24, 29, 31-33, 35, 59-60, 144
Couriel, Alberto 13
Courtney, Philip 158
Couto e Silva, Golbery do 297
Cowley, M. 99, 101
crise de 1929 20, 88, 122, 132, 168
crise dos foguetes em Cuba 180

Crouzet, Maurice 41
Crowder (general) 89
Cruz, Artemio 142, 148
Cuadernos Americanos 193
Cuauhtémoc 36
Cuba 23, 31-32, 72, 77, 79, 83-97, 99, 101, 102, 104-105, 129, 160, 169, 180, 184-185, 202, 266-267, 280, 308, 319
Cueva, Agustín 313
Cúneo, Dardo 152, 216, 245, 249

D

Dantas, Maneca 112
Davis, Arthur 160
Dawson, Donald 190
De frente 288
Dell, Sidney 296, 300
Delwart, L 277
De Maistre 58
densidade de população 22
Departamento de Comércio dos Estados Unidos 241
De Paw, abade 58
Desarrollo 284
Desarrollo económico 209
desnacionalização 90, 190, 243, 247, 250, 255-256, 259, 261, 282, 291, 316
desnutrição 21, 99, 114, 150, 319
Díaz del Castillo, Bernal 29
Díaz, Porfirio 143-144
direito à primeira noite 82
direitos humanos 311, 324
divisão capitalista internacional do trabalho 17, 46, 84, 172, 241, 274, 277, 317
D'Olwer, Luis Nicolau 30
Domingo de Santo Tomás, frei 56
Donghi, Tulio Halperin 63
Dorchester, lorde 166
Dostoiévski, Fiódor 181
Duhalde, Eduardo Luis 213
Dulles, Allen 93, 135

Dulles, Foster 135
Dumont, René 31, 82
Dutch West India Co. 80
Dutra, Eurico 159
Duvalier, François 267, 314

E

economia colonial 46-47, 55, 61, 122, 165
Eisenhower, Dwight 22, 135
Eisenhower, Milton 246
Eldorado, mito do 31
Electric Bond and Share 241
Elliott, J. H. 28
Emerson 235
Emmanuel, A. 276
encomienda 59, 78
Engels, Friedrich 55
Enrique, príncipe 172
enxofre 159
Equador 22, 60, 79, 111, 113, 120, 130-131, 151, 274, 278, 282, 296, 298, 321
Erro, Enrique 186
Escalada 206
escravidão 55-56, 59, 68, 108, 117, 128, 143, 155, 223, 316
 escravos 23-24, 29, 41, 45-46, 48, 55, 62-63, 65, 69, 71-75, 77-81, 84, 86, 97-106, 114, 117, 130, 139, 155-156, 194, 202, 207, 221, 223, 234-235, 318
 rebeliões 80
 tráfico de negros 101, 102
Espanha 28-29, 31-32, 34, 39-46, 69, 90, 94, 98, 99, 155-156, 164, 202-204, 206, 299
Espártaco 103
Estados Unidos 11, 18-19, 21-22, 48, 66, 78-79, 85, 87-92, 94, 96-98, 101, 108, 113-115, 120-122, 126, 128-131, 133, 135, 137, 141-144, 154-163, 165, 168-170, 173-174, 177-186, 188-191, 195-197, 203,

207, 209, 225, 227, 231-232, 234-237, 240-243, 245-246, 249, 251-252, 256-257, 259-261, 263-274, 276-281, 283, 285, 289, 291, 295, 297, 299-301, 306, 308-312, 315, 317, 318
estanho 9, 49-50, 171-174, 177, 268-269, 274-275, 307, 316
esterilização 162
veja-se controle da natalidade
Estrada Palma, Tomás 90
Eximbank 179, 190, 263, 265, 271

F

Facó, Rui 151
Falcon Urbano M. A. 193
Fano, Faustino 249
FAO 21, 82, 95, 120, 149, 174
Fator 120
Favre, Henri 248
Felipe II 38, 41-43, 55
Felipe III 56
Felipe IV 44, 56
Felipe V 44
Fenster, Leo 285
Fernández de Oviedo 31
Fernando (de Aragão) 28
Ferns, H. S. 202
Ferreira, Luis Gomes 71
Ferré, Pedro 214
Ferrer, Aldo 278
ferro 17, 32, 38, 61, 75, 87, 91, 94, 99, 107, 132, 135, 158-159, 161, 177-181, 192, 197, 203, 207, 210-211, 214, 219, 222-223, 228, 230-232, 236, 239, 247, 269, 277
Fichas de investigación económica y social 244
Finot, Enrique 56
Firestone 294
Flores, Ana María 147
Flores, Edmundo 147
Flores, Venâncio 222
Florman, Irving 190

FMI 170, 256-258, 267, 271-273
Fohlen, Claude 235-236
Ford, Fundação 22
Ford, Henry 292
Ford Motor Co. 270
Foreign Office 167, 203
Fortune 171, 180, 293-294
France, Anatole 294
Francia, Gaspar Rodríguez de 219
Francisco Sugar Co. 93
Franco, Francisco 42
Frank, André Gunder 13, 48, 289
Frei, Eduardo 153, 169
Freitas, Décio 104
Frondizi, Arturo 188
Fuentes, Carlos 148
Függer 40
Furtado, Celso 46, 69, 80, 83, 87, 154, 207, 279

G

Gaceta de la Universidad 283
Gaitán, Jorge Eliécer 123
Galeano, Eduardo 67, 105, 135, 141
Gallegos, Rómulo 196
García, Antonio 280
García Calderón, Francisco 110
García, Gregorio 58
García Lupo, Rogelio 13
García Márquez, Gabriel 130
Garcilaso de la Vega, Inca 64
Garmendia, Salvador 197
Garrastazú Médici, Emílio 107
Garrison 128
gás natural 182, 189, 194
Gasparian, Fernando 257
Gastiazoro, Eugenio 279
General Electric 294-296
General Foods 277
General Motors 24, 251, 254, 285, 294, 301, 314
General Tire and Rubber Co. 295
Geological Survey 161

Gerassi, John 267
Gerbi, Antonello 58
Geyer, Georgie Anne 192
Ginés de Sepúlveda, Juan 58
Gómez, Juan Carlos 218
Gómez, Juan Vicente 195
González Casanova, Pablo 274
González, Natalício 218
Goodwin, Richard N. 191
Goodyear, Charles 108
Gorceix, Henri 75
Gordon, Lincoln 179-181, 311
Gorki, Máximo 181
Goulart, João 159, 179, 247, 268
Goya, Francisco de 312
Grace and Co. 295
Grande Khan Kublai 28
Grant-Suttie, R. I. 170
Grant, Ulisses 231
Great White Fleet 131
Gruening, Ernest 63
guano 9, 163-165, 202
Guatemala 22, 35, 67-68, 96, 115, 117-118, 127-128, 130-137, 231, 241, 267, 272, 274, 289, 319
Gudim, Eugenio 251
guerra
   da Coreia 180
   da Tríplice Aliança 217
   de Secessão 155
   do Chaco 189
   do Ópio 209, 224
   do Pacífico 163
   dos comuneros 41
   Primeira Guerra Mundial 118, 167, 312
Guerrero, Vicente 209
Guevara, Ernesto Che 89, 97, 147, 160
Guilherme, kaiser 312
Güiraldes, Ricardo 213
Gulf Oil Co. 189-190
Gunther, John 269
Gutiérrez Ruiz, Héctor 308
Guzmán Campos, Germán 123, 125
Guzmán, José 136

H

Habsburgo, dinastia dos 41, 43-44
Haiti 22, 77, 79, 83-85, 102, 105, 117, 119, 129-130, 267-268, 313-314
Hamilton, Alexander 234
Hamilton, Earl J. 39
Hancock 108
Hanke, Lewis 59, 155
Hanna Mining Co. 75, 159, 178
Harlow, Vincent T. 84
Harvey, Robert 165-167, 172, 183, 185, 193
Hawkes, Jacquetta 34
Hawkins, John 99
Hearst, William Randolph 144
Hegel, Wilhelm 58, 155
Henderson, Douglas 269
Herbert, Jean-Loup 68, 127
Hernández, José 213
Hernández Martínez, Maximiliano 132
Herrera, Felipe 294
Hidalgo, Miguel 63, 138, 143
Hochman, Elena 193
Hochschild 177
Hopkins 219
Horton Box, Pelham 218
Huallpa 38
Huáscar 33
Huayna Cápac 37
Huberman, Leo 130
Huerta, Victoriano 145
Humboldt, Alexander von 24, 48, 53-54, 62, 204, 210
Hume, David 58
Humphrey, George 179

I

IADSL 181
Ianni, Otávio 247
IBM World Trade 295
igreja católica 221
   papado 29, 58-59, 130-131
   propagação da fé 30
Illia, Arturo 189

ILPES 246, 275
incas 32-34, 37, 51, 56, 59-62, 64
índios, extermínio dos 144
industrialização 20, 83, 98, 110, 116, 156, 210, 234, 236, 240, 242, 244-245, 274, 279, 286, 289, 317
Inglaterra 22, 41-44, 73-74, 78, 85, 88, 97-102, 110, 113-114, 155-156, 164, 166, 173, 188, 192, 202, 207-209, 214-215, 218, 224, 228, 231-234, 236-237, 276
Inglis 166
Instituto Brasileiro de Reforma Agrária 151
Instituto Brasileiro do Café 319
Instituto de Economia da Universidade do Uruguai 152
International Commerce 261, 264-265, 270, 279
International Mining Processing Co. 177
International Petroleum Co. (IPC): 191-192
veja-se Standard Oil Co.
International Telephone and Telegraph Corp. 241, 270
Isabel de Castela 28
Isabel I de Inglaterra 28-29, 32

J

Jagan, Cheddi 160
Jalée, Pierre 274
James, William 130
Javits, Jacob 270
Jenks, Leland H. 90
João V 75
Johnson, Lyndon 22, 180, 291
Jolly, Richard 91
Jornal do Brasil 290
Jornal do Comércio 279
Jovellanos 140
Julien, Claude 129, 158

K

Karol, Kewes S. 92
Kaufmann, William W. 202
Keith, Minor 130
Kennecott Copper Co. 168
Kennedy, John R. 262, 267
Kindleberger, C. P. 295
Kirkland, Edward C. 154, 232
Klochner 173
Kodak 294
Kossok, Manfred 202
Koster, Henry 81
Krehm, William 130, 133, 193
Kruel, Riograndino 162
Kubitschek, Juscelino 250

L

Lacerda, Carlos 268
Lafone, Samuel 215
Lagos Escobar, Ricardo 248
Lagos, Gustavo 284, 292
Landau, George 283
Lane, Arthur Bliss 133
La Razón 281
Larramendi 206
Las Casas, Bartolomé de 58
Las Heras 206
latifúndio 20, 75, 78, 80, 82, 84, 106-107, 117, 127, 130, 138, 148-149, 154, 215, 221, 224, 286
Leclerc, general 85
Lecor, José 139
Lecuona 97
Lee, Robert 231
Leis das Índias, recopilação de 57
Lênin, Vladimir I. 239, 261
León Pinelo, Antonio de 30
León-Portilla, Miguel 33-34, 36
Lepkowski, Tadeusz 84
Letelier, Orlando 308-309
Levene, Ricardo 206
Lever 252
Levi, Herbert 120
liberalismo 138, 210, 219, 234

ÍNDICE REMISSIVO 335

Lichtensztejn, Samuel 13
Lieuwen, Edwin 158
Life 21
Lima Junior, Augusto de 71
Liñán y Cisneros 55
Lincoln, Abraham 128
Link, Walter 187
Lisboa, Antônio Francisco, o Aleijadinho 75
List, Friederich 209
Liverpool Nitrate Co. 166
Lízano F., E. 295
Lleras Restrepo, Carlos 120
Loaysa, frei Rodrigo de 57
Lobckowitz, príncipe 172
London Gazette 100
Long, Huey 189
Lopes, Lucas 179
López, Carlos Antonio 218
López, Francisco Solano 218-220, 223
López Rosado, Diego 53
Lorin, Henri 29, 98
Louisiana Planter 90
Luis XIV 98
Luís XVIII 228
luta interimperialista 188
Lynch, John 44

M

Machado, Simão Ferreira 70
madeiras 87, 102, 109, 220, 276
Madero, Francisco 145
Magalhães, Fernão de 30, 32
Magdoff, Harry 158, 161, 181, 271, 277
Maggiolo, Oscar J. 283
maias 33-34, 60, 65, 68, 144
Malthus 21, 22, 163
Manchester, Allan K. 74
Mandel, Ernest 45
manganês 91, 107, 158-161, 178
Mannix, Daniel P. 99
Mann, Thomas 268
Mantel, Ida May 315
Marcha 107

Marco Polo 28
Margarita, princesa da Dinamarca 172
Margulis, Mario 217
Maria Carolina de Jesus 320-321
Mariátegui, José Carlos 115-116, 164-165
marines 23, 96, 129, 131, 145, 169, 263, 291, 298
Marmolejo, Lucio 53
Martí, José 88-89
Martínez Arzanz y Vela, Nicolás de 36
Martins, Luciano 247
Marx, Karl 323
Matienzo 38
Mawe, John 72
Mayflower 18, 155, 234
Mayobre 294
Maza Zavala, D. F. 149
Mazzilli, Rainieri 180
McCloy, John J. 272
McKinley 90
McNamara, Robert 21, 22, 312
Mead Johnson 252
Medicis, Lorenzo de 30
Medinaceli, duque de 43
Mejia, Pedro Esteban 193
Melgarejo, Mariano 173
Mellon (grupo financeiro) 270
Melogno, Tabaré 139
Melville, Thomas 136
Méndez, Aparício 324
Méndez Montenegro, Julio César 134-135
Mercado Comum Centro-Americano 291, 295
mercantilismo capitalista 30, 45, 55
mercúrio 39, 49, 56-57, 161, 210
metais preciosos 18, 28, 45-46, 71, 155
  veja-se
  ouro; prata
Methvin, Eugene 181
México 20, 30-36, 39, 41, 45-46, 48-49, 53-55, 58, 60-63, 66-69, 80, 82, 87, 111, 114-116, 121, 127-129, 135, 138, 142-148, 154, 159,

184-186, 191, 193, 204, 207, 209-211, 231-232, 235-236, 241-244, 246-249, 253-254, 261-262, 267, 273-274, 276-280, 282, 284-285, 287, 289-291, 294-295, 297, 300-301, 313, 315-319
Meyer-Abich, Adolf 62
Michelini, Zelmar 308
Mieres, Francisco 182
Miguel de São Francisco, frei 71
minerais
   radioativos 161-162
minifúndio 127, 149
   veja-se latifúndio
Miranda, Ricardo 136
mita 57, 61, 65
mitayo 49
Mitre, Bartolomé 217, 222-223
Molins, Jaime 36
Monbeig, Pierre 119
Monde, Le 307
Montejo, Esteban 72, 104
Montesquieu 58
Montezuma 31, 33, 35
Monthly Review 81, 103, 158, 160, 271
Mora, José María Luis 53
Moreno Fraginals, Manuel 86, 88
Morgan 128
mortalidade infantil por causas sociais 137, 268, 309, 321
Moscoso, Teodoro 267
Mourão Filho 224
Mousnier, Roland 41
Mujica, Héctor 193
Murphy, Robert Cushman 164

N

nacionalismo
   militar 192
NACLA Newsletter 190, 270, 281
Nahum, Benjamin 86
napalm 192
nascente 47, 55, 84, 150
National Biscuit 295

National Catholic Reporter 136
National City Bank de Nova York 130, 227, 270
Nation, The 308
Neruda, Pablo 219
Nestlé 92, 277
New York Post 192
New York Times 172, 253, 278
Nicarágua 65, 115, 128-129, 131-133, 135, 274, 308
Nicolau, Sergio 253
Nicro-Nickel 160
Nieto Arteta, Luis Eduardo 123
Niobium Corp. 163
níquel 91, 94, 158, 160
Nixon, Richard 19, 21, 265-266
Nolff, Max 91
Normano, J. F. 207
North, John Thomas 165-166
Núñez Jiménez, A. 91

O

O'Brien, F. S. 287
O'Connor, Harvey 183, 185
OEA 19, 86, 89, 135, 240-241, 258, 262, 265-267, 278, 283, 286
O Estado de São Paulo 180, 264
Oliva Aldana, irmãos 136
Oliveira, Franklin 82
Oliveira, João Fernandes de 72
Oliver, Covey T. 17
Onganía, Juan Carlos 151, 189, 247, 253
Ongaro, Raimundo 288
ONU 19, 82, 113, 125, 193, 275, 287-288
Organização Internacional do Trabalho 321
Ortega, Leonardo Montiel 193
Ortega Peña, Rodolfo 213
Ortiz, Fernando 77
Osuna, grão-duque de 44
Otero, Blas de 304
Otero, Gustavo Adolfo 34, 40

Ots Capdequí, J, M. 30, 59
ouro 9, 17-18, 27-28, 30-31, 35-39, 41, 43-46, 52-55, 57, 60, 62, 65-66, 68-75, 77-80, 93, 98, 111-112, 114, 121, 133, 142, 153, 156, 159, 161-162, 170, 178, 182, 196, 203, 209, 215, 229, 233-234, 241, 291, 299, 318
Ouro Preto 18, 68-72, 75, 78
Ovando, Alfredo 173, 190-191

P

Pacto Andino 297
Paixão, Moacir 251
Palmares 103-104
Palmer, Bruce 96
Panamá 38, 129-131, 228, 259, 274, 299, 308, 312, 315
Pan American Sulfur 159
Panorama 267
Panorama económico latinoamericano 119
Paraguai 22, 59, 79, 115, 118, 139-140, 189, 213, 217-227, 229, 231, 296-297, 299
Parera Dennis, Alfredo 244
Parish, Woodbine 206
Parson e Whittemore 309
Partido Colorado (Paraguai) 224
Partido Conservador 166
Partido Liberal 124
Passos, John dos 131
Patiño, Antenor 172
Patiño, Simón 171
Patman, Wright 281
Paulo III 58-59
Paz Sánchez, Fernando 148
pecuária 49, 81, 133, 141-142, 152, 230
pedras preciosas 30, 37-38, 74
  diamantes 35, 38, 49, 72, 74, 114, 153, 161-163
Pedro II 112, 223, 225
Pedrosa, Mário 180
Pellegrini, Carlos 249
Pemex 186

Peñaloza, Chacho 217
Pereira, José Luiz Bulhões 179
Pereira, Osny Duarte 101, 178
Pereyra, Carlos 218
Pérez Acosta, Juan F. 218
Pérez Alfonso, Juan Pablo 307
Pérez de Holguín, Melchor 50
Pérez Jiménez, Marcos 196
pérolas 28, 30, 38, 99, 210
Peró, Mariano 173
Perón, Juan Domingo 152, 188, 244, 310
Perpiñá y Pibernat, Juan 105
Peru 22, 32, 36-37, 41, 48, 60, 63, 87, 110, 115-116, 138, 153, 159, 164-165, 191, 202, 204, 215, 248, 255, 259, 268, 274, 278, 282, 300, 307, 315, 318
petróleo 9, 17, 111, 117, 144, 157-159, 182-197, 226, 230, 236, 239-241, 246, 250, 268, 274, 280, 306-307, 311, 321
Petróleos da Venezuela 306
petroquímica 187, 226, 250, 252-253, 269
Pflaum, Irving 267
Philips Brothers 159
Philips of Eindhoven 295
Phillips Petroleum 250, 271
Pía de Saboya, María 172
Pierce, Harry H. 235
Pike, Frederick B. 268
Pineda Yáñez, Rafael. 33
Pinheiro, Aurélio 107
Pino 91
Pinochet, A. 308-309, 311-312, 324
Pinto, Mário da Silva 179
Pizarro, Francisco 31-33, 36
Pizarro, Gonzalo 31, 52
Plano Marshall 180, 192
Platão 22
Plaza, Pedro 93
Plaza, Salvador de la 193
Plymouth 18

Polk, Judd 295
Pollner, Marco D. 274
Pombal, Marquês do 74
pongos 63-64
Portugal 32, 45, 73-75, 98, 102-103, 109, 155, 156, 299
Posadas, Gervásio A. de 216
Potosí 18, 31, 36-39, 48-53, 56-58, 61, 64, 68, 70-71, 73, 78, 164, 194
Prado, Bartolomeu Bueno do 104
Prado Júnior, Caio 114
prata 9, 17, 27-28, 30-31, 35-46, 48-58, 60, 62, 64, 68, 73, 77-78, 100, 142, 156, 159, 161, 164, 170, 173, 203, 215, 233, 299, 318
  ciclo da 36, 48
  economia da 49
Prats, Carlos 308
Prebisch, Raúl 284, 294
Prêmio Nobel 129
Priestley 108
Primeira Conferência de Comércio e Desenvolvimento 21
Procter and Gamble 295
prostituição infantil 82
protecionismo e livre-câmbio 121-122, 138, 208-209, 211, 214-217, 221, 224, 231, 235, 237, 276
Pueyrredón 206

Q

Quadros, Jânio 159, 179
Queiroz, Maurício Vinhas de 251
Quesada, Vicente G. 36
questão agrária 138, 211, 216
Quijano, Carlos 278
Quintero, Rodolfo 193
Quiroga Santa Cruz, Marcelo 191

R

Raleigh, Walter 31
Rama, Germán 126
Ramírez Necochea, Hernán 165-166, 205, 208
Ramos, Graciliano 106
Ramos, Jorge Abelardo 43, 221
Rangel, Domingo Alberto 111, 193
Reader's Digest 134, 181
Real Companhia Guipuzcoana 193
rebelião do Contestado 231
Rédé, barão Alexis de 172
Reno, Philip 103, 160
República Dominicana 77, 96, 97, 129-130, 274, 315
Retondo, J. Eduardo 230
Revista de Historia Americana y Argentina 216
Revista del Banco Central de Costa Rica 295
Revista do Instituto de Ciências Sociais 251
Revista Jurídica 191
revolução cubana 23, 259
revolução francesa 85
revolução haitiana 84
revolução mexicana 124, 270
Reyes Abadie, Washington 139
Ribeiro, Darcy 13, 35, 61, 128, 154, 318
Rippy, J. Fred 228
Rivadavia, Bernardino 222
Rivera, Fructuoso 65
Rivera Indarte, José 215
Robertson 166
Robertson, G. P. 139
Robertson, J. P. 139
Rockefeller (c. 1870) 183
Rockefeller, David 269
Rockefeller, grupo 183, 250, 259
Rockefeller, Nelson 185, 266
Rockefeller, Peggy 269
Rodrigues, Nina 103
Rodríguez, Amancio 93
Rodríguez, Caridad 93
Rodríguez, Josefina 93
Romanova, Z. 289
Romero, Emilio 164, 204
Roosevelt, Teddy 129, 299
Rosa, José Maria 218

Rosas, Juan Manuel de 214
Rosenstein-Rodan 296
Rothschild, banca 218
Royal Dutch Shell 185, 306
Ruas, Eponina 75
Ruiz García, Enrique 89

S

Sacro Império 41
Sadosky, Manuel 283
Sahagún, frei Bernardino de 33-34
Saint John Mining Co. 178
sal 28, 46, 67, 81, 234, 239, 320, 324
Salinas de la Torre, Gabriel 53
salitre 9, 18, 163-168, 170
Samhaber, Ernst. 164
Sandino, Augusto César 132
San Martín, José de 299
Santos, Joaquim Felício dos 72
Santos Martínez, Pedro 206
Sanz de Santamaría, Carlos 264
Sarmiento, Domingo Faustino 216-217, 219
Sartre, Jean-Paul 92
Scalabrini Ortiz, R. 228-229
Schilling, Paulo 13, 151, 251
Schnerb, Robert 229
Scotch 258
Seers, Dudley 91
Selser, Gregorio 129, 132
Sepe (cacique charrúa) 65
sertão 81-82, 106, 108
Servan-Schreibet, J. J. 243
servidão, regime de, 56, 60, 117, 184, 298, 324
    veja-se escravidão
Seuret 91
siderurgia 159, 220, 236
Siekman, Philip 180
Siemens 295
Silva, Francisca da 72
Silva, Haroldo 136
Silva Herzog, Jésus 143, 186
Silveira, Cid 120

Simca 252
Simonsen, Roberto C. 74, 105, 114, 122
sindicatos 23, 134, 181, 247, 290, 309-310
sisal 65-66, 79, 143-144
Sistema Bancos de Comércio 53
Smith, Adam 98, 210, 234
Smith, Earl 90
Smith, Walter Bedell 135
Sociedade Rural 152-153, 244-245, 249
Sodré, Nelson Werneck 268
Solórzano, Juan de 56
Somoza, Anastasio 132-133
Souza, Martim Afonso de 32
Stacchini, José 180
Standard 222
Standard Oil Co. 144, 159, 182-187, 189, 191-193, 195-196, 252, 255, 270, 306
Stavenhagen, Rodolfo 148
Sterling Products 295
Stockpole, marquês de 166
Strangford, lorde 224
Stroessner, Alfredo 224-227
subimperialismo 225, 297
Suíça 19, 113, 142, 172, 315, 318
Sweezy, Paul 184, 243, 263

T

tabaco 9, 72, 77, 84-86, 88, 98, 111, 123, 139, 143, 156, 214, 220, 230-231, 236, 277
Taft, William H. 128
Tanzer, Michael 185
Tavares, Maria da Conceição 246
Taylor, Kit Sims 81
Tecum 34
Tennessee Coal and Iron Co. 236
Teófilo, Rodolfo 106, 108
Terra, Gabriel 186
Texaco 183, 185-186, 193
Texas Gulf Sulphur Co. 159
The Budd Co. 271
The Chase Manhattan Bank 252, 259, 272

The First National City Bank de Nova York 270
The Miami Herald 268
The New Yorker 191
The Nitrate Railways Co. 167
The Times 223
The University Society 205
Thornton, Edward 222
Tijuco 72
Time 119, 133, 161, 196
Tlatelolco, Autores anônimos de 34
Toledo, vice-rei 64
Tolstói, León 181
Tomic, Radomiro 171
Torquemada 41, 323
Torre, Nelson de la 140
Torres, Juan José 308, 310
Torres-Rivas, Edelberto 127, 132
Toussaint-Louverture, general 85
Tratado de Methuen 73
Tratado de Tordesilhas 32
Trías, Vivian 13, 216
trigo 49, 62, 115, 127, 141, 152, 164, 275
Túpac Amaru 59, 61-63
Turner, John Kenneth 66, 143-144
Tuthill, John 181

U

Uruguai 22, 65, 86, 115, 138-142, 151-152, 186, 218, 222-223, 231, 245, 262, 266, 274-275, 277, 280, 292, 294-297, 304, 308-310, 315, 318, 320, 322-323

V

Valcárcel, Daniel 62
Valdivia, Pedro de 32
Vann Woodward, C. 236
Varela, Felipe 213
Vargas, Getúlio 120, 178, 244, 246
Vargas Llosa, Mario 110
Vázquez Franco, Guillermo 32
Vega Díaz, Dardo de la 213

Veja 311
Velasco Alvarado, Juan 63, 115, 159, 191, 248, 255, 307
Velázquez, Jaime 136
Véliz, Claudio 209
Venezuela 22, 30, 48, 111, 151, 159, 177, 178, 182, 184, 188, 192-197, 262, 274, 300, 306-307
Vera, Mario 170
Vespúcio, Américo 30
Vicens Vives, J. 42
vice-rei do México 58
Vice-Reinado do Rio da Prata 299
Vidart, Daniel 13
Videla, J. 311, 314
Viedma, Francisco de 205
Vieytes 206
Villa, Francisco (Pancho) 124, 145
Villarroel, Gualberto 173
Viñas, David 65
Viñas, Ismael 246
Visión 33
Vitória, rainha da Inglaterra 173
Volkswagen 251-252, 254, 281, 306, 318
Voltaire 58

W

Walker, William 128
Wall Street Journal 264
Walsh, Rodolfo 314
Washington, George 101, 235
Washington Post 137
Washington Star 180
Watson Webb, James 207
Watt, James 97, 101, 114
Wettstein, German 142
Wickham, Henry 109
Williams, Eric 99, 101
Williams, Harvey and Co. 172
Willys 252, 292
Wilson, Henry Lane 145
Wilson, Woodrow 18
Windsor, duque de 172

Windsor, duquesa de 172
Wionczek, Miguel S. 278, 282
Womack JR., John 146
Wood, Leonard 90
Woods, George D. 272
Wyeth 252

Y

Ya 267
Ybargoyen, Hipólito 188
Ydígoras Fuentes, Miguel 267
York, duque de 99
YPF 188
YPFB 190

Z

Zander, Arnold 160
Zapata, Emiliano 66, 124, 142, 144-148
Zavala, Lorenzo de 209
Zavaleta Mercado, René 189
zinco 157-159, 161, 168, 269
Zumbi 104